유튜브 · 공모전 · 선거 영상콘텐츠 제작을 위한

영상 기획 실무
프리미어 프로
애프터 이펙트
CC

김기범, 김경수 지음

YoungJin.com Y.
영진닷컴

▶ 유튜브 · 공모전 · 선거 영상콘텐츠 제작을 위한

영상 기획 실무
프리미어 프로
애프터 이펙트
CC

ISBN : 978-89-314-6561-7

독자님의 의견을 받습니다.
이 책을 구입한 독자님은 영진닷컴의 가장 중요한 비평가이자 조언가입니다. 저희 책의 장점과 문제점이
무엇인지, 어떤 책이 출판되기를 바라는지, 책을 더욱 알차게 꾸밀 수 있는 아이디어가 있으면 이메일,
또는 우편으로 연락주시기 바랍니다. 의견을 주실 때에는 책 제목 및 독자님의 성함과 연락처(전화번호
나 이메일)를 꼭 남겨 주시기 바랍니다. 독자님의 의견에 대해 바로 답변을 드리고, 또 독자님의 의견을
다음 책에 충분히 반영하도록 늘 노력하겠습니다.

파본이나 잘못된 도서는 구입처에서 교환 및 환불해 드립니다.

이메일 : support@youngjin.com
주　소 : (우)08507 서울시 금천구 가산디지털1로 128 STX-V타워 4층 401호

STAFF
저자 김기범, 김경수 | **총괄** 김태경 | **진행** 성민 | **디자인 · 편집** 김소연 | **영업** 박준용, 임용수, 김도현
마케팅 이승희, 김근주, 조민영, 김민지, 김도연, 김진희, 이현아 | **제작** 황장협 | **인쇄** 제이엠프린팅

'창의적 영상 기획'과 '실무 예제'의 중요성

프리미어 프로와 애프터 이펙트, 포토샵은 영상콘텐츠 제작을 위한 '3박자 소프트웨어'입니다. 이 3개의 소프트웨어만 있으면 대부분의 영상과 디자인 콘텐츠를 만들 수 있습니다. 특히 어도비(Adobe) 회사라는 공통점이 호환성과 효율성을 보장합니다. 그러나 정기적으로 업그레이드되는 버전으로 인한 불편함도 있습니다. 이 안에는 수백 가지의 툴과 수천 가지의 플러그인과 수억 가지 이상의 응용 테크닉이 있습니다. 이 모든 것을 소화하려면 평생을 공부해도 시간이 부족할 겁니다. 설령 이 많은 기능을 모두 배웠다고 해도 경쟁력 있는 영상 작품을 만들 수 있다는 보장이 없습니다.

일반적인 영상 디자인의 목표는 '홍보'입니다. 이를 위해서 3가지 소프트웨어 툴을 배우는 것과 함께 영상 기획, 영상 디자인, 영상 편집의 경험이 필요합니다. 이것이 '실무'입니다. 입문자들은 화려한 기술에 관심이 많습니다. 하지만 '영상 기획'이 부족하면 어떤 홍보 효과도 기대할 수 없습니다. 대형 프로덕션에서는 개인의 한 분야만 잘하면 되지만, 1인 미디어 시대에는 기획부터 편집까지 모든 것을 혼자 담당해야 합니다. 따라서 최소한의 '영상 기획'과 꼭 필요한 '소프트웨어별 장점'을 활용할 수 있는 실무를 배워야 합니다. 그런데 일반 사용자들은 어떤 방법이 창의적인 영상 기획인지, 활용도가 높은 기능인지를 알 수 없습니다. 이 책에 그 실무를 담았습니다.

실무 예제란 공모전에서 1등과 같은 뚜렷한 목표, 즉 전쟁과 같은 실전 경험의 사례입니다. 이 책의 예제들은 DDL(Digital contents Development Laboratory) 연구실의 학생들과 필자가 지난 20년 이상 콘텐츠 공모전의 1등에 도전하고, 이 중에서 수상(총 220여 건 수상, 10회 장관상)한 작품과 유튜브 영상, 선거홍보 영상 등을 분석하여 활용도가 높은 실무 예제입니다. 독자 여러분이 이 책의 예제를 끝까지 따라한다면 창의적인 영상 기획 방법과 함께 영상 편집 소프트웨어의 특성을 이해할 수 있으리라 여깁니다.

한편 영상은 '감동'을 나눌 수 있는 최고의 수단이기도 합니다. 짧은 시간 안에 여러 사람을 웃길 수도 있고, 울릴 수도 있으며, 초등학교 회장부터 대통령까지 당선시킬 수도 있는 게 영상콘텐츠입니다. 또한 유튜브 사업도 할 수 있습니다. 결국, 사람의 마음을 움직일 수 있는 최고의 수단이 '영상콘텐츠'입니다. 독자 여러분도 영상을 통해 감동을 전하고, 보람을 느낄 수 있는 창의적인 영상을 제작하길 바랍니다.

Thanks 1.

저는 월화수목금금금 쉬지 않는 DDL이 있었기에 이 책을 완성했습니다. 교수님은 힘들 때마다 '대구의 공모전'과 '박사학위 논문'을 생각하라고 했습니다. 도저히 안 된다고 생각했을 때, 주변인들이 우리를 외면했을 때 DDL과 저는 해냈기 때문입니다. 한 작품 한 작품에 최선을 다하고 이 책에 그 흔적을 남깁니다. 여러 가지 부족함도 있지만, 그래도 한 걸음 한 걸음씩 앞으로 나아가고 있습니다. 어려운 순간이면 어김없이 날을 세면서 저를 지도해주신 김경수 교수님께 감사드립니다. 앞으로도 함께 가겠습니다.

전남대학교 문화콘텐츠학부 강사, DDL 연구실 실장 **김기범** 박사

Thanks 2.

수백 회의 공모전과 선거, 홍보영상 등에 땀 흘렸던 DDL의 졸업생들, 특히 승희, 연옥, 현주와 여러 제자에게 진심으로 감사와 미안한 마음을 전합니다. 특히, 휴일도 방학도 연말도 없이 저의 곁을 떠나지 않고 DDL의 1호 박사가 되어준 김기범 박사에게 고마운 마음을 전합니다. 앞으로도 김 박사가 날개를 달고 더 높은 곳으로 날아갈 수 있도록 최선을 다하겠다는 다짐을 합니다.

전남대학교 문화전문대학원 미디어콘텐츠 · 컬처테크전공 **김경수** 교수

📖 미리 보기

이 책은 영상 편집에 사용되는 프로그램인 프리미어 프로, 애프터 이펙트를 각각의 Part로 나누어 설명하고 있습니다. 각 Part의 시작 부분에는 Intro 코너를 마련하여 Part에서 다루는 전반적인 내용을 한눈에 파악할 수 있도록 하였고, 따라하기 단계에서 필요한 부연 설명이나 주의해야 할 사항은 'Tip'으로 자세히 소개하고 있습니다.

• 핵심 내용
섹션의 시작 부분에 배치하여 섹션 안에서 어떤 내용을 다루는지 한눈에 파악할 수 있도록 구성합니다.

공모전 수상 예제 •
본 도서에서 진행하는 모든 예제는 실제 공모전에서 수상한 작품들로 해당 예제가 출품된 공모전을 소개합니다.

• STORYBOARD
섹션에서 배울 예제의 완성 파일을 스토리보드 형식으로 소개합니다.

• 핵심 기능
섹션에서 학습에 사용하는 핵심 기능을 미리 알려줍니다.

준비/완성 파일
따라하기 과정에 필요한 준비 파일 및 완성 파일의 경로를 소개합니다.

따라하기 과정
하나하나 쉽게 따라할 수 있도록 자세하게 설명합니다.

TIP
따라하기 과정에서 주의 또는, 참고해야 할 사항을 알려주거나, 저자만의 알짜배기 노하우를 공개합니다.

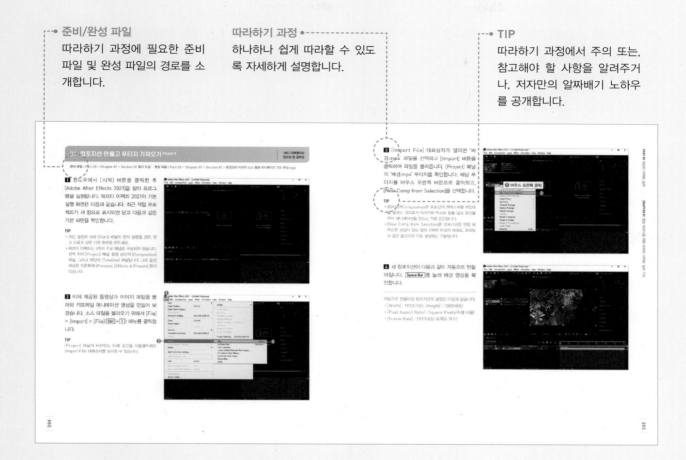

이 책을 보는 방법

이 책의 예제들은 '스토리'가 있고, '이미지+텍스트+사운드'가 함께 어우러진 '실무 예제'입니다. 이 특성을 파악하고 예제의 소스나 기법을 활용하면 창의적인 영상 결과물을 제작할 수 있을 것입니다. 단순한 '기능' 외에 '실무'에 도움을 받기 위해서는 다음과 같은 프로세스가 필요합니다.

> 첫째, '실무 예제'를 따라하기 전에 완성 결과물을 확인하고, '이미지', '텍스트', '사운드' 각각의 소스를 분석합니다.
> 둘째, 책의 설명(ex: 수치 입력)대로 따라한 후에 다른 방법(ex: 직접 이동 방식)으로도 제작합니다.
> 셋째, 책에서 제공한 예제가 아닌 다른 예제(ex: 부록의 다른 파일)에 동일한 기능을 적용합니다.

마지막으로, 자신의 **레포트, 공모전, 프로젝트 등 실전에 도전해서 이를 활용**합니다.
이러한 과정을 거친다면 비로소 자신만의 '실무'를 완성할 수 있습니다
독자 여러분이 이 책의 예제를 통해 창의적으로 응용하고, 다양한 실무에 활용할 수 있기를 기대합니다.

부록 파일 소개

이 책의 부록 파일에는 본문에서 사용하는 준비 파일과 완성 파일이 수록되어 있습니다. 부록 파일을 다운로드한 후 압축을 해제하여 사용하면 됩니다.

● 부록 파일 사용 방법

PART 01 영상 기획 실무

[영상 기획 실무]에 포함된 포토샵 내용에서 활용 가능한 준비 파일과 작업 완성 파일이 수록되어 있습니다.

PART 02 프리미어 프로 실무

[프리미어 프로 실무]에서 사용하는 준비 파일과 작업 완성 파일이 수록되어 있습니다.

PART 03 애프터 이펙트 실무

[애프터 이펙트 실무]에서 사용하는 준비 파일과 작업 완성 파일이 수록되어 있습니다.

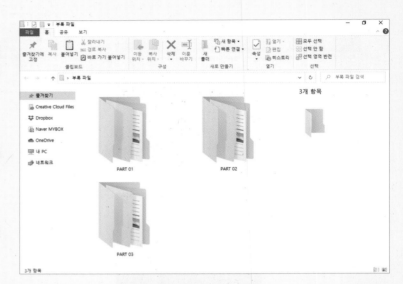

● 홈페이지에서 부록 파일 다운로드받는 법

이 책의 부록 파일은 영진닷컴 홈페이지(www.youngjin.com)의 [고객센터]-[부록 CD 다운로드] 게시판에서 검색 창에 도서명이나 키워드를 입력한 후 다운로드 받아 사용하실 수 있습니다.

INDEX

목차

Chapter 02 영상의 자막 편집 실무 기초 **177**

Section 01 기본 자막 만들기 ·· 178

○○대학교 총장선거 프레젠테이션 영상 중 일부분

Section 02 자막 이동 실무 ··· 191

○○대학교 총장선거 프레젠테이션 영상 중 일부분

Section 03 자막 확대 실무 ··· 205

○○대학교 총장선거 프레젠테이션 영상 중 일부분

Chapter 03 컴포지션 레이어 실무 · **473**

영상 기획 실무

:: Chapter ::

창의적
영상 기획 & 디자인

왜 '창의적 영상 기획'인가?

1인 미디어 시대입니다. 과거의 영상콘텐츠는 방송국의 전유물이었지만, 현재는 스마트폰 하나만 있으면 누구나 영상콘텐츠를 만들고 유튜브 등을 통해 전 세계에 송출할 수 있는 세상입니다. 그러나 매일 홍수처럼 쏟아지는 영상콘텐츠 중에서 살아남는 콘텐츠는 많지 않습니다. 특히 홍보용 영상콘텐츠는 목표 달성이 간단치 않습니다.

이를 위해서는 영상 편집과 함께 '영상 기획'이 매우 중요합니다. 일반 입문자들은 영상 편집에 대한 관심이 높지만, 다수의 실무 경험 이후에는 창의적인 영상 기획의 중요성에 대해 절감합니다. 편집 기술도 중요하지만, 기획과 디자인이 부족하면 제작 시간도 많이 소요되고 홍보 효과가 떨어지기 때문입니다.

영상콘텐츠 제작 과정에서 시행착오는 필연적이고, 이를 줄이는 방법이 기획입니다. 이를 해결하기 위해서 필자는 지난 20년 이상 수백 회 이상 영상 기획의 방법에 대해 수정하고 체계화하여 다음과 같은 '창의적 영상 기획 방법론(333 프로세스 실무)'을 제시합니다.

창의적 영상 기획 방법론(333 프로세스 실무)

창의적 영상 기획 방법론(333 프로세스 실무)은 3가지 소스 중 하나를 시작으로, 3개의 소프트웨어를 통해 데이터를 추출하고, 3단계의 스텝과 편집으로 마무리하는, 즉 '콘셉트 기획 ▶ 디자인 기획 ▶ 에디팅(편집) 기획'이라는 영상 스토리텔링 프로세스입니다. 이 기획의 특징은 초반에 모든 기획을 끝내고 영상 편집에 들어가는 것이 아니라, 처음부터 마지막 단계에 이르기까지 영상 기획을 통해 완성도를 높여가는 실무적인 영상콘텐츠 기획 방법론입니다.

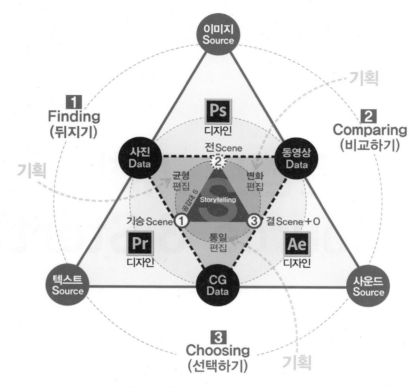

333 프로세스 실무(창의적 영상 기획 방법론)

1. 콘셉트 기획

영상콘텐츠의 3가지 Source인 이미지 Source, 텍스트 Source, 사운드 Source를 뒤지고(Finding) ▶ 비교하고(Comparing) ▶ 선택하는(Choosing) 시작 단계의 기획입니다.

2. 디자인 기획

영상콘텐츠의 3가지 주요 Software인 Photoshop, Premiere Pro, After Effects 중 최적의 소프트웨어를 선택하여 3가지 Data인 사진 Data, 동영상 Data, CG Data를 촬영 또는, 제작하는 단계의 기획입니다.

3. 에디팅(편집) 기획

영상콘텐츠의 3가지 Scene인 기 · 승(발단 · 전개), 전(절정), 결(결말) Scene을 각각 3가지 STEP인 균형, 변화, 통일에 맞추어 수정 편집하여 시퀀스로 완성하는 마지막 단계의 기획입니다.

위의 333 프로세스는 공모전 영상, 선거 영상, 유튜브 홍보 영상 등 영상콘텐츠의 목표 달성을 위한 방법론입니다.

01

콘셉트 기획
(3 Source-3 Start)

콘셉트 기획(3 Source-3 Start)은 영상콘텐츠의 3가지 Source(이미지 Source, 텍스트 Source, 사운드 Source) 중 하나의 소스를 중심으로 뒤지기(Finding) ▶ 비교하기(Comparing) ▶ 선택하기(Choosing)로 영상 기획을 시작(Start)하는 1단계 기획입니다. 이것은 기획의 기본이 되는 과정으로, '성공의 법칙'처럼 중요합니다. 그 이유는 많이 뒤질수록, 많이 비교할수록, 더 좋은 선택을 할 가능성이 높아지기 때문입니다. 이 중에서 '뒤지기(Finding)'가 핵심입니다. 많이 뒤진다는 것은 매우 귀찮고 끈기가 필요한 일이지만, 이를 잘할수록 정보력에서 앞서고 그만큼 시야가 넓어지게 됩니다. 그다음 비교하기(Comparing)는 뒤지기를 한 소스 중에서 더 좋은 것을 선택할 수 있는 중간 다리의 역할을 합니다. 한 번의 비교가 아니라 '비교, 비교, 비교할수록' 더 좋은 선택을 하게 됩니다. 마지막으로 선택하기(Choosing)는 최선이 없다면 차선을 선택하고, 주어진 시간 내에 결정하는 결단의 과정입니다. 결국 영상콘텐츠는 '콘셉트 선택'에서 모든 결과가 바뀌게 됩니다.

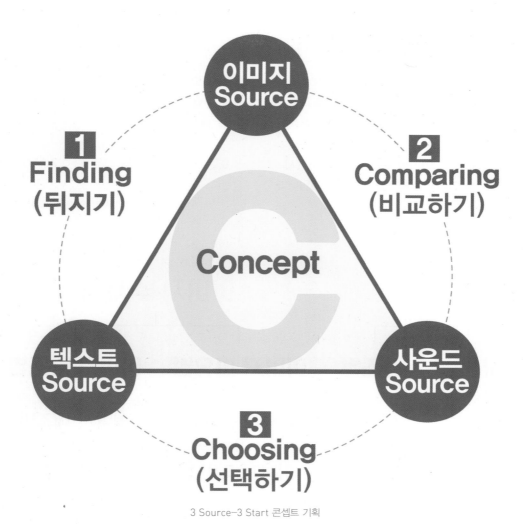

3 Source−3 Start 콘셉트 기획

위는 영상콘텐츠에 포함된 3가지 Source(이미지, 텍스트, 사운드)를 **1** 뒤지기(Finding) ▶ **2** 비교하기(Comparing) ▶ **3** 선택하기(Choosing)를 통해 영상에 들어가는 이미지, 텍스트, 사운드 3가지 소스를 조화롭게 연결하는 1단계 기획 과정입니다. 이중에서는 '이미지 소스'가 핵심입니다. 사진과 동영상의 이미지가 영상콘텐츠에서 차지하는 비중이 가장 크기 때문입니다.

콘셉트 기획 실무

콘셉트 기획의 실무에서 가장 많이 사용하는 방법의 하나는 '이미지 수사학'을 활용하는 것입니다. 수사학(修辭學)이란 사상이나 감정 따위를 효과적·미적으로 표현할 수 있도록 문장과 언어의 사용법을 연구하는 학문. 또는 의미 전달에 효과적인 문장과 어휘를 사용해서 설득의 효과를 높이기 위한 표현 방법입니다.

언어는 언어와 비언어로 구분하는데, 언어에서 창의적인 표현을 위해 수사학을 사용하듯이 비언어인 이미지에서는 이미지 수사학을 사용하는 것입니다.

<출처 : 표준국어대사전, 고려대한국어대사전>

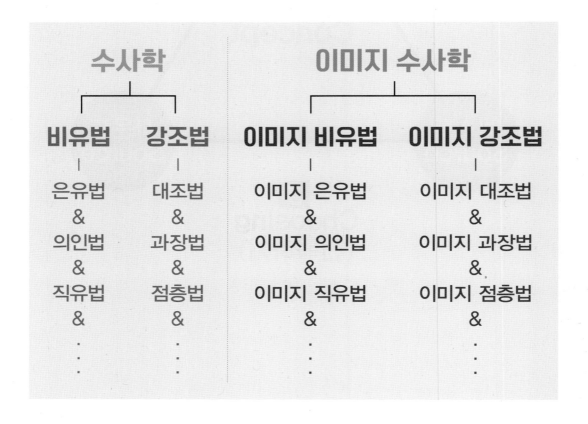

이미지 수사학이란?

언어에서 가장 많이 사용하는 수사학은 비유법과 강조법이듯이 비언어인 이미지 수사학에서도 '이미지 비유법'과 '이미지 강조법'을 가장 많이 사용합니다. 그것은 아래와 같습니다.

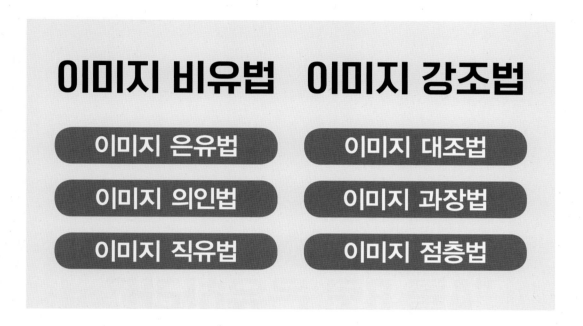

이미지 비유법에는 ❶ 이미지 은유법, ❷ 이미지 의인법, ❸ 이미지 직유법(이미지 패러디법, 이미지 동작개발법) 등이 있습니다.

이미지 강조법에는 ❹ 이미지 대조법, ❺ 이미지 과장법, ❻ 이미지 점층법 등이 있습니다.

그럼 그 사례를 자세히 알아보겠습니다.

이미지 은유법

| 이미지 은유법 | 이미지 의인법 | 이미지 직유법 |
| 이미지 대조법 | 이미지 과장법 | 이미지 점층법 |

"A를 B로 은유하라!"

이미지 은유법은 'A는 B이다' 또는, 'B인 A'와 같이 A를 B로 대치하고자 하는 시각적 대상을 다른 대상에 비겨서 시각적 이미지로 비유하는 스토리텔링 기획 중 하나입니다. 광고 홍보 영상 실무에서 가장 많이 사용하는 이미지 은유법은 제품이나 기업 홍보를 목적으로 기획하는 '상업용 이미지 은유법'과 지구 환경, 음주운전, 선거 캠페인 등 공익적 광고를 목적으로 기획하는 '공익용 이미지 은유법'으로 구분할 수 있습니다.

01 | 이미지 은유법의 대표적 성공 사례

이미지 (A)	▶	은유 (B)
빅브라더 (대형 스크린의 연설자)	▶	소설 속 '빅 브라더'를 연상케 하는 연설자는 IBM社
제복 무리(감시 당하는 당원)	▶	IBM 제품 쓰면서 개성을 잃어버린 사람들
진압 경비병(사상 경찰)	▶	IBM과 호환기종 소비자들의 사생활을 감시
윈스턴 스미스 (해머를 들고 스크린을 깨는 금발 여인, 저항자)	▶	기존의 컴퓨터 시장을 장악하고 있는 IBM을 부수는 애플과 신제품의 상징

조지 오웰의 소설 「1984」 ▶ 애플 매킨토시 「1984」 광고의 상업용 이미지 은유법

Obama의 O ▶ 「오바마 심볼」 = O + 해 + 하늘(+ 미국) 공익용 이미지 은유법

초생달 ▶ 니베아 저녁 크림

버스 타이어 ▶ DSLR 카메라

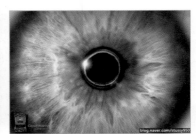

눈동자 ▶ 블랙커피

초생달 ▶ 맥도날드 햄버거

구부린 책 ▶ 지식의 나이테

손으로 꽉쥔 사과 ▶ 100% 주스

손 ▶ 수제화

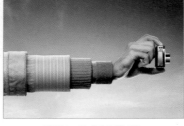

긴 팔 ▶ 카메라의 줌 기능

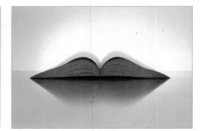

책 ▶ 입술

사과 조각 ▶ 오페라 하우스

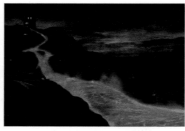

용암 ▶ 칠리소스의 매움

곽 티슈 ▶ 프린터의 성능

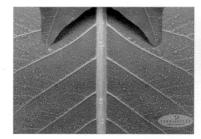

나뭇잎 ▶ 친환경 소재 옷

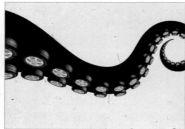

문어 빨판 ▶ 타이어의 접지력

닭 목춤 ▶ 벤츠의 안전성

03 | 공익용 이미지 은유법의 사례

굴뚝 매연 ▶ 흡연 위험성

차사고 ▶ 흡연은 죽음

총+담배 ▶ 흡연은 죽음

치아 ▶ 인터넷 언어 교정

수류탄 ▶ 인터넷은 위험

술 ▶ 과음은 죽음

자물쇠 ▶ PC 개인정보

뱀 ▶ 가스 누수

찌그러진 맥주캔 ▶ 음주운전

폐 ▶ 산림 파괴

아이스크림 ▶ 지구온난화

깁스 ▶ 무절제한 카드 사용

살색 크레파스 ▶ 인종차별

정장 건축 ▶ 대통령 선거

ㅂㄱㅎ ▶ 윙 웃음 이모티콘

이미지 은유법 의 기획 실무 사례

1 콘셉트 기획 사례(텍스트 ▶ 이미지 Source)

" A(원 심볼) 를 B(다양한 원) 로 은유하라!"

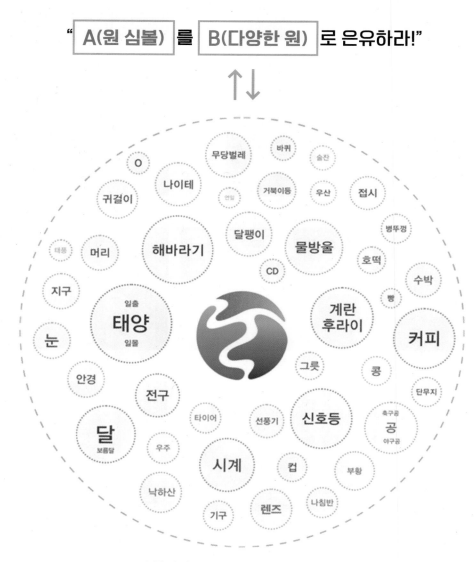

ex) '원 심볼(여수엑스포)'의 텍스트(키워드) Finding

● 다양한 원 이미지 뒤지기와 비교하기

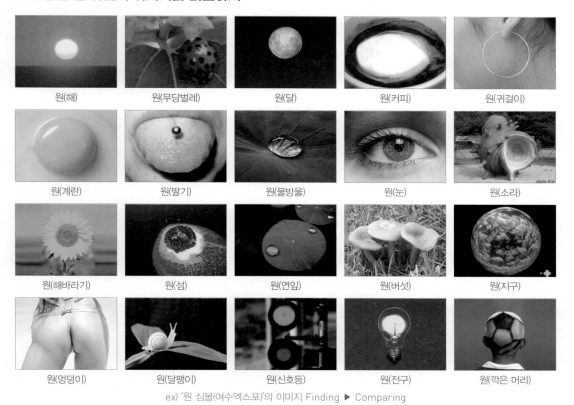

원(해) 원(무당벌레) 원(달) 원(커피) 원(귀걸이)

원(계란) 원(딸기) 원(물방울) 원(눈) 원(소라)

원(해바라기) 원(섬) 원(연잎) 원(버섯) 원(지구)

원(엉덩이) 원(달팽이) 원(신호등) 원(전구) 원(깍은 머리)

ex) '원 심볼(여수엑스포)'의 이미지 Finding ▶ Comparing

● 원 심볼 + 다양한 원의 이미지 은유법 Story 기획

원 심볼(여수엑스포)

＋

원(해) 원(전구) 원(달)

원(엉덩이) 원(눈) 원(커피)

ex) '원 심볼(여수엑스포)'의 이미지 Choosing

❷ 디자인 기획 사례(사진 + CG Data)

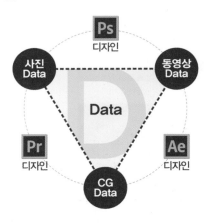

● 다양한 원 + 원 심볼(여수엑스포)의 사진과 CG Data 디자인

태양 + 원 심볼

해바라기 + 원 심볼

계란 + 원 심볼

엉덩이 + 원 심볼

눈 + 원 심볼

머리 + 원 심볼

3 편집 기획 사례(1편 자연 : 아침 ▶ 저녁, 2편 사람 : 아래 ▶ 위)

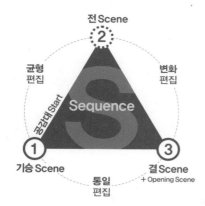

● '원 심볼(여수엑스포)' 주제의 기승전결 배치와 이미지 스토리텔링

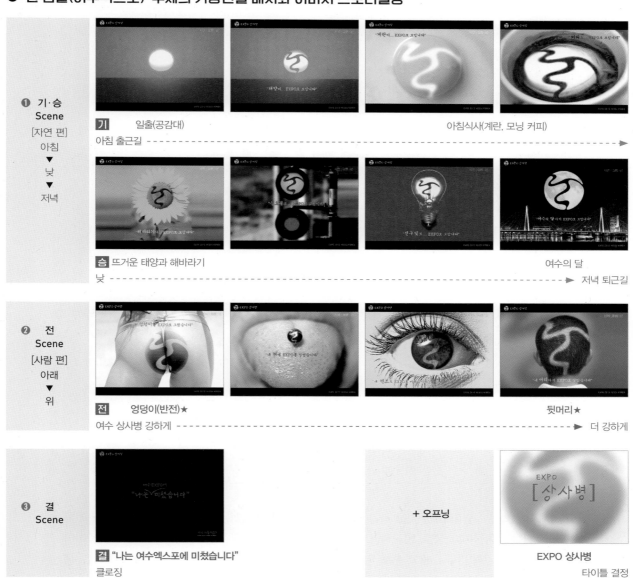

여수엑스포 영상애니메이션 공모전 '금상' 수상 작품, '엑스포 상사병'(2'57")

이미지 의인법

"호감이 가는 사람처럼 의인화하라!"

이미지 의인법은 사람이 아닌 것을 사람에 비유해서 사람이 행동하는 것처럼 표현하는 시각적 기획으로 자연적인 동물이나 생물, 인공적인 무생물에게 인간의 특성을 특정한 캐릭터에 부여하는 이미지 스토리텔링 기획입니다. 광고 홍보 영상 실무에서 이미지 의인법은 생명의 유무를 기준으로 '생물(자연물) 이미지 의인법'과 '무생물(인공물) 이미지 의인법'으로 구분해서 사용합니다.

01 | 이미지 의인법의 대표적 성공 사례

술병의 의인화 「앱솔루트 보드카」 무생물 이미지 의인법

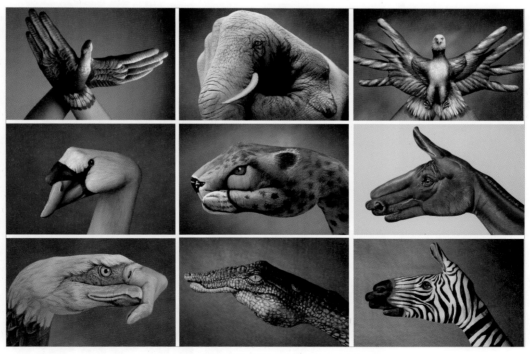

손의 의인화 「동물의 왕국」 생물 이미지 의인법

조명등의 의인화(픽사 인트로)

건전지의 의인화(에너자이저)

소화기의 의인화(소방청 포스터)

맥주병의 의인화(음주운전 공익광고)

못의 의인화

편지의 의인화

컴퓨터 부품의 의인화

한글의 의인화

알파벳의 의인화

똥의 의인화(강아지똥)

붕어빵의 의인화(하늘 붕어빵)

버스 손잡이의 의인화

버스의 의인화(꼬마버스 타요)

병의 의인화(재활용 공익광고)

자동차 로봇의 의인화(또봇)

03 | 생물(자연물) 이미지 의인법의 사례

동물의 의인화(애니팡)

펭귄과 동물의 의인화(뽀롱뽀롱 뽀로로)

창작동물의 의인화(포켓몬스터)

고양이의 의인화(구름빵)

하수구 벌레의 의인화(라바)

새의 의인화(앵그리버드)

물의 의인화

창작인의 의인화(텔레토비)

해골의 복화술(Jaff Dunham)

불가사리의 의인화

눈의 의인화

이빨의 의인화

계란의 의인화

양파의 의인화

손가락의 의인화

이미지 의인법 의 기획 실무 사례

1 콘셉트 기획 사례(텍스트 ▶ 이미지 Source)

" 호감이 가는 사람 처럼 의인화하라!"

↑↓

공모주제 키워드1.

여수엑스포

2012 **엑스포 심벌**   엑스포 타운   여수선언

살아있는 바다   숨쉬는 연안

여수엑스포 해양공원   **홍보전시관**   여수신항

주제관   한국관   기후환경관   **아쿠아리움**

공모주제 키워드2.

여수의 상징

오동도   돌산대교   돌산갓김치   간장게장

향일암   거문도·백도   317개 섬

진남관   선소   **거북선**   석천사   영취산

동백꽃   만성리   비렁길   흥국사

엑스포 홍보   **+**   **여수 관광**

여행하는?

✕   ○

사람

캐릭터 → **손가락 의인화**

ex) '여수 여행'의 텍스트(키워드) Finding

● 손의 이미지 의인법 Story 기획

걷기

뛰기

점프하기

미끄러지기

다이빙

수영

● 여수 상징물의 차별화 Story 기획

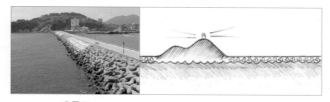

오동도

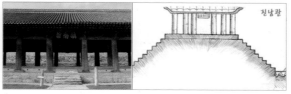

진남관

엑스포 홍보관

거북선

돌산대교

거문도 백도

향일암

ex) '여수 여행'의 이미지 Finding ▶ Comparing ▶ Choosing

② 디자인 기획 사례(그림 + 동영상 + CG Data)

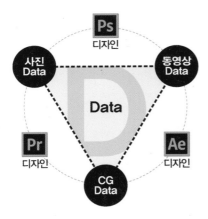

● 그림과 동영상 촬영 그리고, CG Data 디자인

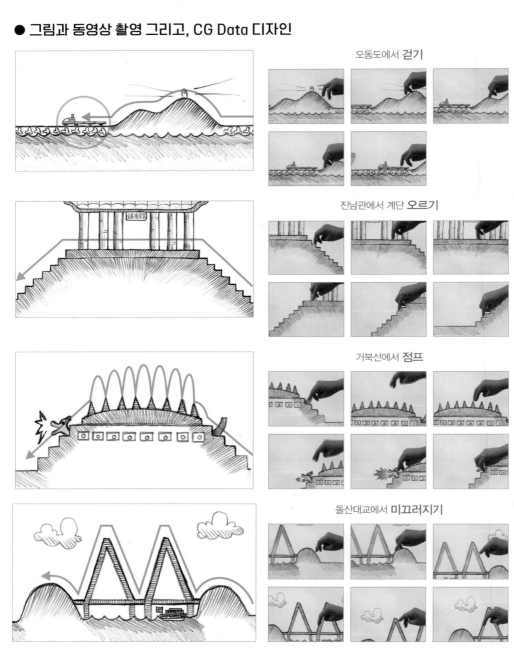

③ 편집 기획 사례(육지 ▶ 다리 ▶ 바다 ▶ 해저 ▶ 일출)

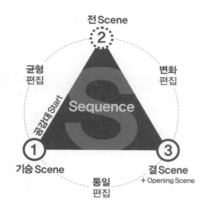

● '여수 여행' 주제의 기승전결 배치와 이미지 스토리텔링

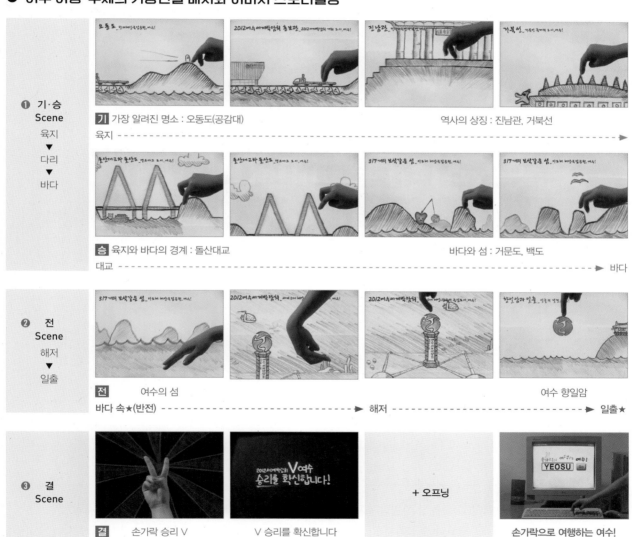

여수엑스포 UCC 공모전 '해양수산부장관상' 수상 작품. '손가락으로 여행하는 여수'(2'59")

| 이미지 은유법 | 이미지 의인법 | 이미지 직유법 |
| 이미지 대조법 | 이미지 과장법 | 이미지 점층법 |

"공감대를 패러디하라!"

이미지 직유법(패러디)은 특정 작품의 소재나 작가의 문체를 흉내 내어 시각적 이미지로 익살스럽게 표현하는 방법으로 광고나 홍보에서 가장 많이 사용하는 이미지 스토리텔링입니다. 일반적으로 대중에게 널리 알려진 방송, 영화, 드라마, 광고, 만화, 그림 등의 특정 부분 또는 유명한 단어, 문장 등의 공감대가 큰 부분을 응용하며, 인물이나 그림 속 주인공이 중심이 되는 '캐릭터 모티브 이미지 패러디법'과 언어의 시각화가 중심이 되는 '언어 이미지 패러디법'으로 구분할 수 있습니다.

01 | 이미지 직유법(패러디)의 대표적 성공 사례

「해리포터」, 「반지의 제왕」, 「마블」의 캐릭터 ▶ 「레고」의 캐릭터 이미지 패러디 광고

레오나르도 다빈치의 「모나리자」 ▶ 이이남의 「신모나리자」 패러디 작품

「KOREA」와 「KOREAN」의 언어 이미지 패러디 응용 광고

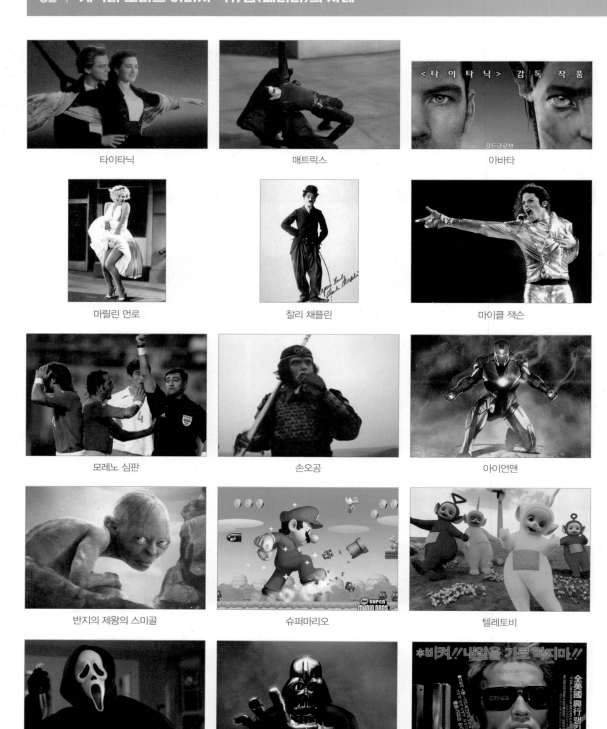

타이타닉

매트릭스

아바타

마릴린 먼로

찰리 채플린

마이클 잭슨

모레노 심판

손오공

아이언맨

반지의 제왕의 스미골

슈퍼마리오

텔레토비

스크림

다스베이더

터미네이터

Fact - Impact

Impossible - I'm possible

Nature - Nurture

樂(락)페스티발

5樂(락)하래_아프리카 TV

드림樂(낙)서

사랑愛 콘서트

산들바다愛

캘리愛 빠지다

e 편한세상

청춘氣업

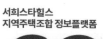

GO집_서희스타힐스

OOO 가즈아

위풍당당 ~~~

더더더 ~~~

나라를 나라답게_문재인 후보

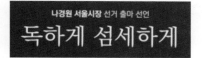

독하게 섬세하게_나경원 후보

더 강하게! 더 품격있게!_전남대 후보

이미지 직유법 의 기획 실무 사례

1 콘셉트 기획 사례(텍스트 ▶ 이미지 Source)

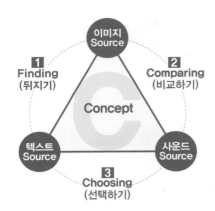

" 공감대 를 패러디하라!"

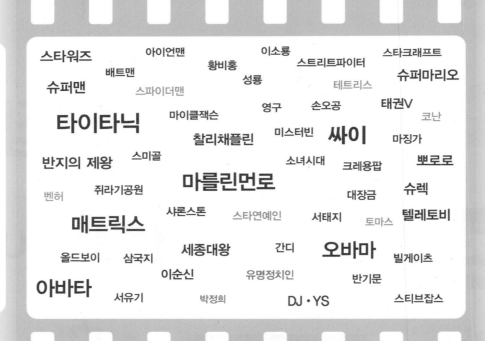

ex) '웃음과 희망'의 텍스트(키워드) Finding

● 패러디 이미지의 뒤지기와 비교하기

슈렉　　마스크　　타이타닉　　마릴린먼로　　모레노 심판

매트릭스　　해리포터　　겨울왕국　　인정사정 볼 것 없다　　쿵푸팬더

ex) '웃음과 희망'의 이미지 Finding ▶ Comparing

● 유명 영상 패러디의 이미지 직유법 Story 기획

타이타닉　　　　　　타이타닉 패러디

매트릭스　　　　　　매트릭스 패러디

인정사정 볼 것 없다　　　　　　인정사정 볼 것 없다 패러디

스트리트 파이터　　　　　　스트리트 파이터 패러디

ex) '웃음과 희망'의 이미지 Choosing

❷ 디자인 기획 사례(동영상 + CG Data)

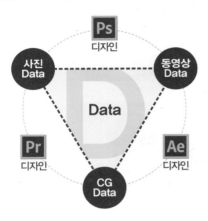

● 크로마키 동영상 촬영 및 CG 디자인

크로마키 촬영(인정사정 볼 것 없다 패러디)　　　비 특수 효과 합성

크로마키 촬영(매트릭스 패러디)　　　매트릭스 배경 합성

크로마키 촬영(아바타 패러디)　　　아바타 배경 합성

일반 촬영(철권 패러디)　　　1인 2역 합성

3 편집 기획 사례(작은 동작 ▶ 큰 동작 ▶ 엽기 동작)

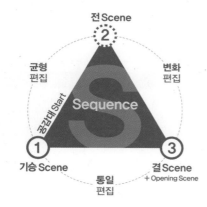

● '웃음과 희망' 주제의 기승전결 배치와 이미지 스토리텔링

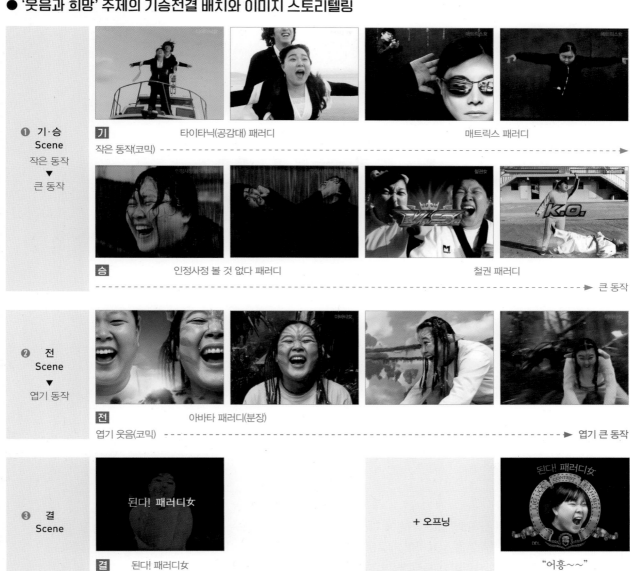

① 기·승 Scene
작은 동작
▼
큰 동작

기 작은 동작(코믹)
타이타닉(공감대) 패러디   매트릭스 패러디

승 인정사정 볼 것 없다 패러디   철권 패러디   ▶ 큰 동작

② 전 Scene
▼
엽기 동작

전 엽기 웃음(코믹)
아바타 패러디(분장)   ▶ 엽기 큰 동작

③ 결 Scene

결 된다! 패러디女
타이틀 클로징

+ 오프닝

"어흥~~"
MGM 오프닝 **패러디**

LIG 된다댄스 UCC콘테스트 '최우수상' 수상 작품. '된다! 패러디녀'(3'41")

| 이미지 은유법 | 이미지 의인법 | 이미지 직유법 |
| 이미지 대조법 | 이미지 과장법 | 이미지 점층법 |

"콘셉트가 있는
동작을 개발하라!"

이미지 직유법(동작개발법)은 기존에 알려진 유명한 신체 동작 또는, 시각적 몰입감이 큰 손동작, 얼굴 표정 등의 움직임을 응용하여 새로운 동작을 개발하는 기획입니다. 영상콘텐츠 실무에서는 음악 장르 중심의 '댄스 이미지 동작개발법'과 체조, 무술, 운동, 행위예술 중심의 '퍼포먼스 이미지 동작개발법'으로 구분할 수 있습니다.

01 | 이미지 동작개발법의 대표적 성공 사례

달에 착륙한 우주인 걸음 콘셉트의 마이클 잭슨 「문워크」 댄스 이미지 동작개발법

응원체조 콘셉트의 「드럼라인 라이브」 퍼포먼스 이미지 동작개발법

연꽃 콘셉트의 제니퍼 로페즈 연꽃춤

고양이 콘셉트의 캣츠 뮤지컬 댄스

활시위 콘셉트의 SBCC 콜라보 댄스

그물 콘셉트의 재넷 아크맨 아트 댄스

백조 콘셉트의 뉴욕 발레단 발레 공연

비보이 콘셉트의 비보이 스트리트 댄스

마이클 잭슨 린댄스

마돈나 보그 보그춤

엘비스프리슬리 하운드덕 로큰롤춤

카오마 금지된 춤 람바다춤

로스델리오 마카레나 마카레나춤

LMFAO Party Rock Anthem 셔플 댄스

뮤지컬 토요일 밤의 열기 디스코

존 트라볼타 펄프픽션 트위스트

댄싱위드더스타 스포츠댄스

이소룡의 용쟁호투 절권도

성룡의 취권

이연걸의 태극권

윌렘 대포의 플래툰 퍼포먼스

설경구의 박하사탕 퍼포먼스

키아누 리브스의 매트릭스 퍼포먼스

뮤지컬 캣츠의 퍼포먼스

사랑은 비를 타고의 우산 퍼포먼스

플래시댄스의 오디션 퍼포먼스

찰리 채플린의 슬랩스틱 퍼포먼스

로완 앳킨슨의 미스터빈 퍼포먼스

심형래의 영구 퍼포먼스

태권V의 태권도 퍼포먼스

마술사의 마술 퍼포먼스

우사인 볼트의 세레모니

이미지 동작개발법 의 기획 실무 사례

1 콘셉트 기획 사례(텍스트 ▶ 이미지 Source)

" 콘셉트 가 있는 동작을 개발하라!"

↑↓

1. 졸음운전을 막을 수 있는 동작 콘셉트? 지압

백회혈, 후정혈, 전정혈, 수구혈, 아문혈, 풍부혈, 태양혈, 풍지혈, 대추혈, 명문혈, 중부혈,
진중혈, 견정혈, 기문혈, 기해혈, 곡지혈, 천돌혈, 합곡혈 견우혈, 신유혈 등

2. 졸음운전을 막을 수 있는 동작 콘셉트? 무술

태극권법, 후(원숭이)권법, 당랑(사마귀)권법, 사(뱀)권법, 호(호랑이)권법, 취권법, 소림권법,
용권법, 남권법, 팔괘장, 팔극권법, 형의권법, 영춘권법, 통비권법, 벽괘장, 백학권법 등

ex) '졸음운전 금지'의 텍스트(키워드) Finding

● 기 체조, 무술 이미지의 뒤지기와 비교하기

두드리기	기체조	얼굴 마사지	스트레칭
요가	손가락 운동	기지개	고개 흔들기
댄스	꼬집기	목운동	발가락 지압
눈 지압	다리 스트레칭	소리 지르기	무술(권법)

ex) '졸음운전 금지'의 이미지 Finding ▶ Comparing

● '지압 + 권법'의 이미지 동작개발법 Story 기획

| 풍지혈(뒷목) | 태양혈(관자놀이) | 중부혈(어깨) | 백회혈(머리 꼭대기) |

+

| 태극권 | 후(원숭이)권 | 당랑(사마귀)권 | 맹호(호랑이)권 |

=

| 풍지혈+태극권 | 태양혈+후권 | 중부혈+당랑권 | 백회혈+맹호권 |

| 4가지 지압(+기 체조) | 4가지 권법(+기합소리) | 주최 측 로고 | 졸음 깨는 ex권법 |

ex) '졸음운전 금지'의 이미지 Choosing

② 디자인 기획 사례(동영상 + CG Data)

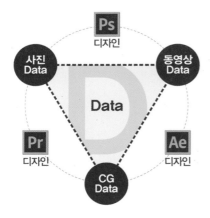

● 기 체조 + 권법의 동영상 촬영 및 CG Data 디자인

태극권

풍지혈 + 태극권

후권 + 한국도로공사 로고 'e'

후권 + 한국도로공사 로고 'e'

맹호권 + 한국도로공사 로고 'e'

맹호권 + 한국도로공사 로고 'x'

③ 편집 기획 사례(약 ▶ 강 ▶ 멈춤)

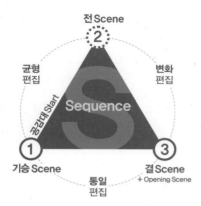

● '졸음운전 방지' 주제의 기승전결 배치와 이미지 스토리텔링

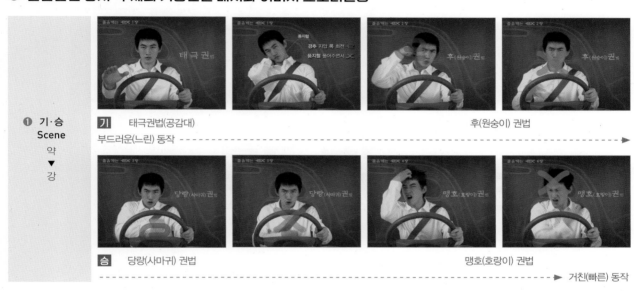

❶ 기·승
Scene
약
▼
강

기 태극권법(공감대)   후(원숭이) 권법
부드러운(느린) 동작 — — — — — — — — — — — — — — — — — ▶

승 당랑(사마귀) 권법   맹호(호랑이) 권법
— ▶ 거친(빠른) 동작

❷ 전
Scene
▼
멈춤

전 ex휴게소에서 잠자는 게 최고~
멈춤 동작(반전)★ — — — — — — — — — — — — — — — — — ▶

❸ 결
Scene

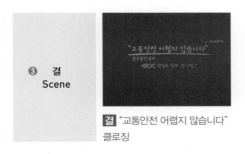

결 "교통안전 어렵지 않습니다"
클로징

+ 오프닝

졸음 깨는 ex권법
로고 타이틀 결정

한국도로공사 교통안전 UCC 공모전 '금상' 수상 작품. '졸음깨는 ex권법'(4'10")

이미지 대조법

"극과 극을 균형 있게 대조하라!"

이미지 대조법은 상반되거나 대립하는 사물을 함께 내세워, 양자의 대조적인 이미지를 시각적으로 강조하는 방법으로 스토리의 전(前)과 후(後)를 대조하거나 서로 경쟁하는 이미지를 한 장면에서 극명하게 비교함으로써 주제를 강조하는 스토리텔링 기획입니다. 실무적으로 시간이 중심이 되는 '전후(before and after) 이미지 대조법'과 인간 또는, 사물이 중심이 되는 '경쟁 이미지 대조법'을 자주 사용합니다.

01 │ 이미지 대조법의 대표적 성공 사례

「아바타」의 전후 이미지 대조법

「펩시콜라 vs 코카콜라」의 경쟁 이미지 대조법

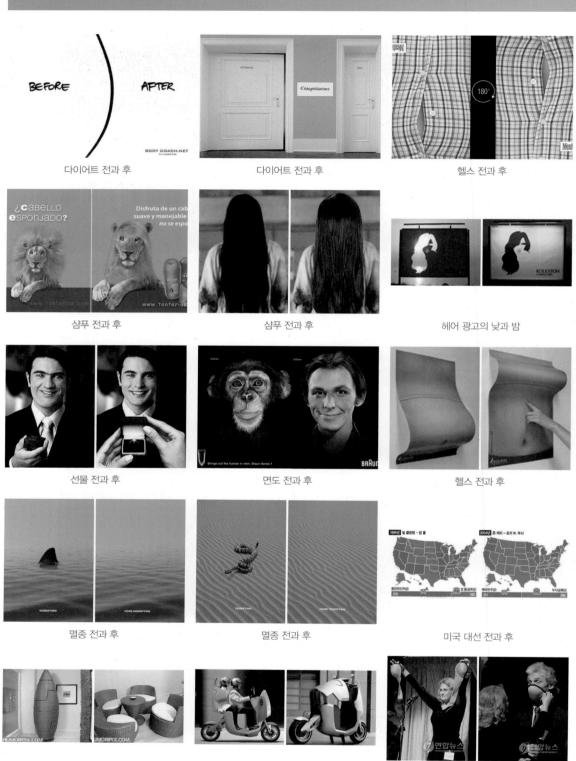

다이어트 전과 후

다이어트 전과 후

헬스 전과 후

샴푸 전과 후

샴푸 전과 후

헤어 광고의 낮과 밤

선물 전과 후

면도 전과 후

헬스 전과 후

멸종 전과 후

멸종 전과 후

미국 대선 전과 후

제품 사용 전과 후

제품 사용 전과 후

제품 사용 전과 후

03 | 경쟁 이미지 대조법의 사례

호랑이와 인간의 경쟁

선과 악의 경쟁

남과 여의 경쟁

3G와 4G 속도 경쟁

A사와 B사의 요금제 경쟁

A사와 B사의 맥주 경쟁

A사와 B사의 사이다 경쟁

A사와 B사의 미러 경쟁

종이컵과 머그컵의 경쟁

A사와 B사의 로션 경쟁

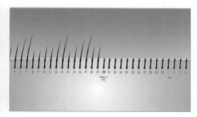
A사와 B사의 면도 경쟁

세계 핵탄두 보유의 경쟁

거인과 난장이의 차이

유사부품과 순정부품의 차이

CO2 배출량의 차이

이미지 대조법 의 기획 실무 사례

1 콘셉트 기획 사례(텍스트 ▶ 이미지 Source)

" 극과 극 을 균형 있게 대조하라!"

↑↓

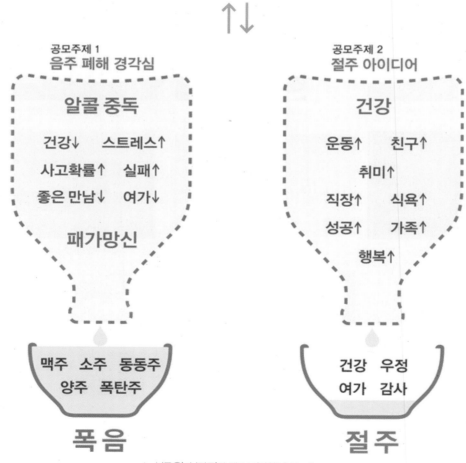

ex) '폭음'과 '절주'의 텍스트(키워드) Finding

● 폭음과 절주 이미지의 뒤지기와 비교하기

폭음 이미지   절주 이미지

ex) '폭음'과 '절주'의 이미지 Finding ▶ Comparing

● 폭음과 절주의 이미지 대조법 Story 기획

맥주   건강

동동주   우정

소주   여가

ex) '폭음'과 '절주'의 이미지 Choosing

❷ 디자인 기획 사례(사진 + CG Data)

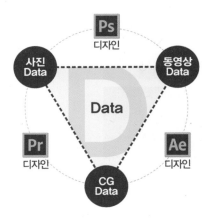

● 사진 합성 및 동영상 Data 디자인

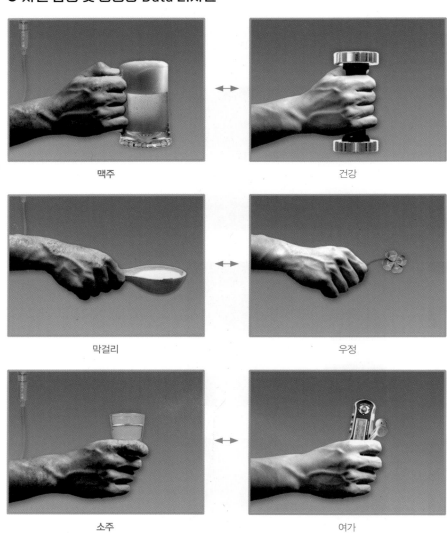

맥주 ↔ 건강

막걸리 ↔ 우정

소주 ↔ 여가

③ 편집 기획 사례(약한 술 ▶ 강한 술 ▶ 더 강한 술)

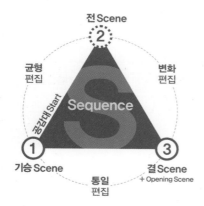

● '절주' 주제의 기승전결 배치와 이미지 스토리텔링

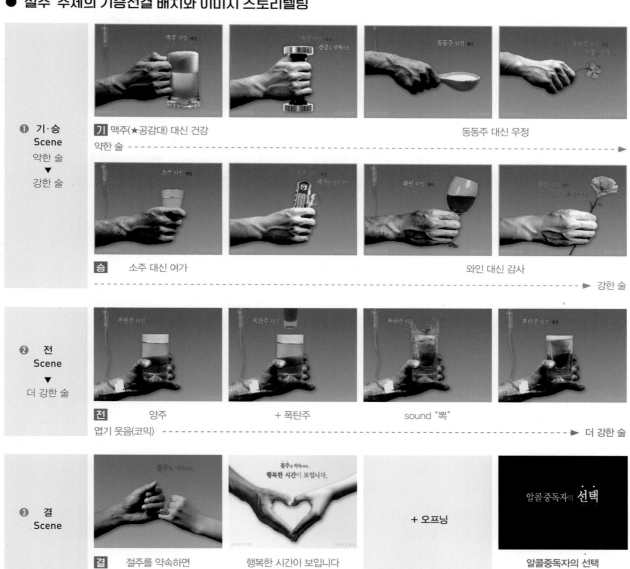

❶ 기·승 Scene 약한 술 ▼ 강한 술	**기** 맥주(★공감대) 대신 건강 약한 술 ┈┈		동동주 대신 우정
	승 소주 대신 여가		와인 대신 감사 ┈┈▶ 강한 술
❷ 전 Scene ▼ 더 강한 술	**전** 양주 엽기 웃음(코믹) ┈┈	+ 폭탄주	sound "뽁" ┈┈▶ 더 강한 술
❸ 결 Scene	**결** 절주를 약속하면 클로징	행복한 시간이 보입니다	+ 오프닝 — 알콜중독자의 **선택** 타이틀 결정

대한민국 절주 UCC 공모전 '우수상' 수상 작품. '알콜중독자의 선택'(59")

이미지 대조법	이미지 과장법	이미지 점층법
이미지 은유법	이미지 의인법	이미지 직유법

"차별화되게 과장하라!"

이미지 과장법은 사물의 수량, 상대, 성질 또는 내용을 실재보다 더 늘리거나 줄여서(또는 크거나 작게, 멀거나 가깝게, 빠르거나 느리게) 표현함으로써 시각적 몰입감을 증대시키는 이미지 스토리텔링입니다. 광고 홍보 영상 실무에서는 주인공의 표정이나 행동, 사물의 성능이나 효과 등을 과장하여 표현하는 '성능(효과) 이미지 과장법'과 환경 오염, 물 부족 등의 경각심을 주거나 각종 중독 예방을 목적으로 한 '경고(중독) 이미지 과장법'으로 구분합니다.

01 | 이미지 과장법의 대표적 성공 사례

DOVE 「남녀 샴푸」의 효과 이미지 과장법

보건복지부의 「후두암 주세요」, 「뇌졸중 주세요」 흡연 경고 이미지 과장법

칫솔 유연성의 과장

건전지 성능의 과장

환풍기 성능의 과장

브라 효과의 과장

포스트잇 성능의 과장

파스 효과의 과장

선풍기 성능의 과장

펩시콜라 맛의 과장

입냄새의 과장

포뮬라 치약 효과의 과장

타이네롤 두통 효과의 과장

에너자이저 힘의 과장

청소기 흡입력의 과장

골키퍼 효과의 과장

치약 미백 효과의 과장

03 | 경고(중독) 이미지 과장법의 사례

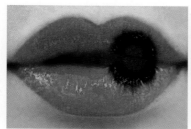
흡연 중독의 과장 – 입술

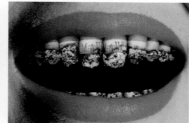
흡연 중독의 과장 – 이빨

흡연 중독의 과장 – 손가락

흡연 중독의 과장 – 외모

흡연 중독 과장 – 죽음

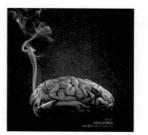
흡연 중독의 과장 – 뇌

흡연 중독의 과장 – 폐와 장기

스마트폰 중독의 과장 – 동작

게임 중독의 과장 – 책상

알코올 중독의 과장 – 술병

알콜 중독의 과장 – 외모

물 부족의 과장 – 뒷머리

이미지 과장법 의 기획 실무 사례

1 콘셉트 기획 사례(텍스트 ▶ 이미지 Source)

" 차별화 되게 과장하라!"

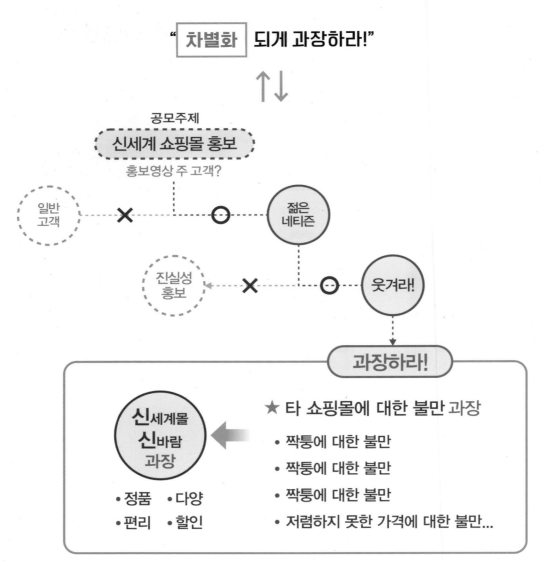

ex) '쇼핑 불만'의 텍스트(키워드) Finding

● 쇼핑 불만에 대한 이미지 과장법 Story 기획

1. 쇼핑 불만(4가지) 이미지 기획

'짝퉁'에 대한 불만

'다양성 부족'에 대한 불만

'쇼핑몰 불편'에 대한 불만

'가격'에 대한 불만

2. 과장된 행동(4가지) 이미지 기획

키보드 때리기 1

키보드 때리기 2

키보드 때리기 3

키보드 부수기

3. 인물 설정(4인) 이미지 기획

노는 아들

욕심 많은 엄마

화끈한 아빠

엽기 딸

4. 신세계몰 장점의 네이밍(4개 – 이름) 기획

(신) 정품

(신) 다양

(신) 편리

(신) 할인

'짝퉁'에 대한 불만 ▶ 키보드 때리기 1(주먹)	'다양성 부족'에 대한 불만 ▶ 키보드 때리기 2(다듬이질)	'쇼핑몰 불편'에 대한 불만 ▶ 키보드 때리기 3(킹콩 찍기)	'가격'에 대한 불만 ▶ 키보드 부수기(최대 과장)
▶ 노는 아들(신 정품)	▶ 욕심 엄마(신 다양)	▶ 화끈 아빠(신 편리)	▶ 엽기 딸(신 할인)

ex) 불만에 대한 과장된 행동의 이미지 Finding ▶ Comparing ▶ Choosing

② 디자인 기획 사례(동영상 + CG Data)

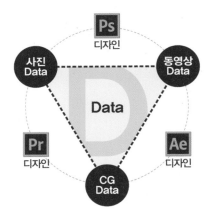

● 1인 4역 동영상 촬영 CG Data 제작

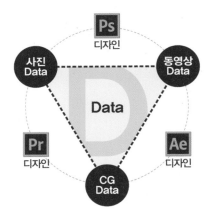

❶ 노는 아들(신 정품)

짝퉁에 대한 불만
▶ 키보드 때리기 1
▶ **키보드 때리기(이미지 과장법)**

❷ 욕심 많은 엄마(신 다양)

다양성 부족에 대한 불만
▶ 키보드 때리기 2
▶ **키보드 다듬이질(이미지 과장법)**

❸ 화끈한 아빠(신 편리)

쇼핑몰 불편에 대한 불만
▶ 키보드 때리기 3
▶ **키보드 킹콩 찍기(이미지 과장법)**

❹ 엽기 딸(신 할인)

가격에 대한 불만
▶ 키보드 부수기
▶ **키보드 부수기(이미지 과장법)**

※ 만족하는 딸

※ 정품 + 다양 + 편리 + 할인

③ 편집 기획 사례(약한 불만 ▶ 강한 불만 ▶ 만족)

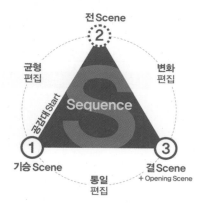

● '쇼핑 불만' 주제의 기승전결 배치와 이미지 스토리텔링

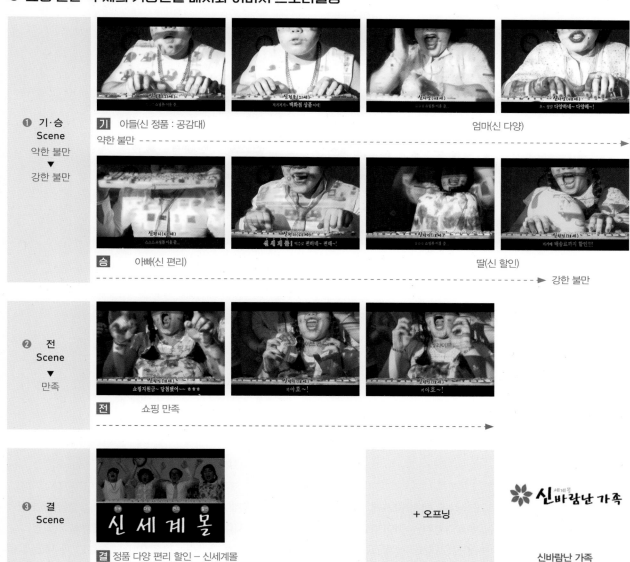

신세계백화점 홍보 영상 공모전 '베스트 추천상' 수상 작품. '신바람난 가족'(4'59")

이미지 점층법

이미지 대조법　　　이미지 과장법　　　이미지 점층법

이미지 은유법　　　이미지 의인법　　　이미지 직유법

"시각 콘셉트를 찾고 기승전결로 설득하라"

이미지 점층법은 묘사 비중의 대상을 점점 강하게, 높게, 깊게 기승전결 단계로 강조함으로써 시청자의 감정을 고조시키는 표현 기법으로 주로 사실이나 역사적인 이미지로 감동을 주고자 할 때 자주 사용하는 이미지 스토리텔링 기획입니다. 광고 홍보 영상의 실무에서는 영상 기획을 기점으로 지난 과거의 이미지 자료를 뒤지는 '추출 이미지 점층법'과 새롭게 촬영 또는, 재현하는 '제작 이미지 점층법'으로 구분할 수 있습니다. 추출한 이미지는 진실하고 자연스럽다는 장점이 있지만, 자료가 부족하거나 이미지가 흐리다는 단점이 있을 수 있습니다. 제작한 이미지는 원하는 자료를 다양하고 선명하게 구할 수 있다는 장점이 있지만, 연출한 이미지라서 부자연스러울 수 있다는 단점을 극복해야 합니다.

01 | 이미지 점층법의 대표적 성공 사례

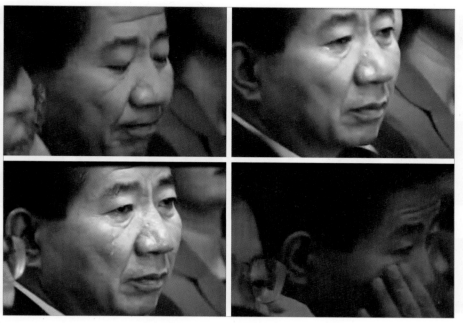

16대 대통령 후보 노무현의 「눈물」 편의 추출 이미지 점층법

16대 대통령 후보 노무현의 「국민이 대통령입니다」 편의 제작 이미지 점층법

스티브 잡스 일대기_지식채널e

헬렌켈러 스토리_지식채널e

아버지와 아들 Rick과 Dick_유튜브

사자 크리스티앙 다큐_유튜브

준영이네, IT 희망 나눔_KT

바른생활_KOBACO

03 | 제작 이미지 점층법의 사례

장애인 Steve Gleason_ 마이크로소프트

BBC 라디오_BBC

제주 세계 7대 자연경관 선정_KOBACO

왕이 된 남자 광해 오프닝

혼다의 역사_혼다

스마트폰 중독 예방_KOBACO

이미지 점층법 의 기획 실무 사례

1 콘셉트 기획 사례(텍스트 ▶ 이미지 ▶ 사운드 Source★)

ex) '함평 나비'의 장소별 텍스트(키워드) Finding

● 나비 이미지 뒤지기와 비교하기

ex) '함평 나비'의 이미지 Finding

● 함평 나비의 이미지 점층법 Story 기획

ex) '함평 나비'의 이미지 Comparing

⊙ 사운드 Source 중심의 '사진 개수 선택' 기획

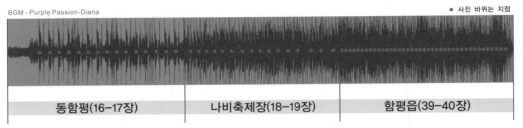

BGM - Purple Passion-Diana

● 사진 바뀌는 지점

동함평(16-17장)　　　나비축제장(18-19장)　　　함평읍(39-40장)

ex) BGM(Purple Passion Diana)의 비트에 맞는 사진 개수 Choosing

● 이동 경로별 사진 선택

이동경로 (필요 사진 갯수)	사진
A. 동함평 (16-17장)	
B. 축제장 (18-19장)	
C. 함평읍 (39-40장)	

ex) '함평 나비'의 이미지 Choosing

⊙ 사운드 Source 선택

기승 Scene　　　　　　　전결 Scene

나비 이동 경로　▶▶▶　책(나비의 꿈)

빠른 BGM(Purple Passion Diana)　▶▶▶　느린 BGM(Tango-bulhan)

② 디자인 기획 사례(사진 + CG Data)

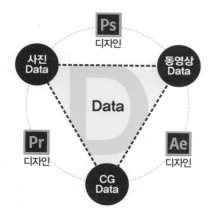

● 이미지와 어울리는 '폰트' 디자인

● 이미지와 어울리는 '반복 글자' 디자인

● 이미지와 어울리는 '원근감 글자' 디자인

3 편집 기획 사례(여행 경로A ▶ 경로B ▶ 경로C ▶ 독서 ▶ 눈물)

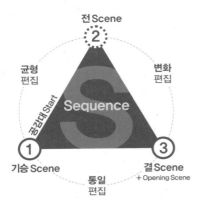

● '함평=나비' 주제의 기승전결 배치와 이미지 스토리텔링

나비=희망 UCC 동영상 공모전 '대상' 수상 작품. '나비 상사병'(2'59")

02

디자인 기획
(3 Software-3 Data)

디자인 기획(3 Software-3 Data)은 3가지 소프트웨어(Photoshop, Premiere Pro, After Effects)에서 3가지 데이터(사진 Data, 동영상 Data, CG Data)를 구하기 위하여 촬영 또는, 그림이나 자막 등의 디자인 데이터를 제작하는 두 번째 단계의 기획입니다.

● 사진 Data 촬영 기획

Photoshop을 이용하여 사진 촬영 또는 그림, 스캔, 다운로드한 이미지 소스를 합성이나 보정하여 낱장의 데이터를 제작하는 과정입니다.

● 동영상 Data 촬영 기획

동영상을 촬영한 후 Premiere Pro를 이용하여 특정 부분을 선택하여 자르고 붙여서 각각의 동영상 Data를 제작하는 과정입니다.

● CG Data 제작 기획

사진이나 동영상으로 해결할 수 없는 부분을 After Effects를 이용하여 특수효과 등의 CG Data를 제작하는 과정입니다.

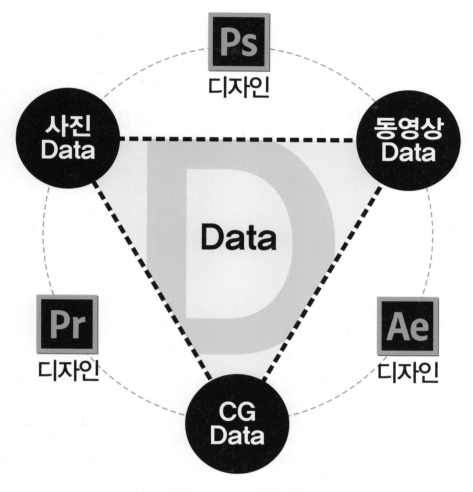

3 Software—3 Data 디자인 기획

위의 3가지 소프트웨어(Photoshop, Premiere Pro, After Effects)는 영상 디자인의 핵심 소프트웨어입니다. 일반적으로 프리미어 프로와 애프터 이펙트에서는 주로 사진 Data와 동영상 Data를 사용하지만, 포토샵에서는 사진 Data와 CG Data를 많이 사용합니다. 이 중에서 가장 많이 사용하는 것은 사진과 동영상 Data입니다. 따라서 이것을 디자인하기 위해서는 기본적인 촬영 기획과 편집 기획이 필요합니다.

디자인 기획 실무

사진·동영상의 촬영 기본
❶ 촬영 도구의 선택
❷ 구도 촬영 기획
❸ 노출 촬영 기획
❹ 추천 촬영 테크닉

사진·동영상의 편집 기초
❶ 사진 편집 기초
(구도 편집)
❷ 사진 보정 기초
(명도 보정)

포토샵의 디자인 기획
❶ 자르기+보정 이미지 기획
❷ 이미지 합성 기획
❸ 효과 활용 기획
❹ 타이틀 디자인 기획

디자인 기획의 실무는 위와 같이 3가지로 요약할 수 있습니다.

첫째, 창의적인 사진 Data 또는, 동영상 Data를 위한 촬영 기본 지식을 바탕으로 촬영을 합니다. 그 기본으로는 ❶ 촬영 도구의 선택, ❷ 구도 촬영 기획, ❸ 노출 촬영 기획, ❹ 추천 촬영 테크닉 등이 있습니다.

둘째, 촬영한 Data의 기초적인 편집을 실행합니다. 그 편집으로는 ❶ 이미지 편집 기초(구도 편집)와 ❷ 이미지 보정 기초(명도 보정)가 있습니다.

셋째, 포토샵을 활용하여 영상 디자인의 미리보기를 하거나 실재 영상 디자인에서 활용할 Data를 디자인하는 기획 능력입니다. 그 디자인으로는 ❶ 자르기+보정 이미지 기획, ❷ 이미지 합성 기획, ❸ 효과 활용 기획, ❹ 타이틀 디자인 기획 등이 있습니다.

01 사진·동영상 Data 촬영 기획

Sample

사진·동영상의 촬영 기본   사진·동영상의 편집 기초   포토샵의 디자인 기획

❶ 촬영 도구의 선택

스마트폰 카메라 vs DSLR
의외로 놓치기 쉬운 것들
보조 도구?

❷ 구도 촬영 기획

중앙과 수평 구도, 황금비율
상하 놀이
(아이 앵글, 하이앵글, 로우앵글)

❸ 노출 촬영 기획

조명 활용
노출 활용

❹ 추천 촬영 테크닉

아웃포커스
역광

● 스마트폰 카메라인가? DSLR인가?

스마트폰 카메라는 DSLR보다 작고 가벼우며 늘 휴대하고 있기 때문에 언제든지 바로 꺼내서 촬영할 수 있다는 점이 최대 강점입니다. 이것은 DSLR이 결코 따라갈 수 없는 스마트폰 카메라의 최대 장점입니다. 또한, 화소 등 이미지 프로세싱 능력이 계속 향상되고 있습니다. 그러나 대형 사진, 전문적인 동영상을 촬영하려면 당연히 DSLR이 좋습니다.

스마트폰 카메라	vs	DSLR
언제든지 바로 촬영 가능	신속성	준비되었을 때만 촬영 가능
남녀노소 누구나 촬영	전문성	사진 전문가 전용
스마트폰(부속품 작고 가벼움)	부속 장비	플래시, 삼각대 등 부속품 크고 무거움
대형(가로 4,000px 이상)	이미지 사이즈	대형 ~ 초대형 사이즈
앱으로 간단한 편집 편리	사진 편집	사진 편집 불편
앱으로 간단한 편집 편리	동영상 편집	동영상 편집 불편
즉시 업로드 가능	SNS 업로드	업로드 기능 불편

● 의외로 놓치기 쉬운 것

a. 카메라 렌즈를 닦자!

평소에는 카메라의 렌즈가 깨끗한지 알기 어렵습니다. 렌즈를 닦기 전과 닦은 후에 찍은 사진을 비교해 봐야 그 차이를 알수 있습니다. 카메라 사용 전에는 가급적 깨끗한 천으로 렌즈를 닦은 후에 촬영할 것을 추천합니다.

b. 흔들림 없는 자세에서 잠시 숨을 멈추자!

사진이나 동영상 촬영 후에 보면 흔들린 결과물이 많습니다. 이것을 개선하기 위해서는 촬영 직전에 흔들림 없는 자세를 잡고, 반드시 숨을 잠시 멈춰야 합니다. 이러한 연습이 반복되면 좋은 촬영 습관이 됩니다.

● 보조 도구는 필요할까?

DSLR 사용자들이 삼각대를 가지고 다니는 이유는 흔들림이 없는 사진을 구하기 위함입니다. 스마트폰 카메라도 전용 삼각대를 통해 흔들림을 방지할 수 있습니다. 동영상 촬영은 더욱 흔들림이 많으니 주의해야 합니다. 만약 접사, 광각, 배율 등 전문적인 사진 촬영을 하려면 전용 렌즈를 구입해야 합니다.

a. 스마트폰 삼각대

흔들림 없이 안정적인 동영상이나 선명한 사진을 위해서는 삼각대가 필수입니다.

b. 블루투스 리모컨

블루투스 리모컨은 피사체와 먼 거리에서 촬영해야 할 때 유용하게 활용할 수 있습니다.

c. 스마트폰 렌즈

특수한 촬영을 원한다면 스마트폰 카메라의 전용 렌즈 사용을 추천합니다. 예컨대 현미경도 가능하고, 망원 렌즈, 접사 렌즈, 광각 렌즈, 어안 렌즈 등 여러 렌즈가 존재합니다. 이것은 학생들의 '창의체험학습' 등에 효과적입니다.

02 | 구도 촬영 기획

● 중앙 + 수평 구도를 맞추고 '황금비율'을 활용하라!

구도의 기본은 '중앙 구도'입니다. 특히 영상콘텐츠에서 중앙 구도를 가장 많이 활용합니다. 이를 해결하기 위해 카메라의 설정에서 '안내선'을 활성화하기 바랍니다.

촬영의 기본은 '수평 구도'입니다. '안내선'에는 황금비율(1.618대 1)이 있습니다. 아래의 결과물은 황금비율을 맞춘 사진으로 동일한 시간대의 사진이지만, 전혀 다른 느낌입니다. 황금비율에 맞추어서 상하 중에 한쪽을 선택하면 창의적인 결과물을 얻을 수 있습니다.

하위 중심 구도

상위 중심 구도

● 좌우 놀이보다 '상하 놀이'가 더 중요하다

구도는 사진이나 동영상의 창의성과 깊은 연관성이 있습니다. 어떤 대상을, 어떤 부분에 집중해서, 어떤 각도로 촬영하느냐에 따라 결과물이 달라지기 때문입니다. 한 예로 전문가들은 '좌우 놀이보다 상하 놀이가 더 중요하다.'라고 말합니다. 이것의 구도는 크게 아이 앵글(Eye Angle), 하이 앵글(High Angle), 로우 앵글(Low Angle) 3단계로 나누어집니다. 아이 앵글은 자신의 시선, 하이 앵글은 드론의 시선, 로우 앵글은 개미의 시선입니다. 따라서 이러한 구도를 이용해서 차별화된 사진이나 동영상을 구할 수 있습니다.

아이 앵글(Eye Angle)

하이 앵글(High Angle)

로우 앵글(Low Angle)

● 조명(빛)을 가까이 하라!

빛은 사진이나 동영상의 결과물을 결정하는 역할을 합니다. 조명이 없는 야간이
나 실내의 어두운 환경에서 선명한 사진이나 동영상을 구할 방법은 밝은 가로등
이나 레스토랑 등을 가까이하는 것입니다. 이것은 사진 스튜디오와 유사한 환경
을 만들어내는 기획입니다.

또한 조명의 강도 이외에도 피사체와 거리에 따라 사진 결과가 달라집니다. 이때
주의할 점은 스마트폰이 절대 흔들려서는 안 된다는 것입니다. 따라서 흔들리지
않는 자세를 취하고 반드시 숨을 멈춘 상태에서 촬영해야 선명한 결과물을 얻을
수 있습니다.

실내 조명을 활용한 촬영

● 노출을 활용하라!

밝은 결과물을 원할 때는 노출값을 올려서 촬영해야 합니다. 스마트폰에서는 세 가지 방법이 있습니다.

노출값 0의 야경 사진

노출값 +2의 야경 사진

첫 번째 밝기 조절 방법은 스마트폰 화면에서 어두운 대상을 '터치'한 후에 촬영하는 것입니다. 이것은 DSLR의 자동 노출
잠금(AEL; Auto Exposure Lock) 기능과 같습니다. 더 밝게 찍으려면 더 어두운 대상을 터치한 후에 촬영하면 됩니다. 위
는 이 기능을 이용해서 촬영한 밝기 조절의 전후 사진입니다.

두 번째 방법은 스마트폰 카메라에서 화면을 터치한 후 우측에 보이는 +와 −를 조절하는 방법입니다. 이때 위(+)로 이동
하면 화면이 밝아지고 아래(−)로 이동하면 화면이 어두워집니다.

세 번째 방법은 카메라의 [설정]에서 [노출값]을 선택하는 것입니다. 여기에는 일반적으로 총 5단계, [−2] [−1] [0] [+1] [+2]
로 나누어져 있는데, 어두운 상황이라면 +값을 최대한 올리면 밝은 사진이 나옵니다.

예컨대 야간 교통사고 등 어두운 상황에서 노출 보정을 위(+)로 올리면 위와 같이 밝은 현장 사진을 남길 수 있습니다.

04 | 추천 촬영 테크닉

● 아웃포커스에 도전하라!

아웃포커스(Out of Focus)는 한마디로 '배경 흐림'입니다. 근접 촬영 시 초점을 맞춘 부분은 선명하고 나머지 부분은 흐릿하게 만드는 기법입니다. 전문가들은 이를 '심도가 얕다'라고 표현합니다. 또한 이를 '접사(接寫)' 또는, '클로즈업(close-up)'이라고도 합니다. 아웃포커스는 전문가와 비전문가를 구분하는 기법이라고 해도 과언이 아닙니다. 아웃포커스를 자주 촬영하면 누구나 전문가와 비슷한 결과물을 얻을 수 있습니다.

인물 아웃포커스

풍경 아웃포커스

아웃포커스 효과를 위해서는 아래의 세 가지 사항을 숙지해야 합니다.

> 첫째, 카메라와 피사체와의 거리가 최대한 가까워야 한다.
> 둘째, 피사체와 그다음 피사체, 또는 배경과 거리가 멀수록 효과가 강해진다.
> 셋째, 피사체 또는 배경 거리의 반복과 거리가 길수록 아웃포커스 효과가 좋다(+ DSLR에서는 조리개 수치(F값)가 낮을수록 배경 흐림이 잘됩니다).

아웃포커스의 반대는 팬포커스입니다. 화면의 전후좌우 모두 초점이 맞아서 넓은 영역이 선명하게 나오는 사진입니다. 이러한 사진을 전문가들은 '심도가 깊다'고 표현합니다. 작품 용도의 사진보다 설명 용도의 사진에 적합합니다.

● 역광 사진을 역이용하라!

피사체의 정면으로 오는 빛을 순광(純光)이라고 하며, 그 반대의 빛을 역광(逆光)이라고 합니다. 순광 사진의 인물은 밝고 평범한 느낌을 주지만, 역광 사진의 인물은 어둡고 배경은 밝게 나오므로 이색적인 느낌을 줍니다. 이러한 특징을 잘 활용해서 촬영하기 바랍니다.

인물 역광

풍경 역광

사진·동영상 기초 편집 기획

**❶ 사진 편집 기초
(구도 편집)**

❶ 기본 구도

❷ 응용 구도

**❷ 사진 보정 기초
(명도 보정)**

❶ 어두운 사진 보정

❷ 채도, 색상 변경 후 명도 보정

01 | 사진 편집 기초(구도 편집)

사진이나 동영상은 기울기가 조금이라도 틀어지거나 좌우 균형이 맞지 않을 수 있습니다. 이러한 오류를 바로잡아 주는 것이 구도 편집입니다. 또 특정 부분을 확대하거나 여백을 늘려야 할 경우도 있습니다. 이것이 '이미지 기획'입니다. 이미지 기획의 관점에서 보면 구도는 '기본 구도(보편성)'과 '응용 구도(창의성)'로 구분할 수 있습니다. 간단한 것은 스마트폰 자체에서도 수정이 가능합니다.

● 기본 구도 : 수평(기울기) 및 좌우 균형 바로잡기

사진이나 동영상 편집에서 기본 구도는 수직과 수평(기울기)이고 좌우 균형이 틀어졌을 때, 이를 바로잡는 것이 기본적 기획입니다.

수평(기울기)이 틀어진 건축물 사진 원본 (Before)   수평을 맞춘 건축물 사진 (After)

좌우 균형이 안 맞는 기념 사진 원본 (Before)   좌우 균형을 맞춘 기념 사진 (After)

● 응용 구도 : 불필요한 부분 삭제 또는 특정 부분 확대, 사진의 여백 늘리기

응용 구도는 불필요한 공간을 삭제하거나 특정 부분을 확대해서 사진의 구도를 바꾸는 기획입니다.

상징물 사진 원본 (Before)

불필요한 부분을 삭제한 상징물 사진 (After)

동물 사진 원본 (Before)

특정 부분을 확대한 동물 사진 (After)

홍보 사진 원본 (Before)

특정 부분을 확대한 홍보 사진 (After)

02 | 사진 보정 기초(명도 보정)

입문자들은 명도 수정을 많이 하지 않지만, 영상콘텐츠 제작에서는 흔하게 사용합니다. 그것을 일반적으로 '뽀샵'이라고 합니다. 특히 영상미를 중시하는 영상에서는 자주 사용합니다.

● 어두울 때(흐린 날, 실내, 야간 사진) : 명도(明度: value 또는 Intensity) 수정

구름이 많은 날, 실내 촬영, 혹은 어두운 밤의 촬영 결과는 어둡거나 희미한 경우가 많습니다. 이때 스마트폰의 명도 보정 또는, 포토샵의 Level(Ctrl+L)을 활용하면 아래와 같이 보정할 수 있습니다.

흐린 날 피사체가 어두운 사진 (Before)

명도를 밝게 수정한 사진 (After)

실내가 어두운 사진 (Before)

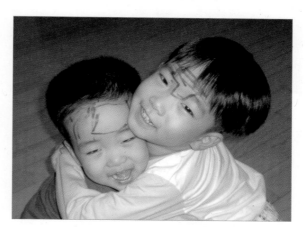

명도를 밝게 수정한 사진 (After)

야간 촬영의 어두운 사진 (Before)

명도를 밝게 수정한 사진 (After)

● 흑백 또는 색상을 바꿀 때 : 채도(彩度: Saturation) 또는 색상(色相: Hue) 보정

흑백 사진이 필요한 경우도 있습니다. 하지만 흑백 사진 변경 후에는 명도 보정이 필요할 때가 많습니다. 그 이유는 컬러 사진을 흑백 사진으로 바꿨을 때, 명도의 차이가 적어서 사진이 선명하게 보이지 않기 때문입니다. 그밖에 사진의 색상 자체를 바꾸는 경우도 있고, 채도를 낮추어 사용하는 경우도 있습니다.

일반 컬러 사진 (Before)

채도를 낮추고 명도를 밝게 수정한 흑백 사진 (After)

일반 컬러 사진 (Before)

색상을 바꾸고 명도를 밝게 수정한 사진 (After)

일반 컬러 사진 (Before)

색상을 바꾸고, 채도를 올리고, 명도를 밝게 수정한 사진 (After)

03 포토샵의 영상 디자인 기획

사진·동영상의 촬영 기본   사진·동영상의 편집 기초   포토샵의 디자인 기획

왜 영상에서 '포토샵'을 사용하는가?

영상을 제작하기 위해서 '프리미어 프로'를 배웁니다. 이보다 더 기술적인 영상을 만들기 위해서 '애프터 이펙트'를 추가로 배웁니다. 그러나 이보다 더 창의적인 영상콘텐츠를 제작하기 위해서는 '포토샵'이 필요합니다. 그 이유는 영상의 최소 단위가 '이미지'이기 때문입니다. 즉, **'이미지 = 아이디어'입니다. 영상콘텐츠에서는 한 컷 한 컷의 이미지를 강조해야 할 때가 있고, 이 이미지를 자유자재로 다룰 수 있는 소프트웨어가 포토샵입니다. 따라서 포토샵은 훌륭한 영상 디자인 소프트웨어입니다.**

영상 디자인에서 가장 많이 사용하는 포토샵의 기능은 크게 4가지입니다.

> **첫째**, 기본적인 '자르기(레이아웃 결정) 기획'과 '이미지 보정 기획', 그리고 '연속 이미지 추출 기획'입니다.
> **둘째**, 포토샵의 최고 기능이라고 할 수 있는 '이미지 합성 기획'입니다.
> **셋째**, 포토샵에서 쉽게 처리할 수 있는 '효과 활용 기획'입니다.
> **넷째**, 영상콘텐츠의 인트로에서 반드시 나오는 '타이틀 디자인 기획'입니다.

용도별로는 크게 2가지입니다.
먼저 **각각의 이미지 출력을 통한 '미리보기 용도'로 사용합니다.** 미리보기를 통해 영상 전체의 스토리나 흐름을 파악하고, 콘셉트의 일관성 여부를 체크할 수 있습니다. 이것은 작업 시간을 절약하고 시행착오를 줄이는 방법입니다.
또한 **'동영상 소스 용도'로 직접 사용합니다.** 타이틀 이미지 등 영상의 일부에 사용하기도 하고, 오직 사진으로만 영상을 제작하기도 합니다. 예컨대 스톱모션은 사진만으로 제작할 수 있습니다. 이것은 차별화된 영상 디자인으로 공모전이나 선거 경쟁에서 우수한 성과를 내는 데 효과적인 기법입니다. 이와 같은 낱장의 이미지들을 포토샵에서 디자인하고 기획하면 훨씬 더 다양하고 창의적인 영상콘텐츠를 제작할 수 있습니다.

참고로 본 도서에서 포토샵은 가장 많이 사용하는 기능 위주로 핵심만 설명했습니다. 나머지 세부적인 제작 방법은 인터넷 사이트나 유튜브 등에 '키워드 검색'을 통해 학습하기 바랍니다.

영상 디자인에서 가장 많이 사용하는 포토샵 기획

────── 기능별 기획 ──────

**❶ 자르기 + 보정 &
연속 이미지 기획**

A. 중요 부분 확대 +
자르기를 통한 연속 이미지
추출 기획
B. 어두운 이미지를 밝게 +
한꺼번에 여러 장
사진 보정 기획

❷ 이미지 합성 기획

A. 이미지 복사와 컬러 변환 기획
B. 투명 이미지 합성 기획
C. Gray 테크닉 기획
D. Story 이미지 합성 기획

❸ 효과 활용 기획

A. 포인트 강조를 위한
Layer Style 효과 기획
B. 특정 부분을 강조하기 위한
아웃포커스 효과 기획
C. 잔상 or 특정 부분을
감추어야 할 때 Blur 효과 기획
D. 작품처럼 표현하고 싶을 때
스케치 효과 기획

❹ 타이틀 디자인 기획

A. 기본 타이틀과 배경 합성 기획
B. 재질과 배경 합성 기획
C. 타이틀 반사 효과 기획
D. 패스 문자 효과 기획

────── 용도별 기획 ──────

"미리보기 용도"

"동영상 소스 용도"

A. 중요 부분 확대 + 자르기를 통한 연속 이미지 추출 기획

준비/완성 파일 : Part 01 > 01A Data 폴더

주요 장면을 강조하고 싶을 때, '사진 한 장에서 여러 장의 이미지를 추출하는 Crop' 기획을 추천합니다. 포토샵 디자인 중에서 첫 번째 기획은 '자르기(Crop)'입니다. 자르기는 사진의 중요 부분을 자르는 것으로 '레이아웃 설정' 또는 '클로즈업(close up)'과 같습니다. 이것은 중요 부분의 확대를 통해 새로운 이미지를 구할 수 있으며, 연속적 이미지로 스토리를 만들어내는 기획입니다. 아래는 이것을 활용한 스톱모션(stop motion) 작품 중 일부입니다.

Before(원본)

* 대부분의 사진 결과를 보면 기울기
  가 약간씩 틀어져 있으므로 수평을
  맞추는 작업이 필요합니다.

* 또한 주인공(사물)이 정중앙에 배
  치되어 있지 않으므로 Rulers와
  Guide Line을 사용해서 중앙으로
  배치하는 것입니다.

Crop
(회전 + 자르기, 확대 + 자르기)

또는

Free Transform + Rulers 후
Guide Line 후 자르기

After(회전 + 자르기)

After(확대 + 자르기)

● 포토샵 디자인 핵심 기능

1. 기울어진 사진을 회전하기 + 자르기

– [Crop Tool] 선택 후 회전과 자르기 ▶ 더블클릭(또는 Enter)

– 또는 사진 선택 후 [Edit] > [Free Transform](단축키 : Ctrl+T) ▶ 회전 ▶ 더블클릭(또는 Enter)

2. 주인공 또는 사물을 화면 중앙에 놓기 위한 Guide Line 활용

[View] > [Rulers](단축키 : Ctrl+R) 후, Guide Line 이동

3. 저장

한 장의 사진에서 Crop을 통한 연속 이미지 기획 사례

제3회 대한민국청소년 UCC 캠프대전 '여성가족부장관상' 수상 작품 이미지 중 일부

B. 어두운 이미지를 밝게 + 한꺼번에 여러 장의 사진 보정 기획

준비/완성 파일 : Part 01 > 01B Data 폴더

한 장소에서 촬영한 여러 장의 사진을 보정해야 할 때, '포토샵의 Action 보정' 기획을 추천합니다. 포토샵 디자인 중에 빠지지 않는 것은 '이미지 보정'입니다. 특히 실내나 야간 촬영의 사진이 여러 장일 경우, 한 장씩 수정하면 너무 많은 시간이 소요되므로 한꺼번에 수정하는 방법이 효과적입니다. 아래는 실내 사진의 명도와 색상을 보정하고, 여러 장의 사진을 한꺼번에 보정하는 방법입니다.

Level + Hue/Saturation

▼

Action

Before(어두운 사진)

After(밝아진 사진)

● 포토샵 디자인 핵심 기능

1. 어두운 사진을 밝게 + 색온도 조절하기

❶ **어두운 사진을 밝게** : [Image] > [Adjustments] > [Level](단축키 : Ctrl + L)

❷ **색온도 조절** : [Image] > [Adjustments] > [Hue/Saturation](단축키 : Ctrl + U)

2. 한꺼번에 여러 장 수정하기

[Windows] > [Actions] 후, [Create new action]

▶ [Level] + [Hue/Saturation] + [Save] + [Close] 후

▶ 나머지 사진 불러온 후, [Action]에서 [Play selection] 적용

이미지 보정과 한꺼번에 여러 장의 사진 수정 기획 사례

DDL 극장 프레젠테이션 작품 'DDL 막둥이의 하루' 중 일부

A. 이미지 복사와 색상 변환 기획

준비/완성 파일 : Part 01 > 02A Data 폴더

목차나 리스트를 소개할 때, '이미지(Layer)를 복사하고 색상을 바꾸는 기획'을 추천합니다. 아래와 같이 인터넷에서 쉽게 찾을 수 있는 이미지를 다운받아서 응용하면 기존 이미지와 전혀 다른 새로운 이미지를 창작할 수 있습니다. 포토샵 디자인의 장점 중 하나는 이러한 복사 기획을 자유자재로 할 수 있다는 점입니다.

Before

PNG 이미지 다운로드
+ Layer Copy
+ Hue/Saturation

After(복사, 색상 변환)

● 포토샵 디자인의 핵심 기능

1. 인터넷에서 다운로드

ex) 구글에서 '아이패드 png' 검색 후 다운로드

2. 포토샵에서 복사하기

포토샵에서 새 창을 적절한 사이즈로 만들고,

▶ 다운로드한 파일 가져온 후 ▶ 복사하기(❶ 다운로드한 레이어를 [Create a new layer]로 드래그, ❷ 다운로드한 파일을 선택 후 Ctrl+C, Ctrl+V, ❸ 다운로드한 파일을 선택 후 Alt+드래그 이동

3. 색상 변환

레이어 선택 후 [Hue/Saturation](단축키 : Ctrl+U) ▶ 저장

PNG 이미지 다운로드 ▶ 이미지 복사 + 색상 변환의 기획 사례

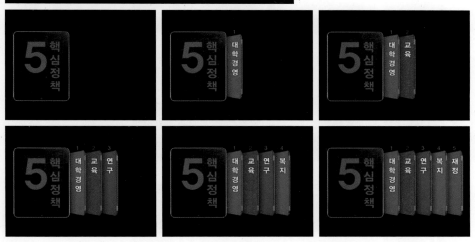

○○대학교 총장선거 프레젠테이션 영상 중 일부

B. 투명 이미지 합성 기획

준비/완성 파일 : Part 01 > 02B Data 폴더

차별화된 홍보가 필요할 때, '투명 이미지 합성' 기획을 추천합니다. 예컨대 애플의 투명 제품들을 생각하면 이해가 될 것입니다. 투명 물방울, 투명 아이콘, 아쿠아 이미지 등을 활용하면 차별화된 영상을 기획하는 데 도움이 됩니다. 단, 투명 이미지 소스는 PNG 파일이어야 투명도가 적용됩니다. 아래는 투명 물방울을 활용한 추가 합성 기획입니다.

무료 PNG 이미지 다운로드
+ Rasterize Layer + Level
+ Layer Style

Before   After(투명 이미지 추가)

● 포토샵 디자인의 핵심 기능

1. 인터넷에서 다운로드

ex) 포털에서 '무료 투명 물방울 png' 검색 후 다운로드

2. 포토샵에서 이미지 보정 후 복사하기

포토샵에서 새 창을 적절한 사이즈로 만들고,

▶ 다운로드한 파일 가져온 후 ▶ 레이어에서 마우스 오른쪽 버튼 클릭 후 [Rasterize Layer] 선택(벡터를 비트맵으로 변경)

▶ 투명 물방울 레이어 선택 후 [Level] 조절

▶ 텍스트 입력 ▶ Layer Style(Outer Glow, Drop Shadow...)

▶ 복사하기(다운로드한 파일 선택 후 Alt +드래그 이동) ▶ 저장

투명 PNG 이미지 추가 합성의 기획 사례

Scene 01

Scene 02

Scene 03

Scene 04

Scene 05

Scene 06

OO고등학교 총학생회장 선거홍보 영상 중 일부

C. Gray 테크닉 기획

준비/완성 파일 : Part 01 > 02C Data 폴더

색상을 고민할 때, 'Gray 테크닉' 기획을 추천합니다. 특히 배경을 회색으로 처리하는 'Gray 테크닉'은 사물을 더 강조하는 기획입니다. 반대로 피사체(A)는 더 시각적인 이미지 소스(B)를 찾는 것이 중요합니다. 여기에 상황에 적합한 블렌딩 소스를 합성하면 다양한 이미지를 창작할 수 있습니다.

 + +  +

Gradient 배경   A(손)   B(맥주)   C(거친 재질)

Gradient Tool + Lasso Tool + Copy & Paste + Blending Mode(Overlay)

Gradient 배경의 A(맥주)를 들고 있는 B(손)와 C(거친 재질)의 합성

● 포토샵 디자인의 핵심 기능

1. 그라데이션 배경 만들기

[Tools] 패널 > [Gradient Tool] > [Click to edit the gradient] > [Color stop] 양쪽 더블클릭 회색 조절 후,

▶ `Shift` 누르고 하단 쪽으로 드래그

2. A(맥주)와 B(손) 선택과 오려내기

[Tools] 패널 > [Lasso Tool] > [Polygon Lasso Tool]로 경계선 선택

▶ 복사(`Ctrl`+`C`) ▶ 붙여넣기(`Ctrl`+`V`) ▶ 확대 또는, 축소(`Ctrl`+`T`) ▶ `Enter`

3. B(손)에 C(거친 재질) 합성하기

B(손) 레이어 위에 C(거친 재질) 레이어를 올려둔 후,

▶ [Image] > [Hue/Saturation]에서 흑백 이미지로 바꾼 다음,

▶ 마우스 오른쪽 버튼을 클릭한 후 [Create Clipping Mask]를 선택하고,

▶ [Blending mode] > Overlay ▶ B + C 레이어 합치기(`Ctrl`+`E`) ▶ 저장

새 배경 + A + B + 재질 합성의 기획 사례

맥주 타임 대신   건강을 선택하면   동동주 타임 대신   우정을 선택하면   양주 타임 대신   감사를 선택하면   폭탄주 타임   폭탄주 타임 대신

대한민국 절주 영상 공모전 '우수상' 수상 작품 '알콜중독자의 선택' 중 일부D. Story 이미지 합성 기획

D. Story 이미지 합성 기획

준비/완성 파일 : Part 01 > 02D Data 폴더

창의성이 절실할 때, 'Story 이미지 합성' 기획을 추천합니다. 합성은 목적별로 사실성이나 시각성을 목적으로 하는 'CG 이미지 합성'과 새로운 스토리를 만들어내기 위한 'Story 이미지 합성'이 있습니다. 아래는 이미지 은유법을 적용하여 두 개의 이미지를 합성한 Story 이미지 합성의 사례입니다.

A(원 심볼)　　　　　　　a(원 계란)

Layer Via Copy + Load Selection + Hue/Saturation

A + a의 원 이미지 합성(이미지 은유법)

● 포토샵 디자인의 핵심 기능

1. A(원 심볼) 추출

앰블렘에서 안에 심볼만 선택 후 저장

2. B(원 계란)의 노른자 원 선택 및 복사 후 심볼 합성

[New] > [Layer Via Copy](또는 [Ctrl]+[J])

▶ a 레이어 위에 A(심볼) 레이어 올리기

▶ a와 A 같은 사이즈로 맞추기

▶ a 레이어 선택 상태에서 [Ctrl]+심볼 레이어 클릭하여 심볼의 가운데 모양 선택

▶ 선택 영역의 외곽 경계를 부드럽게 하기 위해 [Select] > [Modify] > [Feather]

▶ [Feather Radius] 값 입력

▶ [Delete] 눌러 불필요한 부분 삭제 + 선택 해제([Ctrl]+[D])

▶ 새 레이어(심볼의 가운데 모양) 선택 후, [Image] > [Hue/Saturation]에서 흰색 이미지로 수정.

▶ a(원 계란) 레이어와 합치기(Background) ▶ 저장

A + a 은유적 합성의 기획 사례

| 해가 | 커피가 | 해바라기가 | 여수의 달이 | 발톱을 | 엉덩이를 | 내 렌즈도 | 내 머리도 |
| 엑스포로... | 엑스포로... | 엑스포로... | 엑스포로... | 엑스포로... | 엑스포로... | 엑스포로... | 엑스포로... |

여수세계박람회 영상 애니메이션 공모전 '금상' 수상 작품 '엑스포 상사병' 중 일부

03 | 효과 활용 기획

A. 포인트 강조를 위한 Layer Style 효과 기획

준비/완성 파일 : Part 01 > 03A Data 폴더

중요 포인트를 강조할 때, '포토샵의 Layer Style 효과' 기획을 추천합니다. 여기에는 'Bevel & Emboss', 'Stroke', 'Inner Glow', 'Outer Glow', 'Drop Shadow' 등이 있습니다. 그러나 효과를 잘못 사용하면 오히려 좋지 못한 결과가 나올 수 있습니다. 따라서 무조건 효과를 넣는 것이 아니라 어떤 효과를 넣을지를 고민하는 것이 효과적인 기획입니다.

Before

Layer Style
(Outer Glow
+ Stroke
+ Drop Shadow)

After(Layer Style 적용)

● 포토샵 디자인의 핵심 기능

1. 인터넷에서 다운로드

포털에서 '픽토그램' 검색 후 다운로드

▶ 다운로드한 파일 가져온 후 ▶ 그림의 빈 공간 삭제

2. 픽토그램 레이어에서 더블클릭 후 [Layer Style] 창에서 원하는 효과 선택

▶ ex) 위의 사례는 [Outer Glow] 선택 ▶ 이 안에 [Opacity], [Spread]와 [Size] 수치 입력

▶ ex) 아래와 같이 그림뿐만 아니라 글자 타이틀(T)에도 다양한 효과를 적용할 수 있음

Layer Style 효과를 활용한 기획 사례

잡지 말고

잡으세요

검색 말고

검색해요

읽지 말고

읽으세요

채팅 말고

책팅해요

홍도 도서관

백도 도서관

여수 도서관

전남대 도서관

전남대 홍보 영상콘텐츠 공모전 '우수상' 수상 작품 '전남대 도서관' 중 일부

B. 특정 부분을 강조하기 위한 아웃포커스 효과 기획

준비/완성 파일 : Part 01 > 03B Data 폴더

특정 부분을 강조할 때, '아웃포커스(Out Focus) 효과' 기획을 추천합니다. 이것은 특정한 부분을 강조하기 위해서 그 반대의 부분을 흐리게 적용하는 기획입니다. 또는 불필요한 부분을 흐리게 해야 할 경우에도 자주 사용합니다. 그 종류는 아래와 같이 원형 아웃포커스(Iris Blur)와 선형 아웃포커스(Tilt-Shift)가 있습니다.

Before A

Iris Blur
(원형 아웃포커스)

After A(원형 아웃포커스)

Before B

Tilt-Shift
(선형 아웃포커스)
+ Dodge Tool, Burn Too

After B(선형 아웃포커스)

● 포토샵 디자인의 핵심 기능

1. 중앙 외곽 흐리게 만들기

[Filter] > [Blur Gallery] > [Iris Blur]
▶ [Blur Pin] 위치 이동 + [Blur] 값 입력 ▶ [OK]

2. 원거리 흐리게 만들기

[Filter] > [Blur Gallery] > [Tilt-Shift]
▶ Shift +90도 회전 ▶ [Blur] 값 입력 + [Distortion](거리 조절) ▶ [OK]
▶ 먼 부분을 어둡게 하려면 [Tools] 패널에서 [Dodge Tool]이나 [Burn Tool] 이용

※ [Blur Gallery] 대신 [Gaussian Blur]를 적용해도 비슷한 효과를 줄 수 있습니다.

아웃포커스(Out focus) 효과를 활용한 기획 사례

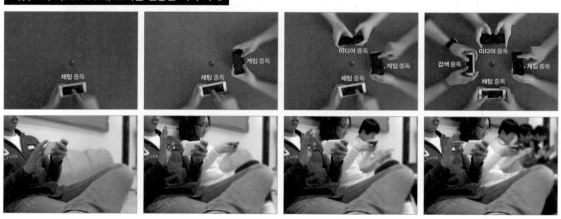

제25회 정보문화의달 Clean IT 공모전 '행정안전부장관상' 수상 작품 '스마트폰 중독 예방법' 중 일부

C. 잔상 or 특정 부분을 감추어야 할 때 Blur 효과 기획

준비/완성 파일 : Part 01 > 03C Data 폴더

잔상 또는 특정 부분을 감추어야 할 때, 'Blur(흐림) 효과' 기획을 추천합니다. 이것은 이미지 보정에서 가장 많이 사용하는 필터(Filter)의 효과 중 하나입니다. 필터의 종류로는 선형 흐림인 Motion Blur, 원형 흐림인 Radial Blur, 박스형 흐림인 Box Blur 등 다양한 형태의 Blur가 있습니다.

Before A

Motion Blur
(선형 흐림)

After A(선형 블러 효과)

Before B

Gaussian Blur
(부드러운 흐림)

After B(블러 효과)

● 포토샵 디자인의 핵심 기능

1. 선형 흐림 효과(잔상 효과)

캐릭터 파일과 배경 파일 가져온 다음, 각각

▶ [Filter] > [Blur] > [Motion Blur] ▶ [Angle] + [Distance] 값 입력

2. 부드러운 흐림 효과

가려야 할 부분을 선택한 다음,

▶ [Filter] > [Blur] > [Gaussian Blur] ▶ [Radius] 값 입력

※ 위와 같이 화면 속의 '특정 브랜드'나 '얼굴 초상권 침해', 혹은 '흡연 모습' 등의 정지 화면을 가려줘야 할 때도 유용하게 사용합니다.

> **흐림(Blur) 효과를 활용한 기획 사례**

제 1회 전국도서해양문화콘텐츠 공모전 '대상' 수상 작품 영상콘텐츠 중 일부

D. 작품처럼 표현하고 싶을 때 스케치 효과 기획

준비/완성 파일 : Part 01 > 03D Data 폴더

손그림과 같은 느낌을 주고 싶을 때, '스케치 효과' 기획을 추천합니다. 이 효과는 손으로 그린 것 같은 느낌을 주고 싶을 때, 두 개의 이질적인 합성 사진을 하나로 자연스럽게 합치고 싶을 때, 평범한 이미지를 작품과 같은 느낌을 주고 싶을 때 효과적인 기획입니다.

Gaussian Blur, Motion Blur + Noise

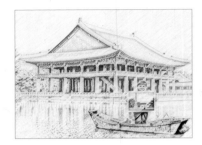

Before

After(스케치 효과)

Minimum

Before

After(판화 효과)

● 포토샵 디자인의 핵심 기능

1. 스케치 효과

합성 사진 파일을 가져온 다음

▶ [Filter] > [Adjustments] > [Desaturate] 사진을 흑백으로 + 이 레이어를 복사하기 위해 Ctrl + J

▶ 이 이미지의 색상을 반전하기 위해 Ctrl + I 또는 [Image] > [Adjustments] > [Invert]

▶ [Layers] 패널에서 [Blending Mode]를 'Color Dodge'로

▶ [Filter] > [Blur] > [Gaussian Blur]에서 [Radius] 입력 ▶ [OK]

▶ Ctrl + E 로 위의 2개 레이어를 하나로 합친 후, Ctrl + J 로 하나 더 복사

▶ [Filter] > [Noise] > [Add Noise]에서 [Amount], [Distribution], [Monochromatic] 체크

▶ [Filter] > [Blur] > [Motion Blur] ▶ [Angle] + [Distance] 값 입력

▶ [Layers] 패널에서 [Opacity] 조절 후, Ctrl + E 로 위의 2개 레이어를 하나로 합침

※ 위 효과는 블로그나 유튜브에 '포토샵 스케치 효과'를 검색하면 다양한 테크닉이 있으니 참고하기 바랍니다.

스케치 효과를 활용한 기획 사례

Scene 01   Scene 02   Scene 03   Scene 04   Scene 05   Scene 07

대한민국관광애니메이션공모전 '우수상' 수상 작품 영상콘텐츠 중 일부

04 | 타이틀 디자인 기획

A. 기본 타이틀과 배경 합성 기획

준비/완성 파일 : Part 01 > 04A Data 폴더

기본 타이틀을 제작할 때, '굵은 폰트'와 '자간 좁힘', 그리고 '우주 배경에 Radial Blur'를 추천합니다. 여기에서 핵심은 '고딕체 형태의 굵은(Bold) 폰트를 선택'하고 '글자 간격(자간)을 좁히는 것'입니다. 폰트가 두꺼워야 효과를 볼 수 있기 때문입니다. 그리고 분위기에 어울리는 배경에 원형 블러를 주면 멋진 타이틀을 제작할 수 있습니다.

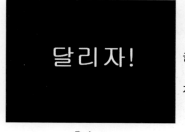

Before

굵은 폰트
+
자간 좁힘

After(타이틀) +

+ 배경

Hue/
Saturation
+
Radial
Blur

타이틀과 배경의 합성

● 포토샵 디자인의 핵심 기능

1. 배경 이미지 만들기

색상을 바꾸기 위해 [Image] > [Adjustments] > [Hue/Saturation](또는 Ctrl + U)에서 색상 변환

▶ 블러 효과를 주기 위해 [Filter] > [Blur] > [Radial Blur]

▶ [Amount] 값 입력, [Blur Method] : Zoom, [Quality] : Good 선택

2. 타이틀 이미지 만들기

[Tools] 패널에서 T 선택 후, '달리자!' 입력

▶ 폰트를 '두꺼운 고딕체 선택'(위는 윤고딕 140, Bold)

▶ 폰트의 '자간을 −140으로 좁힘' + 기울기를 'Italic'체 선택

※ 이 폰트에 아래와 같은 적절한 재질을 넣으면 조금 더 멋진 타이틀이 될 수 있습니다.

이미지 다운로드 후, 이미지 복사 + 색상 변환의 기획 사례

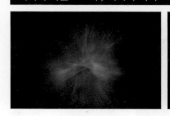   

제2회 대한민국청소년 UCC 캠프대전 '금상' 타이틀 영상 중 일부

B. 재질과 배경 합성 기획

준비/완성 파일 : Part 01 > 04B Data 폴더

멋진 타이틀을 제작할 때, '심플한 텍스트'와 '테두리', 그리고 'Clipping Mask'를 추천합니다. 차별화된 타이틀 디자인을 원한다면 배경 합성이 중요합니다. 분위기에 맞는 재질이나 배경을 합성하는 방법에 대해 알아야 합니다. 이를 위해서 평소에 다양한 재질과 배경 소스들을 모아두면 좋습니다.

| 타이틀 | 재질 | 배경 |

Layer Style(Bevel & Emboss) + Clipping Mask

금속 재질과 배경이 합성된 타이틀

● 포토샵 디자인의 핵심 기능

1. 타이틀 이미지 만들기

굵은 폰트에 테두리를 주기 위해서 폰트 레이어를 선택하고, [Select] > [Modify] > [Expand]에서 값 입력

▶ 입체 효과를 주기 위해서 [Layer] > [Layer Style] > [Bevel & Emboss]에서 값 입력

▶ 재질을 적용하기 위해서 재질 레이어가 선택된 상태에서 [Layer] > [Create Clipping Mask] 적용

▶ 두 번째 레이어에 입체 효과를 주기 위해서 [Layer] > [Layer Style] > [Bevel & Emboss]에서 수치 값을 다시 입력

▶ 배경 이미지를 입히기 위해서 배경 레이어가 선택된 상태에서 [Layer] > [Create Clipping Mask] 적용

▶ 금속의 반짝이는 느낌을 주기 위해서 [Tools] 패널의 [Rectangular Marquee Tool]에서 [Feather] 값 입력

▶ [Image] > [Adjustments] > [Level](또는 Ctrl + L)에서 밝게 조절

2. 다양한 배경 이미지 합성

※ 아래와 같이 다양한 배경 이미지를 합성하면 여러 장의 타이틀 영상을 만들 수 있습니다.

재질과 배경 합성의 기획 사례

LIG 된다댄스 UCC 콘테스트 '최우수상' 타이틀 영상 중 일부

C. 타이틀 반사 효과 기획

준비/완성 파일 : Part 01 > 04C Data 폴더

멋진 타이틀을 제작할 때, '반사 효과'를 추천합니다. 영상콘텐츠 디자인 실무에서 많이 사용하는 기법 중 하나가 반사 효과입니다. 이를 포토샵의 디자인 기획으로 응용하면 각종 타이틀은 물론 아래와 같이 다양한 디자인 실무에 활용할 수 있습니다.

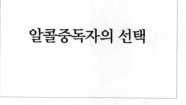

Before

Add Layer Mask
+
Gradient Tool

After(타이틀 반사 효과)

● 포토샵 디자인의 핵심 기능

1. 타이틀과 반사 이미지 만들기

[Tools] 패널에서 [Type Tool] 선택 후, 텍스트 '알콜중독자의 선택' 입력

- ▶ 폰트를 두꺼운 고딕체 선택(위는 윤명조 140, Bold)
- ▶ 폰트의 자간을 '-140'으로 좁힘
- ▶ 텍스트 '알콜중독자의'와 '선택'을 분리
- ▶ '선택' 사이즈 키우고, 점 삽입
- ▶ 레이어 복사 `Ctrl`+`J` 후 `Ctrl`+`E`로 합침
- ▶ 복사한 레이어에서 [Free Transform](`Ctrl`+`T`) 후,
- ▶ 마우스 오른쪽 버튼 클릭 Rotate 180° 후, 반사 위치로 이동
- ▶ [Layers] 패널의 [Add Layer Mask] 클릭
- ▶ [Tools] 패널에서 [Gradient Tool]
- ▶ [Black, White] 그라데이션 설정 선택 후, 아래에서 위로 드래그
- ▶ [Layers] 패널에서 [Opacity]를 낮추어서 조절

타이틀 반사 효과의 기획 사례

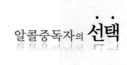

대한민국 절주 UCC 공모전 '우수상' 수상 작품 이미지 중 일부

D. 패스 문자 효과 기획

준비/완성 파일 : Part 01 > 04D Data 폴더

멋진 타이틀을 제작할 때, '패스 문자 효과'를 추천합니다. 곡선의 패스를 따라가는 문자 디자인 기획은 포토샵에서 꼭 알아두어야 할 기능으로 활용도가 매우 높습니다. 이를 포토샵의 디자인 기획으로 잘 응용하기 바랍니다.

Before

Ellipse Tool(Path)
+
Horizontal Type Tool

After(패스 문자)

● 포토샵 디자인의 핵심 기능

1. 유명 이미지와 얼굴 이미지의 합성

유명 이미지(MGM 인트로) 다운로드 + 얼굴 이미지 연속 촬영

▶ MGM 이미지 불러온 후 가운데 구멍 삭제

2. 패스 타이틀 이미지 만들기

이미지 불러오기

▶ [Tools] 패널에서 [Ellipse Tool] 클릭한 후, 상단 옵션바의 [Pick tool mode]를 'Path'로 설정

▶ 외곽 틀 보다 살짝 크게 원을 그림

▶ 텍스트 '된다! 패러디女' 입력

▶ [Tools] 패널에서 [Horizontal Type Tool](T)를 클릭 후, 패스의 왼쪽 상단 클릭, Ctrl+V 복사

▶ 레이어 복사 Ctrl+J 후, [Layers] > [Rasterize]

▶ [Tools] 패널에서 [Polygon Lasso Tool] 클릭 후, 밝게 강조할 텍스트 선택

▶ 레이어 복사 Ctrl+J 후, [Layer] > [Layer Style] > [Out Glow] 클릭 ▶ [OK]

패스 문자 타이틀 효과의 기획 사례

LIG 된다댄스 UCC 콘테스트 '최우수상' 수상 작품 이미지 중 일부

03

편집(에디팅) 기획 (3 Scene-3 Step)

편집 기획(3 Scene-3 Step)은 3가지 씬(기승, 전, 결 Scene)을 스토리텔링의 원칙에 두고 공감대를 시작으로 3가지 스텝인 균형, 변화, 통일에 각각 맞추어서 하나의 시퀀스(Sequence)로 영상콘텐츠를 완성하는 마지막 3단계에서의 기획입니다.

❶ 기·승 Scene 편집

맨 먼저 '공감대'가 높은 것을 중심으로 기(起, Introduction, 발단)와 승(承, Development, 전개)의 Scene을 '균형'있게 시작하는 편집입니다.

❷ 전 Scene 편집

기(발단), 승(전개)의 Scene의 균형적인 작업이 끝난 후, 전(轉, Turn, 절정) 부분에 감동 또는 반전을 배치하여 '변화'를 줘서 시각적 몰입감을 높이는 단계의 편집입니다.

❸ 결 Scene(Closing) 편집 후 Opening Scene 추가

기·승·전 Scene을 기준으로 결(結, Conclusion, 결말) 부분, 즉 Closing을 마무리하는 단계입니다. 그리고 Opening Scene도 Closing과 '통일'이 되도록 추가하여 하나의 시퀀스(Sequence)를 완성하는 마지막 단계의 편집입니다.

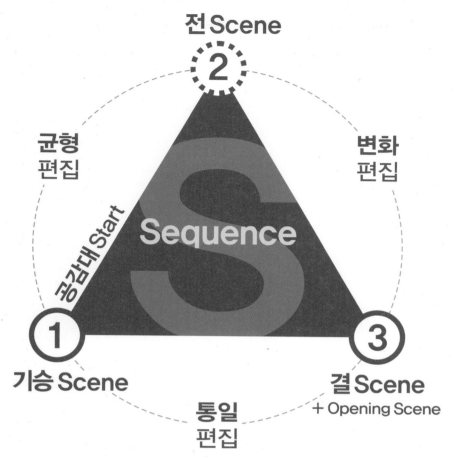

전 Scene

②

균형 편집

변화 편집

폭감대 Start

Sequence

①

기승 Scene

③

결 Scene + Opening Scene

통일 편집

3 Scene–3 Step 편집(에디팅) 기획

원래 기승전결은 발단, 전개, 절정, 결말의 4단계 구성입니다. 그러나 짧은 러닝타임이라는 영상콘텐츠의 특징상 기획의 단순화가 필요합니다. 특히, 기(起)와 승(承)은 발단(Introduction)과 전개(Development)라는 의미입니다. 즉, 기를 그대로 이어받고 발전시키는 것이 승입니다. 그래서 기와 승을 하나로 묶어서 단순화하였습니다. 여기에서 핵심은 전(轉, Turn, 절정) Scene입니다. 전에서 감동이나 반전의 시각적 몰입감을 주는 것이 기획의 핵심입니다. 그 이후에 결 Scene에서는 기승전 Scene을 총정리하고 마무리하면 됩니다.

목표 달성을 위한 역발상 프로세스 실무

'창의 = 역발상'입니다.

영상콘텐츠 공모전이나 선거 등 경쟁에서 이겨야 할 상황. 또는 홍보에서 성과를 올려야 할 때는 무언가 창의적인 조치가 필요할 것입니다. 이러한 경우에는 프로세스의 반대로 거슬러 올라가면서 부족한 부분들을 찾아내서 다시 수정하고 보완하는 '창의적 영상 기획 역발상론(333 역프로세스 실무)'을 추천합니다. 이것의 핵심은 자신이 제작한 영상을 비판적으로 바라보면서 부족한 부분을 수정하는 것입니다. 또한 이것은 시간을 절약하면서 보다 나은 결과물을 만들어내는 효과적인 기획입니다. 그 내용은 다음과 같습니다.

> 첫째, 영상콘텐츠 특성에 따른 제한시간과 규격을 지켰는지 검토할 것
> 둘째, 콘셉트와 주제가 일치하는지 각각의 Scene을 하나씩 맞추어 볼 것
> 셋째, 영상콘텐츠의 스토리 안에 '기승전결'의 흐름에 따른 영상의 재배치를 검토할 것
> 넷째, 특히 영상의 시작 부분에서 공감대가 더 큰 소스가 없는지 다시 찾아볼 것
> 다섯째, 사진, 동영상, 또는 CG 중에 적합한 디자인을 찾아보고 교체를 검토할 것
> 여섯째, 비교보다 '비교 비교 비교'의 여러 번 반복하는 비교를 통해 더 좋은 소스로 교체할 것

마지막으로 최대한 불필요한 부분이 없는지 검토한 후, 재생 시간을 줄이고 단순하게 마무리할 것 등입니다.

333 프로세스와 333 역프로세스 실무

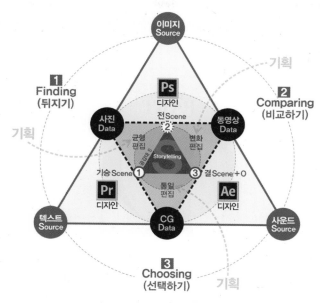

333 프로세스 실무(창의적 영상 기획 방법론)

↑↓

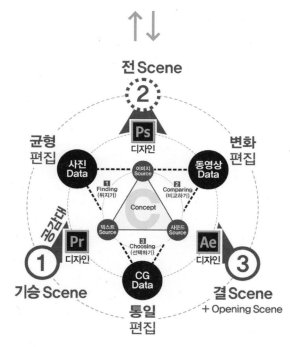

333 역프로세스 실무(창의적 영상 기획 역발상론)

필자는 지난 20여 년간 수백 회 이상의 공모전과 선거, 홍보 등에서 시행착오를 통해 '창의적 영상 기획 방법론(333 프로세스 실무)'과 '창의적 영상 기획 역발상론(333 역프로세스 실무)'을 제안합니다. 독자 여러분이 이 프로세스의 실무를 통해 시간을 절약하고 경쟁력 있는 영상콘텐츠를 제작하는 데 도움이 되길 바랍니다.

프리미어 프로 실무

프리미어 프로 2021에서 가장 많이 사용하는 패널 및 새로운 기능

영상콘텐츠 공모전 20년 도전 노하우!

프리미어 프로 2021은 초보자와 일반 사용자 누구나 쉽게 사용이 가능한 동시에 전문성을 확보하는 인터페이스로 구성되어 있습니다. 프로젝트 단계별로 최적의 작업 공간을 구성할 수 있으며, 작업 공간 선택은 각 윈도우와 화면상의 팔레트로 나누어져 있습니다. 이때 편리한 작업 공간을 만들기 위해서 각 윈도우의 기능별 배열과 팔레트를 자유롭게 구성할 수 있고, 수많은 종류의 데이터를 불러와서 편집할 수 있다는 장점이 있습니다.

01 프리미어 프로 기본 화면 살펴보기

프리미어 프로의 기본 화면은 풀다운 메뉴와 [Effect Controls], [Program Monitors], [Project], [Tools], [Timeline], [Audio Meters] 패널로 구성되어 있습니다.

01 프리미어 프로의 시작 화면 살펴보기 [Start]

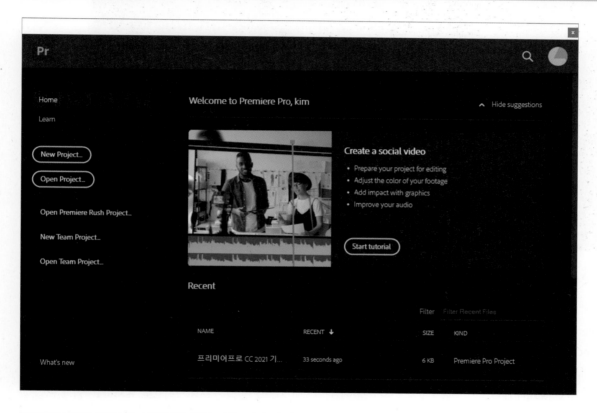

프리미어 프로 2021을 실행하면 위와 같은 시작 화면 인터페이스를 볼 수 있습니다. [Start] 패널에서는 파일 관리에서 가장 중요한 메뉴인 [New Project]([Ctrl]+[Alt]+[N])와 [Open Project]([Ctrl]+[O]) 메뉴 및 팀 프로젝트 메뉴를 왼쪽에 표시하고, 아래쪽에는 최근 작업했던 파일의 이름, 작업 시기를 보여주며, 새 작업과 기존 작업을 쉽게 시작할 수 있도록 구성되어 있습니다. 물론 [Start] 패널을 닫고 위쪽에 있는 풀다운 메뉴를 통해서도 새 파일 만들기와 같은 작업을 진행할 수도 있습니다. [Start] 패널을 이용한 작업 파일 열기는 작업하던 파일 목록을 통해 한 번에 쉽게 기존 작업을 이어갈 수 있으므로 사용자의 작업 시간을 단축하고, 파일 관리의 편리함을 더 할 수 있습니다.

하지만 사용자에 따라서 시작 화면 기능이 필요하지 않거나 바로 이전에 작업했던 파일을 열고 싶은 경우, 다음과 같은 방법을 통해 시작 화면 인터페이스를 다르게 교체할 수 있습니다.

❶ [Edit] > [Preferences] > [General] 메뉴 클릭
❷ [At Startup] : 'Show Home'에서 'Open Most Recent'로 변경
❸ [OK] 버튼을 클릭하고 프리미어 프로 재실행

TIP [Start] 시작 화면은 프로그램의 버전에 따라 인터페이스의 모양과 메뉴 위치가 다를 수 있습니다. 또한 [Preferences] 설정 역시 버전에 따라 메뉴의 이름이 다르게 표시되니 버전별로 Adobe가 제공하는 도움말을 확인하기 바랍니다.

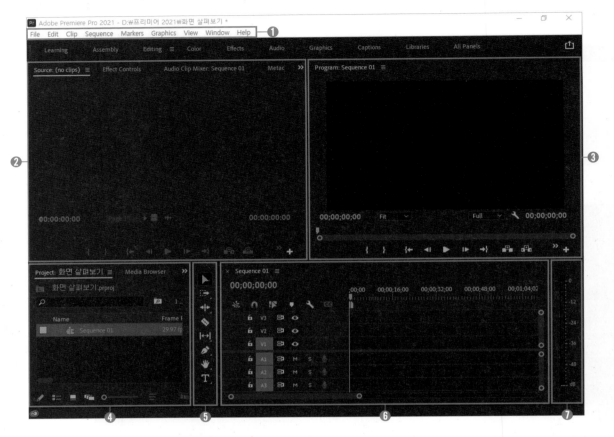

시작 화면에서 새 프로젝트를 만들고, 새 시퀀스를 시작했을 경우 위와 같은 작업 화면 구성을 볼 수 있습니다.

❶ **[풀다운 메뉴]** : 프리미어 프로의 모든 기능과 도움말이 풀다운 메뉴로 정리되어 있습니다.

❷ **[Source Monitor] 패널** : 클립을 확인하고, 간단한 컷 편집 기능을 제공합니다.

  ※ **[Effect Controls] 패널** : 클립의 비디오 효과(Motion, Opacity, Effects), 오디오 효과(Volume, Effects)를 제어하
  고, 키프레임을 생성하여 애니메이션을 만듭니다.

❸ **[Program Monitor] 패널** : [Current Time Indicator]가 위치한 시간대의 장면을 시각적으로 표시하고, 영상 편집 과
  정과 결과를 시각적으로 확인할 수 있습니다.

❹ **[Project] 패널** : 영상 편집에 사용될 모든 클립을 불러와 관리합니다.

❺ **[Tools] 패널** : 클립의 선택과 이동, 자르기 등의 편집 툴과 [Timeline] 패널의 화면 크기를 제어하는 툴이 있습니다.

❻ **[Timeline] 패널** : 시간대별로 영상 편집을 하는 실질적인 작업 공간입니다.

❼ **[Audio Meters] 패널** : 오디오의 전체 볼륨을 dB 단위로 표시합니다.

TIP

• 기본 화면 구성은 [Workspaces] 테마에 따라 다르게 나타납니다. 테마는 [Learning], [Assembly], [Editing], [Color], [Effects], [Audio], [Graphics],
  [Libraries], [Metalogging] 등이 있으며, 위에서 보이는 화면 구성은 [Editing] 테마입니다.
• 같은 테마에서도 패널의 크기와 위치는 다르게 설정할 수 있는데, 이를 원래대로 되돌리기 위해서는 [Window] > [Workspaces] > [Reset to Saved
  Layout](Alt+Shift+0) 메뉴를 이용합니다.

02 [Project] 패널 살펴보기

[Project] 패널은 영상 편집에 사용될 다양한 종류의 클립을 불러오거나 만들 수 있고, 미리보기 또는 미리듣기, 기본 정보(해상도, 재생 시간) 보기 등의 기능을 제공합니다. 또한 Bin(폴더)을 이용하여 클립의 종류나 목적에 따라 관리할 수 있습니다.

01 [Project] 패널의 기능 살펴보기

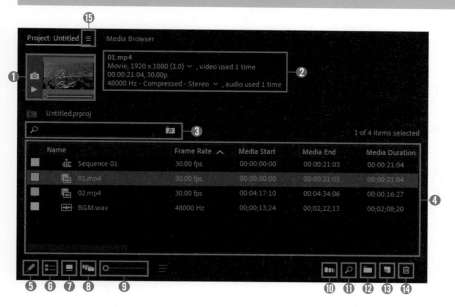

❶ **[Preview Thumbnail]** : 클립의 섬네일 이미지가 표시되고, 영상 클립의 미리보기 기능을 제공합니다.

❷ **[Item Description]** : 클립의 해상도, 재생 시간 등의 정보를 표시합니다.

❸ **[Filter Bin Contents]** : 많은 소스가 있을 때, 필요한 소스를 찾기 위해서 검색합니다.

❹ **[Metadata Display]** : 클립의 이름, 라벨 색상을 표시하고, 순서를 각 항목에 따라 정렬할 수 있습니다.

❺ **[Lock]** : 프로젝트 패널의 시퀀스 파일과 클립을 잠가 수정이 되지 않도록 합니다.

❻ **[List View]** : 클립을 목록 형태로 표시합니다.

❼ **[Icon View]** : 클립을 아이콘 형태로 표시합니다.

❽ **[Freeform view]** : 클립을 사용자 지정 형태로 표시합니다.

❾ **[Zoom Slider]** : 클립의 목록 또는, 아이콘 크기를 확대 또는 축소합니다.

❿ **[Automate to sequence]** : 선택된 클립을 시퀀스에 원하는 옵션 설정에 따라 추가합니다.

⓫ **[Find]** : 원하는 클립을 검색하여 찾습니다.

⓬ **[New Bin]** : 클립을 폴더별로 관리할 수 있는 새로운 폴더를 만듭니다.

⓭ **[New Item]** : 새로운 아이템을 만듭니다.

⓮ **[Clear]** : 폴더 또는, 클립을 삭제합니다.

⓯ **[Project Panel Menu]** : [Project] 패널의 화면 표시 메뉴를 제공합니다.

03 [Tools] 패널 살펴보기

SECTION

[Tools] 패널은 클립을 선택하거나 자르고, 재생 시간과 속도 등을 조절하는 영상 편집 툴과 [Timeline] 패널의 화면 크기를 조절하고, 이동하는 툴 등이 있습니다.

01 [Tools] 패널의 각 툴 살펴보기

TIP [Tools] 패널은 사용자의 작업환경 설정에 따라 길게 또는 두 줄, 박스와 같은 형태로 다양하게 표시될 수 있습니다. 또한 툴마다 숨겨진 툴이 있습니다. 길게 클릭하면 숨겨진 툴을 선택할 수 있습니다.

❶ **[Selection Tool]** : 가장 기본적인 선택 툴로써 [Timeline] 패널의 클립을 선택합니다. Ctrl, Alt, Shift와 조합하여 다양한 선택 방법을 제공합니다.

❷ **[Track Select Forward Tool]** : 선택한 클립의 오른쪽에 있는 모든 클립을 선택합니다. Shift를 누른 채 클릭하면 트랙별로 클립들을 선택할 수 있습니다.

[Track Select Backward Tool] : 선택한 클립의 왼쪽에 있는 모든 클립을 선택합니다. Shift를 이용해 트랙별로 클립들을 선택할 수 있습니다.

❸ **[Ripple Edit Tool]** : 클립의 재생 길이를 조절합니다. 이때 클립 사이에 빈 곳이 생기지 않도록 인접한 클립의 재생 길이가 자동으로 조절됩니다.

- **[Rolling Edit Tool]** : 이어진 클립의 길이를 조절합니다. 이때 재생 시간은 변하지 않습니다.
- **[Rate Stretch Tool]** : 클립의 재생 길이를 조절하여 재생 속도를 바꿉니다.

❹ **[Razor Tool]** : 클립을 자릅니다. Shift를 이용해 모든 트랙의 클립을 한꺼번에 자를 수 있습니다.

❺ **[Slip Tool]** : 클립의 [In 점]과 [Out 점]을 조절합니다. 이때 클립의 길이는 변하지 않습니다.

- **[Slide Tool]** : 선택한 클립의 [In 점]과 [Out 점]을 고정한 채로 인접한 클립의 위치를 조절합니다.

❻ **[Pen Tool]** : 화면에 도형을 그리거나 수정할 수 있습니다. 또한 애니메이션 기능과 관련하여 키프레임을 추가하거나 선택하여 수정할 수 있습니다.

- **[Rectangle Tool]** : 화면에 박스 도형을 그릴 수 있습니다.
- **[Ellipse Tool]** : 화면에 원을 그릴 수 있습니다.

❼ **[Hand Tool]** : [Timeline] 패널의 화면을 좌우로 옮길 수 있습니다.

[Zoom Tool] : 시간 간격을 조절하여 트랙의 길이를 확대하거나 축소합니다.

❽ **[Type Tool]** : 글자 입력을 할 수 있는 툴로써 타이틀, 자막 등을 입력하고 수정할 수 있습니다.

- **[Vertical Type Tool]** : 글자를 세로로 입력할 수 있는 툴입니다.

04 [Timeline] 패널 살펴보기

[Timeline] 패널은 다양한 종류의 클립을 이용하여 영상 편집 작업을 하는 공간입니다. [Timeline] 패널의 요소별 기능을 살펴보면 다음과 같습니다.

01 [Timeline] 패널의 기능 살펴보기

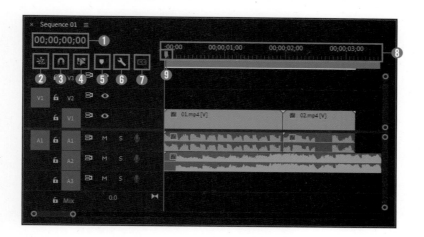

❶ **[Playhead Position]** : [Current Time Indicator]가 위치한 곳의 시간을 00:00:00:00(시:분:초:프레임)의 단위로 표시합니다. 영상 편집의 기준점이 되며, 수치를 입력하여 원하는 시간 지점대로 이동할 수 있습니다.

❷ **[Insert and overwrite sequences nests or individual clips]** : 시퀀스를 트랙에 불러올 때 시퀀스 단위로 [Timeline] 패널에 불러올지 또는, 시퀀스 내의 소스를 모두 표시할지 설정합니다.

❸ **[Snap in Timeline]** : 클립을 옮길 때 클립의 경계 지점인 [In 점], [Out 점] 또는 [Current Time Indicator]에 자동으로 붙는 기능을 설정합니다.

❹ **[Linked Selection]** : 링크된 클립 간에 이동을 같이하거나, 개별적으로 움직일지 설정합니다.

❺ **[Add Marker]** : [Current Time Indicator]가 위치한 곳에 마커를 추가하고, 메모하거나 정보를 입력할 수 있습니다.

❻ **[Timeline Display Settings]** : 패널에 표시할 내용을 설정합니다.

❼ **[Caption Track Options]** : 자막 트랙을 숨기거나 보이게합니다.

❽ **[Time Ruler Bar]** : 설정한 표시 형식에 따라 시간과 프레임을 표시합니다.

❾ **[Current Time Indicator]** : [Timeline] 패널에서 영상 편집의 기준선이 되는 슬라이더로서 현재 작업 중인 시간과 프레임을 표시하고, 영상을 탐색하거나 확인할 수 있습니다.

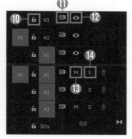

❿ **[Toggle Track Lock]** : 해당 트랙에서 편집할 수 없도록 설정합니다.

⓫ **[Toggle Sync Lock]** : 해당 트랙이 다른 트랙의 영향을 받지 않도록 설정합니다.

⓬ **[Toggle Track Output]** : 해당 트랙을 보이지 않게 합니다.

⓭ **[Mute Track]** : 해당 트랙의 소리를 꺼서 들리지 않게 합니다.

⓮ **[Solo Track]** : 해당 트랙의 소리만 들리게 합니다.

05
SECTION

프리미어 프로 핵심 단축키 알아두기

01 [File] 메뉴 단축키

New Project	Ctrl + Alt + N
Open Project	Ctrl + O
Close	Ctrl + W
Save	Ctrl + S
Save As	Ctrl + Shift + S
Import File	Ctrl + I
Export > Media	Ctrl + M

02 [Edit] 메뉴 단축키

Undo	Ctrl + Z
Redo	Ctrl + Shift + Z
Cut	Ctrl + X
Copy	Ctrl + C
Paste	Ctrl + V
Paste Insert	Ctrl + Shift + V
Clear	Back Space
Duplicate	Ctrl + Shift + /
Select All	Ctrl + A
Find	Ctrl + F
Edit Original	Ctrl + E

03　[Clip] 메뉴 단축키

Speed/Duration	Ctrl + R
Enable	Shift + E
Link	Ctrl + L
Group	Ctrl + G
Ungroup	Ctrl + Shift + G

04　[Sequence] 메뉴 단축키

Render Effects In to Out	Enter
Apply Video Transition	Ctrl + D
Zoom In	+
Zoom Out	−
Snap	S

05　[Timeline] 패널 단축키

Clear Selection	Back Space
Ripple Delete	Alt + Back Space
Set Work Area Bar In Point	Alt + [
Set Work Area Bar Out Point	Alt +]
Show Next Screen	Page Down
Show Previous Screen	Page Up

Selection tool	V
Track select Backward tool	Shift + A
Track select Forward tool	A
Ripple edit tool	B
Rolling edit tool	N
Rate stretch tool	R
Razor tool	C
Slip tool	Y
Slide tool	U
Pen tool	P
Hand tool	H
Zoom tool	Z

그 밖의 단축키는 상단 메뉴의 [Edit] > [Keyboard Shortcuts](Ctrl + Alt + K) 메뉴에 있습니다.

01

프리미어 프로 2021의 새로운 기능

핵심 내용

Adobe의 프리미어 프로가 2021년 4월에 2021 버전으로 업그레이드되었습니다. 프리미어 프로는 사용자의 편의를 개선한 다양한 기능을 추가하거나 업그레이드하여 지속해서 발전하는 모습을 보여주고 있습니다. 이번에는 프리미어 프로 2021에서 추가되거나 향상된 기능을 소개하고, 같이 알아보겠습니다.

퀵 엑스포트 영상 출력하기 | Quick Export

[Quick Export] 기능은 프리미어 프로 2020 버전의 마지막에 추가된 기능이지만 2021 버전에서 확실하게 내세우는 대표적인 신기능입니다. 특히, 프리미어 프로를 처음 시작하는 사용자에게는 쉽게 영상을 출력할 수 있는 기능으로써 유용하게 사용할 수 있습니다.

캡션 자막 만들기 | Captions

영상에 말 자막 또는, 설명글 등 캡션 자막을 쉽게 입력 및 수정할 수 있도록 [Text] 패널과 다양한 기능이 추가되었습니다.

영상 안정화하기 | Warp Stabilizer

어지럽게 흔들리는 영상을 안정되게 바로잡아주는 Warp Stabilizer 기능은 2021 버전에서 안정화 속도와 결과물의 질이 상당히 개선되었습니다.

영상 컷 자동으로 자르기 | Scene Edit Detection

영상의 컷 편집된 지점을 자동으로 잘라주는 기능이 프리미어 프로 2021에 새로 추가되었습니다.

Adobe Stock 배경음악 넣기 | Essential Sound

프리미어 프로 2021에서는 Adobe Stock과 연계하여 배경음악을 바로 들어보고 실시간으로 확인한 후 넣을 수 있는 기능을 제공하고 있습니다.

베타 앱 기능 먼저 사용해보기 | Creative Cloud Desktop Beta 앱

정식 버전이 출시되기 전 먼저 Adobe의 새로운 기능들을 사용해보고 싶다면 다음과 같은 Beta 앱을 이용할 수 있습니다.

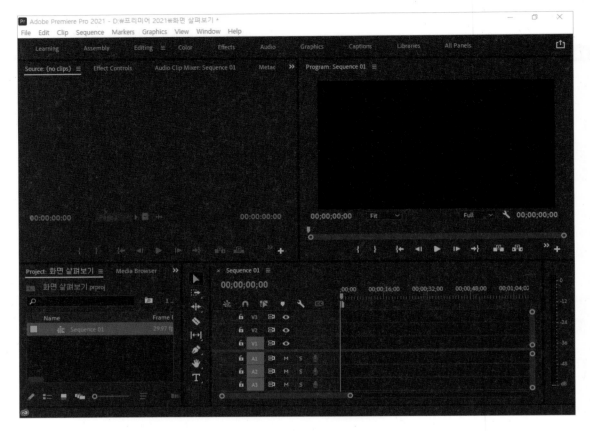

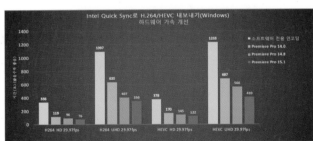

프리미어 프로 2021의 내보내기 성능 향상

프리미어 프로 2021 버전이 업그레이드되면서 Windows 환경에서 영상 H.264/HEVC 인코딩 성능이 크게 향상되었습니다(이 성능 향상은 Intel의 CPU에만 해당합니다). 새로운 최적화로 Intel Quick Sync 하드웨어 가속을 사용하여 예전보다 내보내기 속도가 최대 1.8배 더 빠릅니다. 또한 색 보정에 필요한 Lumetri 설정을 적용하고자 할 때 실시간 미리보기가 가능하여 쉽고 정확하게 적용할 수 있습니다. 이 외에도 사용자의 편의를 개선한 다양한 기능을 추가하거나 업그레이드하여 지속해서 발전하는 모습을 보여주고 있습니다.

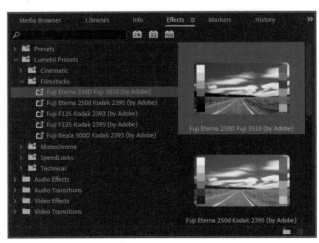

[Effects] 패널에서 Lumetri 사전 설정 미리보기

01 퀵 엑스포트 영상 출력하기 Quick Export

1 프리미어 프로에서 영상을 편집하고 출력하기 위해서는 [File] > [Export] > [Media] (Ctrl+M) 메뉴를 클릭하고, [Export Settings] 대화상자에서 다소 복잡한 설정을 거쳐야만 했습니다. 다음과 같이 [Export Settings] 대화상자에는 매우 다양한 세부적인 옵션 설정이 있어 처음 시작하는 사용자들에게는 출력 설정의 불편함이 있었습니다.

TIP

[Export Settings] 대화상자는 기존의 익숙한 사용자는 다양하고 세밀한 옵션 설정으로 인해 좋은 평가를 받지만, 일반 사용자에게는 불필요한 옵션이 너무 많았습니다.

2 이를 개선하기 위해서 빠른 출력을 위한 [Quick Export] 기능이 추가되었습니다. 이 기능은 프리미어 프로 2020 버전의 마지막에 추가된 기능이지만 2021 버전에서 확실하게 내세우는 대표적인 신기능입니다. 특히, 프리미어 프로를 처음 시작하는 사용자에게는 환영할만한 기능입니다. 사용하는 방법도 매우 간단합니다. 영상 편집이 끝난 후 영상으로 만들기 위해서 화면 상단 오른쪽에 있는 [Quick Export](□)를 클릭합니다

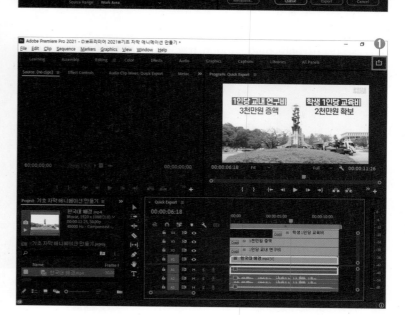

3 [Quick Export] 대화상자가 보이면 [File Name & Location]만 설정한 후 [Export] 버튼을 클릭하면 영상 출력이 끝납니다.

TIP

[Preset]은 따로 설정할 필요 없이 'Match Source – High bitrate'만 사용해도 충분합니다.

4 출력(Encoding)되는 과정이 표시됩니다.

TIP

출력되는 속도는 컴퓨터의 성능 등 여러 요소에 따라 다를 수 있습니다.

1 유튜브 영상을 보면 말 자막 또는, 설명글을 하단에 넣어서 감상을 편리하게 만드는 캡션을 제공합니다. 이러한 캡션 자막은 시청자의 감상을 도와주는 좋은 영상 편집의 요소이지만 제작자로서는 많은 시간을 소비하는 고된 작업입니다. 하지만 프리미어 프로에서는 이러한 캡션 자막을 쉽게 입력할 수 있도록 Captions 기능을 추가했습니다. 이제 사용 방법을 간단하게 알아보겠습니다. 영상에 캡션 자막을 입력하기 위해서는 상단에 [Captions] 작업 테마를 클릭합니다. [Text] 패널과 [Essential Graphics] 패널이 열립니다.

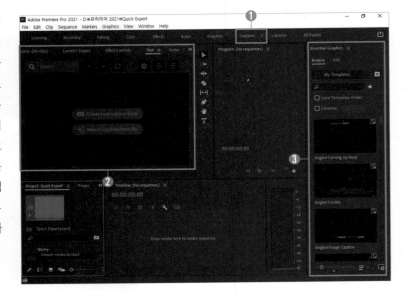

2 캡션 자막을 넣어 편집할 영상을 불러와 배치합니다. 캡션 자막을 넣기 위해서 [Text] 패널 중앙의 [Create new caption track]을 클릭합니다.

TIP
[Create new caption track]은 [Timeline] 패널에 별도의 캡션 자막을 위한 트랙을 만들어 관리합니다.

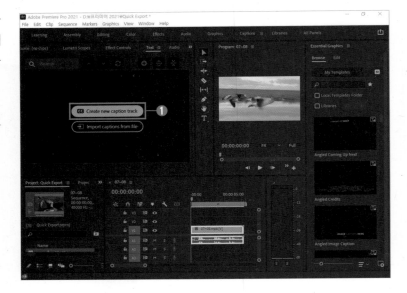

3 [New caption track] 대화상자가 열리면 [Format]을 'Subtitle', [Style]을 'None'으로 설정한 후 [OK] 버튼을 클릭합니다.

TIP
[Format]은 캡션의 종류를 설정하는 것으로서. 'Subtitle'로 설정하면 다른 옵션보다 더 상세한 설정이 가능합니다.

4 이제 캡션 자막을 입력할 준비가 되었습니다. [Text] 패널에서 [Add new captions segment]()를 클릭합니다.

5 추가된 캡션 자막 칸에 영상에 어울리는 적당한 자막을 입력합니다.

TIP
캡션 자막의 앞쪽에 자막의 시작 지점과 끝 지점을 나타내는 타임코드가 보입니다. 현재 00:00:00:00에서 00:00:03:00까지 3초의 길이로 캡션 자막이 입력되었음을 확인할 수 있습니다.

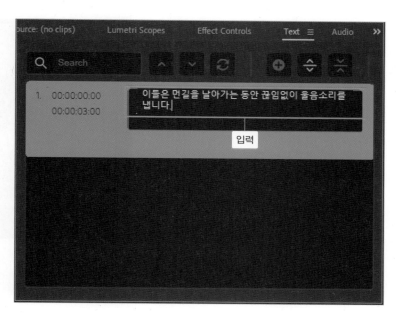

6 다음과 같이 영상에 캡션 자막이 입력됩니다. [Essential Graphics] 패널에서 폰트와 자막의 위치, 색상, 배경색 등을 설정할 수 있습니다.

TIP
캡션의 종류를 'Subtitle'로 설정해야 [Essential Graphics] 패널에서 상세한 설정이 가능합니다.

TIP

[Essential Graphics] 패널의 [Align and Transform]
에서 자막의 위치를 쉽게 변경할 수 있습니다.

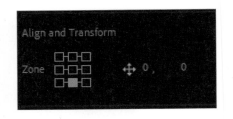

7 [Timeline] 패널을 확인해보면 노란색 클립이 [Subtitle] 트랙에 만들어졌음을 확인할 수 있습니다. 일반 자막 클립의 편집과 마찬가지로 자르거나 길이를 마음대로 조절할 수 있습니다.

TIP

캡션 자막 클립을 자르면 2개로 나뉘어 [Text] 패널에서 각각 다르게 편집할 수 있습니다.

8 캡션 자막 기능을 이용하여 다음과 같이 자막을 쉽게 입력한 후 영상 편집을 마무리합니다.

TIP

캡션 자막 기능을 이용하여 SMI, SRT 등의 자막 파일을 따로 만들어 제공하는 것도 가능합니다. 캡션 자막을 만든 후 [Export Settings] 패널에서 [Captions]을 설정하면 자막 파일만 따로 만들 수 있습니다.

03 영상 안정화하기 Warp Stabilizer

1 다음은 어지럽게 흔들리는 영상을 안정되게 바로잡아주는 Warp Stabilizer 기능입니다. 이 기능은 프리미어 프로 2021의 신기능은 아니지만, 안정화 속도와 결과물의 질이 상당히 개선되었습니다. 먼저 적당한 영상 소스를 불러와 배치합니다.

TIP

일반 촬영은 대부분은 손으로 카메라를 잡고 진행하기 때문에 안정된 촬영 결과물을 얻기가 힘듭니다. 최신 스마트폰이나 카메라에는 흔들림을 광학적 또는 소프트웨어적으로 잡아주는 기능이 있긴 하지만 Warp Stabilizer 기능을 통해 더욱 안정화된 영상을 얻을 수 있습니다.

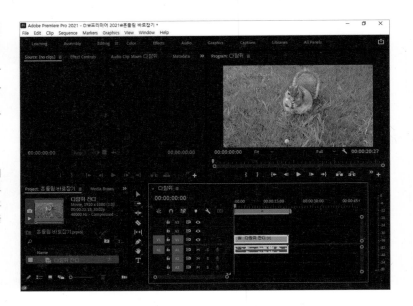

2 [Effects] 패널에서 [Video Effects] >
[Distort] > [Warp Stabilizer]를 찾습니다.

TIP
[Effects] 패널이 보이지 않는 경우. [Window] > [Ef-
fects] 메뉴를 확인합니다.

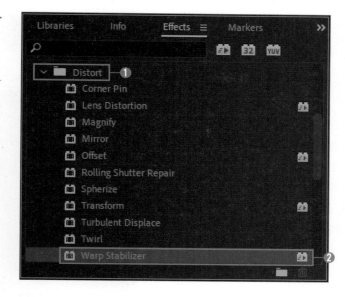

3 [Effects] 패널에서 [Warp Stabilizer]를
[Timeline] 패널의 클립에 드래그합니다. 화면
에 'Analyzing in background (step 1 of 2)'
메시지가 보이며 자동으로 화면 안정화 효과
가 진행됩니다. 계산 결과가 나올 때까지 기다
려야 합니다.

4 'Stabilizing' 메시지가 뜨고 결과물을 확
인할 수 있습니다. 촬영된 원본 보다 흔들림이
상당히 개선되었음을 확인합니다.

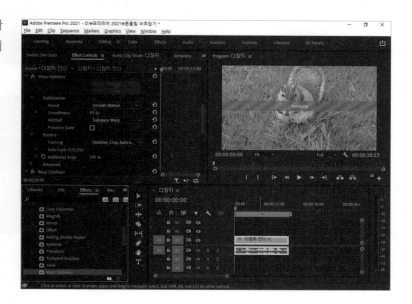

1 유튜브에서 내려받은 영상을 잘라 편집하거나 영상 편집이 끝난 후 원본 파일을 지웠을 경우, 또는 완성된 영상을 간단하게 편집할 필요가 있습니다. 이때 영상의 컷 편집된 지점을 자동으로 잘라주는 기능이 프리미어 프로 2021에 새로 추가되었습니다. 먼저 완성된 편집 영상을 불러와 배치하고 [Timeline] 패널의 영상 클립을 마우스 오른쪽 버튼으로 클릭한 후 [Scene Edit Detection]을 선택합니다.

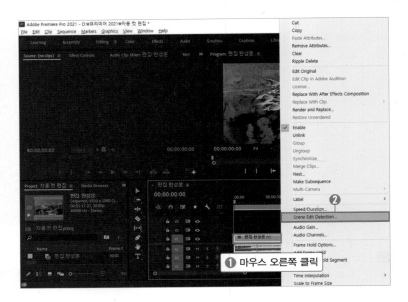

2 [Scene Edit Detection] 대화상자가 열리면 첫 번째 옵션 [Apply a cut each detected cut point]가 체크 표시되어 있음을 확인하고 [Analyze] 버튼을 클릭합니다.

TIP
[Create bin of subclips from each detected cut point] 옵션을 체크 표시할 경우, 잘린 클립들을 따로 저장할 수도 있습니다.

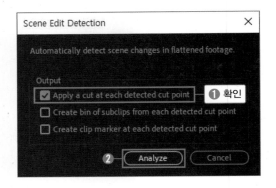

3 [Analyze] 버튼을 클릭하면 'Scene Edit Detection' 진행 상황을 표시합니다. 끝날 때까지 기다려야 합니다.

4 계산이 마무리되면 [Timeline] 패널에서 잘린 영상 클립을 확인할 수 있습니다.

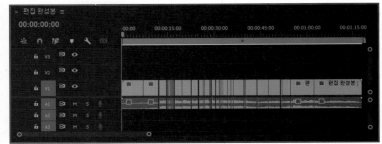

05 Adobe Stock 배경음악 넣기 | Essential Sound

1 영상을 만들 때 가장 어려운 부분 중의 하나는 적당한 배경음악을 찾아 넣기가 힘들다는 것입니다. 프리미어 프로 2021에서는 Adobe Stock과 연계하여 품질이 좋은 배경음악을 바로 들어보고 실시간으로 확인한 후 넣을 수 있는 기능을 제공하고 있습니다. 편집된 영상을 준비하고 배경음악을 넣기 위해서 [Window] > [Essential Sound] 메뉴를 클릭합니다.

TIP
[Adobe Stock]에서 필요한 배경음악을 사용하기 위해서는 일정 비용을 지불하고 구독해야 한다는 단점이 있습니다.

2 다음과 같이 [Essential Sound] 패널이 열립니다. [Browse] 탭에서 다양한 배경음악의 종류와 파형을 확인할 수 있습니다.

3 [Browse] 탭에서 다양한 배경음악을 영상과 같이 실시간으로 들어보고 마음에 드는 BGM을 [Timeline] 패널에 드래그하여 배치할 수 있습니다.

1 정식 버전이 출시되기 전 먼저 Adobe의 새로운 기능들을 사용해보고 싶다면 다음과 같은 Beta 앱을 이용할 수 있습니다. Adobe의 모든 프로그램을 관리하는 [Creative Cloud Desktop]을 실행합니다.

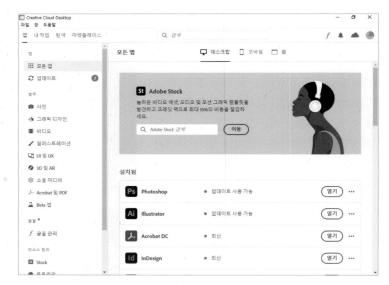

2 [앱] 탭에서 [Beta 앱] 메뉴를 클릭하면 현재 테스트 중인 앱의 목록이 표시됩니다. [Creative Cloud Desktop]을 구독하고 있는 모든 사용자가 현재 개발 중인 새로운 기능을 체험할 수 있습니다.

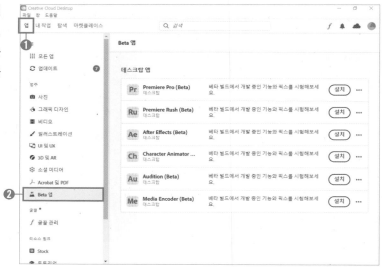

3 [Beta 앱] 목록에서 체험해보고 싶은 앱의 [설치] 버튼을 클릭하여 프로그램을 설치합니다. [Beta 앱]으로 설치된 프로그램은 작업용으로는 부적합하지만, 새로 도입된 기능을 먼저 경험해 보는 것으로서 Adobe는 추후 업데이트를 통해 새로운 기능들을 프리미어 프로에 도입하게 됩니다.

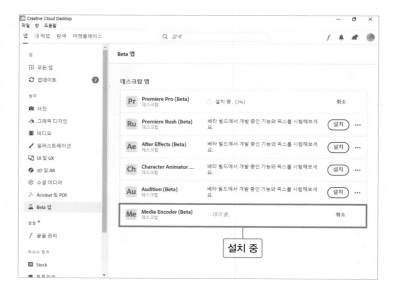

설치 중

01

영상 편집을 위한
프리미어 프로 실무 기초

영상콘텐츠 공모전 20년 도전 노하우!

영상 편집의 주요 데이터는 '동영상'과 '이미지', 그리고 'CG' 소스입니다. 특히 '동영상'과 '이미지' 소스를 이용한 영상 편집이 프리미어 프로에서 가장 많이 사용하는 핵심 실무입니다. 따라서 첫 챕터 '프리미어 프로 실무 기초'에서는 스토리가 있는 '동영상'과 '이미지' 소스를 각각 제공하여 프리미어 프로의 기본 기능을 쉽게 익힘과 동시에 빠르게 실무 작품을 완성함으로써 아이디어만 있다면 누구나 경쟁력 있는 홍보영상을 제작할 수 있다는 자신감을 느끼도록 하는 데 주안점을 두었습니다.

동영상 소스로 영상 만들기

핵심 내용

이번 예제는 '동영상 소스'로만 편집하여 완성한 예제입니다. 프리미어 프로의 기초 기능인 잘라서 컷 편집하는 기능을 중심으로 실무에서 가장 많이 사용하는 편집의 핵심 테크닉을 알아봅니다. 특히, 이번 예제에서는 몇 가지 핵심 기능만으로도 선거에서 사용할 수 있는 프레젠테이션 영상을 만들어 보겠습니다. 이는 단순한 몇 가지 기능만으로도 충분히 경쟁력 있는 홍보영상을 만들 수 있다는 것입니다.

핵심 기능

In 점, Out 점, Razor Tool,

STORYBOARD

○ ○ 대학교 총장선거 프레젠테이션 영상

01 1920x1080 새 프로젝트와 시퀀스 만들기 New Project, New Sequence From Clip

준비 파일 : Part 02 > Chapter 01 > Section 01 폴더 파일   **완성 파일 :** Part 02 > Chapter 01 > Section 01 > 동영상 소스로 영상 만들기 완성.mp4

1 영상 편집을 시작하기 위해서 [Adobe Premiere Pro 2021]을 찾아 프로그램을 실행합니다. 프리미어 프로를 실행한 후 [Home] 창이 열리면 왼쪽에 있는 [New Project] 버튼을 클릭하여 새 프로젝트를 시작합니다.

TIP

• 프리미어 프로에서 영상 편집을 시작하기 위해서는 새 프로젝트를 만들어야 합니다. 기존에 작업 중인 프로젝트가 있다면 [Open Project] 버튼을 클릭하거나, [Recent]의 프로젝트 리스트를 통해 불러올 수 있습니다.

• [Home] 창이 보이지 않을 경우, 상단의 [File] > [New] > [Project] 메뉴를 클릭하여 새 프로젝트를 시작할 수 있습니다.

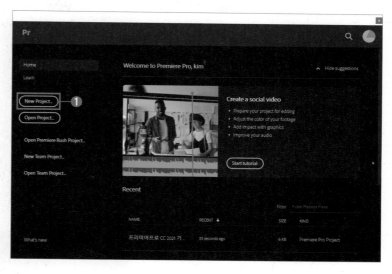

2 [New Project] 대화상자가 열리면 [Name]에 임의의 프로젝트 이름을 입력하고, [Location]의 [Browse] 버튼을 클릭하여 프로젝트 파일이 저장될 폴더를 선택한 후 [OK] 버튼을 클릭합니다.

TIP

• [Name]에 반드시 프로젝트 이름을 알기 쉽게 입력하여 파일 관리 및 수정이 필요할 때 빠르게 찾을 수 있도록 합니다.

• [Location] 설정을 통해 하나의 폴더에 프리미어 파일과 사진, 동영상, 음악 등의 소스를 복사하여 관리하므로 반드시 작업 폴더를 지정하여 새 프로젝트를 시작하는 것이 좋습니다.

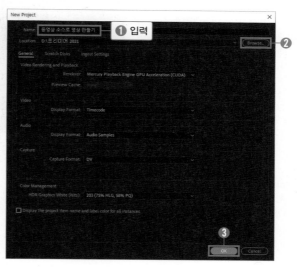

3 새 프로젝트 이름으로 프리미어 프로의 기본 작업 화면이 열립니다. 이제 영상 편집을 시작하기 위해서는 새 시퀀스(Sequence)를 만들어야 합니다. 새 시퀀스를 복잡한 설정 없이 영상 소스를 이용하여 간단하게 만들어 보겠습니다. 제공된 동영상 소스를 불러오기 위해서 [File] > [Import]([Ctrl]+[I]) 메뉴를 클릭합니다.

TIP

• 프리미어 프로에서 풀다운 메뉴를 이용하는 대신 [Project] 패널의 빈 공간에서 더블클릭을 하거나 단축키 [Ctrl]+[I]를 눌러 더욱 쉽게 소스를 불러올 수 있습니다.

• 프리미어 프로의 시작 화면은 버전 및 개인 설정에 따라 다를 수 있습니다.

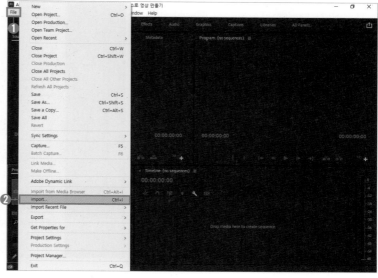

4 [Import] 대화상자가 열리면 제공된 '01. mp4' 파일을 선택하고 [열기] 버튼을 클릭합니다. 제공된 동영상 소스는 ○○대학교 선거에 사용된 프레젠테이션 동영상 소스입니다. 제공된 동영상 소스를 이용하여 선거 프레젠테이션 영상을 직접 같이 제작해 보겠습니다.

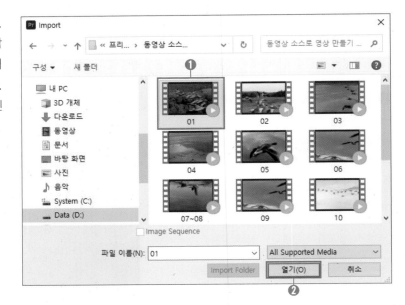

5 [Project] 패널에 '01.mp4' 영상 클립이 들어온 것을 확인합니다.

TIP

• 클립(Clip) : 영상 편집을 위해 [Project] 패널에 불러온 이미지, 영상, 오디오 파일 등을 지칭합니다.
• [Project] 패널에서 클립 보기 방식은 '목록(List)'과 '아이콘(Icon)' 두 가지입니다. 현재는 리스트 방식이며 만일 아이콘 방식으로 보고 싶다면, [Project] 패널의 좌측 하단 [Icon View]를 클릭하면 됩니다.

TIP

[Clip Mismatch Warning] 경고 창

이미 설정된 시퀀스에 새 동영상 소스를 불러오면 [Clip Mismatch Warning] 경고 창이 뜰 수 있습니다. 경고의 내용은 '이 클립은 시퀀스 설정과 일치하지 않습니다. 클립의 설정과 일치하도록 시퀀스를 변경하시겠습니까?'이며 이때 두 가지 선택 옵션이 있는데 기존 시퀀스 설정에 클립을 그대로 가져오려면 [Keep existing settings], 즉 '기존 설정 유지'를 선택하면 됩니다. 하지만 클립에 따라 시퀀스 설정을 자동으로 변경하여 일치시키려면 [Change sequence settings](시퀀스 설정 변경)를 선택해야 합니다.

6 동영상 소스를 불러왔지만 새 시퀀스를 만들지 않았기 때문에 [Timeline] 패널이 비활성화되어 있습니다. 이제 새 시퀀스를 동영상 소스로 만들어 보겠습니다. [Project] 패널에서 '01.mp4' 영상 클립을 마우스 오른쪽 버튼으로 클릭하여 [New Sequence From Clip]을 선택합니다.

TIP

• 제공된 동영상 소스가 1920x1080 사이즈이기 때문에 이 소스로 새 시퀀스를 만들면 1920x1080 시퀀스가 만들어집니다.
• [New Sequence From Clip]은 복잡한 시퀀스 설정 없이 동영상의 크기, 프레임 설정에 따라 자동으로 새 시퀀스를 만드는 기능입니다.

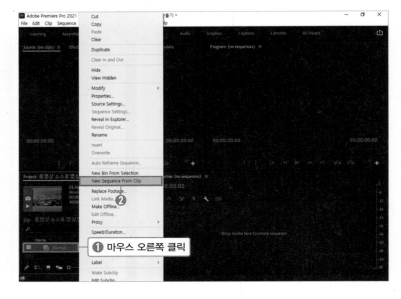

7 1920x1080 사이즈의 새 시퀀스가 자동으로 만들어지고, [V1], [A1] 트랙에 클립이 들어갑니다. Space Bar 를 눌러 영상을 확인합니다.

TIP

· [V1]은 Video Track 1번을 의미합니다. 포토샵의 레이어와 비슷하며, 기본으로 1번을 먼저 사용한 후 편집에 따라 추가 트랙을 사용할 수 있습니다. 현재 시간대에서 가장 높은 번호의 트랙에 있는 클립만 화면에 표시됩니다.

· [A1]은 Audio Track 1번을 의미합니다. 오디오는 비디오 트랙과 달리 트랙의 순서와 상관없이 모든 트랙의 소리가 겹쳐서 편집됩니다.

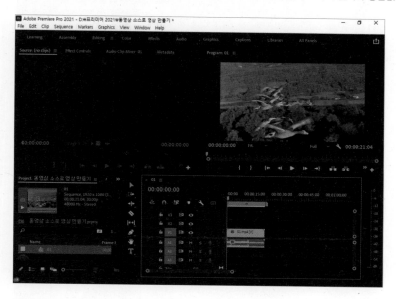

TIP

화면 크기 변경하기

오른쪽 상단에 화면이 표시되는 [Program Monitor] 패널에서 [Fit]을 클릭하여 화면 크기를 설정하면 크게 보거나 작게 표시할 수 있습니다. 크게 표시할 경우, [Tools] 패널의 [Hand Tool]로 화면을 움직일 수도 있습니다.

TIP

■ **단축키와 메뉴를 사용하여 프로젝트를 빠르게 시작하고 클립 불러오기**

· 새 프로젝트를 시작하려면 [File] > [New] > [Project](Ctrl + Alt + N) 메뉴를 클릭합니다.

· 기존 프로젝트를 열려면 [File] > [Open Project](Ctrl + O) 메뉴를 클릭합니다.

· 다른 사람과 작업하는 경우 새 팀 프로젝트를 만들 수 있습니다. [File] > [New] > [Team Project] 메뉴를 클릭합니다.

· 클립을 불러오기 위해서는 [File] > [Import](Ctrl + I) 메뉴를 클릭합니다.

· 미디어 브라우저를 사용하여 불러올 수도 있습니다(Ctrl + Alt + I).

· 동적 연결을 사용하여 After Effects, Photoshop 또는, Illustrator 파일을 가져오면 각각의 프로그램에서 수정 작업이 즉각 반영됩니다.

■ **동영상 파일 불러올 때 오류 해결하기**

프리미어 프로 2021 버전은 DVD, 블루레이 디스크\포맷, 소니 MTS와 AVCHD 포맷, 캐논 MPEG-2, H.264 MOV 포맷, 소니 XDCAM, XAVC 포맷, 그리고 MXF, MXF 등의 다양한 카메라에서 사용되는 파일 포맷을 지원합니다. 하지만 특정 동영상 파일을 못 읽는 문제가 발생하는 경우 윈도우 10에서 지원하는 프로그램인 '비디오 편집기'나 웹에서 무료로 배포되는 '다음팟 인코더'를 사용하여 범용으로 사용할 수 있는 MP4 포맷으로 변환한 후, 불러오면 됩니다.

■ **비디오 편집기에서 동영상 포맷 변경하기**

동영상 파일 포맷을 변경할 때 윈도우 10의 [비디오 편집기] > [새 비디오 만들기]에서 원본 파일을 불러옵니다. 필요에 따라 기본적인 편집을 진행한 후 변환 파일로 출력할 때는 우측 상단의 [비디오 마침]을 클릭하여 포맷을 변환할 수 있습니다. 변환된 포맷의 동영상 파일은 이제 프리미어 프로 2021에서 불러와 작업할 수 있습니다.

■ **다음팟 인코더에서 동영상 포맷 변경 시 주의점**

다음팟 인코더에서 파일 포맷을 변환할 때는 출력 포맷의 [화면 크기]가 원본과 같은지, [파일 포맷] 종류는 무엇인지 확인하고, 이와 함께 화면의 압축 품질, 초당 프레임 역시 원본과 같은 형식으로 출력되는지 확인하는 것이 좋습니다.

■ **MTS 포맷 오디오 오류 문제 해결하기**

MTS, MP3, MP4 파일에서 '파일에 지원되지 않는 압축 유형이 있습니다'라는 오류 메시지가 표시될 수 있습니다. 이 오류로 인해 오디오 채널을 식별할 수 있는 문제점이 발생할 경우, 다음과 같은 방법을 통해 문제를 해결할 수 있습니다.

1. 프리미어 프로 2021에서 [Edit] > [Preferences] > [Media Cache Database] 메뉴를 클릭합니다.

2. 화면에 표시되는 [Media Cache Files]와 [Media Cache Database]의 [Location] 경로를 따로 메모합니다.

3. 모든 Adobe 프로그램을 닫은 후 [Location] 경로를 찾아 폴더, 캐시 파일 등의 이름을 변경하거나 삭제하여 폴더를 깨끗하게 정리합니다.

4. 프리미어 프로 2021을 실행한 후, 파일 가져오기를 다시 시도합니다.

5. 문제가 지속되면 Adobe 공식 홈페이지의 지침에 따라 프리미어 프로 프로그램을 삭제한 후, 재설치합니다.

1 영상 클립에서 앞부분 6초까지만 필요하고, 나머지 부분은 필요하지 않습니다. 클립에서 필요하지 않은 부분을 잘라내기 위해서 [Current Time Indicator]를 00:00:06:00 위치로 옮깁니다.

TIP

• [Current Time Indicator] : 편집의 기준점으로서 편집 위치의 시간을 표시하고, 프레임을 확인하거나 탐색할 때 사용합니다. Shift 를 누른 채 옮기면 클립의 [In 점]/[Out 점]으로 정확하게 옮길 수 있습니다.

• 정교한 작업을 위해 [Timeline] 패널이 선택된 상태에서 키보드 +, - 를 눌러 확대 및 축소를 할 수 있습니다(단, 숫자패드의 +, - 는 적용되지 않습니다). 확대와 축소는 [Current Time Indicator]를 기준으로 적용됩니다.

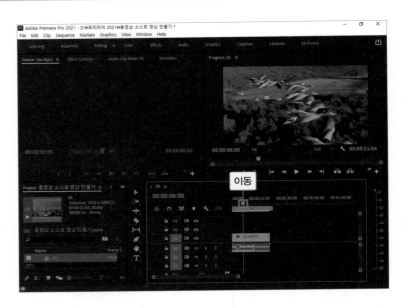

2 '01.mp4' 영상 클립의 [Out 점]을 [Current Time Indicator]까지 드래그합니다. 뒤쪽 부분이 지워지고, 0초에서 6초까지의 부분만 남았습니다.

TIP

[In 점], [Out 점] : 클립이 시작되는 왼쪽 시작 지점을 [In 점], 끝나는 오른쪽 끝 지점을 [Out 점]이라고 합니다.

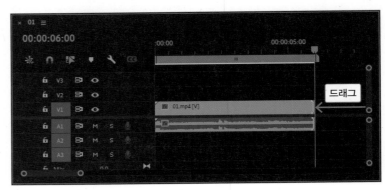

3 이제 나머지 동영상 소스를 불러와 편집해 보겠습니다. 제공된 나머지 동영상 소스를 불러오기 위해서 [File] > [Import](Ctrl + I) 메뉴를 클릭합니다. [Import] 대화상자가 열리면 제공된 '02~15.mp4' 파일을 모두 선택하고 [열기] 버튼을 클릭합니다.

TIP

여러 개의 파일을 선택하려면 드래그를 하거나, Ctrl 을 누른 채 불러오려는 파일을 하나씩 클릭합니다.

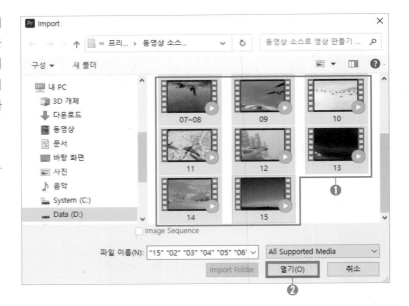

4 [Project] 패널에 그림과 같이 '02.mp4' ~ '15.mp4' 영상 클립이 들어왔음을 확인합니다.

TIP

[Project] 패널에서 클립 보기 방식은 '목록(List)'과 '아이콘(Icon)' 두 가지입니다. 현재는 리스트 방식이며 만일 아이콘 방식으로 보고 싶다면, [Project] 패널의 좌측 하단 [Icon View]를 클릭하면 됩니다.

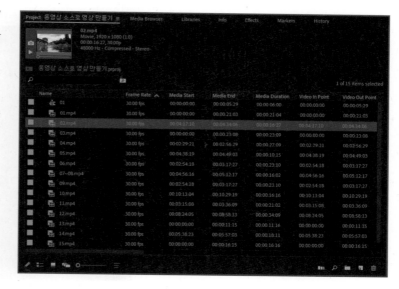

5 [Project] 패널의 '02.mp4' 영상 클립을 [Timeline] 패널 [V1] 트랙의 '01.mp4' 영상 클립 뒤에 드래그하여 붙여넣습니다. Space Bar 를 눌러 확인합니다.

6 '02.mp4' 영상 클립은 중간 부분만 사용하고 나머지 부분은 삭제하여 편집해 보겠습니다. '02.mp4' 영상 클립의 가운데 부분을 자르기 위해서 [Current Time Indicator]를 00:00:09:00 위치로 옮긴 후 [Tools] 패널의 [Razor Tool](✂)을 클릭하고, [Current Time Indicator]가 위치한 곳을 클릭합니다.

TIP

[Razor Tool]은 모든 클립을 자를 수 있는 툴입니다. 기본 방식인 컷 편집에서 가장 중요한 역할을 하는 툴입니다.

7 잘린 클립에서 앞부분을 삭제하기 위해서 [Tools] 패널의 [Selection Tool](▶)을 클릭한 후 2개로 나뉜 '02.mp4' 영상 클립의 앞부분을 선택하고, Delete 를 눌러 삭제합니다.

TIP
[In 점], [Out 점] 드래그 VS [Razor Tool]의 사용 구분법
상황에 따라 어떠한 기능을 사용해야 하는 것은 사용자에 따라 다릅니다. 하지만 클립의 양쪽 끝부분을 잘라낼 때는 [In 점], [Out 점]을 드래그하는 것이 편리하고, 가운데 부분 등을 오려낼 때는 [Razor Tool]을 사용하는 것이 좋습니다.

8 클립이 삭제되고 남은 공간을 마우스 오른쪽 버튼으로 클릭하고, [Ripple Delete]를 선택합니다.

TIP
[Ripple Delete]는 트랙에서 비어있는 부분을 삭제하고 앞과 뒤의 클립을 이어주는 기능입니다. 하지만 다른 트랙에 비디오, 오디오 클립이 있다면 자동으로 이어 붙여주는 기능은 동작하지 않을 수도 있습니다.

9 비어있는 공간이 사라지고, 클립이 자동으로 연결되면 Space Bar 를 눌러 영상을 확인합니다.

10 다음으로 '02.mp4' 영상 클립의 뒷부분을 잘라서 편집해 보겠습니다. [Current Time Indicator]를 00:00:13:20 위치로 옮긴 후 [Razor Tool](✂)로 [Current Time Indicator]가 위치한 지점을 클릭하여 자릅니다.

TIP

위에서 지시한 시간대를 지키지 않아도 됩니다. 각자 동영상 소스를 확인하고 원하는 구간만 남기고 편집해도 됩니다.

11 잘린 클립에서 뒷부분을 삭제하기 위해서 [Tools] 패널의 [Selection Tool](▶)을 클릭한 후 2개로 나뉜 '02.mp4' 영상 클립의 뒷부분을 선택하고, Delete 를 눌러 삭제합니다.

1 다음 클립을 트랙에 편집해 보겠습니다. [Project] 패널의 '03.mp4' 영상 클립을 [Timeline] 패널 [V1] 트랙의 '02. mp4' 영상 클립 뒤에 드래그하여 붙여넣습니다. Space Bar 를 눌러 재생하여 확인한 후 클립의 중간 부분만 남기기 위해서 [Razor Tool](✄)로 00:00:23:20과 00:00:28:08 지점을 클릭하여 자릅니다.

2 잘린 클립에서 앞과 뒷부분을 삭제하기 위해서 [Tools] 패널의 [Selection Tool](▶)을 클릭한 후 3개로 나뉜 '03.mp4' 영상 클립의 앞과 뒷부분을 선택하고, Delete 를 눌러 삭제합니다. 클립이 삭제되고 남은 공간을 마우스 오른쪽 버튼으로 클릭한 후 [Ripple Delete]를 선택하고, Space Bar 를 눌러 편집된 영상을 확인합니다.

TIP
클립을 여러 개 선택하기 위해서는 Shift 를 누른 채 여러 개의 클립을 클릭합니다.

3 '03.mp4' 영상 클립의 영상에서 기러기는 오른쪽에서 왼쪽으로 비행합니다. 하지만 01번, 02번과 어울리게 반대로 반전시켜 왼쪽에서 오른쪽으로 비행할 수 있도록 통일시켜야 합니다. 효과를 적용하기 위해서 [Window] > [Effects] 메뉴를 클릭하여 [Effects] 패널을 엽니다.

TIP

[Effects] 패널에는 비디오나 오디오 특수 효과 등을 비롯하여 각종 화면전환 효과를 적용할 수 있습니다.

4 [Effects] 패널이 열리면 [Video Effects] > [Transform] > [Horizontal Flip]을 찾습니다.

TIP

[Horizontal Flip] 효과는 클립의 화면을 좌우 반대로 반전하여 표시합니다. 화면을 상하 반전하려면 [Vertical Flip] 효과를 이용합니다.

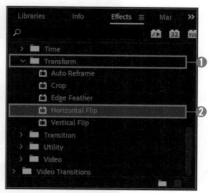

5 효과를 클립에 적용하기 위해서 [Effects] 패널에서 [Horizontal Flip]을 '03.mp4' 영상 클립에 드래그합니다. 다음과 같이 화면의 좌우가 반대로 반전되어 표시됩니다.

TIP

적용된 효과를 삭제하고 싶을 때는 해당 클립을 선택하고, [Effect Controls] 패널에서 적용된 효과를 찾은 후 선택하여 삭제하면 됩니다.

1 앞서와 같은 편집 방법을 이용하여 나머지 동영상 소스도 트랙에 배치합니다. 자르고 필요한 부분만 남겨 편집해 봅니다.

TIP
동영상 소스 파일의 배치 내용은 부록의 'Part 02 > Chapter 01 > Section 01 > 동영상 소스로 영상 만들기.prproj' 파일을 참고해 주세요.

2 영상 편집이 끝났으므로 이제 배경음악을 넣어 보겠습니다. 제공된 배경음악을 불러오기 위해서 [File] > [Import](Ctrl+I) 메뉴를 클릭하고, [Import] 대화상자가 열리면 'BGM_Ending.mp3' 파일을 선택하고 [열기] 버튼을 클릭합니다. [Project] 패널의 'BGM_Ending.mp3' 오디오 클립을 [Timeline] 패널 [A2] 트랙의 시작점으로 드래그하여 배경음악을 넣은 후 Space Bar를 눌러 삽입된 배경음악을 확인합니다.

TIP
오디오는 모든 트랙에 있는 클립이 동작하여 소리가 겹쳐서 출력됩니다.

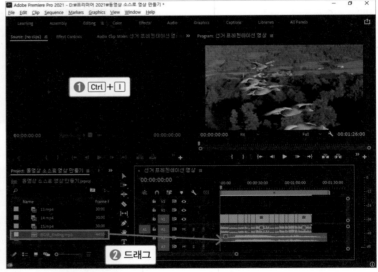

3 동영상 소스의 원본에 있는 소리는 필요하지 않으므로 [A1] 트랙의 [Mute Track]을 클릭하여 소리를 끕니다.

TIP
[M]은 Mute의 약자로 해당 트랙의 소리를 무음으로 만듭니다.

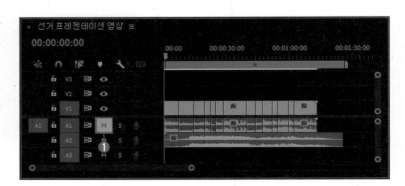

4 동영상 소스를 편집하고 배경음악을 넣어 영상이 완성되었습니다. 좀 더 완성도 있는 선거 프레젠테이션 영상을 만들기 위해서 목적에 맞는 자막과 화면전환 효과를 추가 편집하여 다음과 같이 영상을 만들 수 있습니다. 자막 관련 편집 기능은 이후 예제에서 상세히 설명되어 있습니다.

TIP

영상에서 자막은 정보 전달 등의 매우 중요한 역할을 담당합니다. 자막 기능을 배워 편집된 영상에 반드시 자막을 추가하여 편집해보기 바랍니다.

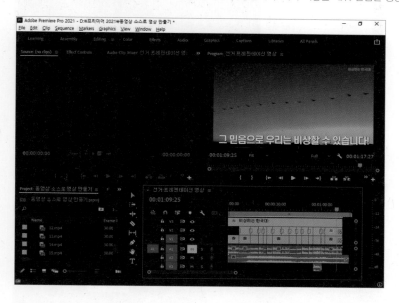

TIP

오디오 볼륨 조절하기

1. 오디오 소스를 선택합니다.

2. [Effect controls] 패널에서 [Level] 값을 수정합니다(기본값은 0dB이며 값이 올라갈수록 볼륨이 커집니다).

1 이제 완성된 영상을 mp4 파일로 출력해 보겠습니다. [Timeline] 패널이 선택된 상태에서 [File] > [Export] > [Media](Ctrl + M) 메뉴를 클릭합니다.

TIP
• [Timeline]과 [Program Monitor] 패널 외에 다른 패널이 선택된 경우, [Media](Ctrl + M) 메뉴가 활성화되지 않아 출력을 진행할 수 없습니다.
• 단축키를 적극적으로 활용하는 것이 원활한 편집 진행과 시간 단축에 도움이 됩니다.

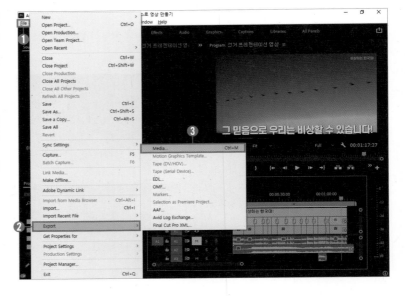

2 [Export Settings] 대화상자가 열리면 [Export Settings] 탭에서 다음과 같이 설정한 후 [Export] 버튼을 클릭합니다. 출력(En-coding)되는 과정을 확인한 후 끝나면 출력된 mp4 파일을 찾아 더블클릭하여 영상을 확인합니다.

• [Format] : H.264
• [Preset] : Match Source – High bitrate
• [Output Name] : 임의의 이름

TIP
[Output Name]의 이름을 클릭하여 출력될 파일이 저장될 위치와 파일 이름을 반드시 설정한 후 다음 작업을 진행합니다.

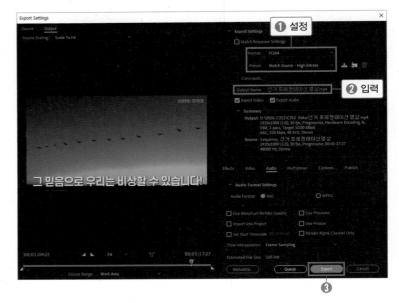

TIP
유튜브가 권장하는 출력 설정
[Format]을 'H.264'로 설정한 후 [Preset]을 열어 'High Quality 1080p HD' 또는, 'Youtube 1080p Full HD'로 설정하고 출력을 진행합니다.

※ 480p부터 2160p까지 출력 크기를 선택할 수 있습니다. 숫자는 화면의 세로 크기를 의미하며 큰 숫자를 선택할수록 출력 화면은 커집니다.

1. 출력 크기 변경하기
[Export Settings] 화면에서 아래 위치한 [Video] 탭을 클릭하고 [Width], [Height] 값을 수정하여 크기를 변경할 수 있습니다. 중간의 사슬 모양 아이콘을 끄면 정해진 비율에서 벗어나 자유롭게 크기를 설정할 수도 있습니다.
• 1920x1080 : 표준 Full HD 사이즈
• 1280x720 : HD 사이즈로 적은 용량 대비 우수한 화질
• 3840x2160 : Ultra HD 사이즈로 고용량 고화질

2. 비트레이트 변경하기
영상의 초당 데이터 전송률을 의미합니다. [Bitrate Encoding]을 'VBR 1 Pass' 또는, 'VBR 2 Pass'로 설정하고, [Target Bitrate [Mbps]]를 다음과 같은 범위의 값으로 설정하면 됩니다.
• 1920x1080 : 8~10Mbps
• 1280x720 : 5~6.5Mbps
• 3840x2160 : 35~56Mbps

※ 출력에 관한 자세한 설명은 Chapter 05 329~332P를 참조하기 바랍니다.

02

SECTION

사진 소스로 영상 만들기

핵심 내용

본 예제의 특징은 몇 장 안 되는 '사진 소스'만으로도 작품을 완성할 수 있다는 사례입니다. 이번 예제에서는 사진 소스를 활용하여 줌 화상회의 배경 영상을 만들어 보겠습니다. 이를 위해 가장 기본이 되는 편집 기법만 사용했습니다. 포토샵에서 사진을 수정 · 보정 · 창작하는 실무 작업을 통해 사진 소스를 만들고 영상을 제작하는 방법은 중급, 고급 사용자도 스토리가 있는 실무 예제로써 다양한 응용이 가능하다고 생각합니다.

핵심 기능

Import Files, Still Image Default Duration, Cross Dissolve

STORYBOARD

문화전문대학원 줌 화상회의 배경 영상

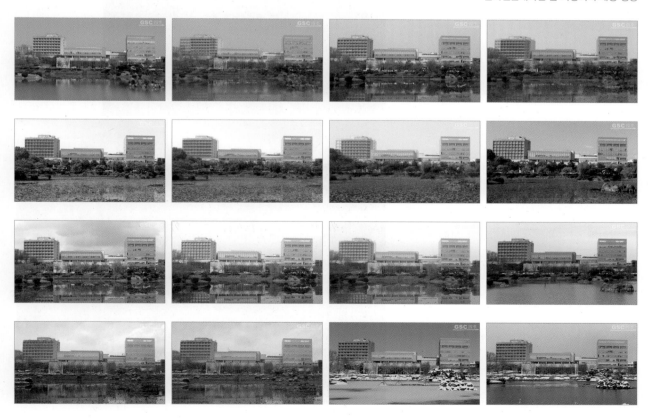

준비 파일 : Part 02 > Chapter 01 > Section 02 폴더 파일   **완성 파일** : Part 02 > Chapter 01 > Section 02 > 사진 소스로 영상 만들기 완성.mp4

1 영상 편집을 시작하기 위해서 [Adobe Premiere Pro 2021]을 찾아 프로그램을 실행합니다. 프리미어 프로를 실행한 후 [Home] 창이 열리면 왼쪽에 있는 [New Project] 버튼을 클릭하여 새 프로젝트를 시작합니다.

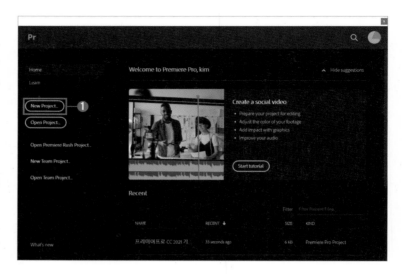

TIP

• 프리미어 프로에서 영상 편집을 시작하기 위해서는 새 프로젝트를 만들어야 합니다. 기존에 작업 중인 프로젝트가 있다면 [Open Project] 버튼을 클릭하거나, [Recent]의 프로젝트 리스트를 통해 불러올 수 있습니다.

• [Home] 창이 보이지 않을 경우, 상단의 [File] > [New] > [Project] 메뉴를 클릭하여 새 프로젝트를 시작할 수 있습니다.

2 [New Project] 대화상자가 열리면 [Name]에 임의의 프로젝트 이름을 입력하고, [Location]의 [Browse] 버튼을 클릭하여 프로젝트 파일이 저장될 폴더를 선택한 후 [OK] 버튼을 클릭합니다.

TIP

• [Name]에 반드시 프로젝트 이름을 알기 쉽게 입력하여 파일 관리 및 수정이 필요할 때 빠르게 찾을 수 있도록 합니다.

• [Location] 설정을 통해 하나의 폴더에 프리미어 파일과 사진, 동영상, 음악 등의 소스를 복사하여 관리하므로 반드시 작업 폴더를 지정하여 새 프로젝트를 시작하는 것이 좋습니다.

• 새 폴더를 만들 때 [C] 드라이브보다는 [D] 드라이브처럼 데이터 전용으로 사용하는 저장 장소에 저장하는 것이 컴퓨터의 속도 관리 등 원활한 유지 보수를 위해 유리합니다.

3 새 프로젝트 이름으로 프리미어 프로의 기본 작업 화면이 열립니다. 하지만 아직은 완벽하게 작업환경이 설정된 것은 아닙니다. 영상 편집을 시작하기 위해서는 새 시퀀스(Sequence)를 만들어야 합니다. 아직 시퀀스가 없으므로 오른쪽 아래 [Timeline] 패널이 비활성화되어 있습니다.

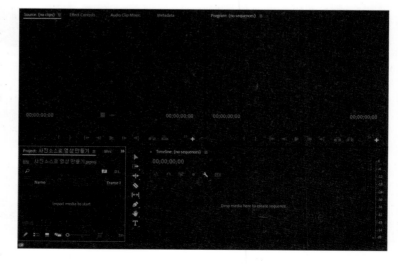

TIP

• 시퀀스(Sequence)는 시간과 장소가 비슷한 일련의 사건들이 모인 장면이 여러 개 모여 의미 있는 이야기를 이룬 것을 지칭합니다. 프리미어 프로에서는 기본 시퀀스 단위로 편집을 하게 됩니다.

• 프리미어 프로의 시작 화면은 프로그램의 버전 및 개인 설정에 따라 다를 수 있습니다.

02 1920x1080 새 시퀀스 만들기 New Sequence

1 기본 작업 화면이 열리면 새 시퀀스를 만들기 위해서 [File] > [New] > [Sequence]([Ctrl]+[N]) 메뉴를 클릭합니다.

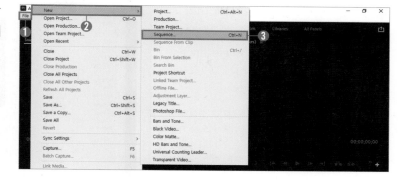

TIP
• 단축키 [Ctrl]+[N]을 활용하는 것이 좋습니다.
• 새 시퀀스를 만드는 방법은 이 외에도 몇 가지가 있지만 가장 기본은 위의 방법을 통해 만드는 것입니다. 먼저 가장 기본 방법을 익힌 후 쉽고 빠른 방법을 통해 새 시퀀스를 만들어 영상 편집을 시작할 수 있습니다.

2 [New Sequence] 대화상자가 열리면 다음과 같이 설정한 후 [OK] 버튼을 클릭합니다.

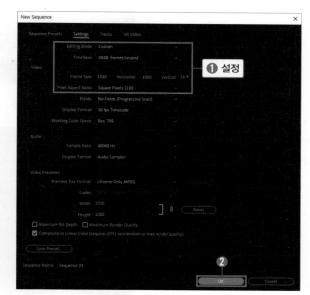

• [Editing Mode] : Custom
• [Timebase] : 30.00 frames/second
• [Frame Size] : 1920
• [horizontal] : 1080
• [Pixel Aspect Ratio] : Square Pixels (1.0)

TIP
• 1920x1080 크기는 FHD 영상 사이즈로써 디지털 TV의 기본 화면 크기이면서 유튜브에서도 가장 많이 사용되는 화면 크기 중의 하나입니다.
• 규모가 큰 영상 편집 작업을 할 경우, 시퀀스가 많아질 것을 대비하여 [Sequence Name]에 알기 쉬운 이름을 입력하여 다른 시퀀스와 구분될 수 있도록 하는 것이 좋습니다.

TIP
[New Sequence] 대화상자의 [Sequence Presets] 탭
일반적으로 [New Sequence] 대화상자가 열리면 [Settings] 탭을 클릭하여 작업 설정을 진행하는 것이 좋습니다. [Sequence Presets] 탭은 미리 설정된 값들을 불러올 수 있는 곳으로써 만약 자신의 촬영 기기가 프리미어 프로에 등록된 장치라면 [Sequence Presets] 탭에서 자신의 기기와 맞는 저장된 설정값을 찾아 바로 불러올 수 있습니다. 이렇게 설정할 경우, 복잡한 사용자 설정 없이 작업을 진행할 수 있으므로 편리합니다.

3 [Project] 패널에 새로 만든 시퀀스가 만들어졌음을 확인합니다. 또한 [Timeline] 패널에도 새 시퀀스 이름으로 트랙이 활성화되었습니다.

TIP
• 프리미어 프로의 작업 화면 모양이 그림의 구성과 다르게 보일 경우, [Window] > [Workspace] > [Editing] 메뉴를 클릭하여 편집에 특화된 화면 구성으로 설정하고, [Editing] 기본 화면 구성과 크기로 되돌리기 위해서 [Window] > [Workspace] > [Reset to Saved Layout] 메뉴를 클릭합니다.
• 새 시퀀스를 만들고 난 후 설정을 바꾸어야 할 때는 [Sequence] > [Sequence Settings] 메뉴를 클릭합니다.

1 사진을 가져와 편집하기 전에 미리 사진 소스에 대한 기본 재생 길이를 재설정해놓으면 편리합니다. [Edit] > [Preferences] > [Timeline] 메뉴를 클릭합니다.

TIP

• 사진 소스는 사용자 임의대로 재생 길이를 설정할 수 있습니다. 하지만 미리 기본 재생 길이를 설정해 놓을 경우, 편집을 빠르게 진행할 수 있는 장점이 있습니다.

• [Preferences]에서는 프리미어 프로에 관한 모든 사용자 설정을 수정하여 편리한 작업환경을 만들 수 있습니다.

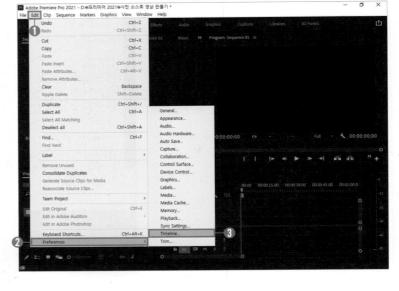

2 [Preferences] 대화상자가 열리면 [Still Image Default Duration]을 '150 Frames'로 설정하고 [OK] 버튼을 클릭합니다.

TIP

• [Still Image Default Duration]이 있는 위치는 프로그램의 버전에 따라 다를 수 있습니다.

• 현재 새로 만든 시퀀스 설정이 1초당 30 Frames이므로 이미지 클립의 재생 길이를 150 Frames로 설정하면 이미지 1장으로 5초의 영상을 만들 수 있는 재생 길이로 설정한다는 뜻입니다.

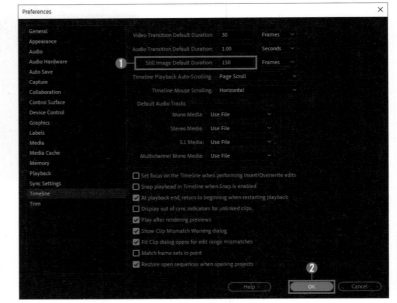

3 이제 모든 작업환경 설정이 마무리되었습니다. 사진 소스로 영상 만들기를 시작해 보겠습니다. 제공된 사진을 불러오기 위해서 [File] > [Import]([Ctrl]+[I]) 메뉴를 클릭합니다.

TIP

프리미어 프로에서 풀다운 메뉴를 이용하는 대신 [Project] 패널의 공간에서 더블클릭을 하거나 단축키 [Ctrl]+[I]를 눌러 더욱 쉽게 소스를 불러올 수 있습니다.

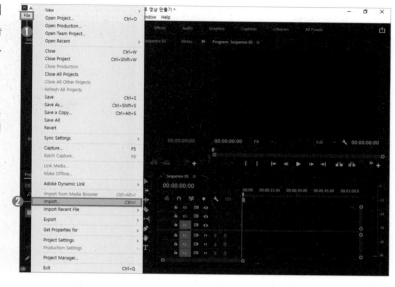

4 [Import] 대화상자가 열리면 제공된 '01~12.jpg, ID.jpg' 파일을 모두 선택하고 [열기] 버튼을 클릭합니다.

TIP

여러 개의 파일을 선택하려면 드래그를 하거나, [Ctrl]을 누른 채 불러오려는 파일을 하나씩 클릭합니다.

5 [Project] 패널에 불러온 이미지 클립을 확인합니다.

TIP

• 클립(Clip) : 영상 편집을 위해 [Project] 패널에 불러온 사진, 동영상, 오디오 파일 등을 지칭합니다.
• [Project] 패널에서 클립 보기 방식은 '목록(List)'과 '아이콘(Icon)' 두 가지입니다. 현재는 리스트 방식이며 만일 아이콘 방식으로 보고 싶다면, [Project] 패널의 왼쪽 아래 끝 [Icon View]를 클릭하면 됩니다.

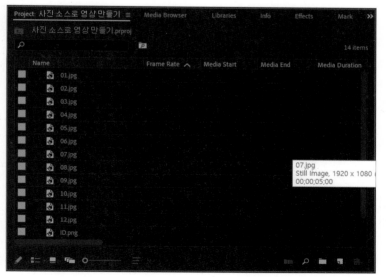

6 [Project] 패널의 '01.jpg' 이미지 클립을 [Timeline] 패널 [V1] 트랙의 시작점으로 드래그합니다. [V1] 트랙의 시작점에 다음과 같이 클립이 5초의 길이로 들어왔음을 확인하고, Space Bar 를 눌러 영상을 확인합니다.

TIP
• [V1] 트랙은 Video 1번 트랙의 약자입니다.
• [Timeline] 패널이 선택된 상태에서 Space Bar 를 누르면 [Current Time Indicator]를 기준으로 영상이 재생됩니다.

7 이제 다음 클립을 배치하여 편집해 보겠습니다. [Project] 패널의 '02.jpg' 이미지 클립을 [Timeline] 패널 [V1] 트랙의 '01.jpg' 이미지 클립 뒤로 드래그합니다.

TIP
프리미어 프로에서 지원하는 이미지 파일 포맷
• AI, EPS : Adobe Illustrator
• BMP, DIB, RLE : 비트맵
• DPX : Cineon/DPX
• GIF : Graphics Interchange Format
• ICO : Icon 파일(Windows 전용)
• JPEG, JPE, JPG, JFIF : 압축 사진 파일
• PNG : Portable Network Graphics
• PSD : Photoshop
• TGA, ICB, VDA, VST : Targa
• TIFF : Tagged Interchange Format

04 기초 화면전환 적용하기 | Cross Dissolve

1 [Timeline] 패널의 클립 사이에 화면전환
(트랜지션) 효과를 적용하기 위해서 [Window]
> [Effects] 메뉴를 클릭하여 [Effects] 패널
을 연 후 [Video Transitions] > [Dissolve] >
[Cross Dissolve]를 찾습니다.

TIP

[Cross Dissolve]는 두 화면이 교차하여 부드러운 장면
전환이 이루어지는 트렌지션으로 프리미어 프로 실무에서
가장 많이 사용하는 Dissolve 효과입니다. Opacity 편집
과 비슷한 결과가 나오지만 수정이 쉽고, 작업 속도가 빠
르다는 장점이 있습니다.

2 [Timeline] 패널을 선택하고 ⊞를 눌러
화면의 필요한 구간을 확대한 후 '01.jpg'와
'02.jpg' 이미지 클립 사이에 [Effects] 패널의
[Cross Dissolve]를 드래그합니다. 2개의 이
미지 클립 사이에 효과가 삽입된 것을 확인한
후 Space Bar 를 눌러 화면전환 효과를 확인합
니다.

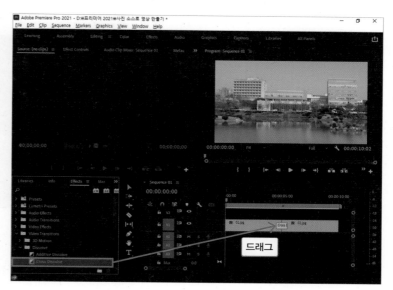

3 같은 방법으로 다음 클립도 편집해 보겠
습니다. [Project] 패널의 '03.jpg' 이미지 클립
을 [Timeline] 패널 [V1] 트랙의 '02.jpg' 이미
지 클립 뒤로 드래그합니다. 마찬가지로 '02.
jpg'와 '03.jpg' 이미지 클립 사이에 [Cross
Dissolve]를 드래그합니다.

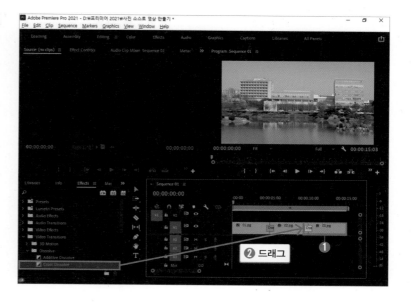

4 같은 편집 방법을 이용하여 나머지 클립도 편집하겠습니다. [Project] 패널에서 Shift 를 누른 채 '04~12.jpg' 이미지 클립을 함께 선택합니다. 9개의 클립을 [V1] 트랙의 마지막 클립 뒤쪽에 다음과 같이 붙여넣은 후 영상 클립의 번호 순서대로 붙여졌는지 확인합니다.

TIP

• 클립을 여러 개 선택하기 위해서는 파일을 선택하는 것과 마찬가지로 [Project] 패널에서 클립을 선택할 때도 Ctrl 이나 Shift 를 이용하면 여러 개의 클립을 동시에 선택하고, 한꺼번에 불러올 수 있습니다.

• [Project] 패널에서 클립을 선택하는 순서에 따라서 [Timeline] 패널에 붙여지는 순서가 달라질 수 있으니 반드시 원하는 순서대로 붙여졌는지 확인해야 합니다.

5 편집된 모든 클립 사이에 [Cross Dissolve]를 드래그하여 적용합니다.

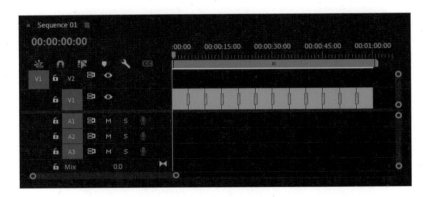

TIP

프리미어 프로에서 화면전환 팁

• 프리미어에서 화면전환은 클립 사이에 추가되어 애니메이션 결합을 만드는 효과입니다. 화면전환은 장면을 한 샷에서 다음 샷으로 이동하는 데 사용됩니다. 프리미어 프로는 시퀀스에 적용할 수 있는 화면전환 목록을 다양하게 제공합니다.

• 기본적으로 [Timeline] 패널에서 특정 클립을 다른 클립 옆에 배치하면 화면이 바뀌는 구간이 발생합니다. 즉, 한 클립의 마지막 프레임이 다음 클립의 첫 프레임 다음에 오는 것입니다. 화면전환은 일반적으로 샷 사이의 절단선에 배치됩니다. 클립의 시작 또는, 끝에만 전환을 적용할 수도 있습니다.

• 화면전환 효과를 적용하기 전에 클립을 잘라내어 편집하는 것이 좋습니다. 그런 다음 화면전환을 적용합니다. 많이 잘라내어 여유분을 화면전환에서 사용할 수 있도록 하는 것이 좋습니다.

• 약 1초의 화면전환을 적용하려면 각 클립에서 최소 15프레임을 잘라내는 것이 좋습니다.

1 이제 상단에 워터마크를 넣어 마무리하겠습니다. [Project] 패널의 'ID.png' 이미지 클립을 [Timeline] 패널 [V2] 트랙의 시작점에 붙여넣은 후 Space Bar 를 눌러 확인합니다.

TIP

png 포맷은 배경이 투명한 이미지 포맷으로써 주로 합성 작업에 많이 사용됩니다.

2 클립의 재생 길이를 늘이기 위해서 'ID.png' 이미지 클립의 [Out 점]을 오른쪽으로 드래그하여 [V1] 트랙의 편집된 이미지의 끝나는 지점에 맞춥니다.

TIP

[Out 점]은 트랙에 배치된 클립의 끝나는 지점을 말하며, [In 점]은 시작되는 지점을 의미합니다. 이미지 클립의 경우, [In 점]과 [Out 점]을 무한대로 늘릴 수 있습니다.

3 이제 사진 소스로 만들어진 영상을 mp4 파일로 출력해 보겠습니다. [Timeline] 패널이 선택된 상태에서 [File] > [Export] > [Media] (Ctrl + M) 메뉴를 클릭합니다.

TIP

• [Timeline]과 [Program Monitor] 패널 외에 다른 패널이 선택된 경우, [Media](Ctrl + M) 메뉴가 활성화되지 않아 출력을 진행할 수 없습니다.

• 단축키를 적극적으로 활용하는 것이 원활한 편집 진행과 시간 단축에 도움이 됩니다.

4 [Export Settings] 대화상자가 열리면 [Export Settings] 탭에서 다음과 같이 설정한 후 [Export] 버튼을 클릭합니다.

- [Format] : H.264
- [Preset] : Match Source – High bitrate
- [Output Name] : 임의의 이름

TIP

[Output Name]의 이름을 클릭하여 출력될 파일이 저장될 위치와 파일 이름을 반드시 설정한 후 다음 작업을 진행합니다.

5 출력(Encoding)되는 과정을 확인합니다.

TIP

출력되는 속도는 컴퓨터의 성능, 파일 편집, Format 선택 등 여러 요소에 따라 Encoding 속도의 차이가 벌어질 수 있으니 유의하기 바랍니다.

6 출력이 끝나면 [윈도우 탐색기]를 이용하여 출력된 영상이 저장된 폴더를 찾은 후 mp4 파일을 더블클릭하여 사진 소스로 만든 영상을 확인합니다.

TIP

[윈도우 탐색기]는 단축키 ⊞+E를 눌러 쉽게 불러낼 수 있습니다.

03

SECTION

사진 소스로 스톱모션 만들기

핵심 내용

본 예제는 8월 여름, 무더운 대구에서 3박 4일이라는 단기간 안에 영상 작품을 만들고 차별화해서 1등을 할 수 있을까 고심했던 작품입니다. 이때 필자가 얻은 노하우는 차별화된 홍보영상이 절실할 때, '스톱모션'이 대안이 될 수 있다는 것입니다. 뚝뚝 끊어지면서 이어지는 스톱모션의 매력은 사람이 인식하는 시각적 패턴에서 일탈하는 즐거움을 주면서 스토리에 지장을 주지 않기 때문입니다. 이러한 장점을 최대한 살리고, 프리미어 프로의 Nest, Title Designer, Scale Motion, Dip to White 기법 등을 익혀서 첨가한다면 여러분도 또 다른 스톱모션의 여러 작품을 완성할 수 있을 것입니다.

핵심 기능

Import Folder, Nest, Title Designer, Scale Motion, Title Ctrl+C, Ctrl+V, Dip to White

STORYBOARD

제3회 대한민국청소년 UCC캠프대전 '여성가족부장관상' 수상 작품

❼ New Sequence

❽ 효과음에 맞는 이미지 효과 테크닉

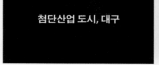
❷ Title Designer

❸ Scale Motion

❶ Import Folder + Nest

❹ Title Ctrl+C, Ctrl+V

❺ Import Folder + Nest

❺ Import Folder + Nest

❺ Import Folder + Nest
❻ Dip to White

준비 파일 : Part 02 > Chapter 01 > Section 03 폴더 파일   **완성 파일 :** Part 02 > Chapter 01 > Section 03 > 사진 소스로 스톱모션 만들기 완성.mp4

1 [New Project]를 실행하여 새 프로젝트를 시작합니다. [New Project] 대화상자가 열리면 [Name]에 임의의 프로젝트 이름을 입력하고, [Location]의 [Browse] 버튼을 클릭하여 프로젝트 파일이 저장될 폴더를 선택한 후 [OK] 버튼을 클릭합니다.

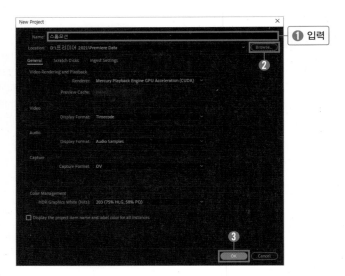

TIP

- 프리미어 프로의 시작 화면은 프로그램의 버전 및 개인 설정에 따라 다를 수 있습니다.
- [Edit] > [Preferences] > [General]의 [When Opening a Project] 옵션으로 화면 설정을 바꿀 수 있습니다. [시작] 화면에서 [New Project]를 클릭하거나 상단의 [File] > [New] > [Project] 메뉴를 클릭하여 새 프로젝트를 시작할 수 있습니다.

2 기본 작업 화면이 열리면 새 시퀀스를 만들기 위해서 [File] > [New] > [Sequence] (Ctrl + N) 메뉴를 클릭하고, [New Sequence] 대화상자가 열리면 다음과 같이 설정한 후 [OK] 버튼을 클릭합니다.

- [Editing Mode] : Custom
- [Timebase] : 30.00 frames/second
- [Frame Size] : 1280
- [horizontal] : 720
- [Pixel Aspect Ratio] : Square Pixels (1.0)

TIP

1280x720은 HD 영상 사이즈로써 FHD(1920x1080)보다는 크기가 작지만, 용량 대비 화질이 뛰어나 현재까지도 유튜브와 각종 디지털 기기를 비롯하여 많이 사용합니다.

3 미리 사진 소스에 대한 기본 재생 길이를 재설정해놓으면 편리합니다. [Edit] > [Preferences] > [Timeline] 메뉴를 클릭하고, [Preferences] 대화상자가 열리면 [Still Image Default Duration]을 '6 Frames'로 설정하고 [OK] 버튼을 클릭합니다.

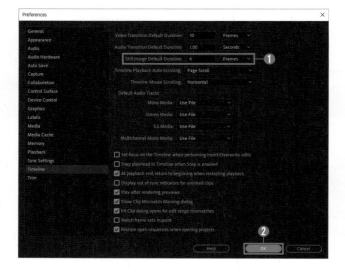

TIP

- [Still Image Default Duration]이 있는 위치는 프로그램의 버전에 따라 다를 수 있습니다.
- 현재 시퀀스 설정이 1초당 30 Frames이므로 이미지 클립의 재생 길이를 6 Frames로 설정하면 이미지 5장으로 1초의 영상을 만들 수 있는 길이로 설정한다는 뜻입니다. 이렇게 설정한 이유는 이번 BGM의 비트와 이미지 재생 길이의 평균값 정도를 비슷하게 맞춰서 작업하기 편리하게 하기 위함입니다.

02 사진 소스 불러오기 Import Folder

1 우선 제공된 배경음악을 불러오기 위해서 [File] > [Import](Ctrl+I) 메뉴를 클릭하고, [Import] 대화상자가 열리면 'BGM.wav' 파일을 선택한 후 [열기] 버튼을 클릭합니다. [Project] 패널의 'BGM.wav' 오디오 클립을 [Timeline] 패널 [A1] 트랙의 시작점으로 드래그하여 배경음악을 넣은 후 Space Bar 를 눌러 삽입된 배경음악을 확인합니다.

TIP

배경음악을 먼저 넣은 이유는 영상 편집을 할 때 특정한 목적을 가진 몇몇 영상들은 음악이나 사운드, 더빙 등에 기준을 두고 영상을 편집하는 것이 좋은 결과물을 얻는 방법이기 때문입니다.

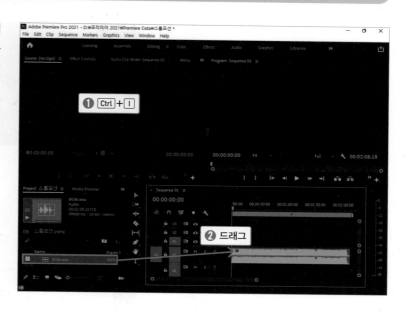

2 다음으로 스톱모션 사진 소스를 불러오기 위해서 [File] > [Import](Ctrl+I) 메뉴를 클릭하고, [Import] 대화상자가 열리면 'A' 폴더를 선택한 후 [Import Folder] 버튼을 클릭합니다.

TIP

[Import Folder]는 폴더와 안에 포함된 모든 클립을 한꺼번에 불러올 수 있는 기능입니다.

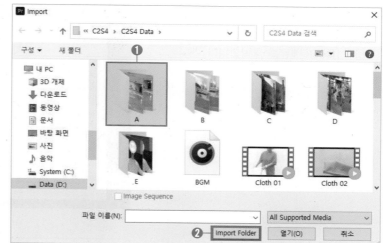

3 [Project] 패널에 그림과 같이 'A' 폴더가 들어왔음을 확인한 후 Bin에 포함된 클립들을 확인하기 위해서 'A' 폴더 왼쪽 화살표 아이콘을 클릭하면 폴더 안에 포함된 스톱모션 클립 40개를 확인할 수 있습니다.

TIP

5장의 이미지가 1초의 재생 길이에 해당하므로 40장의 스톱모션 이미지는 총 8초 길이입니다.

1 먼저 오프닝 장면이 들어갈 자리를 비워 놓기 위해서 [Current Time Indicator]를 00:00:04:00 위치로 옮긴 후 [Project] 패널 의 'A' 폴더를 통째로 [V1] 트랙의 [Current Time Indicator] 뒤로 드래그합니다. 폴더 안 의 수많은 사진이 순서대로 배치되었음을 확 인합니다.

TIP

음악과 오프닝 활용 테크닉

홍보영상 실무에서는 음악이 차지하는 비중이 큽니다. 그 분위기에 따라 편집의 기준이 달라질 수 있기 때문입니다. 대부분 음악은 앞부분에 전주가 있습 니다. 따라서 오프닝 편집을 할 때, 트랙의 앞부분을 비워놓고 시작하는 경우가 많습니다.

2 다음과 같이 스톱모션은 수많은 사진이 필 요합니다. 이때, 수많은 클립은 선택, 이동 등 의 편집이 까다로우므로 하나로 묶어 작업 을 조금 더 편리하게 만들기 위해서 [V1] 트랙 에 배치된 모든 클립을 드래그하여 선택한 후 [Clip] > [Nest] 메뉴를 클릭합니다.

TIP

[Nest]는 선택된 여러 개의 클립을 시퀀스로 묶어서 하나 의 클립처럼 편집할 수 있는 기능입니다. [Nest]로 묶인 클립을 더블클릭하면 언제든지 안에 포함된 클립들을 개 별 편집할 수도 있습니다.

3 [Nested Sequence Name] 대화상자가 열리면 [Name]에 기본 입력된 이름으로 [OK] 버튼을 클릭합니다.

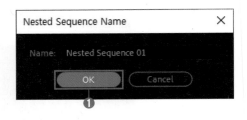

TIP

하나로 묶는 클립들이 많아질 경우, 이름을 나중에 확인 및 수정하기 쉽도록 쉬운 한글 이름 또는 날짜, 시간을 조 합하여 입력하는 것이 좋습니다.

4 여러 개의 클립이 하나의 클립처럼 묶이 고, 방금 설정한 'Nested Sequence 01'이라 는 이름을 갖습니다.

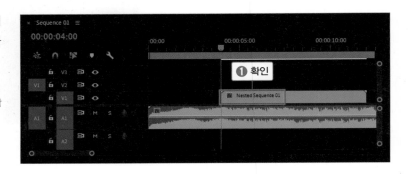

TIP

[Nest]로 묶인 클립을 더블클릭하면 언제든지 안에 포함 된 클립들을 개별 편집할 수도 있습니다.

04 자막 삽입하기 Type Tool

1 자막을 넣기 전 제공된 배경 이미지를 불러와 배치하겠습니다. [File] > [Import](Ctrl + I) 메뉴를 클릭하고, [Import] 대화상자가 열리면 '제목 배경.jpg' 파일을 선택하고 [열기] 버튼을 클릭합니다. 배경 이미지가 시작될 00:00:02:10 위치로 [Current Time Indicator]를 옮긴 후 [Project] 패널의 '제목 배경.jpg' 이미지 클립을 [V1] 트랙의 [Current Time Indicator] 뒤로 드래그합니다.

TIP

현재 설정된 이미지의 기본 길이가 6 frame이므로 길이가 매우 짧게 들어옵니다.

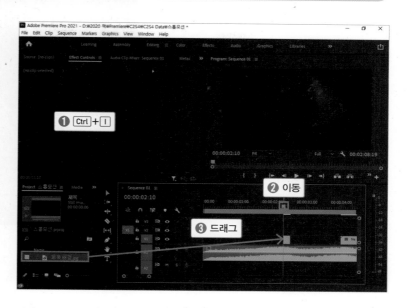

2 클립의 재생 길이를 늘이기 위해서 '제목 배경.jpg' 이미지 클립의 [Out 점]을 오른쪽으로 드래그하여 [Nested Sequence 01]의 [In 점]에 맞춥니다.

TIP

[Out 점]은 트랙에 배치된 클립의 끝나는 지점을 말하며, [In 점]은 시작되는 지점을 의미합니다. 이미지 클립의 경우, [In 점]과 [Out 점]을 무한대로 늘릴 수 있습니다.

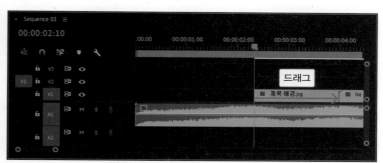

3 이제 제목 배경에 자막을 제작해 넣어 보겠습니다. [Tools] 패널에서 [Type Tool](T)을 클릭하고 [Program Monitor] 패널의 화면을 클릭하여 글자를 입력할 준비를 합니다. [Timeline] 패널의 [V2] 트랙에 자막 클립이 자동으로 만들어졌음을 확인합니다.

TIP

[Type Tool]을 이용하면 영상에 필요한 타이틀과 자막 등을 제작할 수 있습니다. 더불어 기본 꾸미기 효과와 애니메이션 기능도 제공됩니다.

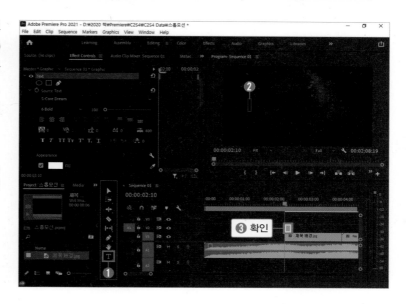

4 [Program Monitor] 패널에 '첨단산업 도시, 대구'를 입력합니다. [Effect Controls] 패널에서 [Graphics] > [Text]를 열어 확인하면 입력한 자막의 옵션을 설정할 수 있습니다. [Source Text]의 폰트 종류, 글자 크기, 글자 색을 다음과 같이 적절히 설정하여 배치합니다.

TIP

• 글자의 위치는 [Program Monitor] 패널에서 [Selection Tool]로 움직여 바꿀 수 있습니다. 글자의 색상은 [Appearance]의 [Fill] 색상 변경을 통해 바꿀 수 있습니다.

• 제목 글자는 돋움(고딕) 폰트 계열을 사용하여 간결하고, 두껍게 설정하고, 색상은 배경과 대조되게 만드는 것이 좋습니다.

5 자막이 제목 배경에 맞춰서 끝나야 하므로 길이를 조절해 보겠습니다. 자막 클립의 [Out 점]을 오른쪽으로 드래그하여 '제목 배경' 이미지 클립의 [Out 점]에 맞춥니다.

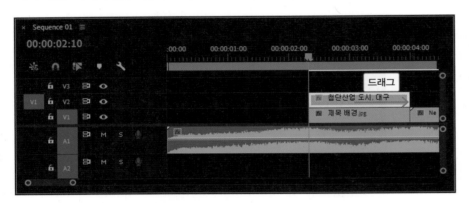

05 자막 애니메이션 적용하기 Scale+Opacity Animation

1 자막에 확대와 투명도를 조합하여 애니메이션을 만들어 보겠습니다. [Timeline] 패널에서 자막 클립을 선택하고, [Current Time Indicator]가 00:00:02:10 위치에 있음을 확인합니다. [Effect Controls] 패널에서 [Motion] > [Scale] > [Toggle animation](⏱)을 클릭하여 애니메이션을 활성화한 후 '60'으로 설정하여 크기를 줄입니다. 이어서 투명도 애니메이션을 추가하기 위해서 [Opacity] > [Toggle animation](⏱)을 클릭하여 애니메이션을 활성화한 후 '0%'로 설정합니다.

TIP
[Opacity]를 0%로 설정했으므로 화면에서는 사라져 보이지 않게 됩니다.

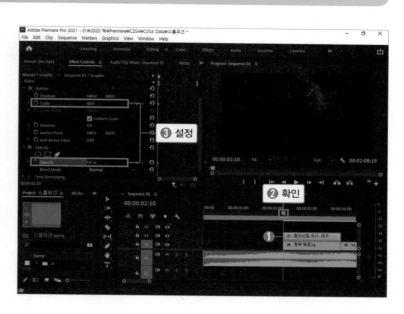

2 [Current Time Indicator]를 00:00:02:20 위치로 옮긴 후 [Opacity]를 '100%'로 설정하여 자막이 자연스럽게 화면에 나타나게 합니다.

3 [Current Time Indicator]를 00:00:03:29 위치로 옮긴 후 [Scale]을 '100'으로 설정하여 자막이 확대되는 모션을 만듭니다. 타이틀에 확대와 투명도를 조합하여 애니메이션을 적용했습니다. Space Bar 를 눌러 애니메이션을 확인합니다.

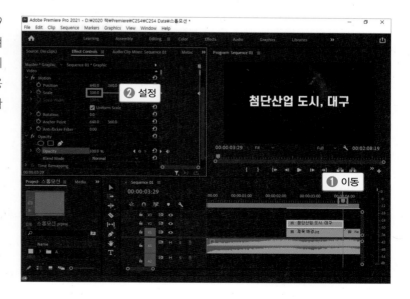

1 앞서 배운 사진 소스 스톱모션 제작 테크닉을 활용해보는 시간을 갖겠습니다. 나머지 'B', 'C', 'D' 폴더에 있는 이미지를 불러와 배치하고, 하나로 묶어 Nested Sequence로 만듭니다. 각 스톱모션의 앞쪽에 제목을 각자 개성을 발휘하여 새롭게 만든 후 확대와 투명도 애니메이션을 반복 적용해 봅니다.

TIP

사진 소스 파일의 배치 내용은 부록의 'Part 02 > Chapter 01 > Section 03 > 사진 소스로 스톱모션 만들기.prproj' 파일을 참고해 주세요.

1 작품의 타이틀을 불러와 배치하겠습니다. [File] > [Import]([Ctrl]+[I]) 메뉴를 클릭하고, [Import] 대화상자가 열리면 '작품 제목 오프닝.mp4' 파일을 선택하고 [열기] 버튼을 클릭합니다. [V1] 트랙의 앞쪽 빈 곳에 '작품 제목 오프닝.mp4' 영상 클립을 드래그하여 배치합니다. 스톱모션 작품의 편집이 마무리되었습니다. 재생하여 작품 제목을 확인합니다.

2 이제 편집된 스톱모션 작품을 HD 720 영상 파일로 출력해 보겠습니다. [Timeline] 패널이 선택된 상태에서 [File] > [Export] > [Media]([Ctrl]+[M]) 메뉴를 클릭합니다.

TIP

• [Timeline]과 [Program Monitor] 패널 외에 다른 패널이 선택된 경우, [Media]([Ctrl]+[M]) 메뉴가 활성화되지 않아 출력을 진행할 수 없습니다.

• 단축키를 적극적으로 활용하는 것이 원활한 편집 진행과 시간 단축에 도움이 됩니다.

3 [Export Settings] 대화상자가 열리면 [Export Settings] 탭에서 다음과 같이 설정한 후 [Export] 버튼을 클릭합니다.

• [Format] : H.264
• [Preset] : High Quality 720p HD
• [Output Name] : 임의의 이름

TIP

• [Preset]에 다른 옵션 설정의 720p도 있습니다. 현재는 화질을 최고로 출력하기 위해서 High Quality 720p HD로 설정했습니다.

• High Quality 720p HD의 설정은 [Summary]의 [Output]에서 확인할 수 있습니다. 크기는 1280x720, 초당 30프레임, 비트레이트 10Mbps 설정입니다.

4 출력(Encoding)되는 과정을 확인합니다.

TIP
출력되는 속도는 컴퓨터의 성능, 파일 편집, Format 선택 등 여러 요소에 따라 Encoding 속도의 차이가 벌어질 수 있으니 유의하기 바랍니다.

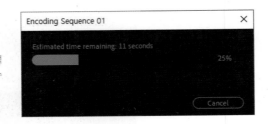

5 출력이 끝나면 [윈도우 탐색기]를 이용하여 출력된 영상이 저장된 폴더를 찾은 후 '스톱모션 작품완성' 파일을 더블클릭하여 출력된 영상을 확인합니다.

TIP
[윈도우 탐색기]는 단축키 ⊞+E를 눌러 쉽게 불러낼 수 있습니다.

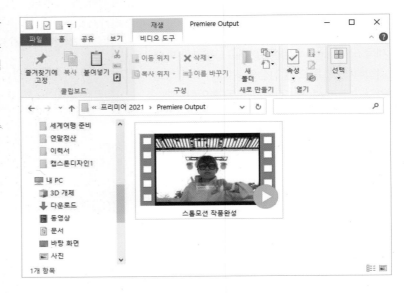

02

영상의 자막
편집 실무 기초

영상콘텐츠 공모전 20년 도전 노하우!

기본 자막에 이동, 확대, 마스크 기능을 더해 자막의 기초를 다지고, 여기에 영상 스토리의 상황에 맞는 노래방 타입의 자막, 엔딩 크레딧 타입의 Roll 자막, 뉴스 자막 타입의 Crawl 타입 등을 실습해 보겠습니다. 이러한 자막 편집을 통해서 다양한 영상 편집에 적용할 수 있습니다.

기본 자막 만들기

핵심 내용

본 예제는 영상 배경에 자막을 삽입하고 자막에 가장 기초가 되는 애니메이션 기법을 적용하는 것입니다. 특히, 이번 예제는 단순하지만, 가독성이 뛰어나고 세련된 자막을 디자인하여 만들고, 차례로 등장하는 컷 편집을 통해 정보 전달이 확실한 선거 프레젠테이션 영상 작품을 완성할 수 있음을 보여주는 사례입니다. 주요 기능은 영상 배경에 가장 기본이 되는 자막 입력과 편집 기법만 사용했습니다. 이러한 기초 자막 애니메이션 방법은 중급, 고급 사용자도 실무 예제로써 다양한 응용이 가능하다고 생각합니다.

핵심 기능

Type Tool, Cross Dissolve

STORYBOARD ──────────────────────────────── ○ ○대학교 총장선거 프레젠테이션 영상 중 일부분

01 새 프로젝트와 시퀀스 만들기 New Project, New Sequence From Clip

준비 파일 : Part 02 > Chapter 02 > Section 01 폴더 파일   완성 파일 : Part 02 > Chapter 02 > Section 01 > 기본 자막 만들기 완성.mp4

1 영상 편집을 시작하기 위해서 [Adobe Premiere Pro 2021]을 찾아 프로그램을 실행합니다. 프리미어 프로를 실행한 후 [New Project]를 실행하여 새 프로젝트를 시작합니다.

TIP

• 프리미어 프로에서 영상 편집을 시작하기 위해서는 새 프로젝트를 만들어야 합니다. 기존에 작업 중인 프로젝트가 있다면 [Open Project] 버튼을 클릭하거나, [Recent]의 프로젝트 리스트를 통해 불러올 수 있습니다.

• 새 프로젝트를 만드는 방법은 상단의 [File] > [New] > [Project] 메뉴를 이용하는 방법과 처음 실행할 때 보이는 [Home] 창에서 [New Project] 버튼을 클릭하여 만들 수 있습니다.

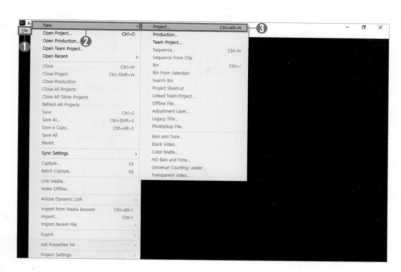

2 [New Project] 대화상자가 열리면 [Name]에 임의의 프로젝트 이름을 입력하고, [Location]의 [Browse] 버튼을 클릭하여 프로젝트 파일이 저장될 폴더를 선택한 후 [OK] 버튼을 클릭합니다.

TIP

• [Name]에 반드시 프로젝트 이름을 알기 쉽게 입력하여 파일 관리 및 수정이 필요할 때 빠르게 찾을 수 있도록 합니다.

• [Location] 설정을 통해 하나의 폴더에 프리미어 프로 파일과 이미지, 동영상, 음악 등의 소스를 복사하여 관리하므로 반드시 작업 폴더를 지정하여 새 프로젝트를 시작하는 것이 좋습니다.

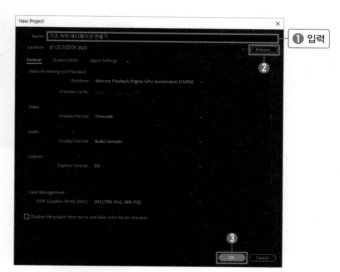

3 새 프로젝트 이름으로 프리미어 프로의 기본 작업 화면이 열립니다. 이제 영상 편집을 시작하기 위해서는 새 시퀀스(Sequence)를 만들어야 합니다. 새 시퀀스를 복잡한 설정 없이 동영상 소스를 이용하여 만들어 보겠습니다. 먼저 제공된 동영상 소스를 불러오기 위해서 [File] > [Import]([Ctrl]+[I]) 메뉴를 클릭합니다.

TIP

프리미어 프로에서 풀다운 메뉴를 이용하는 대신 [Project] 패널의 비어있는 공간을 더블클릭하거나 단축키 [Ctrl]+[I]를 눌러 더욱 쉽게 소스를 불러올 수 있습니다.

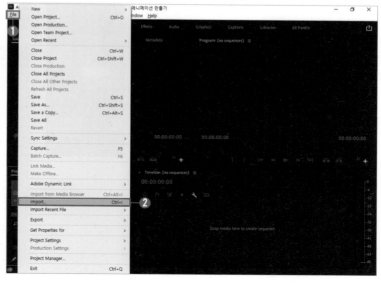

4 [Import] 대화상자가 열리면 제공된 동영상 소스 '한국대 배경.mp4' 파일을 선택하고 [열기] 버튼을 클릭합니다. 제공된 동영상 소스는 ○○대학교 선거에 사용된 프레젠테이션 동영상 소스입니다. 제공된 동영상 소스에 자막 애니메이션을 추가하여 효과적인 선거 프레젠테이션 영상을 직접 같이 제작해 보겠습니다.

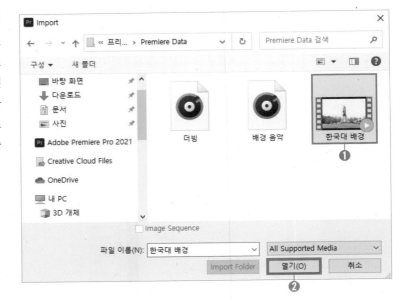

5 [Project] 패널에 '한국대 배경.mp4' 영상 클립이 들어온 것을 확인합니다.

TIP
• 클립(Clip) : 영상 편집을 위해 [Project] 패널에 불러온 이미지, 영상, 오디오 파일 등을 지칭합니다.
• [Project] 패널에서 클립 보기 방식은 '목록(List)'과 '아이콘(Icon)' 두 가지입니다. 현재는 리스트 방식이며 만일 아이콘 방식으로 보고 싶다면, [Project] 패널의 왼쪽 아래 끝 [Icon View]를 클릭하면 됩니다.

6 동영상 소스를 불러왔지만 새 시퀀스를 만들지 않았기 때문에 [Timeline] 패널이 비활성화되어 있습니다. 이제 새 시퀀스를 동영상 소스로 쉽게 만들어 보겠습니다. [Project] 패널에서 '한국대 배경.mp4' 영상 클립을 마우스 오른쪽 버튼으로 클릭하여 [New Sequence From Clip]을 선택합니다.

TIP
[New Sequence From Clip]은 복잡한 시퀀스 설정 없이 동영상의 크기, 프레임 설정에 따라 자동으로 새 시퀀스를 만드는 기능입니다.

❶ 마우스 오른쪽 클릭

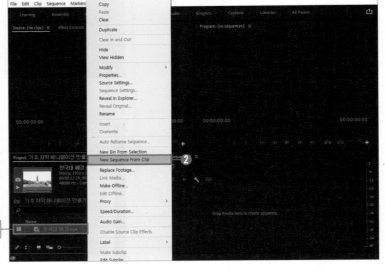

7 새 시퀀스가 자동으로 만들어지고, [V1], [A1] 트랙에 영상 클립이 들어갑니다. Space Bar 를 눌러 영상을 확인합니다.

TIP

• [V1] 트랙은 Video Track 1번을 의미합니다. 포토샵의 레이어와 비슷하며, 기본으로 1번을 먼저 사용한 후 편집에 따라 추가 트랙을 사용할 수 있습니다. 현재 시간대에서 가장 높은 번호의 트랙에 있는 클립만 화면에 표시됩니다.

• [A1] 트랙은 Audio Track 1번을 의미합니다. 오디오는 비디오 트랙과 달리 트랙의 순서와 상관없이 모든 트랙의 소리가 겹쳐서 편집됩니다.

TIP

[Clip Mismatch Warning] 경고 창

이미 설정된 시퀀스에 새 동영상 소스를 불러오면 [Clip Mismatch Warning] 경고 창이 뜰 수 있습니다. 경고의 내용은 '이 클립은 시퀀스 설정과 일치하지 않습니다. 클립의 설정과 일치하도록 시퀀스를 변경하시겠습니까?'이며 이때 두 가지 선택 옵션이 있는데 기존 시퀀스 설정에 클립을 그대로 가져오려면 [Keep existing settings], 즉 '기존 설정 유지'를 선택하면 됩니다. 하지만 클립에 따라 시퀀스 설정을 자동으로 변경하여 일치시키려면 [Change sequence settings](시퀀스 설정 변경)를 선택해야 합니다.

1 이제 자막을 입력해 보겠습니다. 화면의 왼쪽 공간에 다음과 같이 '1인당 교내 연구비'와 '3천만원 증액'이라는 내용의 자막을 그림과 같은 디자인으로 만들어 삽입하고, 자연스럽게 등장하도록 애니메이션을 적용해 보겠습니다.

2 자막을 입력하기 위해서 [Tools] 패널에서 [Type Tool](T)을 클릭하고, [Program Monitor] 패널의 상단을 클릭하여 '1인당 교내 연구비'를 입력합니다. [Timeline] 패널의 [V2] 트랙에 자동으로 자막 클립이 00:00:00:00 위치에 만들어졌음을 확인합니다.

TIP
- 자막의 위치는 [Program Monitor] 패널에서 [Selection Tool]로 입력한 자막을 움직여 바꿀 수 있습니다.
- 자막 클립은 [Current Time Indicator]가 위치한 곳을 기준으로 만들어집니다.

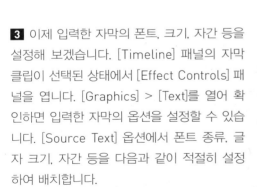

3 이제 입력한 자막의 폰트, 크기, 자간 등을 설정해 보겠습니다. [Timeline] 패널의 자막 클립이 선택된 상태에서 [Effect Controls] 패널을 엽니다. [Graphics] > [Text]를 열어 확인하면 입력한 자막의 옵션을 설정할 수 있습니다. [Source Text] 옵션에서 폰트 종류, 글자 크기, 자간 등을 다음과 같이 적절히 설정하여 배치합니다.

TIP
- 자막의 크기, 색상 등은 제공된 파일 중 완성 영상을 큰 화면으로 확인한 후 비슷하게 따라 해도 좋습니다.
- 자막의 위치는 [Effect Controls] 패널에서 [Position]의 숫자를 조정하여 바꿀 수도 있습니다.

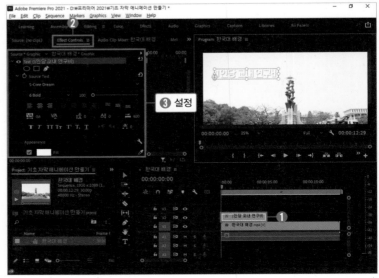

4 다음으로 글자의 색상과 글자 배경을 넣어 보겠습니다. [Source Text]의 아래 위치한 [Appearance] 옵션 중 [Fill]의 색상을 클릭하여 글자 색을 '흰색'으로 설정한 후 글자 배경을 넣기 위해서 [Background]를 체크하고, 색상을 '파란색'으로 설정합니다. [Background]의 옵션 중 [Opacity](🔲)는 '100%', [Size](🔲)는 '6' 정도로 설정하여 배경의 투명도와 크기를 적당하게 만듭니다.

TIP

• **[Fill]** : 글자 색상을 설정합니다.
• **[Stroke]** : 글자에 외곽선을 설정합니다.
• **[Background]** : 글자의 배경을 설정합니다.
• **[Shadow]** : 글자에 그림자를 설정합니다.

5 자막의 옵션 설정이 마무리되었으므로 재생 길이를 조정해 보겠습니다. [Timeline] 패널에서 자막 클립의 [Out 점]을 드래그하여 [V1] 트랙의 '한국대 배경.mp4' 영상 클립의 [Out 점]에 맞춥니다. 배경에 맞춰 처음부터 끝까지 자막이 화면에 표시되며 재생됩니다.

TIP

배경에 맞춰 자막이 끝날 수 있도록 길이를 조절했습니다.

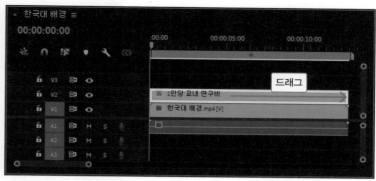

6 자막 클립이 자연스럽게 등장할 수 있도록 앞부분에 화면전환 효과를 적용해 보겠습니다. [Window] > [Effects] 메뉴를 클릭하여 [Effects] 패널을 엽니다.

7 [Effects] 패널이 열리면 [Video Transitions] > [Dissolve] > [Cross Dissolve]를 찾습니다.

TIP
[Cross Dissolve]는 두 화면이 교차하여 장면전환이 이루어지는 화면전환입니다.

8 [Timeline] 패널을 선택하고 ⊞를 눌러 화면의 필요한 구간을 확대합니다. 자막 클립의 가장 앞쪽에 [Cross Dissolve]를 드래그합니다. 클립 앞부분에 효과가 삽입된 것을 확인한 후 ⌷Space Bar⌷를 눌러 화면전환을 확인합니다.

TIP
• [Cross Dissolve]는 영상과 이미지 등 클립에 적용하여 자연스럽게 나타나게 하거나 사라지게 할 수 있으며, 2개의 클립을 자연스럽게 연결할 때도 자주 사용합니다.
• 클립에 적용된 [Cross Dissolve] 효과의 길이를 조절할 수도 있습니다.

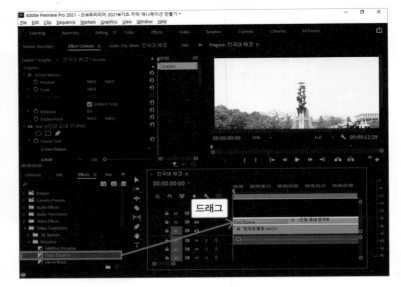

9 그림과 같이 자막의 투명도가 조절되면서 자연스럽게 등장함을 확인할 수 있습니다.

03 자막 추가 입력과 옵션 설정하기 | Type Tool, Effect Controls

1 다음으로 추가 자막을 입력해 보겠습니다. 새 자막을 추가하기 위해서는 모든 클립의 선택을 해제해야 합니다. 비어있는 비디오 트랙을 클릭하여 클립의 선택을 해제합니다.

TIP

클립이 선택된 상태로 추가 자막을 입력할 경우, 트랙에 자막이 2개 이상 겹쳐서 만들어지므로 나중에 편집 및 수정에 어려움이 있습니다.

2 클립이 해제된 상태에서 [Tools] 패널의 [Type Tool](**T**)을 클릭하고, [Program Monitor] 패널을 클릭하여 '3천만원 증액'을 입력합니다. [Timeline] 패널의 [V3] 트랙에 자동으로 자막 클립이 00:00:00:00 위치에 만들어졌음을 확인합니다.

TIP

- [Current Time Indicator]가 00:00:00:00 위치에 있음을 확인하고 추가 자막을 입력합니다.
- 추가 자막을 입력할 경우, 자막의 폰트, 크기, 색 등의 옵션은 마지막에 설정한 자막과 같은 설정값으로 보입니다.

3 [Current Time Indicator]를 00:00:01:00 위치로 이동합니다. 기존 자막이 화면에 표시되면 새 자막의 위치를 그림과 같이 적절하게 어울리도록 배치합니다. [Timeline] 패널의 새 자막 클립이 선택된 상태에서 [Effect Controls] 패널을 열고, [Source Text] 옵션에서 폰트 종류, 글자 크기, 자간 등을 다음과 같이 적절히 설정합니다. 다음으로 [Fill]의 색상을 클릭하여 글자 색을 '파란색'으로 설정한 후 [Background]의 체크를 해제합니다.

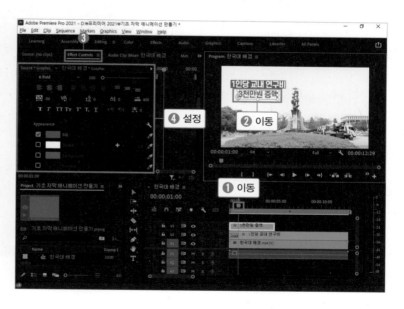

4 다음으로 새 자막의 재생 길이를 수정하고, 화면전환 효과를 적용해 보겠습니다. [Timeline] 패널에서 새 자막 클립의 [Out 점]을 드래그하여 [V1] 트랙의 '한국대 배경.mp4' 영상 클립의 [Out 점]에 맞춘 후 자막 클립의 가장 앞쪽에 [Effects] 패널의 [Cross Dissolve]를 드래그합니다. 클립 앞부분에 효과가 삽입된 것을 확인한 후 Space Bar 를 눌러 화면전환 효과를 확인합니다.

TIP
입력한 자막 2개는 처음부터 등장하여 배경이 끝나는 지점까지 계속해서 보이게 됩니다.

5 이제 다음에 등장할 자막을 계속 입력해 보겠습니다. 화면의 오른쪽 공간에 다음과 같이 '학생 1인당 교육비'와 '2천만원 확보'라는 내용의 자막을 그림과 같은 디자인으로 만들어 삽입하고 자연스럽게 등장하도록 애니메이션을 적용해 보겠습니다.

6 이제 다음에 등장할 자막을 계속 입력해 보겠습니다. 다음 자막은 앞서 만든 자막이 등장한 후 뒤쪽에서 등장해야 하므로 시작 지점의 기준을 먼저 설정해야 합니다. [Current Time Indicator]를 00:00:04:20 위치로 이동합니다. 모든 클립의 선택을 해제하고 [Type Tool](T)로 [Program Monitor] 패널에 '학생 1인당 교육비'를 입력합니다. [Timeline] 패널의 [V4] 트랙에 자동으로 자막 클립이 00:00:04:20 위치에 만들어졌음을 확인합니다. [Effect Controls] 패널을 열고, 폰트 종류, 글자 크기, 자간, [Fill]의 색상 및 [Background]를 첫 번째 자막과 비슷하게 설정합니다.

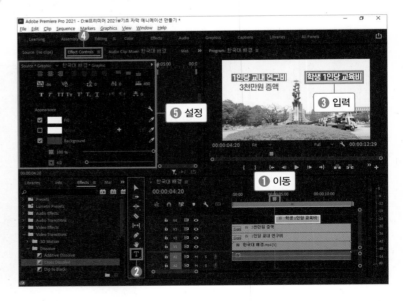

7 새 자막의 재생 길이를 수정하고, 화면 전환 효과를 적용하기 위해서 [Timeline] 패널에서 새 자막 클립의 [Out 점]을 드래그하여 [V1] 트랙의 '한국대 배경.mp4' 영상 클립 [Out 점]에 맞춥니다. [V4] 자막 클립의 가장 앞쪽에 [Effects] 패널의 [Cross Dissolve]를 드래그하여 적용합니다.

8 위와 같은 방법으로 새 자막 '2천만원 확보'를 다음과 같은 위치에 입력하고 옵션 설정후 재생 길이, 화면전환 효과를 적용합니다. 기초 자막 애니메이션이 완성되었습니다. 입력한 4개의 자막이 2개씩 순서대로 등장하는지 Space Bar 를 눌러 확인합니다.

1 마지막으로 상단에 작은 제목을 입력해 보겠습니다. 00:00:00:00 위치에 [Type Tool](**T**)로, '한국대의 약속과 재정'을 두 줄로 입력합니다. [Effect Controls] 패널을 열고 글자크기를 그림과 같이 작게 설정합니다. [Fill]의 색상은 '흰색', [Shadow]를 체크하고 자막이 잘 보일 수 있도록 옵션을 적절하게 조절합니다. [Timeline] 패널에서 새 자막 클립의 [Out 점]을 드래그하여 [V1] 트랙의 '한국대 배경.mp4' 영상 클립의 [Out 점]에 맞춰 재생 길이를 처음부터 끝까지 보이도록 만듭니다.

2 [Program Monitor] 패널을 확대해보면 다음과 같은 위치에 작은 제목이 입력되었음을 확인합니다.

3 기초 자막 애니메이션 편집이 끝났으므로 이제 배경음악과 더빙을 넣어 마무리하겠습니다. 제공된 배경음악과 더빙 파일 불러오기 위해서 [File] > [Import](**Ctrl**+**I**) 메뉴를 클릭하고, [Import] 대화상자가 열리면 '배경음악, 더빙.mp3' 파일을 선택한 후 [열기] 버튼을 클릭합니다.

TIP

여러 개의 파일을 한 번에 선택하려면 **Ctrl**을 누른 채, 파일을 각각 클릭하여 선택합니다.

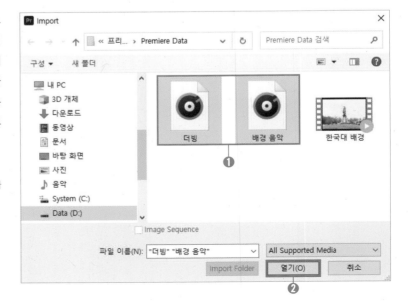

4 [Project] 패널의 '배경음악.mp3', '더
빙.mp3' 오디오 클립을 [Timeline] 패널 [A2],
[A3] 트랙의 시작점으로 각각 드래그하여 넣
은 후 Space Bar 를 눌러 삽입된 배경음악과
더빙을 확인합니다.

TIP
오디오는 모든 트랙에 있는 클립이 동작하여 소리가 겹쳐서
출력되므로 트랙의 위치에 상관없이 배치만 하면 됩니다.

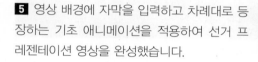

5 영상 배경에 자막을 입력하고 차례대로 등
장하는 기초 애니메이션을 적용하여 선거 프
레젠테이션 영상을 완성했습니다.

1 이제 완성된 영상을 mp4 파일로 출력해 보겠습니다. [Timeline] 패널이 선택된 상태에서 [File] > [Export] > [Media]([Ctrl]+[M]) 메뉴를 클릭합니다.

TIP

• [Timeline]과 [Program Monitor] 패널 외에 다른 패널이 선택된 경우, [Media]([Ctrl]+[M]) 메뉴가 활성화되지 않아 출력을 진행할 수 없습니다.
• 단축키를 적극적으로 활용하는 것이 원활한 편집 진행과 시간 단축에 도움이 됩니다.

2 [Export Settings] 대화상자가 열리면 [Export Settings] 탭에서 다음과 같이 설정한 후 [Export] 버튼을 클릭합니다. 출력(En-coding)되는 과정을 확인한 후 끝나면 출력된 mp4 파일을 찾아 더블클릭하여 영상을 확인합니다.

• [Format] : H.264
• [Preset] : Match Source – High bitrate
• [Output Name] : 임의의 이름

TIP

[Output Name]의 이름을 클릭하여 출력 파일이 저장될 위치와 파일 이름을 반드시 설정한 후 다음 작업을 진행합니다.

02

SECTION

자막 이동 실무

핵심 내용

본 예제는 영상 배경에 자막을 삽입하고 자막에 기초가 되는 이동 애니메이션 기법을 적용하는 것입니다. 특히, 이번 예제 역시 단순하지만, 가독성이 뛰어나고 세련된 자막을 디자인하고, 배경에 등장하는 배의 움직임에 따라 자연스럽게 수평 이동하는 애니메이션을 만들어 확실한 정보 전달과 시선을 사로잡는 선거 프레젠테이션 영상 작품을 완성할 수 있음을 보여주는 사례입니다. 주요 기능은 영상 배경에 자막 입력과 모션의 Position 애니메이션 기법만 사용했습니다. 이러한 자막 이동 애니메이션 방법은 중급, 고급 사용자도 실무 예제로써 다양한 응용이 가능한 기법입니다.

핵심 기능

Type Tool, Position, Cross Dissolve

STORYBOARD

○○대학교 총장선거 프레젠테이션 영상 중 일부분

준비 파일 : Part 02 > Chapter 02 > Section 02 폴더 파일　**완성 파일** : Part 02 > Chapter 02 > Section 02 > 자막 이동 실무 완성.mp4

1 [Adobe Premiere Pro 2021]을 실행한 후 [New Project]를 실행하여 새 프로젝트를 시작합니다. [New Project] 대화상자가 열리면 [Name]에 임의의 프로젝트 이름을 입력하고, [Location]의 [Browse] 버튼을 클릭하여 프로젝트 파일이 저장될 폴더를 선택한 후 [OK] 버튼을 클릭합니다.

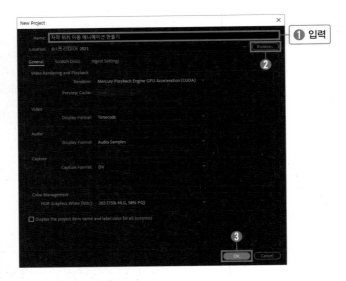

TIP

• 새 프로젝트를 만드는 방법은 상단의 [File] > [New] > [Project] 메뉴를 이용하는 방법과 처음 실행할 때 보이는 [Home] 창에서 [New Project] 버튼을 클릭하여 만들 수 있습니다.

• [Name]에 반드시 프로젝트 이름을 알기 쉽게 입력하여 파일 관리 및 수정이 필요할 때 빠르게 찾을 수 있도록 합니다.

• [Location] 설정을 통해 반드시 작업 폴더를 지정하여 새 프로젝트를 시작하는 것이 좋습니다.

2 새 프로젝트 이름으로 프리미어 프로의 기본 작업 화면이 열립니다. 이제 영상 편집을 시작하기 위해서는 새 시퀀스(Sequence)를 만들어야 합니다. 새 시퀀스를 복잡한 설정 없이 제공된 동영상 소스를 이용하여 만들어 보겠습니다. 먼저 동영상 소스를 불러오기 위해서 [File] > [Import]([Ctrl]+[I]) 메뉴를 클릭합니다.

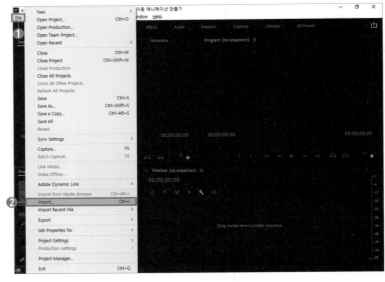

TIP

프리미어 프로에서 풀다운 메뉴를 이용하는 대신 [Project] 패널의 비어있는 공간을 더블클릭하거나 단축키 [Ctrl]+[I]를 눌러 더욱 쉽게 소스를 불러올 수 있습니다.

3 [Import] 대화상자가 열리면 제공된 '배이동.mp4' 파일을 선택하고 [열기] 버튼을 클릭합니다. 제공된 동영상 소스는 ○○대학교 선거에 사용된 프레젠테이션 동영상 소스입니다. 제공된 동영상 소스에 자막 위치 이동 애니메이션을 추가하여 효과적인 선거 프레젠테이션 영상을 직접 같이 제작해 보겠습니다.

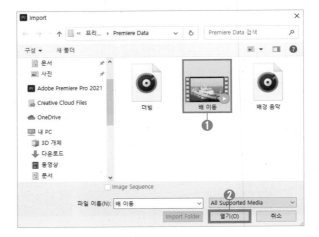

4 [Project] 패널에 '배 이동.mp4' 영상 클립이 들어온 것을 확인합니다.

TIP

- 클립(Clip) : 영상 편집을 위해 [Project] 패널에 불러온 이미지, 영상, 오디오 파일 등을 지칭합니다.
- [Project] 패널에서 클립 보기 방식은 '목록(List)'과 '아이콘(Icon)' 두 가지입니다. 현재는 리스트 방식이며 만일 아이콘 방식으로 보고 싶다면, [Project] 패널의 왼쪽 아래 끝 [Icon View]를 클릭하면 됩니다.

5 동영상 소스를 불러왔지만 새 시퀀스를 만들지 않았기 때문에 [Timeline] 패널이 비활성화되어 있습니다. 이제 새 시퀀스를 동영상 소스로 쉽게 만들어 보겠습니다. [Project] 패널에서 '배 이동.mp4' 영상 클립을 마우스 오른쪽 버튼으로 클릭하여 [New Sequence From Clip]을 선택합니다.

TIP

[New Sequence From Clip]은 복잡한 시퀀스 설정 없이 영상의 크기, 프레임 설정에 따라 자동으로 새 시퀀스를 만드는 기능입니다.

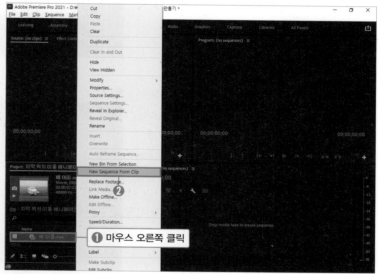

6 새 시퀀스가 자동으로 만들어지고, [V1], [A1] 트랙에 클립이 들어갑니다. [Space Bar]를 눌러 영상을 확인합니다.

TIP

- [V1] 트랙은 Video Track 1번을 의미합니다. 포토샵의 레이어와 비슷하며, 기본으로 1번을 먼저 사용한 후 편집에 따라 추가 트랙을 사용할 수 있습니다. 현재 시간대에서 가장 높은 번호의 트랙에 있는 클립만 화면에 표시됩니다.
- [A1] 트랙은 Audio Track 1번을 의미합니다. 오디오는 비디오 트랙과 달리 트랙의 순서와 상관없이 모든 트랙의 소리가 겹쳐서 편집됩니다.

1 이제 배 이동 영상 배경에 자막을 입력해 보겠습니다. 화면의 상단에 다음과 같이 '유학생 유치 강화'와 '국제화 경쟁력 향상'이라는 내용의 자막을 그림과 같은 디자인으로 만들어 삽입하고 왼쪽에서 오른쪽으로 이동하는 애니메이션을 적용해 보겠습니다.

2 자막을 입력하기 위해서 [Tools] 패널에서 [Type Tool]([T])을 클릭하고, [Program Monitor] 패널의 상단을 클릭하여 '유학생 유치'를 입력합니다. [Timeline] 패널의 [V2] 트랙에 자동으로 자막 클립이 00:00:00:00 위치에 만들어졌음을 확인합니다.

TIP

• 자막의 위치는 [Program Monitor] 패널에서 [Selection Tool]로 입력한 자막을 움직여 바꿀 수 있습니다.
• 자막 클립은 [Current Time Indicator]가 위치한 곳을 기준으로 만들어집니다.
• '유학생 유치'와 '강화'를 함께 입력하지 않은 이유는 각각 다른 옵션으로 디자인해야 하기 때문입니다.

3 이제 입력한 자막의 폰트, 크기, 자간 등을 설정해 보겠습니다. [Timeline] 패널의 자막 클립이 선택된 상태에서 [Effect Controls] 패널을 엽니다. [Graphics] > [Text]를 열어 확인하면 입력한 자막의 옵션을 설정할 수 있습니다. [Source Text]의 옵션에서 폰트 종류, 글자 크기, 자간 등을 다음과 같이 적절히 설정하여 배치합니다.

TIP

• 자막의 크기, 색상 등은 제공된 파일 중 완성 영상을 큰 화면으로 확인한 후 비슷하게 따라 해도 좋습니다.
• 자막의 위치는 [Effect Controls] 패널에서 [Position]의 숫자를 조정하여 바꿀 수도 있습니다.

4 다음으로 글자의 색상과 글자 배경을 넣어 보겠습니다. [Source Text]의 아래 위치한 [Appearance] 옵션 중 [Fill]의 색상을 클릭하여 글자 색을 '흰색'으로 설정한 후 글자 배경을 넣기 위해서 [Background]를 체크하고, 색상을 '파란색'으로 설정합니다. [Background]의 옵션 중 [Opacity]()는 '100%', [Size](▣)는 '8' 정도로 설정하여 배경의 투명도와 크기를 적당하게 설정합니다.

TIP

- **[Fill]** : 글자 색상을 설정합니다.
- **[Stroke]** : 글자에 외곽선을 설정합니다.
- **[Background]** : 글자의 배경을 설정합니다.
- **[Shadow]** : 글자에 그림자를 설정합니다.

5 다음으로 '강화' 자막을 추가 입력해 보겠습니다. 새 자막을 추가하기 위해서는 모든 클립의 선택을 해제해야 합니다. 비어있는 비디오 트랙을 클릭하여 클립의 선택을 해제합니다.

TIP

클립이 선택된 상태로 추가 자막을 입력할 경우, 트랙에 자막이 2개 이상 겹쳐서 만들어지므로 디자인, 편집 및 수정에 어려움이 있습니다.

6 [Tools] 패널의 [Type Tool](Ⓣ)을 클릭하고, [Program Monitor] 패널을 클릭하여 '강화'를 입력합니다. [Timeline] 패널의 [V3] 트랙에 자막 클립이 00:00:00:00 위치에 만들어졌음을 확인합니다. [Effect Controls] 패널의 [Source Text] 옵션에서 폰트, 크기, 자간 등을 다음과 같이 적절히 설정합니다. 다음으로 [Fill]의 색상을 클릭하여 글자 색을 '파란색'으로 설정하고 [Background]의 체크를 해제합니다.

TIP

[Current Time Indicator]가 00:00:00:00 위치에 있음을 확인하고 추가 자막을 입력합니다.

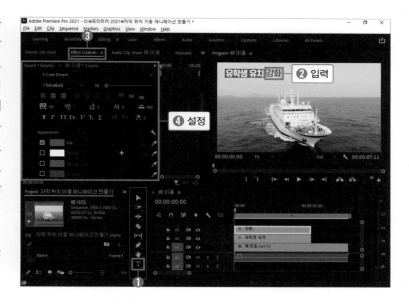

7 자막의 옵션 설정이 마무리되었으므로 재생 길이를 조정해 보겠습니다. [Timeline] 패널에서 새로 추가된 자막 클립의 [Out 점]을 드래그하여 [V1] 트랙의 '배 이동.mp4' 영상 클립의 [Out 점]에 맞춥니다. 배경에 맞춰 처음부터 끝까지 자막이 화면에 표시되며 재생됩니다.

TIP
배경에 맞춰 자막이 끝날 수 있도록 길이를 조절했습니다.

8 '유학생 유치 강화'를 다음과 같이 위치에 각각 입력하고 디자인했습니다.

9 이제 바로 아래 자막을 계속 입력해 보겠습니다. 모든 클립의 선택이 해제된 상태에서 [Type Tool](**T**)로, '국제화 경쟁력'과 '향상'을 각각 따로 입력합니다. [Timeline] 패널의 [V4] 트랙, [V5] 트랙에 자막 클립이 00:00:00:00 위치에 만들어졌음을 확인합니다. [Effect Controls] 패널을 열고, 폰트, 크기, 자간, [Fill]의 색상 및 [Background]를 첫 번째 줄 자막과 비슷하게 설정합니다.

TIP
자막의 내용에 따라 글자 색과 배경의 색상을 각각 다르게 하여 디자인했습니다.

10 '국제화 경쟁력 향상'을 다음과 같이 위치
에 각각 추가 입력하고 디자인했습니다.

TIP

자막 속성 변경하기

- 드롭다운 목록에서 폰트를 선택하여 글자의 폰트를 변경합니다. 또한, 폰트 스타일(예 ; 볼드체 또는, 이탤릭체)을 변경할 수 있습니다. 원하는 폰트 자체
  스타일이 글꼴에 없으면 볼드체, 이탤릭체, 대문자, 위 첨자, 아래 첨자, 밑줄 스타일을 적용할 수 있습니다.
- [Fill] : 자막을 선택한 후 색상을 선택하여 변경합니다.
- [Stroke] : 자막을 선택한 후 색상을 선택하여 테두리를 변경합니다. 외곽선 테두리 넓이를 변경하거나, 스타일을 추가하거나, 여러 획을 자막에 추가하
  여 멋진 효과를 만들 수도 있습니다.
- [Background] : 자막을 선택한 후 옵션을 클릭하여 배경을 변경합니다. 그런 다음, 배경의 투명도와 크기를 조정할 수 있습니다. 자막의 배경을 원하지
  않는다면 [Background] 옵션의 선택을 해제합니다.
- [Shadow] : 자막을 선택한 후 옵션을 클릭하여 자막 그림자를 변경합니다. 그런 다음, 거리, 각도, 투명도, 크기, 흐림 효과 등 다양한 그림자 속성을 조정
  할 수 있습니다.

1 다음으로 자막에 위치 이동 애니메이션을 적용해 보겠습니다. 현재 자막의 개수가 4개로 각각 애니메이션을 적용하려면 4번의 작업을 반복해야 합니다. 자막 클립들을 하나로 묶어 애니메이션 작업을 조금 더 편리하게 만들기 위해서 [V2]~[V5] 트랙에 배치된 모든 자막 클립을 선택한 후 [Clip] > [Nest] 메뉴를 클릭합니다.

TIP
- 여러 개의 클립을 선택하기 위해서는 Shift 를 누른 채, 클립을 차례로 선택합니다.
- [Nest]는 선택된 여러 개의 클립을 시퀀스로 묶어서 하나의 클립처럼 편집할 수 있는 기능입니다.

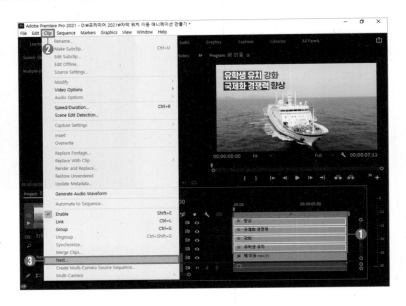

2 [Nested Sequence Name] 대화상자가 열리면 [Name]에 적당한 이름을 입력하고, [OK] 버튼을 클릭합니다.

TIP
나중에 확인 및 수정하기 쉽도록 쉬운 한글 이름 또는, 날짜와 시간을 조합하여 입력하는 것이 좋습니다.

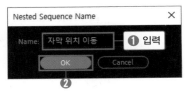

3 여러 개의 클립이 설정된 이름으로 하나의 클립처럼 묶입니다.

TIP
[Nest]로 묶인 클립을 더블클릭하면 언제든지 안에 포함된 클립들을 개별 편집을 할 수도 있습니다.

04 이제 묶인 자막 클립에 위치 이동 애니메이션을 적용해 보겠습니다. 묶인 자막 클립을 선택하고, [Current Time Indicator]가 00:00:00:00 위치에 있음을 확인합니다. [Effect Controls] 패널에서 [Motion] > [Position] > [Toggle animation](◯)을 클릭해 활성화합니다.

TIP
[Toggle animation]을 클릭하면 키프레임이 만들어지고 애니메이션을 기록할 수 있도록 준비됩니다.

05 [Current Time Indicator]를 00:00:07:10 위치로 옮긴 후 [Effect Controls] 패널에서 [Position]의 첫 번째 값만 수정하여 자막이 오른쪽으로 다음과 같은 위치까지 이동하도록 만듭니다. [Space Bar]를 눌러 자막이 왼쪽에서 오른쪽으로 이동하는 위치 이동 애니메이션을 확인합니다.

TIP
[Position]의 첫 번째 값은 X축의 수평 이동 값이며, 두 번째 값은 Y축으로 움직이는 수직 이동 값입니다. 따라서 첫 번째 값만 수정하여 좌우로 움직일 수 있도록 합니다.

06 그림과 같이 자막의 위치가 왼쪽에서 오른쪽으로 이동하면서 애니메이션이 적용되었음을 확인할 수 있습니다.

7 마지막으로 상단에 작은 제목을 입력해 보겠습니다. 00:00:00:00 위치에 [Type Tool](**T**)로, '한국대의 약속과 재정'을 두 줄로 입력합니다. [Effect Controls] 패널을 열고 글자 크기를 그림과 같이 작게 설정합니다. [Fill]의 색상은 '흰색', [Shadow]를 체크하고 자막이 잘 보일 수 있도록 옵션을 적절하게 조절합니다. [Timeline] 패널에서 새 자막 클립의 [Out 점]을 드래그하여 [V1] 트랙의 '배 이동.mp4' 영상 클립의 [Out 점]에 맞춰 재생 길이를 처음부터 끝까지 보이도록 만듭니다.

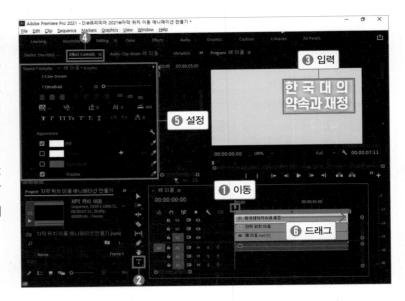

8 다음과 같이 화면의 상단에 작은 제목이 입력되었음을 확인합니다. 모든 자막을 입력하고 위치 이동 애니메이션을 적용했습니다. Space Bar 를 눌러 현재까지 만들어진 영상을 확인합니다.

04 화면전환 적용하기 Cross Dissolve

1 다음으로 자막 클립이 자연스럽게 등장할 수 있도록 앞과 뒷부분에 트랜지션(화면전환) 효과를 적용해 보겠습니다. [Window] > [Effects] 메뉴를 클릭하여 [Effects] 패널을 엽니다.

2 [Effects] 패널이 열리면 [Video Transitions] > [Dissolve] > [Cross Dissolve]를 찾습니다.

TIP
[Cross Dissolve]는 두 화면이 교차하여 장면전환이 이루어지는 트랜지션입니다.

3 [Timeline] 패널의 자막 클립 가장 앞쪽에 [Cross Dissolve]를 드래그합니다. 클립 앞부분에 효과가 삽입된 것을 확인한 후 Space Bar를 눌러 화면전환을 확인합니다.

TIP
· [Cross Dissolve]는 영상과 이미지 등 클립에 적용하여 자연스럽게 나타나게 하거나 사라지게 할 수 있으며, 2개의 클립을 자연스럽게 연결할 때도 자주 사용됩니다.
· 클립에 적용된 [Cross Dissolve]의 길이를 조절할 수도 있습니다.

4 그림과 같이 자막의 투명도가 조절되면서 자연스럽게 등장함을 확인할 수 있습니다.

5 [Timeline] 패널의 자막 클립 가장 뒤쪽에 [Cross Dissolve]를 드래그합니다. 효과가 삽입된 것을 확인한 후
Space Bar 를 눌러 화면전환을 확인합니다.

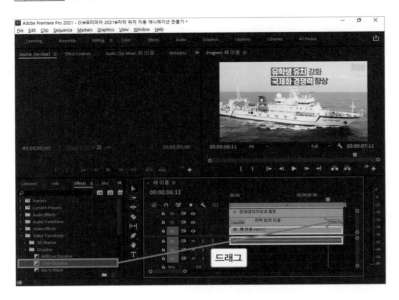

05 배경음악(BGM)과 더빙 삽입하기

1 자막 위치 이동 애니메이션의 편집이 끝났으므로 이제 배경음악과 더빙을 넣어 마무리 하겠습니다. 제공된 배경음악과 더빙 파일 불러오기 위해서 [File] > [Import]([Ctrl]+[I]) 메뉴를 클릭하고, [Import] 대화상자가 열리면 '배경음악, 더빙.mp3' 파일을 선택하고 [열기] 버튼을 클릭합니다.

TIP
[Import] 대화상자에서 여러 개의 파일을 한 번에 선택하려면 [Ctrl]을 누른 채, 파일을 각각 클릭하여 선택합니다.

2 [Project] 패널의 '배경음악.mp3', '더빙.mp3' 오디오 클립을 [Timeline] 패널 [A2], [A3] 트랙의 시작점으로 각각 드래그하여 넣은 후 [Space Bar]를 눌러 삽입된 배경음악과 더빙을 확인합니다.

TIP
오디오는 모든 트랙에 있는 클립이 동작하여 소리가 겹쳐서 출력되므로 트랙의 위치에 상관없이 배치만 하면 됩니다.

3 영상 배경에 자막을 입력하고 위치가 이동하는 애니메이션을 적용하여 선거 프레젠테이션 영상을 완성했습니다.

1 이제 완성된 영상을 mp4 파일로 출력해 보겠습니다. [Timeline] 패널이 선택된 상태에서 [File] > [Export] > [Media]([Ctrl]+[M]) 메뉴를 클릭합니다.

TIP
• [Timeline]과 [Program Monitor] 패널 외에 다른 패널이 선택된 경우. [Media]([Ctrl]+[M]) 메뉴가 활성화되지 않아 출력을 진행할 수 없습니다.
• 단축키를 적극적으로 활용하는 것이 원활한 편집 진행과 시간 단축에 도움이 됩니다.

2 [Export Settings] 대화상자가 열리면 [Export Settings] 탭에서 다음과 같이 설정한 후 [Export] 버튼을 클릭합니다. 출력(Encoding)되는 과정을 확인한 후 끝나면 출력된 mp4 파일을 찾아 더블클릭하여 영상을 확인합니다.

• [Format] : H.264
• [Preset] : Match Source – High bitrate
• [Output Name] : 임의의 이름

TIP
[Output Name]의 이름을 클릭하여 출력될 파일이 저장될 위치와 파일 이름을 반드시 설정한 후 다음 작업을 진행합니다.

03 자막 확대 실무

SECTION

핵심 내용

본 예제는 영상 배경에 자막을 삽입하고 자막에 확대 애니메이션 기법을 적용하는 것입니다. 이번 예제 역시 단순하지만, 가독성이 뛰어나고 세련된 자막을 디자인하여 만들고, 점점 확대되는 애니메이션으로 자막을 강조하고, 확실한 정보 전달과 시선을 사로잡는 선거 프레젠테이션 영상 작품을 완성할 수 있음을 보여주는 사례입니다. 주요 기능은 영상 배경에 자막 입력과 모션의 Scale 애니메이션 기법만 사용했습니다. 이러한 자막 확대 애니메이션 방법은 중급, 고급 사용자도 다양한 응용이 가능한 기법입니다.

핵심 기능

Type Tool, Scale, Cross Dissolve

STORYBOARD

○ ○ 대학교 총장선거 프레젠테이션 영상 중 일부분

준비 파일 : Part 02 > Chapter 02 > Section 03 폴더 파일　**완성 파일 :** Part 02 > Chapter 02 > Section 03 > 자막 확대 실무 완성.mp4

1 [Adobe Premiere Pro 2021]을 실행한 후 [New Project]를 실행하여 새 프로젝트를 시작합니다. [New Project] 대화상자가 열리면 [Name]에 임의의 프로젝트 이름을 입력하고, [Location]의 [Browse] 버튼을 클릭하여 프로젝트 파일이 저장될 폴더를 선택한 후 [OK] 버튼을 클릭합니다.

TIP

• 새 프로젝트를 만드는 방법은 상단의 [File] > [New] > [Project] 메뉴를 이용하는 방법과 처음 실행할 때 보이는 [Home] 창에서 [New Project] 버튼을 클릭하여 만들 수 있습니다.

• [Name]에 반드시 프로젝트 이름을 알기 쉽게 입력하여 파일 관리 및 수정이 필요할 때 빠르게 찾을 수 있도록 합니다.

• [Location] 설정을 통해 반드시 작업 폴더를 지정하여 새 프로젝트를 시작하는 것이 좋습니다.

2 새 프로젝트 이름으로 프리미어 프로의 기본 작업 화면이 열립니다. 이제 영상 편집을 시작하기 위해서는 새 시퀀스(Sequence)를 만들어야 합니다. 새 시퀀스를 복잡한 설정 없이 제공된 동영상 소스를 이용하여 만들어 보겠습니다. 먼저 동영상 소스를 불러오기 위해서 [File] > [Import](Ctrl + I) 메뉴를 클릭합니다.

TIP

프리미어 프로에서 풀다운 메뉴를 이용하는 대신 [Project] 패널의 비어있는 공간을 더블클릭하거나 단축키 Ctrl + I를 눌러 더욱 쉽게 소스를 불러올 수 있습니다.

3 [Import] 대화상자가 열리면 제공된 '일출 배경.mp4' 파일을 선택하고 [열기] 버튼을 클릭합니다. 제공된 동영상 소스는 ○○대학교 선거에 사용된 프레젠테이션 동영상 소스입니다. 제공된 동영상 소스에 자막 확대 애니메이션을 추가하여 효과적인 선거 프레젠테이션 영상을 직접 같이 제작해 보겠습니다.

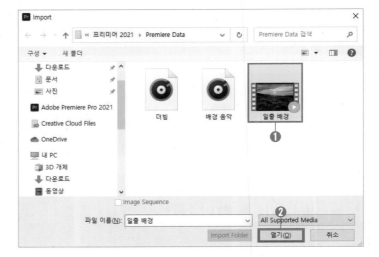

4 [Project] 패널에 '일출 배경.mp4' 영상 클립이 들어온 것을 확인합니다.

TIP

• 클립(Clip) : 영상 편집을 위해 [Project] 패널에 불러온 이미지, 영상, 오디오 파일 등을 지칭합니다.

• [Project] 패널에서 클립 보기 방식은 '목록(List)'과 '아이콘(Icon)' 두 가지입니다. 현재는 리스트 방식이며 만일 아이콘 방식으로 보고 싶다면, [Project] 패널의 왼쪽 아래 끝 [Icon View]를 클릭하면 됩니다.

5 동영상 소스를 불러왔지만 새 시퀀스를 만들지 않았기 때문에 [Timeline] 패널이 비활성화되어 있습니다. 이제 새 시퀀스를 동영상 소스로 쉽게 만들어 보겠습니다. [Project] 패널에서 '일출 배경.mp4' 영상 클립을 마우스 오른쪽 버튼으로 클릭하여 [New Sequence From Clip]을 선택합니다.

TIP

[New Sequence From Clip]은 복잡한 시퀀스 설정 없이 동영상의 크기, 프레임 설정에 따라 자동으로 새 시퀀스를 만드는 기능입니다.

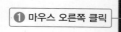

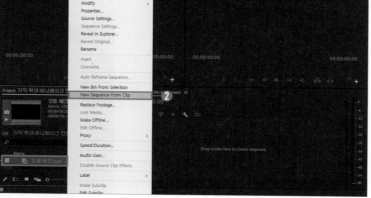

6 새 시퀀스가 자동으로 만들어지고, [V1], [A1] 트랙에 클립이 들어갑니다. [Space Bar]를 눌러 영상을 확인합니다.

TIP

• [V1] 트랙은 Video Track 1번을 의미합니다. 포토샵의 레이어와 비슷하며, 기본으로 1번을 먼저 사용한 후 편집에 따라 추가 트랙을 사용할 수 있습니다. 현재 시간대에서 가장 높은 번호의 트랙에 있는 클립만 화면에 표시됩니다.

• [A1] 트랙은 Audio Track 1번을 의미합니다. 오디오는 비디오 트랙과 달리 트랙의 순서와 상관없이 모든 트랙의 소리가 겹쳐서 편집됩니다.

1 이제 일출 배경에 자막을 입력해 보겠습니다. 화면 중앙에 다음과 같이 '재정 1조원 시대'와 '2030년 세계 100대 대학 진입'이라는 내용의 자막을 그림과 같이 두 줄로 만들어 삽입하고 확대되는 애니메이션을 적용해 보겠습니다.

2 [Current Time Indicator]를 자막이 시작할 위치인 00:00:00:20으로 이동합니다. 자막을 입력하기 위해서 [Tools] 패널에서 [Type Tool](**T**)을 클릭하고, [Program Monitor] 패널의 중앙을 클릭하여 '재정 1조원 시대'를 입력합니다. [Timeline] 패널의 [V2] 트랙에 자막 클립이 00:00:00:20 위치에 만들어졌음을 확인합니다.

TIP

- 자막의 위치는 [Program Monitor]에서 [Selection Tool]로 입력한 자막을 움직여 바꿀 수 있습니다. Ctrl을 누른 채 움직이면 정렬 기능이 활성화됩니다.
- 자막 클립은 [Current Time Indicator]가 위치한 곳을 기준으로 만들어집니다.

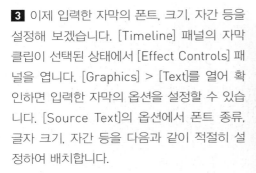

3 이제 입력한 자막의 폰트, 크기, 자간 등을 설정해 보겠습니다. [Timeline] 패널의 자막 클립이 선택된 상태에서 [Effect Controls] 패널을 엽니다. [Graphics] > [Text]를 열어 확인하면 입력한 자막의 옵션을 설정할 수 있습니다. [Source Text]의 옵션에서 폰트 종류, 글자 크기, 자간 등을 다음과 같이 적절히 설정하여 배치합니다.

TIP

- 자막의 크기, 색상 등은 제공된 파일 중 완성 영상을 큰 화면으로 확인한 후 비슷하게 따라 해도 좋습니다.
- 자막의 위치는 [Effect Controls] 패널에서 [Position]의 숫자를 조정하여 바꿀 수도 있습니다.

4 다음으로 글자의 색상과 그림자를 넣어 보겠습니다. [Source Text]의 아래 위치한 [Appearance] 옵션 중 [Fill]의 색상을 클릭합니다. 글자 색을 '흰색'으로 설정한 후 글자 그림자를 넣기 위해서 [Shadow]를 체크하고, 색상을 '검은색'으로 설정합니다. 아래 있는 그림자 옵션을 적절하게 설정하여 흰색 글자가 잘 보이도록 합니다.

TIP
- [Fill] : 글자 색상을 설정합니다.
- [Stroke] : 글자에 외곽선을 설정합니다.
- [Background] : 글자의 배경을 설정합니다.
- [Shadow] : 글자에 그림자를 설정합니다.

5 자막의 옵션 설정이 마무리되었으므로 [Timeline] 패널에서 자막 클립의 [Out 점]을 드래그하여 [V1] 트랙의 '일출 배경.mp4' 영상 클립의 [Out 점]에 맞춥니다. 다음 자막을 추가 입력해 보겠습니다. 새 자막을 추가하기 위해서는 모든 클립의 선택을 해제해야 합니다. 비어있는 비디오 트랙을 클릭하여 클립의 선택을 해제합니다.

TIP
클립이 선택된 상태로 추가 자막을 입력할 경우, 트랙에 자막이 2개 이상 겹쳐서 만들어지므로 디자인, 편집 및 수정에 어려움이 있습니다.

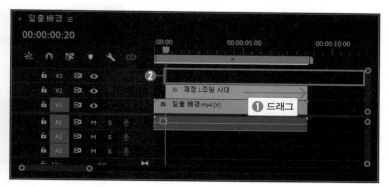

6 [Tools] 패널의 [Type Tool](T)을 클릭하고, '2030년 세계 100대 대학 진입'을 입력합니다. [Timeline] 패널의 [V3] 트랙에 자막 클립이 00:00:00:20 위치에 만들어졌음을 확인합니다. [Effect Controls] 패널의 [Source Text] 옵션에서 폰트, 크기, 자간, 색상 등을 다음과 같이 적절히 설정하여 위쪽 자막과 정확히 정렬되도록 디자인합니다. 자막 디자인이 마무리되면 새로 추가된 자막 클립의 [Out 점]을 드래그하여 [V1] 트랙의 '일출 배경.mp4' 영상 클립의 [Out 점]에 맞춰 재생 길이를 조절합니다.

TIP
배경에 맞춰 자막이 끝날 수 있도록 길이를 조절했습니다.

1 다음으로 자막에 확대 애니메이션을 적용해 보겠습니다. 먼저 자막 클립을 하나로 묶어 애니메이션 작업을 조금 더 편리하게 만들기 위해서 [V2]~[V3] 트랙에 배치된 자막 클립을 함께 선택한 후 [Clip] > [Nest] 메뉴를 클릭합니다.

TIP
• 여러 개의 클립을 선택하기 위해서는 Shift 를 누른 채, 클립을 차례로 선택합니다.
• [Nest]는 선택된 여러 개의 클립을 시퀀스로 묶어서 하나의 클립처럼 편집할 수 있는 기능입니다.

2 [Nested Sequence Name] 대화상자가 열리면 [Name]에 적당한 이름을 입력하고, [OK] 버튼을 클릭합니다.

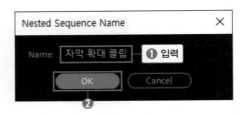

3 여러 개의 클립이 설정된 이름으로 하나의 클립처럼 묶입니다.

TIP
[Nest]로 묶인 클립을 더블클릭하면 언제든지 안에 포함된 클립들을 개별 편집할 수도 있습니다.

4 이제 묶인 자막 클립에 확대 애니메이션을
적용해 보겠습니다. 묶인 자막 클립을 선택하
고, [Current Time Indicator]가 00:00:00:20
위치에 있음을 확인합니다. [Effect Controls]
패널에서 [Motion] > [Scale] > [Toggle ani-
mation](◯)을 클릭해 활성화합니다.

TIP
[Toggle animation]을 클릭하면 키프레임이 만들어지고
애니메이션을 기록할 수 있도록 준비됩니다.

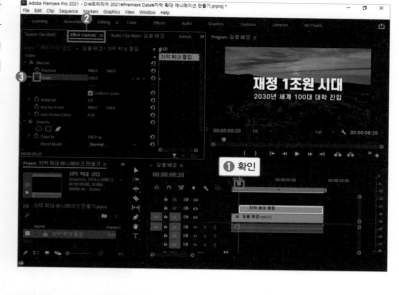

5 [Current Time Indicator]를 00:00:08:19
위치로 옮긴 후 [Effect Controls] 패널에
서 [Scale]을 '145'로 설정하여 확대합니다.
Space Bar 를 눌러 자막이 확대되는 애니메이
션을 확인합니다.

TIP
[Scale]은 100을 기준으로 100보다 큰 값을 입력하면 확
대되고, 100보다 작은 값을 입력하면 축소됩니다.

6 그림과 같이 자막의 크기가 확대되는 애니메이션이 적용되었음을 확인할 수 있습니다.

1 다음으로 자막 클립이 자연스럽게 등장할 수 있도록 앞과 뒷부분에 트랜지션(화면전환) 효과를 적용해 보겠습니다. [Window] > [Effects] 메뉴를 클릭하여 [Effects] 패널을 엽니다.

2 [Effects] 패널이 열리면 [Video Transitions] > [Dissolve] > [Cross Dissolve]를 찾습니다.

TIP
[Cross Dissolve]는 두 화면이 교차하여 장면전환이 이루어지는 트랜지션입니다.

3 [Timeline] 패널의 자막 클립 가장 앞쪽과 뒤쪽에 [Cross Dissolve]를 드래그합니다. 클립 앞과 뒷부분에 효과가 삽입된 것을 확인한 후 Space Bar 를 눌러 화면전환을 확인합니다.

TIP
• [Cross Dissolve]는 영상과 이미지 등 클립에 적용하여 자연스럽게 나타나게 하거나 사라지게 할 수 있으며, 2개의 클립을 자연스럽게 연결할 때도 자주 사용됩니다.
• 클립에 적용된 [Cross Dissolve] 효과의 길이를 조절할 수도 있습니다.

4 그림과 같이 자막의 투명도가 조절되면서 자연스럽게 등장함을 확인할 수 있습니다.

5 마지막으로 상단에 작은 제목을 입력해 보겠습니다. 00:00:00:00 위치에 [Type Tool](T)로, '한국대의 약속과 재정'을 두 줄로 입력합니다. [Effect Controls] 패널을 열고 글자 크기를 그림과 같이 작게 설정합니다. [Fill]의 색상은 '흰색', [Shadow]를 체크하고 자막이 잘 보일 수 있도록 옵션을 적절하게 조절합니다. [Timeline] 패널에서 새 자막 클립의 [Out 점]을 드래그하여 [V1] 트랙의 '일출 배경.mp4' 영상 클립의 [Out 점]에 맞춰 재생 길이를 처음부터 끝까지 보이도록 만듭니다.

6 다음과 같이 화면의 상단에 작은 제목이 입력되었음을 확인합니다. 모든 자막을 입력하고 확대 애니메이션도 적용했습니다. Space Bar 를 눌러 현재까지 만들어진 영상을 확인합니다.

1 자막 위치 이동 애니메이션의 편집이 끝났으므로 이제 배경음악과 더빙을 넣어 마무리하겠습니다. 제공된 배경음악과 더빙 파일 불러오기 위해서 [File] > [Import]([Ctrl]+[I]) 메뉴를 클릭하고, [Import] 대화상자가 열리면 '배경음악. 더빙.mp3' 파일을 선택하고 [열기] 버튼을 클릭합니다.

TIP
[Import] 대화상자에서 여러 개의 파일을 한 번에 선택하려면 [Ctrl]을 누른 채, 파일을 각각 클릭하여 선택합니다.

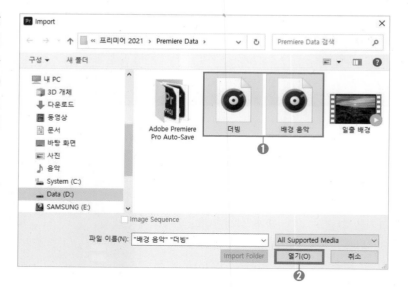

2 [Project] 패널의 '배경음악.mp3', '더빙.mp3' 오디오 클립을 [Timeline] 패널 [A2], [A3] 트랙의 시작점으로 각각 드래그하여 넣은 후 [Space Bar]를 눌러 삽입된 배경음악과 더빙을 확인합니다. 영상 배경에 자막을 입력하고 확대되는 애니메이션을 적용하여 선거 프레젠테이션 영상을 완성했습니다.

TIP
오디오는 모든 트랙에 있는 클립이 동작하여 소리가 겹쳐서 출력되므로 트랙의 위치에 상관없이 배치만 하면 됩니다.

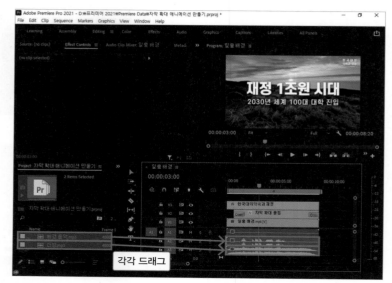

1 이제 완성된 영상을 mp4 파일로 출력해 보겠습니다. [Timeline] 패널이 선택된 상태에서 [File] > [Export] > [Media]([Ctrl]+[M]) 메뉴를 클릭합니다.

TIP

• [Timeline]과 [Program Monitor] 패널 외에 다른 패널이 선택된 경우, [Media]([Ctrl]+[M]) 메뉴가 활성화되지 않아 출력을 진행할 수 없습니다.

• 단축키를 적극적으로 활용하는 것이 원활한 편집 진행과 시간 단축에 도움이 됩니다.

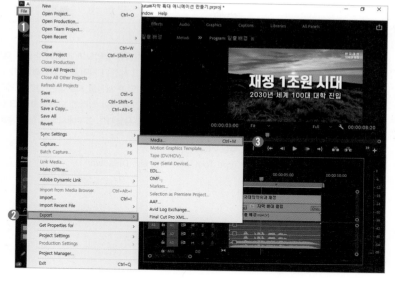

2 [Export Settings] 대화상자가 열리면 [Export Settings] 탭에서 다음과 같이 설정한 후 [Export] 버튼을 클릭합니다. 출력(Encoding)되는 과정을 확인한 후 끝나면 출력된 mp4 파일을 찾아 더블클릭하여 영상을 확인합니다.

• [Format] : H.264
• [Preset] : Match Source – High bitrate
• [Output Name] : 임의의 이름

TIP

[Output Name]의 이름을 클릭하여 출력될 파일이 저장될 위치와 파일 이름을 반드시 설정한 후 다음 작업을 진행합니다.

04 마스크 자막 실무

핵심 내용

본 예제는 영상 배경에 자막을 삽입하고 자막에 마스크 애니메이션 기법을 적용하는 것입니다. 이번 예제 역시 단순하지만, 가독성이 뛰어나고 세련된 자막을 디자인하여 자막의 글자가 차례로 나타나는 마스크 애니메이션으로 자막을 강조하고, 확실한 정보 전달과 시선을 사로잡는 선거 프레젠테이션 영상 작품을 완성할 수 있음을 보여주는 사례입니다. 주요 기능은 영상 배경에 자막 입력과 모션의 마스크 애니메이션 기법만 사용했습니다. 이러한 자막 마스크 애니메이션 방법은 중급, 고급 사용자도 실무에서 다양한 응용이 가능한 기법입니다.

핵심 기능

Type Tool, Mask, Cross Dissolve

STORYBOARD ○○대학교 총장선거 프레젠테이션 영상 중 일부분

01 새 프로젝트와 시퀀스 만들기 New Project, New Sequence From Clip

○○대학교 총장선거
프레젠테이션 영상 중 일부분

준비 파일 : Part 02 > Chapter 02 > Section 04 폴더 파일   **완성 파일** : Part 02 > Chapter 02 > Section 04 > 마스크 자막 실무 완성.mp4

1 [Adobe Premiere Pro 2021]을 실행한 후 [New Project]를 실행하여 새 프로젝트를 시작합니다. [New Project] 대화상자가 열리면 [Name]에 임의의 프로젝트 이름을 입력하고, [Location]의 [Browse] 버튼을 클릭하여 프로젝트 파일이 저장될 폴더를 선택한 후 [OK] 버튼을 클릭합니다.

TIP

• 새 프로젝트를 만드는 방법은 상단의 [File] > [New] > [Project] 메뉴를 이용하는 방법과 처음 실행 시 보이는 [Home] 창에서 [New Project] 버튼을 클릭하여 만들 수 있습니다.

• [Name]에 반드시 프로젝트 이름을 알기 쉽게 입력하여 파일 관리 및 수정이 필요할 때 빠르게 찾을 수 있도록 합니다.

• [Location] 설정을 통해 반드시 작업 폴더를 지정하여 새 프로젝트를 시작하는 것이 좋습니다.

2 새 프로젝트 이름으로 프리미어 프로의 기본 작업 화면이 열립니다. 이제 영상 편집을 시작하기 위해서는 새 시퀀스(Sequence)를 만들어야 합니다. 새 시퀀스를 복잡한 설정 없이 제공된 동영상 소스를 이용하여 만들어 보겠습니다. 먼저 동영상 소스를 불러오기 위해서 [File] > [Import]([Ctrl]+[I]) 메뉴를 클릭합니다.

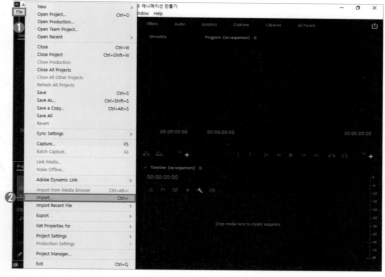

TIP

프리미어 프로에서 풀다운 메뉴를 이용하는 대신 [Project] 패널의 비어있는 공간에 '더블클릭'을 하거나 단축키 [Ctrl]+[I]를 눌러 더욱 쉽게 소스를 불러올 수 있습니다.

3 [Import] 대화상자가 열리면 제공된 '마스크 배경.mp4' 파일을 선택하고 [열기] 버튼을 클릭합니다. 제공된 동영상 소스는 ○○대학교 선거에 사용된 프레젠테이션 동영상 소스입니다. 제공된 동영상 소스에 자막 마스크 애니메이션을 추가하여 효과적인 선거 프레젠테이션 영상을 직접 같이 제작해 보겠습니다.

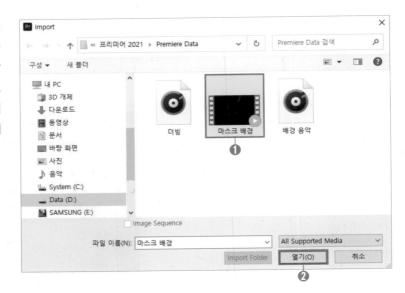

4 [Project] 패널에 '마스크 배경.mp4' 영상 클립이 들어온 것을 확인합니다. 이제 새 시퀀스를 동영상 소스로 만들기 위해서 [Project] 패널에서 '마스크 배경.mp4' 영상 클립을 마우스 오른쪽 버튼으로 클릭하여 [New Sequence From Clip]을 선택합니다.

TIP

• 클립(Clip) : 영상 편집을 위해 [Project] 패널에 불러온 이미지. 영상. 오디오 파일 등을 지칭합니다.
• [Project] 패널에서 클립 보기 방식은 '목록(List)'과 '아이콘(Icon)' 두 가지입니다. 현재는 리스트 방식이며 만일 아이콘 방식으로 보고 싶다면, [Project] 패널의 왼쪽 아래 끝 [Icon View]를 클릭하면 됩니다.

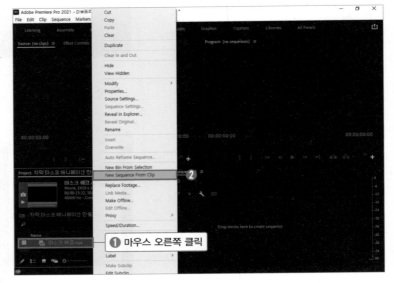

5 새 시퀀스가 자동으로 만들어지고, [V1] 트랙, [A1] 트랙에 클립이 들어갑니다. Space Bar 를 눌러 영상을 확인합니다.

TIP

• [V1] 트랙은 Video Track 1번을 의미합니다. 포토샵의 레이어와 비슷하며, 기본으로 1번을 먼저 사용한 후 편집에 따라 추가 트랙을 사용할 수 있습니다. 현재 시간대에서 가장 높은 번호의 트랙에 있는 클립만 화면에 표시됩니다.
• [A1] 트랙은 Audio Track 1번을 의미합니다. 오디오는 비디오 트랙과 달리 트랙의 순서와 상관없이 모든 트랙의 소리가 겹쳐서 편집됩니다.

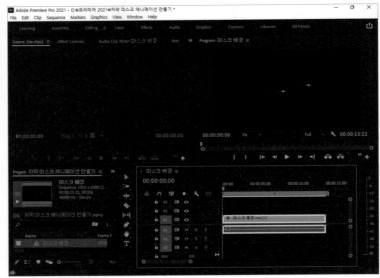

02 자막 입력하기 Type Tool

1 이제 마스크 배경에 자막을 입력해 보겠습니다. 화면 중앙에 다음과 같이 '국내 최초 AI융합대학 기반'과 'CNU−D·N·A 파크 건립', '1,000억 원 민간투자 유치'라는 내용의 자막을 그림과 같이 세 줄로 만들어 삽입하고 마스크를 통해 글자가 나타나는 애니메이션을 적용해 보겠습니다.

2 [Current Time Indicator]를 자막이 시작할 위치인 00:00:01:00으로 이동합니다. 자막을 입력하기 위해서 [Tools] 패널에서 [Type Tool]**T**을 클릭하고, [Program Monitor] 패널에 '국내 최초 AI융합대학 기반'을 입력합니다. [Timeline] 패널의 [V2] 트랙에 자막 클립이 00:00:01:00 위치에 만들어졌음을 확인합니다.

TIP

- 자막의 위치는 [Program Monitor] 패널에서 [Selection Tool]로 입력한 자막을 움직여 바꿀 수 있습니다. Ctrl을 누른 채 움직이면 정렬 기능이 활성화됩니다.
- 자막 클립은 [Current Time Indicator]가 위치한 곳을 기준으로 만들어집니다.

3 이제 입력한 자막의 폰트, 크기, 자간, 색상 등을 설정해 보겠습니다. [Timeline] 패널의 자막 클립이 선택된 상태에서 [Effect Controls] 패널을 엽니다. [Graphics] > [Text]를 열어 확인하면 입력한 자막의 옵션을 설정할 수 있습니다. [Source Text]와 [Appearance] 옵션에서 폰트 종류, 글자 크기, 자간, 색상을 그림과 같이 적절하게 조절합니다.

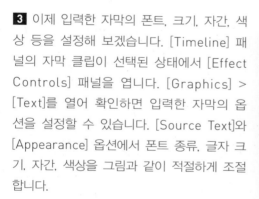
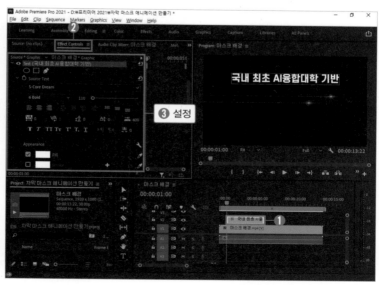

TIP

- 자막의 크기, 색상 등은 제공된 파일 중 완성 영상을 큰 화면으로 확인한 후 비슷하게 따라 해도 좋습니다.
- 자막에 배경 또는 그림자를 넣지 않은 이유는 배경이 어두워서 단순히 흰색 색상만 설정해도 가독성이 좋기 때문입니다.

219

4 자막의 옵션 설정이 마무리되었으므로 [Timeline] 패널에서 자막 클립의 [Out 점]을 드래그하여 [V1] 트랙의 '마스크 배경.mp4' 영상 클립의 [Out 점]에 맞춥니다.

TIP

자막 디자인의 기초

자막을 입력하는 것은 다양한 변수에 의해 달라질 수 있습니다. 영상의 레이아웃과 색상 등의 변수에 따라 폰트, 색상, 위치를 각각 다르게 입력해야 할 필요성이 있습니다. 또한 자막은 예쁘게 디자인하는 것보다는 내용 전달을 위해 가독성이 있어야 하는 부분도 고려해야 합니다. 따라서 자막을 입력하고 디자인하는 것은 어렵게 느껴질 수 있지만, 다음과 같은 팁만 알아도 좋은 디자인의 자막을 만드는 데 도움이 될 것입니다.

- 자막의 행간과 자간을 적절하게 조절할 수 있어야 합니다. 제목과 같은 자막은 행간에 큰 영향을 받지 않지만 읽어야 할 내용이 있는 자막이 있는 경우, 자간을 좁게 하여 모여있는 느낌으로 디자인한다면 훨씬 나은 가독성과 미려한 디자인 느낌을 줄 수 있습니다.
- 자막의 색은 통일성 있게 사용하되 너무 많은 색을 사용하지 않습니다. 특히 색은 강조를 위한 방법으로 사용되기 때문에 하나의 화면에 너무 많은 색을 자막에 사용하지 않는 것이 좋습니다.
- 자막에 가끔 변화를 주는 것도 좋습니다. 강조해야 할 내용이 있으면, 색상, 폰트 두께, 외곽선만 표시하는 방법 등을 이용하여 변화를 만들어 낼 경우, 좋은 가독성과 멋진 디자인의 자막을 만들 수 있습니다.

03 자막 마스크 애니메이션 적용하기 Mask

1 다음으로 글자가 순서대로 나타나는 자막 마스크 애니메이션을 만들어 보겠습니다. 먼저 마스크를 만들기 위해서 자막 클립을 선택하고, [Effect Controls] 패널에서 [Text]의 아래쪽에 보이는 [Create 4-point polygon mask](■)를 클릭하여 마스크를 만듭니다.

TIP
[Mask]는 선택된 클립의 특정 부분만 보이게 하고 나머지는 가려서 보이지 않게 합니다.

2 [Program Monitor] 패널에 사각형 박스가 만들어집니다. 자막은 사각형 안쪽만 표시되고 바깥쪽은 보이지 않게 됩니다. 마스크 애니메이션은 마스크 역할을 하는 사각형을 움직여 글씨를 보이게 하거나 숨겨서 만듭니다.

TIP
• [Mask]는 하나의 클립에 여러 개를 만들 수 있습니다.
• [Mask] 사각형을 움직이는 방법은 사각형의 내부를 마우스로 잡고 이동하거나, 각 모서리 점을 잡고 이동하는 방법, 모서리의 외곽을 클릭하여 회전하는 방법 등이 있습니다.

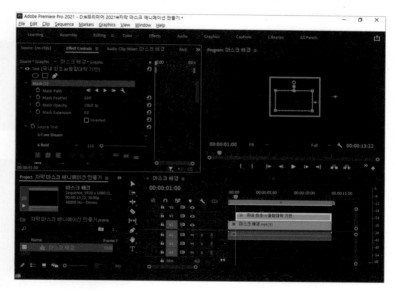

3 [Program Monitor] 패널에서 사각형 박스의 내부를 드래그하여 위치를 자막이 시작되는 바로 왼쪽 위치에 배치합니다. 이제 마스크에 애니메이션을 적용해 보겠습니다. [Current Time Indicator]가 00:00:01:00 위치에 있음을 확인하고, [Effect Controls] 패널에서 [Text] > [Mask (1)] > [Mask Path] > [Toggle animation](⏱)을 클릭해 활성화합니다.

TIP
[Program Monitor] 패널에서 박스가 사라져 보이지 않을 경우, [Effect Controls] 패널에서 [Mask (1)]을 선택하면 됩니다.

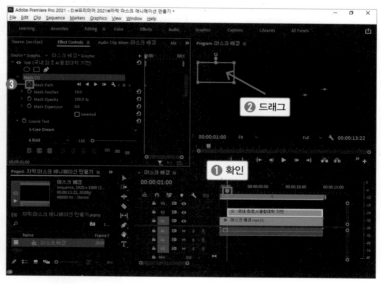

4 [Current Time Indicator]를 00:00:04:10 위치로 옮긴 후 [Program Monitor] 패널에서 사각형 박스의 오른쪽 2개 모서리 점을 오른쪽으로 드래그하여 자막의 모든 글자가 모두 선명하게 보이도록 합니다. Space Bar 를 눌러 마스크 애니메이션을 확인합니다.

TIP

• 마스크의 오른쪽 모서리 점 2개를 드래그하여 함께 선택하고 오른쪽으로 이동하면서 Shift 를 누르면 정확한 수평 방향으로 움직일 수 있습니다.

• 마스크의 경계 부분을 부드럽게 만들기 위해서는 [Effect Controls] 패널에서 [Mask Feather] 옵션을 조절합니다. [Mask Feather]를 높게 설정하면 마스크를 통해 보이는 부분과 보이지 않는 부분의 경계를 부드럽게 표현합니다.

5 그림과 같이 자막의 글씨가 차례대로 보이는 마스크 애니메이션이 적용되었음을 확인할 수 있습니다.

6 새 자막을 추가하기 위해서는 모든 클립의 선택을 해제합니다. 비어있는 비디오 트랙을 클릭하여 클립의 선택을 해제합니다.

TIP

클립이 선택된 상태로 추가 자막을 입력할 경우, 트랙에 자막이 2개 이상 겹쳐서 만들어지므로 디자인, 편집 및 수정에 어려움이 있습니다.

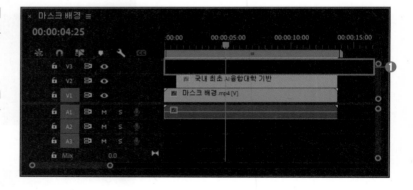

7 [Current Time Indicator]를 추가 자막이 시작할 위치인 00:00:04:25로 이동합니다. [Type Tool](T)로 'CNU-D·N·A 파크 건립'을 입력합니다. [Effect Controls] 패널을 열고, 입력한 자막의 폰트, 크기, 자간, 색상 등을 그림과 같이 적절하게 조절합니다.

TIP

하나의 자막 클립에서 색을 다르게 해야 할 때, [Type Tool]로 일부분만 블록 지정하고, 색상을 변경하면 됩니다.

8 자막의 옵션 설정이 마무리되면 [Time-line] 패널에서 추가된 자막 클립의 [Out 점]을 드래그하여 [V1] 트랙의 '마스크 배경.mp4' 영상 클립의 [Out 점]에 맞춥니다.

9 [Effect Controls] 패널에서 [Create 4-point polygon mask](■)를 클릭하여 마스크를 만듭니다. [Program Monitor] 패널의 사각형 마스크 내부를 드래그하여 위치를 자막이 시작되는 바로 왼쪽 위치에 배치합니다. 00:00:04:25 위치에서 [Effect Controls] 패널의 [Mask Path] > [Toggle animation](◎)을 클릭해 활성화합니다.

TIP
· 마스크가 시작되는 위치에 주의하세요.
· 사각형 마스크가 사라져 보이지 않을 경우, [Effect Controls] 패널에서 [Mask (1)]을 선택하면 됩니다.

10 [Current Time Indicator]를 00:00:07:00 위치로 옮긴 후 [Program Monitor] 패널에서 사각형 박스의 오른쪽 2개 모서리 점을 오른쪽으로 드래그하여 자막의 모든 글자가 모두 선명하게 보이도록 합니다. [Space Bar]를 눌러 마스크 애니메이션을 확인합니다.

TIP
· 마스크의 오른쪽 모서리 점 2개를 드래그하여 함께 선택하고 오른쪽으로 이동하면서 [Shift]를 누르면 정확한 수평 방향으로 움직일 수 있습니다.
· 사각형 마스크의 경계선과 자막이 너무 붙지 않도록 합니다.

11 앞선 방법으로 세 번째 자막 '1,000억원 민간투자 유치'를 입력하고 마스크 애니메이션을 적용합니다.

TIP
자막 클립의 배치 내용은 'Part 02 > Chapter 02 > Section 04 > 마스크 자막 실무.prproj' 파일을 참고해 주세요.

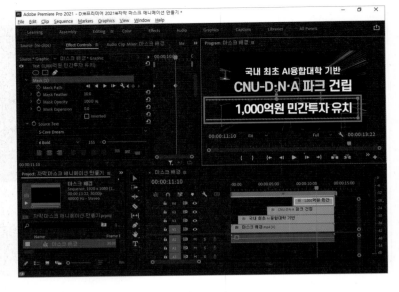

12 마지막으로 상단에 작은 제목을 입력해 보겠습니다. 00:00:00:00 위치에 [Type Tool](T)로, '한국대의 약속과 재정'을 두 줄로 입력합니다. [Effect Controls] 패널을 열고 글자 크기, 색상을 그림과 같이 적절하게 조절합니다. [Timeline] 패널에서 새 자막 클립의 [Out 점]을 드래그하여 [V1] 트랙의 '마스크 배경.mp4' 영상 클립의 [Out 점]에 맞춰 재생 길이를 처음부터 끝까지 보이도록 만듭니다.

13 다음과 같이 화면의 상단에 작은 제목이 입력되었음을 확인합니다. 모든 자막을 입력하고 마스크 애니메이션도 적용했습니다. Space Bar 를 눌러 현재까지 만들어진 영상을 확인합니다.

04 배경음악(BGM)과 더빙 삽입하기

1 자막 위치 이동 애니메이션의 편집이 끝났으므로 이제 배경음악과 더빙을 넣어 마무리하겠습니다. 제공된 배경음악과 더빙 파일 불러오기 위해서 [File] > [Import]([Ctrl]+[I]) 메뉴를 클릭하고, [Import] 대화상자가 열리면 '배경음악. 더빙.mp3' 파일을 선택하고 [열기] 버튼을 클릭합니다.

TIP
[Import] 대화상자에서 여러 개의 파일을 한 번에 선택하려면 [Ctrl]을 누른 채, 파일을 각각 클릭하여 선택합니다.

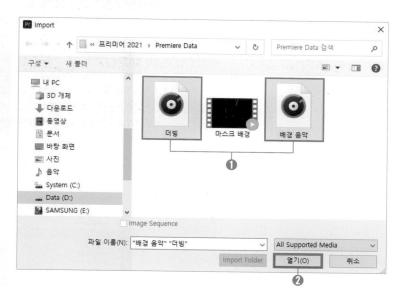

2 [Project] 패널의 '배경음악.mp3', '더빙.mp3' 오디오 클립을 [Timeline] 패널 [A2], [A3] 트랙의 시작점으로 각각 드래그하여 넣은 후 [Space Bar]를 눌러 삽입된 배경음악과 더빙을 확인합니다. 영상 배경에 자막을 입력하고 마스크 애니메이션을 적용하여 선거 프레젠테이션 영상을 완성했습니다.

TIP
오디오는 모든 트랙에 있는 클립이 동작하여 소리가 겹쳐서 출력되므로 트랙의 위치에 상관없이 배치만 하면 됩니다.

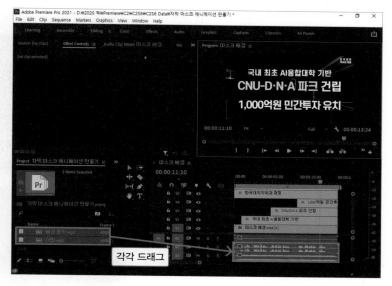

1 이제 완성된 영상을 mp4 파일로 출력해 보겠습니다. [Timeline] 패널이 선택된 상태에서 [File] > [Export] > [Media]([Ctrl]+[M]) 메뉴를 클릭합니다.

TIP

• [Timeline]과 [Program Monitor] 패널 외에 다른 패널이 선택된 경우, [Media]([Ctrl]+[M]) 메뉴가 활성화되지 않아 출력을 진행할 수 없습니다.

• 단축키를 적극적으로 활용하는 것이 원활한 편집 진행과 시간 단축에 도움이 됩니다.

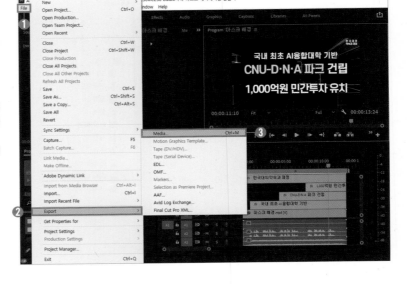

2 [Export Settings] 대화상자가 열리면 [Export Settings] 탭에서 다음과 같이 설정한 후 [Export] 버튼을 클릭합니다. 출력(Encoding)되는 과정을 확인한 후 끝나면 출력된 mp4 파일을 찾아 더블클릭하여 영상을 확인합니다.

• [Format] : H.264
• [Preset] : Match Source – High bitrate
• [Output Name] : 임의의 이름

TIP

[Output Name]의 이름을 클릭하여 출력될 파일이 저장될 위치와 파일 이름을 반드시 설정한 후 다음 작업을 진행합니다.

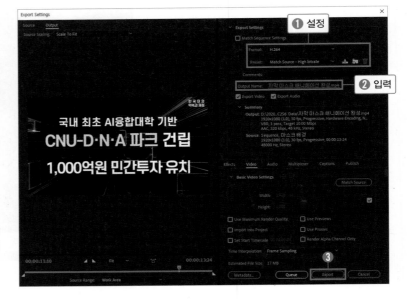

05

노래방 타입 마스크 자막 실무

핵심 내용

자막 실무에서 핵심 기법은 '마스크 자막'입니다. 이것은 노래방 자막뿐만 아니라 CF나 영상 프레젠테이션 등 다양한 곳에 활용할 수 있으므로 반드시 유용하게 사용할 수 있습니다. 또한, 본 예제에서는 입력한 자막이 노래의 소리에 맞춰 좌측에서 우측으로 자연스럽게 나타나는 애니메이션을 Create 4-point polygon mask 기능으로 구현해 보겠습니다.

핵심 기능

Type Tool, Mask

STORYBOARD

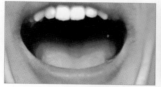   

[Title Designer] + [Rectangle] + [Track Matte key] ->

준비 파일 : Part 02 > Chapter 02 > Section 05 폴더 파일 완성 파일 : Part 02 > Chapter 02 > Section 05 > 노래방 타입 마스크 자막 실무 완성.mp4

1 프리미어 프로를 실행한 후 [New Proj-ect]를 실행하여 새 프로젝트를 시작합니다. [New Project] 대화상자가 열리면 [Name]에 임의의 프로젝트 이름을 입력하고, [Location] 의 [Browse] 버튼을 클릭하여 프로젝트 파일 이 저장될 폴더를 선택한 후 [OK] 버튼을 클릭합니다.

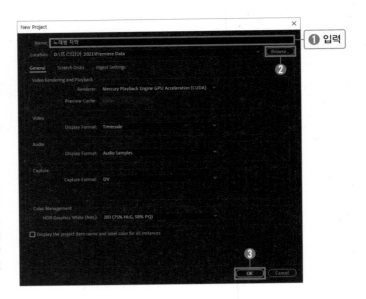

TIP

• 프리미어 프로의 시작 화면은 프로그램의 버전 및 개인 설정에 따라 다를 수 있습니다.
• [Edit] > [Preferences] > [General]의 [When Open-ing a Project] 옵션으로 화면 설정을 바꿀 수 있습니다. [시작] 화면에서 [New Project]를 클릭하거나 상단 의 [File] > [New] > [Project] 메뉴를 클릭하여 새 프로젝트를 시작할 수 있습니다.

2 기본 작업 화면이 열리면 새 시퀀스를 만들기 위해서 [File] > [New] > [Sequence] ([Ctrl]+[N]) 메뉴를 클릭하고, [New Se-quence] 대화상자가 열리면 다음과 같이 설정한 후 [OK] 버튼을 클릭합니다.

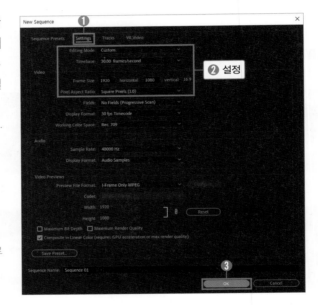

• [Editing Mode] : Custom
• [Timebase] : 30.00 frames/second
• [Frame Size] : 1920
• [horizontal] : 1080
• [Pixel Aspect Ratio] : Square Pixels (1.0)

TIP

유튜브에서 가장 많이 사용하는 영상 크기와 프레임으로 설정했습니다.

3 제공된 로고송을 불러오기 위해서 [File] > [Import]([Ctrl]+[I]) 메뉴를 클릭하고, [Import] 대화상자가 열리면 'BGM.wav' 파일을 선택하고 [열기] 버튼을 클릭합니다. [Project] 패널의 'BGM.wav' 오디오 클립을 [Timeline] 패널 [A2] 트랙의 시작점으로 드래그하여 넣은 후 [Space Bar]를 눌러 삽입된 로고송을 확인합니다.

TIP

· [Project] 패널의 비어있는 공간을 더블클릭하여 [Import] 대화상자를 빠르게 열 수 있습니다.
· 오디오 클립을 [Timeline] 패널 [A1] 트랙에 넣지 않고 [A2] 트랙에 넣는 이유는 불러올 영상에도 오디오가 포함된 경우, 겹쳐서 배경음악이 지워질 수 있으므로 영상의 오디오가 들어올 자리를 미리 확보하기 위함입니다.

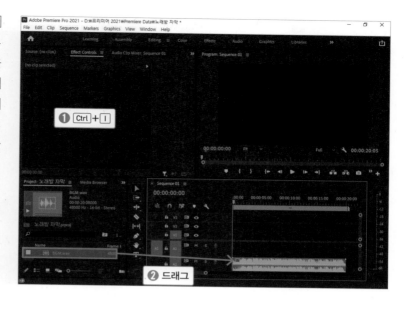

4 다음으로 제공된 영상 파일을 불러오기 위해서 [Import] 대화상자를 열고 '01~17.mp4' 파일을 불러옵니다. 이제 불러온 영상을 로고송에 맞춰서 편집해 보겠습니다. [Project] 패널의 불러온 모든 영상을 [Timeline] 패널 [V1] 트랙에 순서대로 붙여넣은 후 [Space Bar]를 눌러 영상을 확인합니다.

TIP

불러온 모든 클립을 한꺼번에 드래그하여 배치할 경우, 순서가 뒤바뀔 수 있으니 하나씩 드래그하여 배치하고 편집된 영상을 최종적으로 확인한 후 다음 작업을 진행하는 것이 좋습니다.

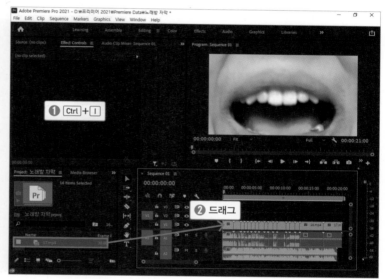

TIP

영상 클립의 배치 내용은 'Part 02 > Chapter 02 > Section 05 > 노래방 타입 마스크 자막 실무.prproj' 파일을 참고해 주세요.

5 영상에 자막이 들어갈 위치인 00:00:02:00로 [Current Time Indicator]를 옮긴 후 '노래방 자막'을 만들기 위해서 [Tools] 패널에서 [Type Tool]([T])을 클릭합니다.

6 [Type Tool](**T**)로 [Program Monitor] 패널의 하단을 클릭하여 '숙취해소 필요할 땐 김동찬의 찬소∼'를 입력한 후 [Effect Controls] 패널에서 [Graphics] > [Text]를 열어 확인하면 입력한 자막의 옵션을 설정할 수 있습니다. [Source Text]의 옵션에서 폰트 종류, 글자 크기, 글자 색상을 다음과 같이 적절히 설정하여 배치합니다.

TIP
글자의 위치는 [Program Monitor] 패널에서 [Selection Tool]로 움직여 바꿀 수 있습니다.

7 배경의 색상 때문에 자막이 선명하게 보이지 않기 때문에 자막에 검은색 테두리를 만들어 더욱 잘 보이게 하도록 [Effect Controls] 패널에서 [Appearance] > [Stroke]를 체크하고 색상을 '검은색', 두께는 '16' 정도로 설정합니다.

TIP
[Stroke]의 두께와 색상은 각자 [Program Monitor] 패널의 화면을 보고 적당한 값과 색상으로 설정해도 됩니다.

8 [Timeline] 패널에서 자막 클립의 [Out 점]을 드래그하여 '10.mp4' 영상 클립의 [Out 점]에 맞춥니다.

TIP
로고송의 노래 가사에 맞춰 자막이 끝날 수 있도록 길이를 조절했습니다.

9 다음으로 노래방 자막처럼 노래에 따라 자연스럽게 자막이 순서대로 나타나는 자막 마스크 애니메이션을 만들기 위해서 마스크를 만들어야 합니다. 자막 클립이 선택된 상태에서 [Effect Controls] 패널에서 [Text] > [Create 4-point polygon mask](■)를 클릭하여 마스크를 만듭니다. [Program Monitor] 패널에 사각형 박스가 만들어집니다.

TIP

[Mask]는 선택된 클립의 특정 부분만 보이게 하고 나머지는 가려서 보이지 않게 합니다.

10 [Program Monitor] 패널에서 사각형 박스의 내부를 드래그하여 위치를 왼쪽 아래쪽으로 이동하고 사각형의 모서리를 이동하여 다음과 같이 자막이 시작되는 위치에 배치합니다. 마스크의 경계 부분을 부드럽게 만들기 위해서 [Effect Controls] 패널에서 [Text] > [Mask (1)] > [Mask Feather]를 '20' 정도로 설정합니다.

TIP

• [Program Monitor] 패널에서 박스가 보이지 않을 경우, [Effect Controls] 패널에서 [Mask (1)]을 선택하면 됩니다.

• [Mask Feather]를 높게 설정하면 마스크를 통해 보이는 부분과 보이지 않는 부분의 경계를 부드럽게 표현합니다.

11 이제 마스크에 애니메이션을 적용해 보겠습니다. [Current Time Indicator]가 00:00:02:00 위치에 있음을 확인하고, [Effect Controls] 패널에서 [Text] > [Mask (1)] > [Mask Path] > [Toggle animation](🕗)을 클릭해 활성화합니다.

TIP

[Toggle animation]을 클릭하면 [Program Monitor] 패널에서 박스가 보이지 않습니다. 이때는 [Effect Controls] 패널에서 [Mask (1)]을 다시 선택하면 됩니다.

12 [Current Time Indicator]를 00:00:07:27 위치로 옮긴 후 [Program Monitor] 패널에서 사각형 박스의 오른쪽 2개 모서리 점을 오른쪽으로 드래그하여 자막의 모든 글자가 모두 선명하게 보이도록 합니다. [Space Bar]를 눌러 노래 가사가 노래방 자막처럼 등장하는 영상을 확인합니다.

TIP
[Program Monitor] 패널에서 박스가 보이지 않을 경우, [Effect Controls] 패널에서 [Mask (1)]을 선택하면 됩니다.

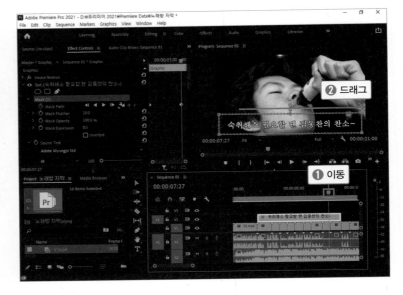

13 위와 같은 방법으로 나머지 자막을 만듭니다.

TIP
자막 클립의 제작 및 배치 내용은 'Part 02 > Chapter 02 > Section 05 > 노래방 타입 마스크 자막 실무.prproj' 파일을 참고해 주세요.

14 다음과 같이 영상에 맞는 자막을 편집하여 노래방 타입의 마스크 자막을 완성했습니다. [File] > [Export] > [Media]([Ctrl]+[M]) 메뉴를 이용하여 mp4 영상으로 만들고 확인합니다.

06

SECTION

엔딩 크레딧 타입 Roll 자막 실무

핵심 내용

영화나 드라마에서 엔딩 크레딧으로 자막이 올라가는 영상을 많이 보았을 것입니다. 자막 실무에서 가장 많이 사용하는 기법이 바로 'Roll 자막'입니다. 프리미어 프로의 Position Motion 기법처럼 아래에서 위로 올라가는 것입니다. 그런데, 본 예제에서는 자막만 올라가는 것이 아니라 이미지의 변화와 속도에 맞추어서 자막이 올라가는 기법에 대해 배워보겠습니다.

핵심 기능

Roll, Mask

STORYBOARD

제3회 대학문화 감동 영상콘테스트 '대상' 수상 작품 중 일부분

[Roll+Mask]

준비 파일 : Part 02 > Chapter 02 > Section 06 폴더 파일   **완성 파일 :** Part 02 > Chapter 02 > Section 06 > 엔딩 크레딧 타입 Roll 자막 실무 완성.mp4

1 프리미어 프로를 실행한 후 [New Project]를 실행하여 새 프로젝트를 시작합니다. [New Project] 대화상자가 열리면 [Name]에 임의의 프로젝트 이름을 입력하고, [Location]의 [Browse] 버튼을 클릭하여 프로젝트 파일이 저장될 폴더를 선택한 후 [OK] 버튼을 클릭합니다.

TIP

• 프리미어 프로의 시작 화면은 프로그램의 버전 및 개인 설정에 따라 다를 수 있습니다.
• [Edit] > [Preferences] > [General]의 [When Opening a Project] 옵션으로 화면 설정을 바꿀 수 있습니다. [시작] 화면에서 [New Project]를 클릭하거나 상단의 [File] > [New] > [Project] 메뉴를 클릭하여 새 프로젝트를 시작할 수 있습니다.

2 기본 작업 화면이 열리면 새 시퀀스를 만들기 위해서 [File] > [New] > [Sequence] (Ctrl+N) 메뉴를 클릭하고, [New Sequence] 대화상자가 열리면 다음과 같이 설정한 후 [OK] 버튼을 클릭합니다.

• [Editing Mode] : Custom
• [Timebase] : 30.00 frames/second
• [Frame Size] : 1920
• [horizontal] : 1080
• [Pixel Aspect Ratio] : Square Pixels (1.0)

TIP

유튜브에서 가장 많이 사용하는 영상 크기와 프레임으로 설정했습니다.

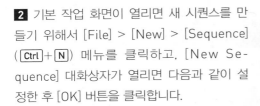

3 제공된 배경음악을 불러오기 위해서 [File] > [Import]([Ctrl]+[I]) 메뉴를 클릭하고, [Import] 대화상자가 열리면 'BGM.wav' 파일을 선택하고 [열기] 버튼을 클릭합니다. [Project] 패널의 'BGM.wav' 오디오 클립을 [Timeline] 패널 [A2] 트랙의 시작점으로 드래그하여 배경음악을 넣은 후 [Space Bar]를 눌러 삽입된 배경음악을 확인합니다.

TIP
- [Project] 패널의 비어있는 공간을 더블클릭하여 [Import] 대화상자를 빠르게 열 수 있습니다.
- 오디오 클립을 [Timeline] 패널 [A1] 트랙에 넣지 않고 [A2] 트랙에 넣는 이유는 불러올 영상에도 오디오가 포함된 경우, 겹쳐서 배경음악이 지워질 수 있으므로 영상의 오디오가 들어올 자리를 미리 확보하기 위함입니다.

4 제공된 영상을 불러오기 위해서 [File] > [Import]([Ctrl]+[I]) 메뉴를 클릭하고, [Import] 대화상자가 열리면 '배경.mp4' 파일을 선택하고 [열기] 버튼을 클릭합니다. [Project] 패널의 '배경.mp4' 영상 클립을 [V1] 트랙의 시작점으로 드래그하여 배치하고, 영상을 확인합니다.

TIP
미리 불러온 배경음악과 영상의 오디오가 겹치지 않도록 주의합니다.

5 다음으로 Roll 자막을 만들기 위해서 먼저 자막의 배경을 만들어 보겠습니다. 단색의 사각형 박스를 만들기 위해서 [Project] 패널에서 아래쪽에 있는 [New Item](🗋)을 클릭하여 팝업 메뉴가 열리면 [Color Matte]를 선택합니다.

TIP
- [New Item] 메뉴에서는 다양한 용도로 사용되는 새 클립을 만들 수 있습니다.
- [Color Matte]는 합성을 위해 사용되는 단색의 이미지를 만드는 기능입니다.

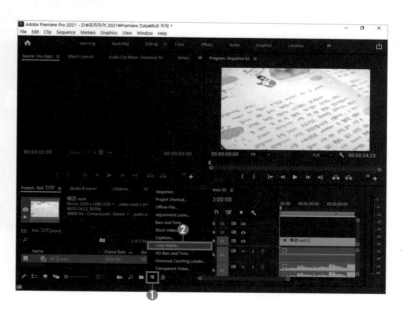

6 [New Color Matte] 대화상자가 열리면 [Height]만 '210'으로 설정하고 [OK] 버튼을 클릭합니다.

TIP
가로는 1920픽셀, 세로는 210픽셀의 크기로 사각형 박스를 만드는 옵션입니다.

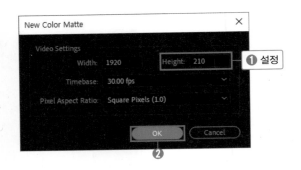

7 [Color Picker] 대화상자가 열리면 '검은색'으로 설정하고 [OK] 버튼을 클릭합니다.

TIP
검은색의 컬러 코드는 #000000입니다. 아래 빈칸에 코드를 입력해도 됩니다.

8 [Choose Name] 대화상자가 열리면 이름을 '자막 박스'로 입력하고 [OK] 버튼을 클릭합니다.

TIP
임의의 이름을 입력해도 됩니다.

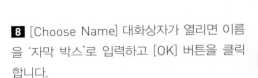

9 [Project] 패널에 '자막 박스' 클립이 만들어졌음을 확인합니다. [Project] 패널의 '자막 박스' 클립을 [Timeline] 패널 [V2] 트랙의 시작점으로 드래그하여 클립을 넣은 후 [Out 점]을 오른쪽으로 드래그하여 영상과 배경음악의 길이와 같게 설정합니다. [Effect Controls] 패널에서 [Position]의 두 번째 Y값을 '975'로 설정하여 위치를 아래로 이동하고, [Opacity]를 '90%'로 설정하여 투명도를 줍니다.

TIP
'자막 박스'를 [Timeline] 패널에 배치하면 길이가 매우 짧게 들어옵니다. ⊞를 눌러 [Timeline]을 확대하여 [Out 점]을 찾아 오른쪽으로 드래그하여 길이를 맞추면 됩니다.

10 이제 Roll 자막을 만들어 보겠습니다. [File] > [New] > [Legacy Title] 메뉴를 클릭합니다.

TIP

Legacy Title 기능은 자막을 디자인하여 만드는 기능으로써 TV 예능에서 보던 다양한 모양의 자막을 만들 수 있습니다.

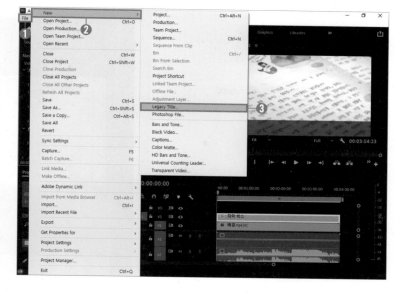

11 [New Title] 대화상자가 열리면 [Name]에 'Roll 자막'을 입력하고, [OK] 버튼을 클릭합니다.

TIP

[Video Settings]의 옵션은 현재 시퀀스와 같은 옵션 설정으로 자동으로 입력됩니다.

12 타이틀 창이 열리면 [Title Tool] 패널의 [Type Tool](T)로 제공된 TXT 파일(편지.txt)에서 준비된 자막을 복사, 붙여넣기 합니다. 기본 설정된 폰트가 영문이므로 한글이 제대로 표시되지 않습니다.

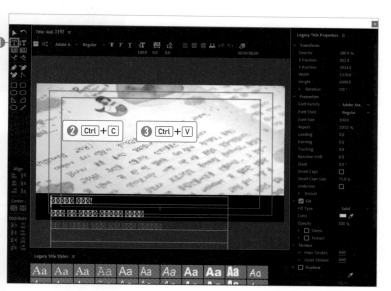

13 [Legacy Title Properties] 패널에서 [Font Family]를 적절한 폰트로 변경하고 나머지 옵션을 다음과 같이 설정합니다.

- [Font Size] : 57
- [Leading] : 60
- [Kerning] : −10
- [Color] : 흰색

TIP

위에서 제시한 옵션 설정은 예시입니다. 각자 다른 옵션으로 설정해도 됩니다. 이때 좌우의 크기만 적절하게 입력하여 밖으로 나가지 않도록 설정합니다.

14 필요에 따라 강조해야 할 부분을 블록 지정하고, 크기 또는 색상을 변경하면 더욱 좋습니다.

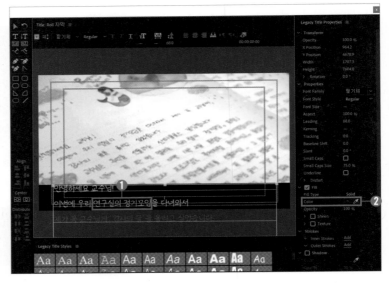

15 자막의 디자인이 끝나면 이제 아래에서 위로 움직이는 Roll 애니메이션을 적용할 차례입니다. 상단의 [Roll/Crawl Options]를 클릭하여 [Roll/Crawl Options] 대화상자가 열리면 [Title Type]을 [Roll]로 설정하고, [Timing(Frames)]의 [Start Off Screen]과 [End Off Screen] 옵션을 모두 체크한 후 [OK] 버튼을 클릭합니다. 모든 설정이 마무리되면 타이틀 창의 [닫기](✕)를 클릭합니다.

TIP

[Start Off Screen]과 [End Off Screen] 옵션은 자막이 화면 밖에서 나타났다가 화면 밖으로 사라지는 기능입니다.

16 [Project] 패널에 'Roll 자막' 클립이 만들어졌음을 확인합니다. [Project] 패널의 'Roll 자막' 클립을 [Timeline] 패널 [V3] 트랙의 시작점으로 드래그하여 클립을 넣은 후 [Out 점]을 오른쪽으로 드래그하여 영상과 배경음악의 길이와 같게 설정합니다. 재생하여 영상을 확인하면 아래에서 위로 올라가는 자막을 확인할 수 있습니다.

TIP

'Roll 자막'을 [Timeline] 패널에 배치하면 길이가 매우 짧게 들어옵니다. ➕를 눌러 [Timeline] 패널을 확대하고 [Out 점]을 찾아 오른쪽 드래그하여 길이를 맞추면 됩니다.

17 Roll 자막이 아래 박스 안에서만 나타나도록 자막 마스크를 만들어야 합니다. 'Roll 자막' 클립이 선택된 상태에서 [Effect Controls] 패널의 [Text] > [Create 4-point polygon mask](■)를 클릭하여 마스크를 만듭니다. [Program Monitor] 패널에서 사각형 박스의 내부를 드래그하여 위치를 아래쪽으로 이동하고 사각형의 모서리를 이동하여 다음과 같이 자막 박스 위치에 배치합니다. 마스크의 경계 부분을 부드럽게 만들기 위해서 [Effect Controls] 패널에서 [Text] > [Mask (1)] > [Mask Feather]를 '20' 정도로 설정합니다.

18 다음과 같이 영상에 맞는 Roll 자막을 편집하여 영상을 완성했습니다. [File] > [Export] > [Media](Ctrl + M) 메뉴를 이용하여 mp4 영상으로 만들고 확인합니다.

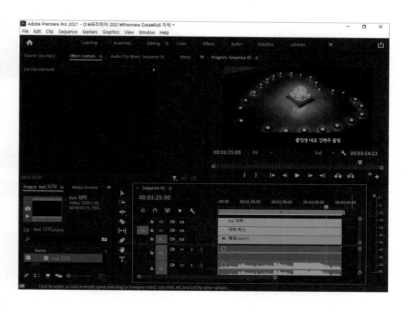

07

뉴스 자막 타입 Crawl 자막 실무

핵심 내용

Crawl 자막은 대개 화면 아래에 위치하고, 오른쪽에서 왼쪽으로 계속 흘러가는 타입이 많습니다. 24시간 뉴스나 증권 채널 TV에서 많이 나오죠. 그러나 영상 이미지에 상관없이 흐르는 자막과 영상의 스토리나 속도에 맞춘 자막 편집은 정성이 다릅니다. 본 예제에서는 Title Designer에서 자막 글을 작성하고 Crawl Options에서 영상 장면과 속도에 맞추어 자막을 제작하는 방법에 대해서 학습하겠습니다.

핵심 기능

Crawl

STORYBOARD

제3회 전남보물찾기 영상콘테스트 '장려상' 수상 작품 중 일부분

[Crawl Options] + [Duration]

01 뉴스 자막 타입 Crawl 자막 실무 Crawl Options

준비 파일 : Part 02 > Chapter 02 > Section 07 폴더 파일 　**완성 파일 :** Part 02 > Chapter 02 > Section 07 > 뉴스 자막 타입 Crawl 자막 실무 완성.mp4

1 프리미어 프로를 실행한 후 [New Proj-ect]를 실행하여 새 프로젝트를 시작합니다. [New Project] 대화상자가 열리면 [Name]에 임의의 프로젝트 이름을 입력하고, [Location] 의 [Browse] 버튼을 클릭하여 프로젝트 파일 이 저장될 폴더를 선택한 후 [OK] 버튼을 클릭합니다.

TIP

• 프리미어 프로의 시작 화면은 프로그램의 버전 및 개인 설정에 따라 다를 수 있습니다.
• [Edit] > [Preferences] > [General]의 [When Open-ing a Project] 옵션으로 화면 설정을 바꿀 수 있습니다. [시작] 화면에서 [New Project]를 클릭하거나 상단 의 [File] > [New] > [Project] 메뉴를 클릭하여 새 프로젝트를 시작할 수 있습니다.

2 기본 작업 화면이 열리면 새 시퀀스를 만들지 않았기 때문에 [Timeline] 패널이 비활성화되어 있습니다. 새 시퀀스를 따로 만들지 않고 클립을 이용하여 쉽게 시퀀스를 만들어 보겠습니다.

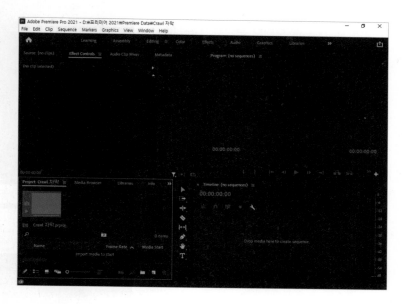

3 먼저 제공된 영상을 불러오기 위해서 [File] > [Import]([Ctrl]+[I]) 메뉴를 클릭하고, [Import] 대화상자가 열리면 '배경.mp4' 파일을 선택하고 [열기] 버튼을 클릭합니다. [Project] 패널에서 '배경.mp4' 영상 클립을 마우스 오른쪽 버튼으로 클릭하여 [New Sequence From Clip]을 선택하면 새 시퀀스가 자동으로 만들어지고, [V1], [A1] 트랙에 클립이 들어갑니다. 재생하여 영상을 확인합니다.

① 마우스 오른쪽 클릭

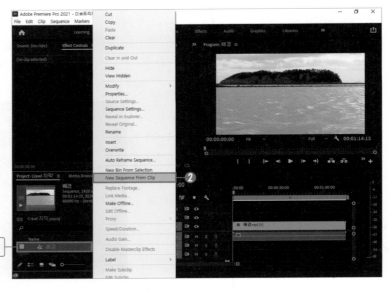

4 제공된 배경음악을 불러오기 위해서 [File] > [Import]([Ctrl]+[I]) 메뉴를 클릭하고, [Import] 대화상자가 열리면 'BGM.mp3' 파일을 선택하고 [열기] 버튼을 클릭합니다. [Project] 패널의 'BGM.wav' 오디오 클립을 [Timeline] 패널 [A2] 트랙의 시작점으로 드래그하여 배경음악을 넣은 후 [Space Bar]를 눌러 삽입된 배경음악을 확인합니다.

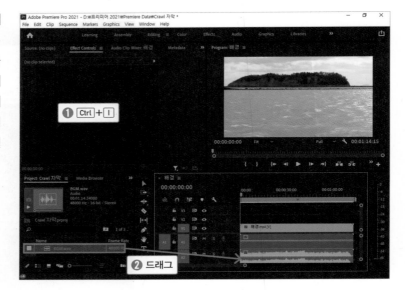

5 다음으로 Roll 자막을 만들기 위해서 먼저 자막의 배경을 만들어 보겠습니다. 단색의 사각형 박스를 만들기 위해서 [Project] 패널에서 아래쪽에 있는 [New Item]([□])을 클릭하여 팝업 메뉴가 열리면 [Color Matte]를 선택합니다.

TIP
- [New Item] 메뉴에서는 다양한 용도로 사용되는 새 클립을 만들 수 있습니다.
- [Color Matte]는 합성을 위해 사용되는 단색의 이미지를 만드는 기능입니다.

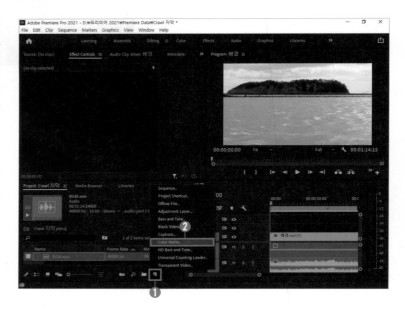

6 [New Color Matte] 대화상자가 열리면 [Height]만 '200'으로 설정하고 [OK] 버튼을 클릭한 후 [Color Picker] 대화상자가 열리면 '검은색'으로 설정하고 [OK] 버튼을 클릭합니다.

TIP
사각형 박스의 높이를 '200'으로 설정했습니다.

7 [Choose Name] 대화상자가 열리면 이름을 '자막 박스'로 입력하고 [OK] 버튼을 클릭합니다.

TIP
임의의 이름을 입력해도 됩니다.

8 [Project] 패널에 '자막 박스' 클립이 만들어졌음을 확인합니다. [Project] 패널의 '자막 박스' 클립을 [Timeline] 패널 [V2] 트랙의 시작점으로 드래그하여 클립을 넣은 후 [Out 점]을 오른쪽으로 드래그하여 영상과 배경음악의 길이와 같게 설정합니다. [Effect Controls] 패널에서 [Position]의 두 번째 Y값을 '980'으로 설정하여 위치를 아래로 이동하고, [Opacity]를 '90%'로 설정하여 투명도를 줍니다.

TIP
'자막 박스' 클립을 [Timeline] 패널에 배치하면 길이가 매우 짧게 들어옵니다. ⊞를 눌러 [Timeline] 패널을 확대하여 [Out 점]을 찾아 오른쪽 드래그하여 길이를 맞추면 됩니다.

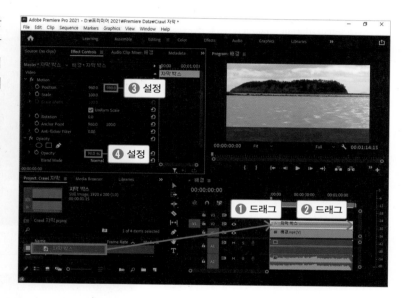

9 [Current Time Indicator]를 자막 박스가 보이게 될 00:00:07:00 위치로 옮긴 후 '자막 박스' 클립의 [In 점]을 [Current Time Indicator]에 드래그합니다.

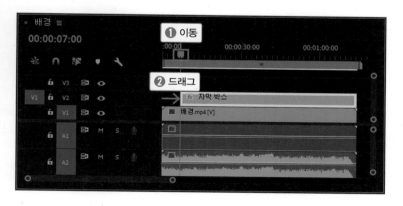

10 '자막 박스'의 앞부분에 자연스럽게 나타나는 Opacity 효과를 적용하기 위해서 [Timeline] 패널의 '자막 박스' 클립을 선택하고, [Effect Controls] 패널에서 [Opacity] > [Toggle animation]을 클릭해 활성화한 후 [Opacity] 값을 '0%'로 설정합니다. [Current Time Indicator]를 00:00:08:00 위치로 옮긴 후 [Opacity] 값을 '90%'로 입력합니다. 재생하여 자연스럽게 나타나는 자막 박스 애니메이션을 확인합니다.

11 이제 자막 박스에 왼쪽에서 오른쪽으로 움직이는 Crawl 자막을 만들어 보겠습니다. 첫 번째 장면에 들어갈 자막은 다음과 같습니다.

'여수시 화정면 낭도리 사도. 바다 한가운데 모래로 쌓은 섬 같다 하여 '사도'라 불리운다.'

12 자막을 만들기 위해서 [File] > [New] > [Legacy Title] 메뉴를 클릭합니다. [New Title] 대화상자가 열리면 [Name]에 'Crawl 자막 01'을 입력하고, [OK] 버튼을 클릭합니다.

TIP
[Video Settings]의 옵션은 현재 시퀀스와 같은 옵션 설정으로 자동으로 입력됩니다.

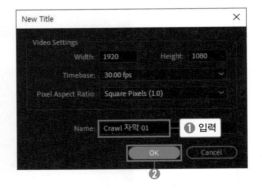

13 타이틀 창이 열리면 [Title Tool] 패널의 [Type Tool](**T**)로 준비된 자막을 입력합니다. [Legacy Title Properties] 패널에서 폰트, 크기, 색상, 간격 등을 적절하게 설정하여 하단의 자막 박스에 어울리도록 설정합니다.

14 자막의 디자인이 끝나면 이제 Crawl 애니메이션을 적용할 차례입니다. 상단의 [Roll/Crawl Options]를 클릭하여 [Roll/Crawl Options] 대화상자가 열리면 [Title Type]을 [Crawl Left]로 설정하고, [Timing(Frames)]의 [Start Off Screen]과 [End Off Screen] 옵션을 모두 체크한 후 [OK] 버튼을 클릭합니다. 모든 설정이 마무리되면 타이틀 창의 [닫기](**x**)를 클릭합니다.

TIP
[Start Off Screen]과 [End Off Screen] 옵션은 자막이 화면 밖에서 나타났다가 화면 밖으로 사라지는 기능입니다.

15 [Project] 패널에 'Crawl 자막 01' 클립이 만들어졌음을 확인합니다. [Project] 패널의 'Crawl 자막 01' 클립을 [Timeline] 패널 [V3] 트랙을 00:00:07:00 지점으로 드래그하여 클립을 넣은 후 [Out 점]을 오른쪽으로 드래그하여 영상에 맞춰 해당 설명이 끝날 수 있도록 00:00:15:10 지점에 맞춥니다. 재생하여 영상을 확인하면 왼쪽에서 오른쪽으로 지나가는 자막을 확인할 수 있습니다.

TIP
영상을 보면서 적당한 길이로 자막을 설정하면 애니메이션의 길이가 자동으로 맞춰서 설정됩니다.

16 나머지 자막도 편집하여 영상을 완성합니다. 모든 편집이 끝나면 [File] > [Export] > [Media]([Ctrl]+[M]) 메뉴를 이용하여 mp4 영상으로 만들고 확인합니다.

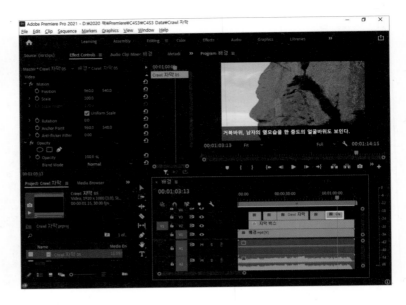

아래 그림(배경 영상 클립)에 해당하는 자막 내용입니다. 보고 직접 자막을 입력하고 디자인하여 Crawl 자막을 연습해보기 바랍니다.

'사도 입구 선착장에서 육지 사람들을 먼저 반기는 것은 두 개의 공룡 모형이다.'

경이로운 자연경관과 백악기 공룡 발자국 화석 발견 등으로 관광객들의 관심을 끌면서 개발이 추진되고 있는 섬이다. 사도는 2002년 1월 유네스코 세계유산 잠정 목록에 등재된 남해안 공룡 화석지 5곳 중 한 곳이다. 곳곳이 용암의 흔적과 공룡 발자국투성이다.

왼편 장사도와 오른편 시루섬이 양면해수욕장을 사이에 두고 서로 바라보고 있다.

이순신 장군이 거북선을 생각했다는 거북바위. 남자의 옆모습을 한 증도의 얼굴바위도 보인다.

01

영상 편집에 유용한 상업용 무료 폰트

핵심 내용

프리미어 프로를 이용하여 영상을 제작할 때 자막은 매우 중요한 역할을 합니다. 특히, 영상의 의미를 잘 표현할 수 있는 폰트의 사용은 무엇보다 중요합니다. 하지만 영상에 잘 어울리면서 무료인 폰트는 찾기가 쉽지 않습니다. 특히, 무턱대고 아무 폰트나 인터넷에서 내려받고 잘못 사용하다가는 저작권 위반으로 제재 또는, 벌금을 받을 수 있으므로 100% 상업적 이용이 가능한 무료 폰트를 사용해야 합니다. 따라서 이번에는 영상 제작자가 주로 사용하는 상업적 이용에서 전혀 제한이 없는 필수 폰트를 추천하고 소개하겠습니다.

핵심 기능

Install Fonts, Type Tool

STORYBOARD

프리미어 자막

프리미어 2021

1. 노토 산스

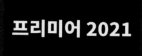

2. 검은 고딕

3. 에스코어 드림

프리미어 2021

4. 카페24 단정해

프리미어 2021

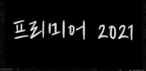

5. 카페24 빛나는별

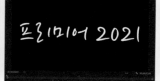

6. 잉크립퀴드

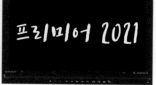

7. 즐거운 이야기

프리미어 2021

8. 배민 주아

프리미어 2021

9. 티몬 소리

프리미어 2021

10. 여기 어때 잘난

프리미어 2021

11. 레시피 코리아 레코

1 영상에서 자막은 영상의 의미 전달을 비롯하여 시청자의 감상을 돕는 매우 중요한 역할을 합니다. 따라서 자막을 넣기 위해 인터넷에서 필요한 무료 자막을 쉽게 구해 쓰곤 합니다. 하지만 이러한 무료 폰트의 경우, 개인적인 용도는 제한이 없지만, 상업적인 용도로 사용한 경우, 저작권 침해의 사유가 될 수도 있습니다. 따라서 영상 제작에 꼭 필요한 좋은 폰트면서 상업적으로 이용 가능한 무료 폰트를 알아보고 설치하여 사용해 보겠습니다.

2 첫 번째 추천 폰트는 노토 산스(Noto Sans KR) 폰트입니다. 노토 산스(Noto Sans KR) 폰트는 한글 고딕체의 대표적인 폰트 중 하나입니다. 세련되고 깔끔한 느낌의 폰트로써, 쉽게 두께를 조절할 수 있다는 장점도 있습니다. 폰트를 내려받기 위해 인터넷 주소창에 'fonts.google.com'을 입력합니다. 다음과 같이 [Google Fonts] 페이지가 열림을 확인합니다. 구글 폰트 페이지에서는 창작을 위한 다양한 무료 폰트를 제공하고 있습니다.

TIP
구글 검색창에 한글로 '구글 폰트'를 입력하여 첫 번째 검색되는 페이지를 클릭하여 열어도 됩니다.

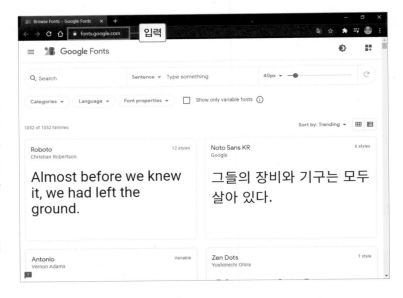

3 [Google Fonts] 페이지에서 [Search]에 'Noto Sans KR'을 입력하여 검색합니다. 다음과 같이 해당 폰트가 아래쪽에 표시됩니다.

TIP
[Google Fonts] 페이지에서는 다양한 한글 및 영문 폰트를 제공하고 있으니 특정 검색어를 입력하기 전에 다양한 폰트를 살펴보는 것이 좋습니다.

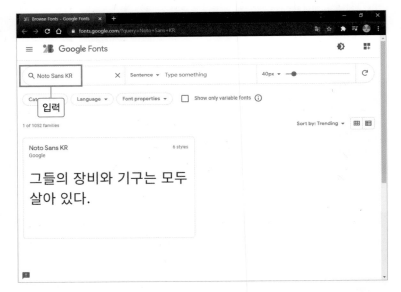

4 검색된 [Noto Sans KR] 폰트를 클릭합니다. 폰트가 표시되고 몇 가지의 [Style]을 볼 수 있습니다. 해당 스타일 오른쪽에 표시된 [Select this style]을 클릭하여 선택할 수 있습니다. 모두 내려받기 위해서 [Noto Sans KR] 폰트의 모든 스타일을 선택한 후 상단 [View your selected familys](📑)를 클릭합니다.

TIP
[Style]은 같은 폰트의 두께를 각각 다르게 제공하는 것으로써, 영상에 자막을 디자인할 때 강조와 변화를 만들어내는 자막 디자인 요소입니다.

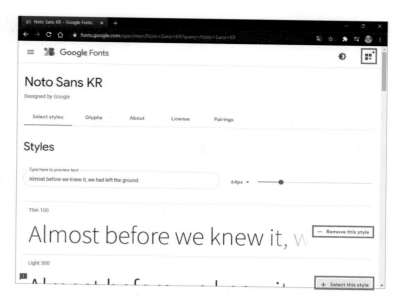

5 오른쪽에 [Selected family] 패널이 열리면 선택한 모든 폰트를 내려받기 위해서 [Download all] 버튼을 클릭합니다.

TIP
필요한 여러 폰트를 선택한 후 한꺼번에 내려받기 해도 됩니다.

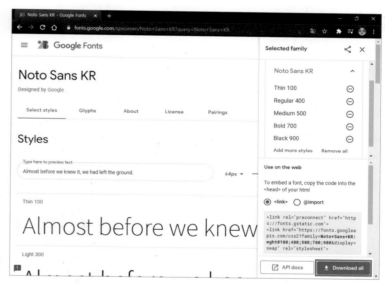

6 [윈도우 탐색기]를 열어 내려받은 'Noto_Sans_KR' 압축 파일을 확인합니다. 해당 파일을 선택하고 사용하기 위해서 압축을 해제합니다.

TIP
압축을 푸는 방법은 자신의 컴퓨터에 설치된 압축 프로그램에 따라서 다양합니다. 가장 간단한 방법은 윈도우에 기본 내장된 압축 해제 기능을 이용하는 것으로써, 해당 파일을 마우스 오른쪽 버튼으로 클릭하고 [압축 풀기]를 선택하면 됩니다.

7 압축을 풀어 파일을 확인해보면 폰트의 스타일에 따라 다음과 같이 몇 개의 폰트를 볼 수 있습니다. 폰트 파일 하나를 더블클릭하여 확인해 보겠습니다.

TIP
압축을 풀어서 폰트 파일을 확인하세요. 압축을 풀지 않고, 해당 파일을 더블클릭하여 내용을 확인할 경우, 폰트 설치가 진행되지 않을 수 있습니다.

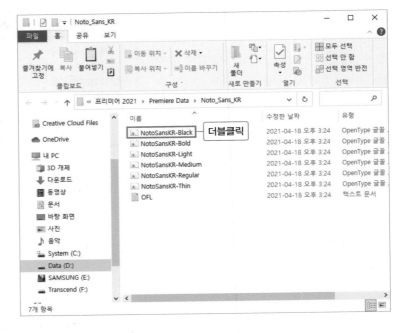

8 폰트를 확인할 수 있는 창이 다음과 같이 열립니다. 폰트를 확인한 후 상단의 [설치] 버튼을 클릭하여 선택된 폰트를 자신의 컴퓨터에 설치합니다.

TIP
폰트는 꼭 필요한 것만 설치하는 것이 좋습니다. 폰트가 많이 설치된 경우 컴퓨터가 느려질 수 있으며, 프리미어 프로 프로그램에서도 폰트를 선택하기 어려울 수 있습니다.

9 프리미어 프로를 열고 [Tools] 패널에서 [Type Tool](**T**)로 [Program Monitor] 패널을 클릭하여 자막을 입력합니다. [Effect Controls] 패널에서 [Graphics] > [Text]를 열어 확인하면 입력한 자막의 폰트를 변경할 수 있습니다. 다음과 같이 [Source Text]의 옵션에 [Noto Sans KR] 폰트가 다양한 스타일로 있음을 알 수 있습니다. 원하는 스타일을 선택하여 적용해 봅니다.

TIP
폰트 설치 후 프리미어 프로에서 보이지 않을 경우, 프리미어 프로를 종료 후 다시 실행하면 됩니다.

02 검은 고딕(Black Han Sans) 폰트 fonts.google.com

1 다음 추천 폰트는 검은 고딕(Black Han Sans) 폰트입니다. 약간은 오래되고, 전통이 있어 보이는 중후한 느낌의 폰트입니다. 무게감이 있으며, 70~80년대의 느낌을 표현할 때도 사용하면 좋습니다. 또한 가독성이 매우 좋으므로 유튜브 섬네일이나 영상의 제목에 많이 사용되기도 합니다.

TIP
- Black Han Sans 폰트는 '검은 고딕'이라고도 합니다.
- 비슷한 느낌의 세련된 폰트로는 산돌 '격동 고딕' 유료 폰트가 있습니다.

2 인터넷 주소창에 'fonts.google.com'을 입력하여 [Google Fonts] 페이지를 열고, 'Black Han San'을 검색하여 해당 폰트를 내려받습니다. 폰트를 확인한 후 앞에서 설명한 같은 방법으로 컴퓨터에 설치합니다.

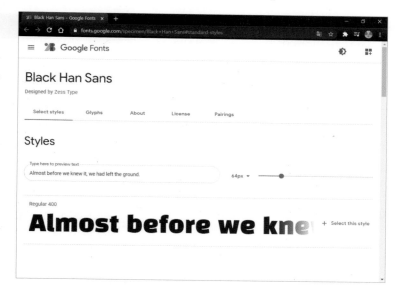

3 프리미어 프로를 실행하여 자막을 입력하고, [Black Han Sans] 폰트로 설정하여 확인합니다.

1 다음 추천 폰트는 에스코어 드림(S-core Dream) 폰트입니다. 상당히 세련된 느낌의 폰트이고 다양한 스타일을 제공하기 때문에 디자인에 유리합니다. 특히, 얇은 스타일의 [S-core Dream] 폰트는 프로 디자이너도 사용할 만큼 세련된 자막의 느낌을 표현할 수 있습니다.

TIP
비슷한 느낌의 세련된 폰트로는 'HG 꼬딕씨' 유료 폰트가 있습니다. 단정한 느낌의 폰트로써 상업용 광고에 광범위하게 사용됩니다.

2 인터넷 주소창에 's-core.co.kr/company/font/'을 입력하여 [S-core] 페이지를 열고, 해당 페이지를 확인한 후 [글꼴 다운받기] 버튼을 클릭하여 해당 폰트를 내려받습니다. 폰트를 확인한 후 컴퓨터에 설치합니다. [S-core]에서는 글꼴 공유를 통한 나눔의 가치 실현과 아름다운 한글문화 발전을 지원하기 위해서 완성도 높은 글꼴을 무료로 배포하고 있습니다.

TIP
[S-core] 페이지가 열리면 마우스 휠로 페이지를 내려야 [글꼴 다운받기] 버튼이 보입니다.

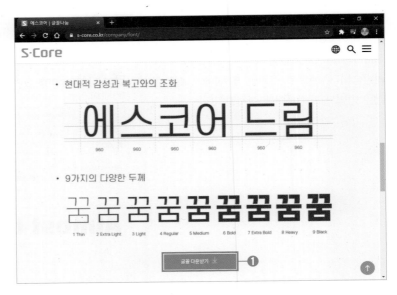

3 프리미어 프로를 실행하여 자막을 입력하고 [S-core Dream] 폰트로 설정하여 확인합니다. 해당 폰트는 스타일로 두께를 다양하게 설정할 수 있는 장점이 있습니다. 1번 [Thin]부터 9번 [Black]까지 총 9개의 스타일을 확인한 후 각각 적용해 봅니다.

TIP
[Effect Controls] 패널에서 [Graphics] > [Text]를 열어 확인하면 [Source Text]의 옵션에서 폰트와 다양한 스타일을 확인할 수 있습니다.

04 카페24 단정해(Cafe24 Danjunghae) 폰트 fonts.cafe24.com/

1 다음 추천 폰트는 카페24 단정해(Cafe24 Danjunghae) 폰트입니다. 고딕체에서 한번 꺾인 획이 추가된 폰트로써 고딕체의 단정한 느낌을 주면서도 우아하고 부드러운 느낌을 표현할 수 있습니다. 안정되고 단정한 느낌이 필요하지만, 고딕체의 딱딱함이 싫다면 사용해 볼 수 있는 폰트입니다.

TIP

비슷한 느낌의 폰트로는 같은 홈페이지에서 내려받을 수 있는 [Cafe24 Dangdanghae] 무료 폰트가 있습니다. 조금 더 단정한 느낌을 낼 수 있습니다.

2 인터넷 주소창에 'fonts.cafe24.com'을 입력하여 [카페24 무료 폰트] 페이지를 열고, 해당 페이지에서 [카페24 단정해] 폰트를 확인한 후 [다운로드] 아이콘을 클릭하여 해당 폰트를 내려받습니다. 폰트를 확인한 후 컴퓨터에 설치합니다. [카페24 무료 폰트]에서는 상업적으로 이용 가능한 한글 및 영문 무료 폰트를 제공하고 있습니다.

TIP

[카페24 무료 폰트]에는 [카페24 단정해] 폰트 외에도 좋은 폰트들이 많습니다. 내려받아 사용해보기 바랍니다.

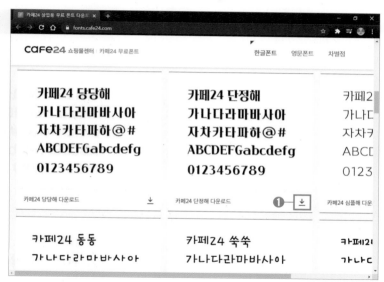

3 프리미어 프로를 실행하여 자막을 입력하고, [Cafe24 Danjunghae] 폰트로 설정하여 확인합니다.

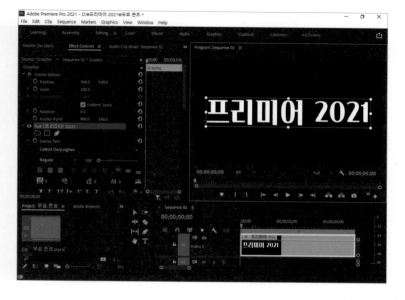

1 다음 추천 폰트는 카페24 빛나는별(Cafe24 Shiningstar) 폰트입니다. 무료 사용이 가능한 고딕체 폰트는 많지만, 손글씨 느낌의 흘림체 폰트는 생각보다 찾기가 어렵습니다. 특히 세련된 느낌의 흘림체 폰트는 더더욱 찾기가 어렵습니다. [Cafe24 Shiningstar] 폰트는 시원시원하고 가독성이 좋은 흘림체 중의 하나입니다.

TIP
비슷한 느낌의 세련된 폰트로는 산돌 '공병각' 유료 폰트가 있습니다.

2 인터넷 주소창에 'fonts.cafe24.com'을 입력하여 [카페24 무료 폰트] 페이지를 열고, 해당 페이지에서 [카페24 빛나는별] 폰트를 확인한 후 [다운로드] 아이콘을 클릭하여 해당 폰트를 내려받습니다. 폰트를 확인한 후 컴퓨터에 설치합니다.

3 프리미어 프로를 실행하여 자막을 입력하고 [Cafe24 Shiningstar] 폰트로 설정하여 확인합니다.

TIP
설치한 폰트의 이름과 프리미어 프로에서 보이는 폰트의 이름이 다르게 표시될 수 있습니다.

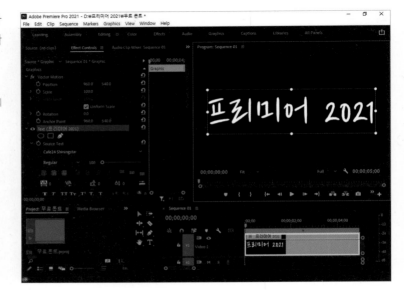

1 다음 추천 폰트는 잉크립퀴드(THEFACE-SHOP INKLIPQUID) 폰트입니다. 손으로 글씨를 쓴 듯한 세련된 느낌의 흘림체 폰트로써 자유롭고 우아한 느낌을 줍니다. 다른 흘림체에 비해 가독성이 조금 떨어지지만, 무료로 사용할 수 있는 최고의 흘림체 중 하나입니다.

TIP

세련된 느낌의 흘림체는 감성 V-log의 독백을 표현하는 자막으로 사용하면 좋습니다.

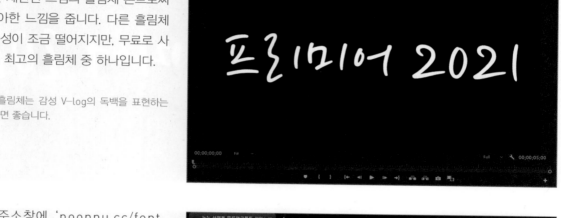

2 인터넷 주소창에 'noonnu.cc/font_page/68'을 입력하여 [눈누] 페이지를 열고, 해당 페이지에서 폰트를 확인한 후 [다운로드] 버튼을 클릭하여 해당 폰트를 내려받습니다. 폰트를 확인한 후 컴퓨터에 설치합니다. [눈누]에서는 상업적으로 이용 가능한 한글 폰트를 많은 사람에게 쉽게 제공하기 위해서 시작된 사이트입니다.

TIP

[눈누]에는 상업적으로 이용 가능한 다양한 폰트와 특히, 많이 사용되는 [추천 폰트] 메뉴를 제공하여 사용자들이 쉽게 접근할 수 있도록 편의성을 제공합니다.

3 프리미어 프로를 실행하여 자막을 입력하고, [THEFACESHOP INKLIPQUID] 폰트로 설정하여 확인합니다.

TIP

• 설치한 폰트의 이름과 프리미어 프로에서 보이는 폰트의 이름이 다르게 표시될 수 있습니다.
• [THEFACESHOP INKLIPQUID] 폰트는 상업적 이용에서는 무료이지만 폰트에 비율, 기울기 등의 변형을 가할 경우, 제제가 있을 수 있으므로 주의해야 합니다.

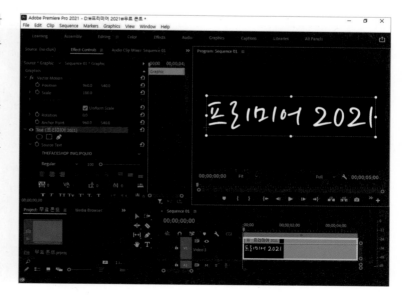

1 다음 추천 폰트는 즐거운 이야기(TvN Enjoystories) 폰트입니다. 붓을 이용하여 글씨를 쓴 듯한 진중한 느낌의 흘림체 폰트로써 우아하고 고전적인 느낌을 줍니다. 외곽선이 붓의 느낌을 표현하기 위해서 거칠어 조금은 지저분한 느낌을 주기도 합니다.

2 인터넷 주소창에 'tvn10festival.tving.com/playground/tvn10font'를 입력하여 [TvN 10주년 기념 폰트 무료 다운로드] 페이지를 열고, 해당 페이지에서 폰트를 확인한 후 [윈도우용/TTF 다운로드] 버튼을 클릭하여 해당 폰트를 내려받습니다. 폰트를 확인한 후 컴퓨터에 설치합니다.

TIP
애플 맥에서는 MAC용 폰트를 내려받아 사용하세요.

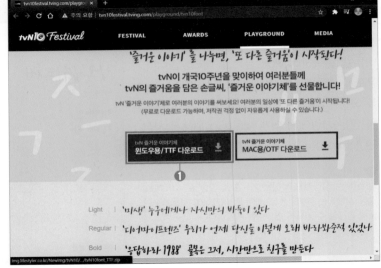

3 프리미어 프로를 실행하여 자막을 입력하고, [TvN Enjoystories] 폰트로 설정하여 확인합니다.

TIP
설치한 폰트의 이름과 프리미어 프로에서 보이는 폰트의 이름이 다르게 표시될 수 있습니다.

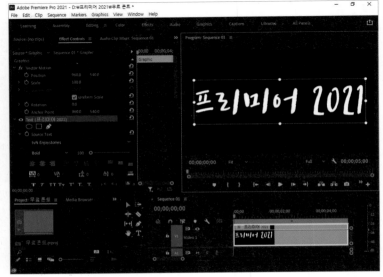

08 배민 주아(BM JUA_TTF) 폰트 woowahan.com/#/fonts

1 다음 추천 폰트는 배달의 민족 주아(BM JUA_TTF) 폰트입니다. 고딕체와 같이 반듯한 획을 가지고 있지만, 끝부분이 둥글둥글하게 처리된 폰트로써 귀엽고 가벼운 느낌을 주는 폰트입니다.

TIP
비슷한 느낌의 폰트로는 티머니의 [둥근] 무료 폰트가 있습니다.

2 인터넷 주소창에 'woowahan.com/#/fonts'를 입력하여 [우아한 형제들] 글꼴 페이지를 열고, 해당 페이지에서 [주아체] 폰트를 확인한 후 [윈도우용 설치하기] 버튼을 클릭하여 해당 폰트를 내려받습니다. 폰트를 확인한 후 컴퓨터에 설치합니다.

TIP
[우아한 형제들] 글꼴 페이지에는 상업적으로 이용 가능한 9개의 폰트를 제공하고 있으며, 이 중에서 [도현체], [한나체], [주아체] 등은 많은 영상 제작자에게 매우 인기가 좋습니다.

3 프리미어 프로를 실행하여 자막을 입력하고, [TvN Enjoystories] 폰트로 설정하여 확인합니다.

TIP
설치한 폰트의 이름과 프리미어 프로에서 보이는 폰트의 이름이 다르게 표시될 수 있습니다.

1 다음 추천 폰트는 티몬 소리(TmonMon-sori) 폰트입니다. 고딕체이지만, 끝 획이 부드럽게 처리되어 일반 고딕체보다는 좀 더 가벼운 느낌으로 사용할 수 있습니다. 유튜브의 섬네일 제목으로도 많이 사용되는 폰트로써, 특별함보다는 고딕체의 안정감과 가독성, 부드러움을 모두 잡고자 할 때 사용할 수 있습니다.

2 인터넷 주소창에 'service.tmon.co.kr/font'를 입력하여 [티몬] 글꼴 페이지를 열고, 해당 페이지에서 폰트를 확인한 후 [티몬체 다운받기] 버튼을 클릭하여 해당 폰트를 내려받습니다. 폰트를 확인한 후 컴퓨터에 설치합니다.

TIP
[티몬] 글꼴 페이지에서 폰트를 내려받아 사용하기 위해서는 티몬에 무료 가입해야만 하는 번거로움이 있습니다.

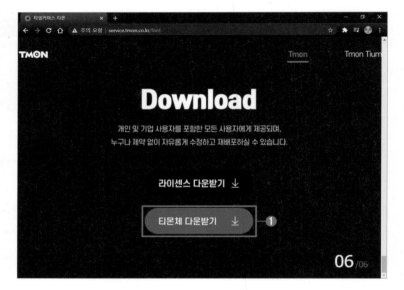

3 프리미어 프로를 실행하여 자막을 입력하고, [TmonMonsori] 폰트로 설정하여 확인합니다.

TIP
설치한 폰트의 이름과 프리미어 프로에서 보이는 폰트의 이름이 다르게 표시될 수 있습니다.

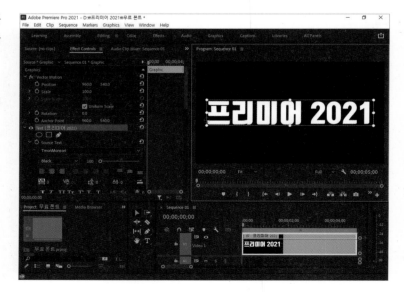

10 여기 어때 잘난(Jalnan OTF) 폰트 goodchoice.kr/font

1 다음 추천 폰트는 여기 어때 잘난(Jalnan OTF) 폰트입니다. 고딕체의 한 종류이지만 딱딱함을 주기보다는 부드러움과 유연함을 느낄 수 있으며, 상당히 두꺼운 폰트로써 가독성이 좋고 화면에 꽉 찬 느낌을 줄 수 있습니다.

2 인터넷 주소창에 'goodchoice.kr/font'를 입력하여 [여기 어때 잘난체] 글꼴 페이지를 열고, 해당 페이지에서 폰트를 확인한 후 [OTF] 버튼을 클릭하여 해당 폰트를 내려받습니다. 폰트를 확인한 후 컴퓨터에 설치합니다.

TIP
페이지가 열리면 마우스 휠로 페이지를 내려야 [OTF] 버튼이 보입니다.

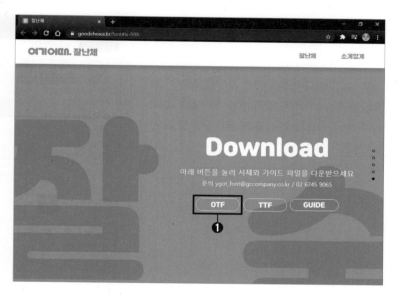

3 프리미어 프로를 실행하여 자막을 입력하고, [Jalnan OTF] 폰트로 설정하여 확인합니다.

TIP
설치한 폰트의 이름과 프리미어 프로에서 보이는 폰트의 이름이 다르게 표시될 수 있습니다.

1 다음 추천 폰트는 여기 레시피 코리아 레코(RecipekoreaOTF) 폰트입니다. 고딕체의 한 종류이지만 딱딱함을 주기보다는 부드러움과 유연함을 느낄 수 있으며, 상당히 두꺼운 폰트로써 강조하기에 좋고 화면에 꽉 찬 느낌을 줄 수 있습니다. 제목에도 사용되지만, 대화 내용을 표시하는 일반 자막으로도 자주 사용됩니다.

2 인터넷 주소창에 'recipekorea.com/bbs/board.php?bo_table=ld_0308&wr_id=2479'를 입력하여 [레시피 코리아] 글꼴 제공 페이지를 열고, 해당 페이지에서 폰트를 확인한 후 [Recipekorea 레코체 Font.zip] 파일을 클릭하여 해당 폰트를 내려받습니다. 폰트를 확인한 후 컴퓨터에 설치합니다.

3 프리미어 프로를 실행하여 자막을 입력하고, [RecipekoreaOTF] 폰트로 설정하여 확인합니다.

TIP
설치한 폰트의 이름과 프리미어 프로에서 보이는 폰트의 이름이 다르게 표시될 수 있습니다.

03

영상 편집 실무의
필수 기능

영상콘텐츠 공모전 20년 도전 노하우!

본 챕터에서는 프리미어 프로에서 초보자나 일반 사용자들이 반드시 알아야 할 레이아웃 수정과 화질 개선 방법을 소개합니다. 또한 누구나 간과하기 쉬운, 사운드 비트를 맞추는 이미지 편집과 영상 편집에 대해서 실습하고, 빨리 감기, 느리게 감기, 되돌리기 등 재생 속도 조절 방법을 안내합니다. 이 예제들의 주목적은 기본의 중요성을 인지하고, 이미지, 텍스트, 사운드가 엇박자가 나지 않으면서 스토리의 흐름에 맞추어서 편집하는 방법을 안내함으로써 프리미어 프로의 사용자들이 영상 편집에 대한 올바른 습관을 갖도록 유도하여 실무 기초를 탄탄하게 다지는 데에 있습니다.

01

레이아웃 설정 및 화질 개선하기

핵심 내용

영상 공모전 작품들에서 일반적으로 차이나는 부분이 '레이아웃'과 '화질'입니다. 초보자나 일반 사용자들이 간과하기 때문이 아닐까 생각합니다. 이 기능은 매우 단순하지만, '기본'의 중요성에 대해 언급하고자 합니다. 본 예제에서는 사이즈가 큰 영상 원본 영상을 [Program Monitor] 패널에서 레이아웃 디자인하고, Brightness & Contrast를 통해 화질이 좋지 않은 영상의 화질을 개선하는 방법에 대해서 알아보겠습니다.

핵심 기능

Effect Controls 〉 Motion, Brightness & Contrast, RGB Curves

STORYBOARD

여행 브이로그 유튜브 영상 중 일부분

01 레이아웃 설정하기 Effect Controls > Motion

준비 파일 : Part 02 > Chapter 03 > Section 01 폴더 파일 **완성 파일** : Part 02 > Chapter 03 > Section 01 > 레이아웃 설정 및 화질 개선하기 완성.mp4

1 프리미어 프로를 실행한 후 [New Proj-ect]를 실행하여 새 프로젝트를 시작합니다. [New Project] 대화상자가 열리면 [Name]에 임의의 프로젝트 이름을 입력하고, [Location]의 [Browse] 버튼을 클릭하여 프로젝트 파일이 저장될 폴더를 선택한 후 [OK] 버튼을 클릭합니다.

TIP

• 프리미어 프로의 시작 화면은 프로그램의 버전 및 개인 설정에 따라 다를 수 있습니다.
• [Edit] > [Preferences] > [General]의 [When Opening a Project] 옵션으로 화면 설정을 바꿀 수 있습니다. [시작] 화면에서 [New Project]를 클릭하거나 상단의 [File] > [New] > [Project] 메뉴를 클릭하여 새 프로젝트를 시작할 수 있습니다.

2 기본 작업 화면이 열리면 새 시퀀스를 만들기 위해서 [File] > [New] > [Sequence] ([Ctrl]+[N]) 메뉴를 클릭하고, [New Sequence] 대화상자가 열리면 다음과 같이 설정한 후 [OK] 버튼을 클릭합니다.

• [Editing Mode] : Custom
• [Timebase] : 30.00 frames/second
• [Frame Size] : 1920
• [horizontal] : 1080
• [Pixel Aspect Ratio] : Square Pixels (1.0)

TIP

유튜브에서 가장 많이 사용하는 영상 크기와 프레임으로 설정했습니다.

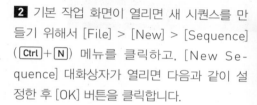

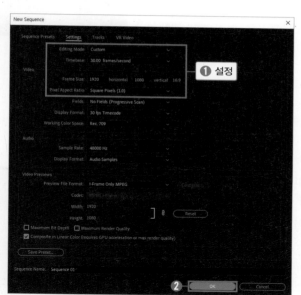

3 제공된 영상을 불러오기 위해서 [File] > [Import]([Ctrl]+[I]) 메뉴를 클릭하고, [Import] 대화상자가 열리면 '풍경 001.mp4' 파일을 선택하고 [열기] 버튼을 클릭합니다.

TIP

[Project] 패널의 비어있는 공간을 더블클릭하여 [Import] 대화상자를 빠르게 열 수 있습니다.

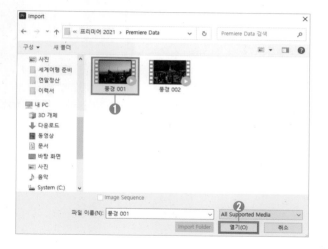

4 [Project] 패널에 '풍경 001.mp4' 영상 클립
이 들어온 것을 확인합니다. 클립을 [Timeline]
패널의 [V1] 트랙에 시작점으로 드래그하고,
Space Bar 를 눌러 영상을 확인합니다.

TIP

[Project] 패널 하단의 [Switch the current view] 옵션
으로 클립의 보기를 [List] 또는 [Icon]으로 바꿔서 다양한
크기로 볼 수 있습니다.

5 클립을 [Timeline] 패널의 [V1] 트랙에 시
작점으로 드래그할 때, 시퀀스와 클립의 설
정이 다르므로 다음과 같은 [Clip Mismatch
Warning] 경고 창이 뜹니다. [Sequence] 설
정을 우선시하여 클립을 불러오기 위해서
[Keep existing settings] 버튼을 클릭합니다.

TIP

[Change sequence settings] 버튼을 클릭할 경우, 클립
의 크기(해상도), 프레임 등의 설정을 우선시하여 시퀀스
설정이 클립 설정으로 변경됩니다.

6 영상을 확인하면 촬영한 풍경의 수평이 조
금 맞지 않습니다. 보통 촬영은 손의 흔들림
에 따라 영상의 수평이 잘 맞지 않기 때문에
레이아웃 수정이 필요합니다. 클립의 크기, 회
전, 위치 등을 수정하기 위해서 [Timeline] 패
널의 '풍경 001.mp4' 영상 클립을 선택하고,
[Effect Controls] 패널에서 [Motion]을 클릭
하여 선택합니다. [Program Monitor] 패널에
서 [Select Zoom Level]을 '50~15%' 정도로
축소하여 설정하면 조절 박스가 나타나고, 이
를 통해 영상의 전체 사이즈를 확인할 수 있
습니다.

TIP

영상의 수평 등을 조절하기 위해서는 촬영한 소스가 최종
출력 크기보다 크면 부분 확대, 레이아웃 설정 등이 편리
합니다. 따라서 때때로 전문가들은 매우 큰 해상도로 촬영
하고, 일반적인 크기로 편집하여 출력하기도 합니다.

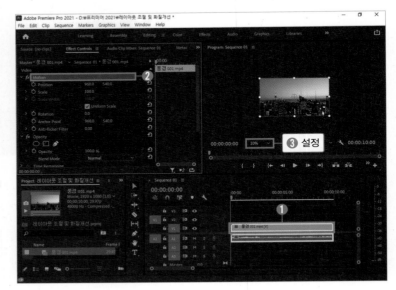

7 [Program Monitor] 패널에서 보이는 조절 박스의 내부를 드래그하면 위치(Position)를 옮길 수 있고, 테두리의 흰색 조절점을 드래그하면 크기(Scale)를 조절할 수 있으며, 모서리 외곽을 드래그하면 회전(Rotation)을 수정할 수 있습니다. 이 3가지 [Motion] 기능을 이용하여 클립의 수평을 조절하여 다음과 같이 레이아웃을 수정합니다.

TIP

• [Effect Controls] 패널이 보이지 않을 경우, [Window] > [Effect Controls] 메뉴가 표시되어 있는지 확인합니다.
• [Effect Controls] 패널에서 [Motion]의 [Position], [Scale], [Rotation] 항목 수치를 조절해도 됩니다. 하지만 [Program Monitor] 패널에서 직접 클립을 수정하면 시각적으로 바로 확인할 수 있어서 편리합니다.

8 [Current Time Indicator]가 00:00:00:00 위치에 있음을 확인하고, [Motion] > [Rotation] > [Toggle animation](◎)을 클릭해 활성화합니다. [Current Time Indicator]를 오른쪽으로 움직여 가며 화면을 보고 상황에 따라 [Rotation]의 옵션을 적절하게 수정합니다.

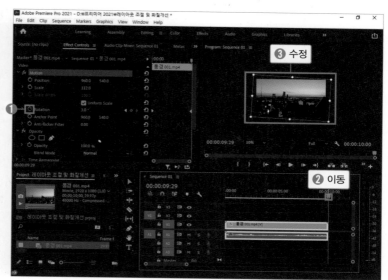

9 위치, 크기, 회전 등의 [Motion] 수정이 끝나면 [Program Monitor] 패널의 [Select Zoom Level]을 'Fit'으로 설정하고, 재생하여 영상을 확인한 후 자신이 원하는 레이아웃과 다르면 위의 작업을 반복하여 원하는 레이아웃으로 수정합니다.

TIP

세밀한 수정을 하려면 [Effect Controls] 패널에서 [Motion] 항목의 수치를 조절하는 것도 좋습니다.

1 화질이 좋지 않은 영상의 경우 밝기와 대비만 적절하게 조절해도 좋은 결과물을 얻을 수 있습니다. 밝기 조절을 위한 비디오 효과를 적용하기 위해서 [Window] > [Effects] 메뉴를 클릭한 후 [Effects] 패널에서 [Video Effects] > [Color Correction] > [Brightness & Contrast]를 선택합니다.

TIP

[Brightness & Contrast]는 밝기와 대비를 조절하는 효과로써 어두운 화질을 밝게 하고, 명암의 차이를 부각해 선명한 영상을 만드는 데 자주 사용됩니다.

2 [Effects] 패널에서 [Brightness & Contrast]를 [Timeline] 패널 [V1] 트랙의 '풍경 001.mp4' 영상 클립에 드래그한 후 [Effects Controls] 패널에 [Brightness & Contrast]의 옵션이 보이는지 확인하고, 다음과 같이 입력하여 화면 밝기 및 명암을 수정합니다.

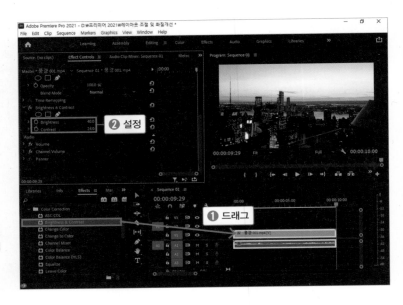

• [Brightness] : 40
• [Contrast] : 24

TIP

[Brightness]는 밝기 옵션이며, [Contrast]는 대비 옵션입니다. 위에서 제시한 수치보다는 직접 화면을 보며, 적당한 값을 찾는 것이 중요합니다.

3 이제 다음 영상을 불러와 배치하고 화질 개선을 적용해 보겠습니다. 제공된 '풍경 002.mp4' 파일을 불러옵니다. [Project] 패널의 '풍경 002.mp4' 영상 클립을 [V1] 트랙의 '풍경 001.mp4' 영상 클립 뒤에 드래그하여 붙여넣은 후 영상 클립을 선택합니다. [Effect Controls] 패널을 클릭하여 활성화한 후 [Motion]을 클릭하여 선택하고, [Program Monitor] 패널에서 조절점을 수정하여 다음과 같이 레이아웃을 만듭니다.

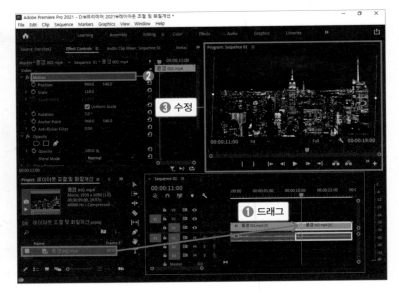

4 화질 개선을 위한 밝기 조절은 [Bright-ness & Contrast]만 있는 것은 아닙니다. 이번에는 실무에서 많이 사용하는 [RGB Curves]를 사용해 보겠습니다. [Effects] 패널에서 [Video Effects] > [Obsolete] > [RGB Curves]를 선택합니다.

TIP
[RGB Curve]는 곡선을 이용하여 전체 또는 Red, Green, Blue 채널별로 화면 밝기와 명암 등을 조절할 수 있는 효과입니다.

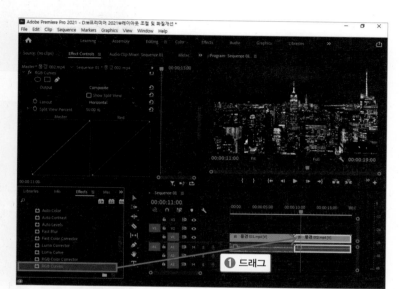

5 [Effects] 패널의 [RGB Curves]를 [Timeline] 패널의 '풍경 002.mp4' 영상 클립에 드래그하여 적용한 후 옵션 수정을 위해서 클립을 선택합니다. [Effect Controls] 패널에 [RGB Curves]의 옵션을 조절할 수 있는 선들이 보입니다.

TIP
[RGB Curves]의 옵션 중 [Master]는 전체 밝기, 대비를 수정할 수 있습니다.

6 [Effects Controls] 패널에서 [RGB Curves] 옵션 중 [Master] 곡선을 왼쪽 위로 움직여 다음과 같은 모양으로 수정합니다. 밝기가 밝아집니다. [Program Monitor] 패널에서 영상을 확인하며 적당한 밝기가 나오도록 합니다.

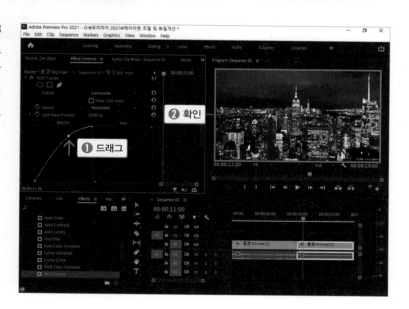

7 이번에는 명암 대비를 좀 더 뚜렷하게 하려면 [Master] 곡선의 아랫부분을 아래쪽으로 드래그하여 명암 차이를 강하게 줘서 화질을 개선합니다.

TIP
[Master] 곡선의 모양을 영어 S 대문자 모양으로 만들면 밝기는 밝아지고 명암의 대비는 높아져 개선된 화질의 영상을 만들 수 있습니다.

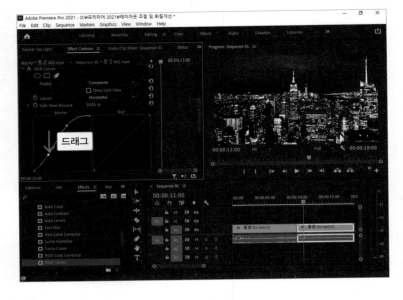

8 [Motion]의 옵션을 조절하여 적절한 레이아웃을 만들고, [Brightness & Contrast]와 [RGB Curves]를 적용하여 화질을 다음과 같이 개선했습니다. [File] > [Export] > [Media] (Ctrl+M) 메뉴를 이용하여 mp4 영상으로 만들고 확인합니다.

02

SECTION

영상 빨리감기 및 되감기

핵심 내용

영상 편집 실무에서 '빨리감기'나 '느리게 감기', '되감기' 등의 속도 조절 테크닉은 반드시 알아야 할 기법입니다. 예를 들어, 반복되는 장면이나 긴 타임의 영상에는 '빨리감기', 멋스러운 장면이나 재확인 상황에서는 '느리게 감기' 기법 등이 많이 사용됩니다. 특히, 홍보영상에서는 지루함을 덜어주어야 할 때, 반전의 감동을 주고자 할 때 어텐션(Attention) 기법으로도 자주 사용하기 때문에 본 예제의 Clip Speed, Reverse Speed 등의 기능을 배우면 다양한 응용이 가능할 것입니다.

핵심 기능

Clip Speed, Reverse Speed

STORYBOARD 01

제2회 대한민국 맑은 공기 UCC 공모전 '우수상' 수상 작품 중 일부분

[Clip Speed] 180% ----------→　　　　　850%　　　　　900%

STORYBOARD 02

제10회 대한민국 인터넷윤리콘텐츠공모전 '동상' 수상 작품 중 일부분

[Reverse Speed] 200%　　　　　300%　　　　　400%

준비 파일 : Part 02 > Chapter 03 > Section 02 > 1 동영상 빨리감기 테크닉 폴더 파일
완성 파일 : Part 02 > Chapter 03 > Section 02 > 1 동영상 빨리감기 테크닉 > 동영상 빨리감기 및 되감기 완성.mp4

1 프리미어 프로를 실행한 후 [New Proj-ect]를 실행하여 새 프로젝트를 시작합니다. [New Project] 대화상자가 열리면 [Name]에 임의의 프로젝트 이름을 입력하고, [Location] 의 [Browse] 버튼을 클릭하여 프로젝트 파일이 저장될 폴더를 선택한 후 [OK] 버튼을 클릭합니다.

TIP
• 프리미어 프로의 시작 화면은 프로그램의 버전 및 개인 설정에 따라 다를 수 있습니다.
• [Edit] > [Preferences] > [General]의 [When Open-ing a Project] 옵션으로 화면 설정을 바꿀 수 있습니다. [시작] 화면에서 [New Project]를 클릭하거나 상단의 [File] > [New] > [Project] 메뉴를 클릭하여 새 프로젝트를 시작할 수 있습니다.

2 기본 작업 화면이 열리면 새 시퀀스를 만들기 위해서 [File] > [New] > [Sequence](Ctrl +N) 메뉴를 클릭하고, [New Sequence] 대화상자가 열리면 다음과 같이 설정한 후 [OK] 버튼을 클릭합니다.

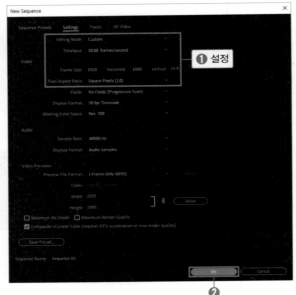

• [Editing Mode] : Custom
• [Timebase] : 30.00 frames/second
• [Frame Size] : 1920
• [horizontal] : 1080
• [Pixel Aspect Ratio] : Square Pixels (1.0)

TIP
유튜브에서 가장 많이 사용하는 영상 크기와 프레임으로 설정했습니다.

3 제공된 배경음악을 불러오기 위해서 [File] > [Import]([Ctrl]+[I]) 메뉴를 클릭하고, [Import] 대화상자가 열리면 'BGM car.wav' 파일을 선택하고 [열기] 버튼을 클릭합니다. [Project] 패널의 'BGM car.wav' 오디오 클립을 [Timeline] 패널 [A2] 트랙의 시작점으로 드래그하여 배경음악을 넣은 후 [Space Bar]를 눌러 삽입된 배경음악을 확인합니다.

TIP

오디오 클립을 [Timeline] 패널 [A1] 트랙에 넣지 않고 [A2] 트랙에 넣는 이유는 불러올 영상에도 오디오가 포함된 경우, 겹쳐서 배경음악이 지워질 수 있으므로 영상의 오디오가 들어올 자리를 미리 확보하기 위함입니다.

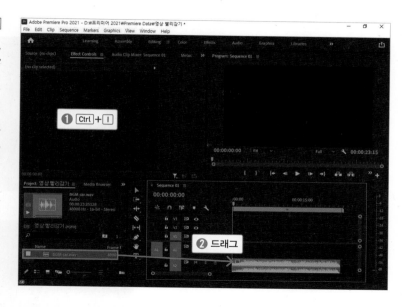

4 제공된 영상을 불러오기 위해서 [File] > [Import]([Ctrl]+[I]) 메뉴를 클릭하고, [Import] 대화상자가 열리면 '01.mp4' 파일을 선택하고 [열기] 버튼을 클릭합니다. [Project] 패널의 '01.mp4' 영상 클립을 [V1] 트랙의 시작점으로 드래그하여 배치하고, 영상을 확인합니다.

TIP

미리 불러온 배경음악과 영상의 오디오가 겹치지 않도록 주의합니다.

5 영상이 실제 속도는 배경음악과 비교할 때 느려서 영상에 빨리감기 효과를 적용하도록 하겠습니다. [Timeline] 패널에서 '01.mp4' 영상 클립을 마우스 오른쪽 버튼으로 클릭한 후 [Speed/Duration]을 선택합니다.

TIP

클립을 선택하고 [Clip] > [Speed/Duration]([Ctrl]+[R]) 메뉴를 클릭해도 됩니다.

6 [Clip Speed/Duration] 대화상자가 열리면 [Speed]를 '180'으로 설정하고, [OK] 버튼을 클릭합니다.

7 [Space Bar]를 눌러 영상을 확인하면 '01.mp4' 영상 클립의 재생 속도가 빨라지고, 대신 재생 길이는 짧아졌음을 확인할 수 있습니다.

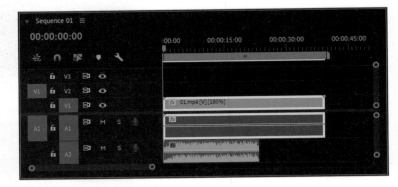

8 '01.mp4' 영상 클립의 후반부를 더 빠르게 하도록 클립을 2개로 분리한 후 각각 다른 재생 속도로 설정하겠습니다. [Current Time Indicator]를 00:00:06:25 위치로 옮긴 후 [Tools] 패널의 [Razor Tool](🔪)로 [Current Time Indicator]가 위치한 지점을 클릭하여 클립을 자릅니다.

9 [Selection Tool]( )로 잘린 뒷부분 영
상 클립을 선택해서 다시 [Clip Speed/Du-
ration] 대화상자를 열고, [Speed]를 '850'
으로 설정한 후 [OK] 버튼을 클릭합니다.
Space Bar 를 눌러 영상을 확인하면 영상 클립
의 재생 속도가 매우 빨라지고, 클립의 길이는
상당히 줄어들었음을 확인할 수 있습니다.

TIP
재생 속도가 빨라질수록 클립의 길이는 줄어듭니다.

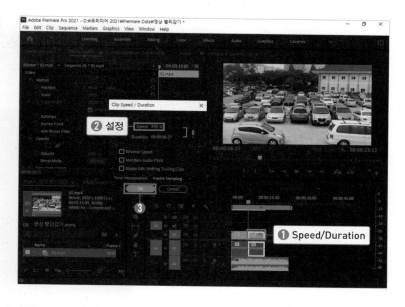

10 이제 다음 영상 클립을 넣고 재생 속도
조절을 해보겠습니다. [Import] 대화상자에
서 '02.mp4' 파일을 불러와 [V1] 트랙의 뒷부
분에 붙여넣은 후 위와 같은 방법으로 [Clip
Speed/Duration] 대화상자의 [Speed]를
'900'으로 설정하고 [OK] 버튼을 클릭합니다.
재생 속도가 점점 빨라지는 것을 확인할 수
있습니다. 계속해서 '03.mp4' 영상 클립을 불
러와 [V1] 트랙에 드래그하여 붙여넣고, [Clip
Speed/Duration] 대화상자에서 [Speed]를
'200'으로 설정한 후 [OK] 버튼을 클릭합니다.

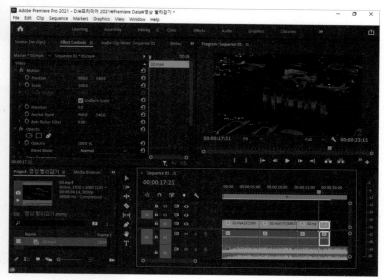

11 마지막으로 [Import] 대화상자에서 '04.
mp4' 파일을 불러와 [V1] 트랙의 뒷부분에 붙
여넣은 후 위와 같은 방법으로 [Clip Speed/
Duration] 대화상자의 [Speed]를 '880'으로
설정하고 [OK] 버튼을 클릭합니다. 영상의 재
생 속도를 조절하여 빨리감기 영상을 완성
했습니다. [File] > [Export] > [Media]([Ctrl]
+[M]) 메뉴를 이용하여 mp4 영상으로 만들고
확인합니다.

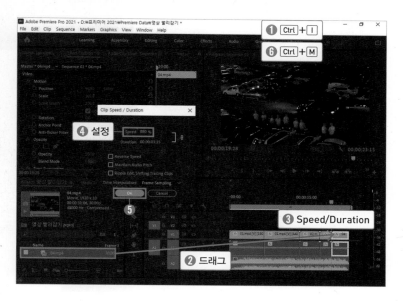

준비 파일 : Part 02 > Chapter 03 > Section 02 > 2 동영상 되감기 테크닉 폴더 파일   **완성 파일** : Part 02 > Chapter 03 > Section 02 > 동영상 되감기 테크닉 완성.mp4

1 프리미어 프로를 실행한 후 [New Project]를 실행하여 새 프로젝트를 시작합니다. [New Project] 대화상자가 열리면 [Name]에 임의의 프로젝트 이름을 입력하고, [Location] 의 [Browse] 버튼을 클릭하여 프로젝트 파일이 저장될 폴더를 선택한 후 [OK] 버튼을 클릭합니다.

TIP
• 프리미어 프로의 시작 화면은 프로그램의 버전 및 개인 설정에 따라 다를 수 있습니다.
• [Edit] > [Preferences] > [General]의 [When Opening a Project] 옵션으로 화면 설정을 바꿀 수 있습니다. [시작] 화면에서 [New Project]를 클릭하거나 상단의 [File] > [New] > [Project] 메뉴를 클릭하여 새 프로젝트를 시작할 수 있습니다.

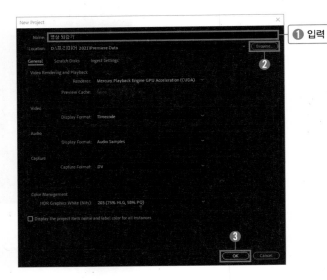

2 기본 작업 화면이 열리면 새 시퀀스를 만들지 않았기 때문에 [Timeline] 패널이 비활성화되어 있습니다. 새 시퀀스를 따로 만들지 않고 클립을 이용하여 쉽게 시퀀스를 만들어 보겠습니다. 먼저 제공된 영상을 불러오기 위해서 [File] > [Import]([Ctrl]+[I]) 메뉴를 클릭하고, [Import] 대화상자가 열리면 'Reverse.mp4' 파일을 선택하고 [열기] 버튼을 클릭합니다.

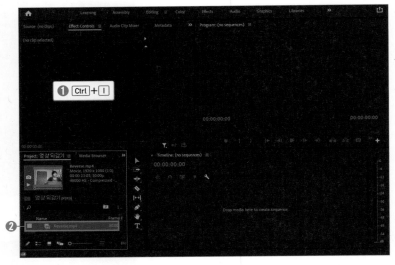

3 [Project] 패널에서 'Reverse.mp4' 영상 클립을 마우스 오른쪽 버튼으로 클릭하여 [New Sequence From Clip]을 선택하면 새 시퀀스가 자동으로 만들어지고, [V1], [A1] 트랙에 클립이 들어갑니다. 재생하여 영상을 확인합니다.

TIP
복잡한 설정 없이 영상 소스 규격대로 새 시퀀스를 설정하여 만드는 방법입니다.

4 클립을 하나 더 복사하여 되감기 효과를 적용해 보겠습니다. [Current Time Indicator]를 클립의 [Out 점]으로 옮긴 후 클립을 선택하고, Ctrl+C, Ctrl+V를 눌러 영상을 복사합니다.

TIP

[Current Time Indicator]를 기준으로 새 영상이 복사되기 때문에 [Current Time Indicator]의 위치에 주의합니다.

5 복사된 'Reverse.mp4' 영상 클립을 선택하고, [Clip] > [Speed/Duration](Ctrl+R) 메뉴를 클릭한 후 [Clip Speed/Duration] 대화상자가 열리면 [Reverse Speed]를 체크하고, [Speed]에 '200'을 설정한 후 [OK] 버튼을 클릭합니다. Space Bar 를 눌러 영상을 확인합니다.

TIP

되감게 된 클립에는 이름 옆에 마이너스 값의 퍼센트(−100%)가 표시됩니다. 퍼센트 값에 따라서 되감기 속도가 느린지 빠른지 확인할 수 있습니다.

6 되감게 된 'Reverse.mp4' 영상 클립을 여러 개로 분리하여 재생 속도를 다르게 설정해 보겠습니다. [Current Time Indicator]를 00:00:24:21 위치로 옮긴 후 [Tools] 패널의 [Razor Tool](🔪)로 [Current Time Indicator]가 위치한 지점을 클릭하여 클립을 자릅니다. 잘린 뒷부분 클립을 선택하고, [Clip Speed/Duration] 대화상자를 열어 [Speed]를 '300'으로 설정한 후 [OK] 버튼을 클릭하여 되감기 재생 속도를 더욱 빠르게 설정합니다.

7 [Current Time Indicator]를 00:00:26:28
위치로 옮긴 후 [Razor Tool](✂)로 [Current
Time Indicator]가 위치한 지점을 클릭하여
클립을 다시 한번 더 자릅니다. 잘린 뒷부분
클립을 선택하고, [Clip Speed/Duration] 대
화상자를 열어 [Speed]를 '350'으로 설정한
후 [OK] 버튼을 클릭하여 되감기 재생 속도를
더욱 빠르게 설정합니다.

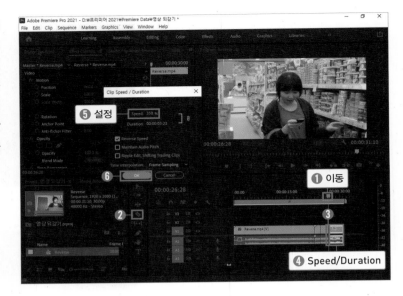

8 [Current Time Indicator]를 00:00:28:18
위치로 옮겨 클립을 마지막으로 자른 후 [Clip
Speed/Duration] 대화상자를 열어 [Speed]
를 '450'으로 설정한 후 [OK] 버튼을 클릭합니
다. Space Bar 를 눌러 영상을 확인합니다.

9 마지막으로 [Import] 대화상자를 열고,
'되감는 소리.wav' 파일을 불러온 후 되감기
가 시작되는 지점 00:00:23:04의 [A2] 트랙으
로 드래그하여 효과음을 삽입하고, 영상을 마
무리합니다. Space Bar 를 눌러 '되감기' 영상
을 확인합니다. 영상의 재생 속도를 반대로 조
절하여 되감기 영상을 완성했습니다. [File] >
[Export] > [Media](Ctrl +M) 메뉴를 이용하
여 mp4 영상으로 만들고 확인합니다.

03 SECTION

내레이션 영상 추가 및 4분할 영상 만들기

핵심 내용

영상 편집 실무에서 화면 안에 다른 화면을 넣어 편집하는 PIP(Picture in picture) 기능과 이를 활용하는 테크닉은 반드시 알아야 할 기법입니다. 예를 들어, 게임을 비롯하여, 교육 영상, 스포츠 영상에는 내레이션을 추가하여 영상의 해설이나 반응을 보여주는 장면 등을 추가하여 분할 영상으로 편집하게 됩니다. 특히, 교육 영상에서는 해설을 반드시 넣어야 하므로 Track Matte와 자르기 등의 기능을 배우면 다양한 응용이 가능할 것입니다.

핵심 기능

Ellipse, Track Matte, Mask

STORYBOARD 01

창의 특별강의 프레젠테이션 영상 중 일부분

 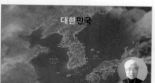  

STORYBOARD 02

신세계백화점 홍보영상 공모전 '베스트 추천상' 수상 작품 중 일부분

준비 파일 : Part 02 > Chapter 03 > Section 03 폴더 파일　완성 파일 : Part 02 > Chapter 03 > Section 03 > 내레이션 영상 추가 완성.mp4

1 프리미어 프로를 실행한 후 [New Proj-ect]를 실행하여 새 프로젝트를 시작합니다. [New Project] 대화상자가 열리면 [Name]에 임의의 프로젝트 이름을 입력하고, [Location]의 [Browse] 버튼을 클릭하여 프로젝트 파일이 저장될 폴더를 선택한 후 [OK] 버튼을 클릭합니다.

TIP

• 프리미어 프로의 시작 화면은 프로그램의 버전 및 개인 설정에 따라 다를 수 있습니다.
• [Edit] > [Preferences] > [General]의 [When Open-ing a Project] 옵션으로 화면 설정을 바꿀 수 있습니다. [시작] 화면에서 [New Project]를 클릭하거나 상단의 [File] > [New] > [Project] 메뉴를 클릭하여 새 프로젝트를 시작할 수 있습니다.

2 새 프로젝트 이름으로 프리미어 프로의 기본 작업 화면이 열립니다. 이제 영상 편집을 시작하기 위해서는 새 시퀀스(Sequence)를 만들어야 합니다. 새 시퀀스를 복잡한 설정 없이 제공된 동영상 소스를 이용하여 만들어 보겠습니다. 먼저 동영상 소스를 불러오기 위해서 [File] > [Import](Ctrl+I) 메뉴를 클릭합니다.

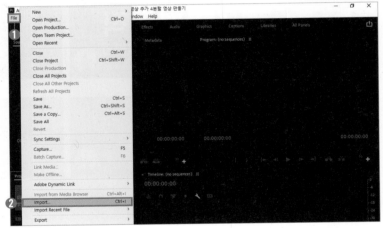

TIP

프리미어 프로에서 풀다운 메뉴를 이용하는 대신 [Project] 패널의 비어있는 공간을 더블클릭하거나 단축키 Ctrl+I를 눌러 더욱 쉽게 소스를 불러올 수 있습니다.

3 [Import] 대화상자가 열리면 제공된 '교육, 내레이션.mp4' 파일을 선택하고 [열기] 버튼을 클릭합니다. 제공된 동영상 소스는 강의 프레젠테이션 영상입니다. 제공된 '교육' 동영상 소스에 '내레이션' 동영상 소스를 추가하여 효과적인 프레젠테이션 영상을 직접 같이 제작해 보겠습니다.

4 [Project] 패널에 '교육.mp4', '내레이션.mp4' 영상 클립이 들어온 것을 확인합니다. 영상 소스를 불러왔지만 새 시퀀스를 만들지 않았기 때문에 [Timeline] 패널이 비활성화되어 있습니다. [Project] 패널에서 '교육.mp4' 영상 클립을 마우스 오른쪽 버튼으로 클릭하여 [New Sequence From Clip]을 선택합니다.

TIP
[New Sequence From Clip]은 복잡한 시퀀스 설정 없이 동영상의 크기, 프레임 설정에 따라 자동으로 새 시퀀스를 만드는 기능입니다.

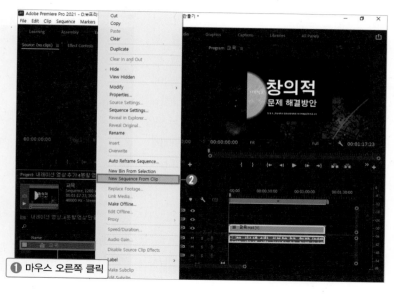

5 다음으로 추가할 내레이션 영상을 편집하겠습니다. [Project] 패널의 '내레이션.mp4' 영상 클립을 [Timeline] 패널의 [V2] 트랙의 시작점에 다음과 같이 드래그합니다. 이제 [V1] 트랙의 영상은 가려져 보이지 않게 됩니다. '내레이션.mp4' 영상 클립을 편집하여 오른쪽 아래에 배치해 보겠습니다.

TIP
편집된 영상의 음성이 [A1], [A2] 트랙에 동시에 있으므로 오디오가 겹쳐서 들립니다. 나중에 하나를 소거하여 하나의 트랙에 있는 내레이션만 사용하겠습니다.

6 [V2] 트랙의 '내레이션' 영상 클립 뒤쪽에 불필요한 부분이 있으므로 내레이션 클립의 [Out 점]을 '교육' 영상 클립의 [Out 점]과 같은 시간대로 맞춥니다.

TIP
영상 클립을 확인하고 앞쪽과 뒤쪽을 적절하게 편집하여 길이를 맞춰도 됩니다.

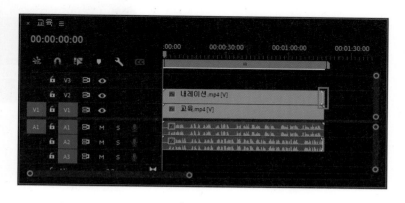

7 내레이션 영상에서 필요한 인물 부분만 원형으로 보이고 나머지 배경 부분은 필요 없으므로 투명하게 만들어야 합니다. 먼저 필요한 부분만 표시하기 위해서 [Tools] 패널에서 [Ellipse Tool](⬭)을 선택하고 [Program Monitor] 패널의 화면에 Shift 를 누른 채 원을 그립니다. [Timeline] 패널의 [V3] 트랙에 'Graphic' 클립이 만들어졌음을 확인합니다.

TIP
- 사각형 박스 형태로 인물 부분을 보이게 하려면 [Rectangle Tool]을 이용하여 도형을 그립니다.
- Shift 를 누른 채 도형을 그리면 가로, 세로 비율이 1:1인 정사이즈 크기로 만들 수 있습니다.
- 원의 위치와 크기는 적당히 설정한 후 나중에 정확하게 수정해도 됩니다.

8 [Timeline] 패널에서 'Graphic' 클립의 길이를 아래 영상 클립의 길이와 같도록 늘립니다.

TIP
교육 영상 클립이 재생되는 동안 내레이션도 같이 나와야 하므로 같은 길이로 설정했습니다. 각자 내레이션을 넣고자 하는 길이에 따라서 다르게 설정해도 됩니다.

9 이제 배경을 투명하게 만드는 효과를 적용해야 합니다. [Effects] 패널에서 [Video Effects] > [Keying] > [Track Matte Key]를 찾습니다.

TIP
[Track Matte Key]는 클립의 특정한 부분을 투명하게 만들어 아래 트랙에 있는 클립과 합성할 수 있도록 만드는 효과입니다.

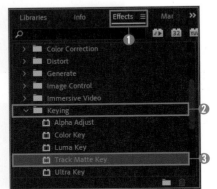

10 [Effects] 패널의 [Track Matte Key]를 [Timeline] 패널의 '내레이션.mp4' 영상 클립에 드래그하여 적용하고, [Effect Controls] 패널에서 [Track Matte Key]를 확인합니다.

TIP
내레이션 영상의 일부분만 보이게 효과를 적용해야 하므로 'Graphic' 클립이 아니라 '내레이션.mp4' 영상 클립에 효과를 적용하면 됩니다.

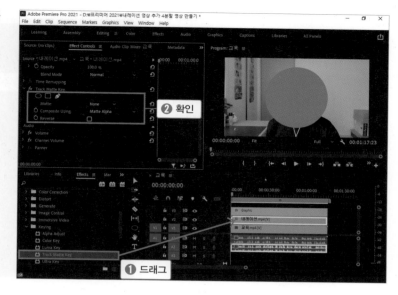

11 [Track Matte Key]의 옵션에서 [Matte]의 'None'을 클릭하여 'Graphic' 클립이 있는 트랙인 'Video 3'으로 설정합니다.

12 [Track Matte Key]의 옵션을 올바르게 설정했다면 다음과 같이 '내레이션.mp4' 영상 클립에서 원형으로 인물 부분만 표시되고 배경은 투명해져서 배경에 있는 영상 클립이 표시됩니다.

13 이제 원의 위치와 크기를 조정하여 인물이 보이는 부분을 수정해 보겠습니다. [Timeline] 패널에서 'Graphic' 클립을 선택하고 [Effect Controls] 패널에서 [Vector Motion] > [Position]과 [Scale]의 값을 수정하여 다음과 같이 원의 위치와 크기를 적절하게 맞춥니다.

14 다음으로 내레이션 영상의 크기와 위치를 조정하여 오른쪽 아래에 배치해 보겠습니다. [Timeline] 패널에서 '내레이션.mp4' 영상 클립을 선택하고 [Effect Controls] 패널에서 [Motion] > [Position]과 [Scale]의 값을 조절하여 다음과 같이 오른쪽 아래에 배치합니다.

TIP
'내레이션.mp4' 영상 클립을 수정하면 'Graphic' 클립도 같이 크기와 위치가 수정됩니다. 이는 트랙 매트 효과로 연결되어 있기 때문입니다.

15 다음과 같이 교육용 배경 영상에 내레이션 영상을 추가하여 편집했습니다. Space Bar 를 눌러 편집된 영상을 확인합니다. 편집된 영상을 확인하면 오디오가 겹쳐 재생되는 것을 확인할 수 있습니다. 다음에서는 오디오를 하나만 남기는 편집을 해보겠습니다.

16 오디오 채널 중 필요한 오디오만 남기고 나머지는 음소거를 시키기 위해서 [A1] 트랙의 [Mute Track]을 클릭하여 [Mute] 기능을 활성화합니다.

TIP
오디오 트랙의 [Mute Track]을 활성화하면 해당 트랙에 있는 모든 오디오는 소리가 들리지 않게 됩니다.

17 내레이션 영상 추가의 편집이 모두 마무리되었습니다. [File] > [Export] > [Media]([Ctrl]+[M]) 메뉴를 이용하여 mp4 영상으로 만들고 확인합니다.

TIP
프리미어 프로의 마스크
마스크를 사용하면 클립에서 특정 영역만 선택하여 흐리게 하거나, 덮어서 가리거나, 강조 표시거나, 효과를 적용하거나, 색상을 교정할 수 있습니다. 특히, 2개 이상의 영상을 합성하거나 특정 영역에 모자이크 효과를 주는 등의 자주 사용하는 영상 편집의 기본 기능은 마스크 없이는 만들기 힘듭니다. 마스크는 타원이나 사각형 등 다양한 모양으로 만들고 수정할 수 있습니다. 더욱 복잡한 모양의 마스크를 만들고 싶으면 [Pen Tool]을 사용하여 자유형 베지어 모양을 그릴 수 있고, 수정도 얼마든지 가능합니다. 일러스트레이터를 다룰 수 있는 사용자라면 곡선을 만들고 수정하는 방법이 같이 때문에 작업 효율을 극대화할 수 있습니다.

준비 파일 : Part 02 > Chapter 03 > Section 03 폴더 파일   완성 파일 : Part 02 > Chapter 03 > Section 03 > 4분할 영상 만들기 완성.mp4

1 다음으로 4분할 영상을 만들어 보겠습니다. 새로 프로젝트를 시작해야 하므로 [New Project]를 실행하여 [New Project] 대화상자가 열리면 [Name]에 임의의 프로젝트 이름을 입력하고, [Location]의 [Browse] 버튼을 클릭하여 프로젝트 파일이 저장될 폴더를 선택한 후 [OK] 버튼을 클릭합니다.

TIP

· 기존 작업 중인 프로젝트는 [File] > [Save] 메뉴로 저장한 후 [File] > [Close All Projects] 메뉴를 이용하여 닫고, 새 프로젝트를 시작하는 것이 좋습니다.
· [Name]에 반드시 프로젝트 이름을 알기 쉽게 입력하여 파일 관리 및 수정이 필요할 때 빠르게 찾을 수 있도록 합니다.
· [Location] 설정을 통해 반드시 작업 폴더를 지정하여 새 프로젝트를 시작하는 것이 좋습니다.

2 새 프로젝트 이름으로 프리미어 프로의 기본 작업 화면이 열립니다. 새 시퀀스를 복잡한 설정 없이 제공된 동영상 소스로 만들기 위해서 먼저 동영상 소스를 불러옵니다. [File] > [Import]([Ctrl]+[I]) 메뉴를 클릭하여 [Import] 대화상자가 열리면 '딸, 아들, 아빠, 엄마.mp4' 파일을 함께 선택하고 [열기] 버튼을 클릭합니다.

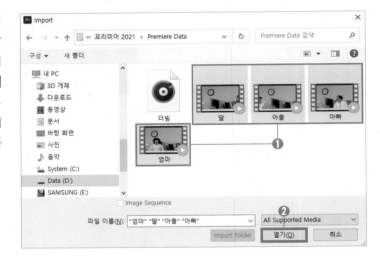

3 [Project] 패널에 영상 클립 4개가 들어온 것을 확인합니다. 이제 새 시퀀스를 동영상 소스로 만들기 위해서 [Project] 패널에서 '딸.mp4' 영상 클립을 마우스 오른쪽 버튼으로 클릭하여 [New Sequence From Clip]을 선택합니다.

TIP

· 클립(Clip) : 영상 편집을 위해 [Project] 패널에 불러온 이미지, 영상, 오디오 파일 등을 지칭합니다.
· [Project] 패널에서 클립 보기 방식은 '목록(List)'과 '아이콘(Icon)' 두 가지입니다. 현재는 리스트 방식이며 만일 아이콘 방식으로 보고 싶다면, [Project] 패널의 왼쪽 아래 끝 [Icon View]를 클릭하면 됩니다.

4 새 시퀀스가 자동으로 만들어지고 [V1], [A1] 트랙에 클립이 들어갑니다. 이어서 [Project] 패널의 '아빠.mp4' 영상 클립을 [Timeline] 패널 [V2], [A2] 트랙에, '엄마.mp4' 영상 클립을 [V3], [A3], '아들.mp4' 영상 클립을 [V4], [A4] 트랙에 각각 다음과 같이 배치합니다.

TIP
클립을 다음과 같은 순서대로 배치해야 합니다. 클립이 배치된 순서에 따라 결과물이 다르게 나올 수 있으므로 주의합니다.

5 [Timeline] 패널을 확인하면 다음과 같은 순서대로 클립이 배치되어 있고, 각각의 오디오 트랙도 순서대로 배치되어 있음을 확인합니다. 이 클립들에서는 오디오는 사용하지 않으므로 모든 오디오 트랙의 [Mute Track]을 클릭하여 [Mute]를 활성화합니다.

TIP
[Mute Track]을 클릭하여 [Mute]를 활성화하면 모든 음이 소거되어 아무 소리도 재생되지 않습니다.

6 이제 화면 분할을 위해서 영상 일부분을 가리는 마스크 기능을 적용해 보겠습니다. [Timeline] 패널의 '아들.mp4' 영상 클립을 선택하고, [Effect Controls] 패널에서 [Opacity] > [Create 4-point polygon mask](■)를 클릭하여 마스크를 만듭니다. 다음과 같이 사각형 박스 모양의 마스크가 만들어졌음을 확인합니다.

7 [Selection Tool](▶)로 [Program Monitor] 패널의 사각형 마스크 내부를 드래그하여 위치를 옮기고, 모서리의 점을 조절하여 다음과 같이 인물만 선택하여 아들과 엄마가 동시에 등장하는 화면 분할을 만듭니다.

TIP

마스크의 모서리 점 2개를 드래그하여 함께 선택하고 이동하면서 Shift를 누르면 정확한 수평 또는. 수직 방향으로 움직일 수 있습니다.

8 화면을 보면 시계 부분이 조금 잘려있기 때문에 도형의 모양을 편집하여 이를 수정해 보겠습니다. [Pen Tool](✐)로 선을 클릭하여 점을 추가하고 다음과 같이 모양을 수정하여 시계가 온전히 보이도록 합니다.

TIP

마스크 도형의 모양은 [Pen Tool]로 편집이 가능하며, 일러스트의 [Pen Tool] 사용법과 같습니다.

9 마스크의 경계 부분을 조절하여 화면 분할을 자연스럽게 만들기 위해서 [Effect Controls] 패널에서 [Mask(1)] > [Mask Feather]의 값을 '20'으로 설정합니다.

TIP

• [Mask Feather]의 값이 '0'일 경우. 경계 부분이 선명하게 분리되고, 값이 올라갈수록 경계 부분이 부드럽게 섞여 자연스럽게 분리됩니다. 필요에 따라 이 값을 조절하여 좋은 마스크 합성을 만들 수 있습니다.

• [Program Monitor] 패널에서 사각형 마스크가 사라져 보이지 않을 경우. [Effect Controls] 패널에서 [Mask(1)]을 선택하면 됩니다.

10 같은 방법으로 '엄마.mp4' 영상 클립에 마스크로 화면 분할을 적용해 보겠습니다. 앞선 따라하기와 같이 [Timeline] 패널의 '엄마.mp4' 영상 클립에 [Create 4-point polygon mask](■)를 클릭하여 마스크를 적용하고, 모양과 [Mask Feather]를 조절하여 화면 분할을 합니다.

11 '엄마.mp4' 영상 클립에 다음과 같은 마스크를 적용하여 아들과 엄마, 아빠가 각각 등장하도록 화면 분할을 했습니다.

12 역시 같은 방법으로 '아빠.mp4' 영상 클립에 마스크로 화면 분할을 적용해 보겠습니다. [Timeline] 패널의 '아빠.mp4' 영상 클립에 [Create 4-point polygon mask](■)를 클릭하여 마스크를 적용하고, 모양과 [Mask Feather]를 조절하여 화면 분할을 합니다.

13 이제 화면 분할이 모두 적용되어 4분할 영
상을 만들었습니다. 다음과 같이 한 화면에 아
들과 엄마, 아빠, 딸이 동시에 등장하는지 확
인합니다.

14 마지막으로 더빙 파일을 넣어서 마무리하
겠습니다. 현재 오디오 트랙이 모두 채워져 있
으므로 새 오디오 트랙을 추가하여 더빙 클립
을 넣기 위해서 [Sequence] > [Add Tracks]
메뉴를 클릭합니다.

TIP
[Add Tracks] 기능으로 새 비디오와 오디오 트랙을 추가
할 수 있습니다.

15 [Add Tracks] 대화상자가 열리면 오디오
트랙만 추가하기 위해서 [Audio Tracks] >
[Add]의 '1'을 확인하고 [OK] 버튼을 클릭합
니다.

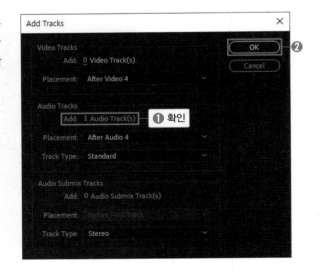

16 [Timeline] 패널에 [A5] 트랙이 새로 만들어졌음을 확인합니다.

17 제공된 더빙 파일 불러오기 위해서 [File] > [Import]([Ctrl]+[I]) 메뉴를 클릭하고, [Import] 대화상자가 열리면 '더빙.mp3' 파일을 선택하고 [열기] 버튼을 클릭합니다. [Project] 패널의 '더빙.mp3' 오디오 클립을 [Timeline] 패널 [A5] 트랙의 시작점으로 드래그하여 넣은 후 [Space Bar]를 눌러 삽입된 더빙을 확인합니다. 4개의 영상을 마스크로 나누어 4분할 영상을 완성했습니다.

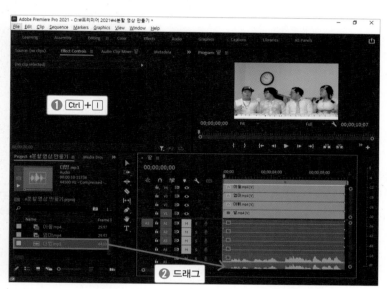

18 더빙을 추가하여 4분할 영상의 편집이 모두 마무리되었습니다. [File] > [Export] > [Media]([Ctrl]+[M]) 메뉴를 이용하여 mp4 영상으로 만들고 확인합니다.

사운드 비트에 영상 컷 편집하기

핵심 내용

영상 실무에서 사운드가 차지하는 비중은 얼마나 될까요? 상황에 따라 다르겠지만, 뮤직비디오는 물론이고 영화, 드라마, 뉴스 오프닝 등에서 대부분 사운드를 중심으로 영상 편집이 이루어집니다. 그런데도 사운드가 없는 예제를 실습한다면, 그건 실무라고 보기 어렵습니다. 사운드가 없는 영상은 세상에 존재하지 않기 때문입니다. '강남스타일' 같은 히트곡도 사운드의 비트(Beat)에 맞춘 영상 편집입니다. 따라서 본 예제에서는 비트에 맞춘 이미지 편집, 비트에 맞춘 영상 편집 실무를 배워보겠습니다.

핵심 기능

Still Image Default Duration

STORYBOARD 01

제1회 전국 나비희망 UCC 공모전 '대상' 수상 작품 중 일부분

Sound Beat + Image Duration - ▶

  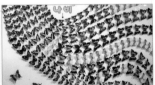 

- ▶

STORYBOARD 02

제25회 정보문화의달 Clean IT 공모전 '행정안전부장관상' 수상 작품 중 일부분

Sound Beat + Image Duration - ▶

- ▶

01 BGM 비트 중심의 이미지 편집 테크닉 Still Image Default Duration

준비 파일 : Part 02 > Chapter 03 > Section 04 > 1 이미지 소스 폴더 파일
완성 파일 : Part 02 > Chapter 03 > Section 04 > 1 이미지 소스 > 비트 중심의 사진 편집 테크닉 완성.mp4

1 프리미어 프로를 실행한 후 [New Project]를 실행하여 새 프로젝트를 시작합니다. [New Project] 대화상자가 열리면 [Name]에 임의의 프로젝트 이름을 입력하고, [Location]의 [Browse] 버튼을 클릭하여 프로젝트 파일이 저장될 폴더를 선택한 후 [OK] 버튼을 클릭합니다.

TIP
• 프리미어 프로의 시작 화면은 프로그램의 버전 및 개인 설정에 따라 다를 수 있습니다.
• [Edit] > [Preferences] > [General]의 [When Opening a Project] 옵션으로 화면 설정을 바꿀 수 있습니다. [시작] 화면에서 [New Project]를 클릭하거나 상단의 [File] > [New] > [Project] 메뉴를 클릭하여 새 프로젝트를 시작할 수 있습니다.

2 기본 작업 화면이 열리면 새 시퀀스를 만들기 위해서 [File] > [New] > [Sequence] (Ctrl+N) 메뉴를 클릭하고, [New Sequence] 대화상자가 열리면 다음과 같이 설정한 후 [OK] 버튼을 클릭합니다.

• [Editing Mode] : Custom
• [Timebase] : 30.00 frames/second
• [Frame Size] : 1920
• [horizontal] : 1080
• [Pixel Aspect Ratio] : Square Pixels (1.0)

TIP
유튜브에서 가장 많이 사용하는 영상 크기와 프레임으로 설정했습니다.

3 사진 소스를 편집하기 전에 미리 사진 소스에 대한 기본 재생 길이를 재설정해놓으면 편리합니다. [Edit] > [Preferences] > [Timeline] 메뉴를 클릭하고, [Preferences] 대화상자가 열리면 [Still Image Default Duration]을 '45 Frames'로 설정하고, [OK] 버튼을 클릭합니다.

TIP
· [Still Image Default Duration] 옵션이 있는 위치는 프로그램의 버전에 따라 다를 수 있습니다.
· 현재 시퀀스 설정이 1초당 30 Frames이므로 이미지 클립의 재생 길이를 45 Frames로 설정하면 이미지 한 장당 1.5초의 길이라는 뜻입니다. 이렇게 설정한 이유는 이번 BGM의 비트와 이미지 재생 길이의 평균값 정도를 비슷하게 맞추어 작업하기 편리하게 하기 위함입니다.

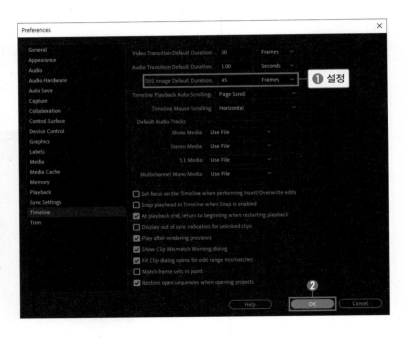

4 우선 배경음악(BGM)을 불러와 배치하겠습니다. 제공된 배경음악을 불러오기 위해서 [File] > [Import](Ctrl+I) 메뉴를 클릭하고, [Import] 대화상자가 열리면 'BGM.mp3' 파일을 선택하고 [열기] 버튼을 클릭합니다.

5 [Project] 패널의 'BGM.wav' 오디오 클립을 [Timeline] 패널 [A1] 트랙의 시작점으로 드래그하여 배경음악을 넣은 후 Space Bar 를 눌러 배경음악의 흐름과 비트를 확인합니다.

TIP
배경음악을 확인해보면, 비트 속도가 점진적으로 빨라지는 '3단계'의 구성임을 알 수 있습니다. 이러한 비트에 따라 이미지가 바뀌는 편집 테크닉을 이용할 것입니다.

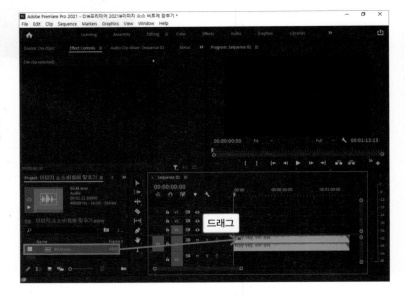

6 [Timeline] 패널의 [A1] 트랙에서 Shift 를 누른 채 마우스 휠을 위쪽으로 드래그하여 트랙의 상하 크기를 키우고, + 를 눌러 [Time-line] 패널의 좌우 크기를 확대하면 배경음악의 파형을 자세하게 확인할 수 있습니다. 다음과 같이 일정한 비트의 파형을 볼 수 있습니다.

7 이제 배경음악의 비트에 맞춰 이미지를 편집해 보겠습니다. 이미지 파일이 많으므로 먼저 16개의 파일을 불러와 편집해 보겠습니다. [Import] 대화상자를 열어 'Title 01.jpg'와 '01~15.jpg'까지 이미지 파일 16개 파일을 선택하고 [열기] 버튼을 클릭하여 이미지 소스를 불러옵니다.

TIP

배경음악의 3단계 중 1단계가 16개의 비트로 이루어져 있으므로 16개의 이미지를 불러와 편집할 것입니다.

8 타이틀을 먼저 넣기 위해서 [Project] 패널의 'Title 01.jpg' 이미지 클립을 [Timeline] 패널 [V1] 트랙의 시작점에 드래그합니다.

TIP

이미지 클립의 재생 길이는 [Preferences] 대화상자의 [Still Image Default Duration]에서 설정한 1.5초(45 frame)로 자동 설정되어 트랙에 들어옵니다.

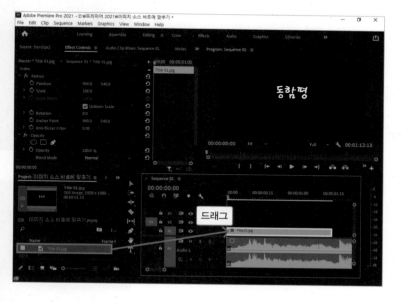

9 배경음악의 첫 번째 비트가 바뀌는 지점 00:00:01:18로 [Current Time Indicator]를 옮긴 후 'Title 01.jpg' 이미지 클립의 [Out 점]을 드래그하여 [Current Time Indicator]에 맞춥니다.

TIP
위에서 제시한 위치보다는 직접 음악의 비트를 듣고 적당한 편집점을 찾아 편집해 보는 것이 좋습니다.

10 이제 클립들을 하나씩 차례로 편집해 넣어보겠습니다. [Project] 패널에서 '01.jpg' 이미지 클립을 [V1] 트랙의 [Current Time Indicator] 뒤에 붙여넣습니다.

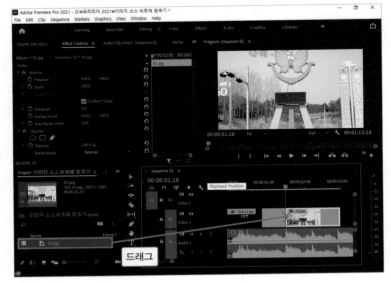

11 배경음악의 두 번째 비트가 바뀌는 지점 00:00:03:01로 [Current Time Indicator]를 옮긴 후 '01.jpg' 이미지 클립의 [Out 점]을 드래그하여 [Current Time Indicator]에 맞춥니다.

12 다음으로 '02.jpg' 이미지 클립을 '01.jpg' 이미지 클립의 뒤쪽으로 붙여넣은 후 세 번째 비트가 시작되는 지점 00:00:04:14로 [Current Time Indicator]를 옮기고, '02.jpg' 이미지 클립의 [Out 점]을 드래그하여 [Current Time Indicator]에 맞춥니다.

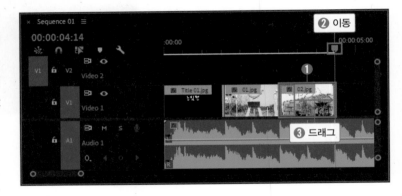

13 이어서 '03.jpg ～ 15.jpg' 이미지 클립을 비트가 바뀌는 지점에 차례대로 편집하여 사운드 비트의 1단계 영상을 편집합니다. [Space Bar]를 눌러 사운드 비트에 맞춘 영상을 확인합니다.

TIP

배경음악을 들으며 비트가 바뀌는 적당한 지점을 찾고 이미지를 편집하면 됩니다. 음악의 비트에 맞춰 이미지 또는, 영상을 편집하는 기술은 실무에 자주 사용되며, 큰 효과를 낼 수 있으므로 익숙해질 수 있도록 연습합니다.

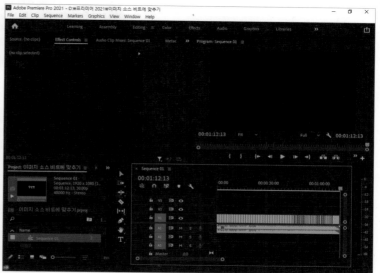

14 같은 방법으로 나머지 제공된 이미지(16～77.jpg Title02, 03.jpg)를 불러와 비트에 맞춰 각자 편집합니다.

TIP

이미지 클립과 비트의 위치를 확인하기 위해서는 'Part 02 > Chapter 03 > Section 04 > 1 이미지 소스 > 비트 중심의 사진 편집 테크닉.prproj' 파일을 참고해 주세요.

15 모든 이미지 편집이 끝나면 [File] > [Export] > [Media]([Ctrl]+[M]) 메뉴를 이용하여 mp4 영상으로 만들고 확인합니다.

준비 파일 : Part 02 > Chapter 03 > Section 04 > 2 영상 소스 폴더 파일
완성 파일 : Part 02 > Chapter 03 > Section 04 > 2 영상 소스 > 비트 중심의 동영상 편집 테크닉 완성.mp4

1 프리미어 프로를 실행한 후 [New Proj-ect]를 실행하여 새 프로젝트를 시작합니다. [New Project] 대화상자가 열리면 [Name]에 임의의 프로젝트 이름을 입력하고, [Location]의 [Browse] 버튼을 클릭하여 프로젝트 파일이 저장될 폴더를 선택한 후 [OK] 버튼을 클릭합니다.

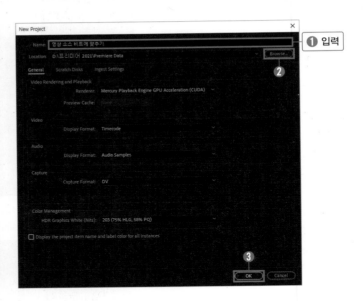

TIP

· 프리미어 프로의 시작 화면은 프로그램의 버전 및 개인 설정에 따라 다를 수 있습니다.
· [Edit] > [Preferences] > [General]의 [When Open-ing a Project] 옵션으로 화면 설정을 바꿀 수 있습니다. [시작] 화면에서 [New Project]를 클릭하거나 상단의 [File] > [New] > [Project] 메뉴를 클릭하여 새 프로젝트를 시작할 수 있습니다.

2 기본 작업 화면이 열리면 새 시퀀스를 만들기 위해서 [File] > [New] > [Sequence] (Ctrl + N) 메뉴를 클릭하고. [New Se-quence] 대화상자가 열리면 다음과 같이 설정한 후 [OK] 버튼을 클릭합니다.

· [Editing Mode] : Custom
· [Timebase] : 30.00 frames/second
· [Frame Size] : 1920
· [horizontal] : 1080
· [Pixel Aspect Ratio] : Square Pixels (1.0)

TIP

유튜브에서 가장 많이 사용하는 영상 크기와 프레임으로 설정했습니다.

3 제공된 배경음악을 불러오기 위해서 [File] > Import](Ctrl + I) 메뉴를 클릭하고, [Im-port] 대화상자가 열리면 'BGM phone' 파일을 선택하고 [열기] 버튼을 클릭합니다.

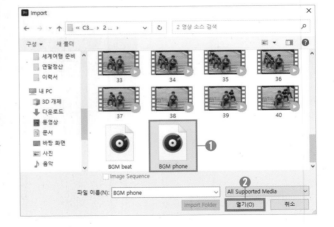

TIP

· [Project] 패널의 비어있는 공간을 더블클릭하여 [Im-port] 대화상자를 빠르게 열 수 있습니다.
· 비트가 강한 배경음악으로써 일정한 박자에 맞춰 영상을 잘라서 편집해야 합니다.

4 [Project] 패널의 'BGM phone.wav' 오디오 클립을 [Timeline] 패널 [A2] 트랙의 시작점으로 드래그하여 배경음악을 넣은 후 [Space Bar]를 눌러 삽입된 배경음악의 비트를 확인합니다.

TIP

오디오 클립을 [Timeline] 패널 [A1] 트랙에 넣지 않고 [A2] 트랙에 넣는 이유는 불러올 영상에도 오디오가 포함된 경우, 겹쳐서 배경음악이 지워질 수 있으므로 영상의 오디오가 들어올 자리를 미리 확보하기 위함입니다.

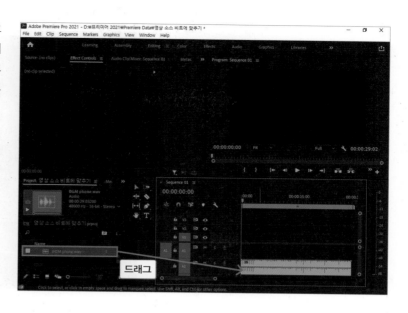

5 다음으로 제공된 동영상 소스를 불러오기 위해서 [Import] 대화상자를 열고 '01~03.mp4' 파일을 불러옵니다. 이제 불러온 동영상 소스를 배경음악의 비트에 맞춰서 편집해보겠습니다. [Project] 패널의 '01.mp4' 영상 클립을 [Timeline] 패널 [V1] 트랙의 시작점에 드래그합니다. 비트에 맞춰서 재생 길이를 맞추기 위해서 [Current Time Indicator]를 00:00:00:16으로 옮긴 후 클립의 [Out 점]을 드래그하여 [Current Time Indicator]에 맞춥니다.

TIP

영상을 불러올 때 오디오 트랙이 겹치지 않도록 주의합니다.

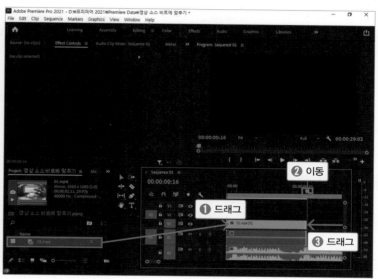

6 이어서 [Project] 패널의 '02.mp4' 영상 클립을 [V1] 트랙의 '01.mp4' 영상 클립 뒤에 붙여넣고, [Current Time Indicator]를 두 번째 비트가 시작되는 지점 00:00:01:00으로 옮긴 후 '02.mp4' 영상 클립의 [Out 점]을 드래그하여 [Current Time Indicator]에 맞춥니다.

TIP

위에서 제시한 시간 지점보다는 음악을 직접 듣고 비트가 바뀌는 지점을 찾아 영상을 편집하는 것이 좋습니다.

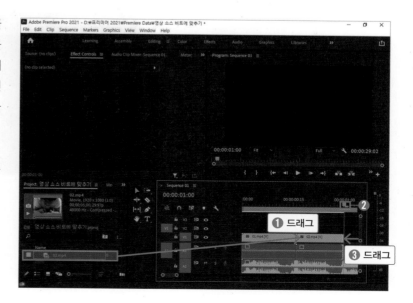

7 같은 방법으로 '03.mp4' 영상 클립을 [Project] 패널에서 [V1] 트랙의 '02.mp4' 영상 클립 뒤에 붙여넣습니다. '03.mp4' 영상 클립은 상당이 길어서 필요한 여러 장면을 잘라내고 비트에 맞춰 편집해 보겠습니다.

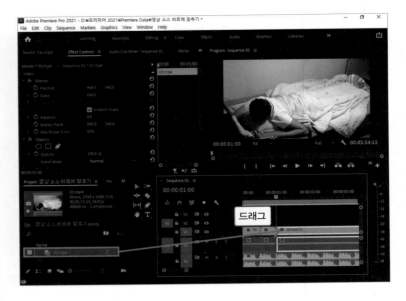

8 [Current Time Indicator]를 00:00:01:14로 옮긴 후 [Tools] 패널에서 [Razor Tool](✎)을 클릭하고, [Current Time Indicator]가 위치한 지점을 클릭하여 클립을 자릅니다.

[Current Time Indicator]를 00:00:09:00으로 옮긴 후 [Razor Tool](✎)로 [Current Time Indicator]가 위치한 지점을 클릭하여 클립을 자릅니다.

TIP
[Razor Tool]은 클립을 자르는 데 사용합니다. 기초 영상 편집에서 가장 많이 사용되는 툴로써 편집이 필요한 부분을 잘라서 이어 붙이는 작업이기 때문에 [Razor Tool]은 필수로 익혀야 할 가장 중요한 툴입니다.

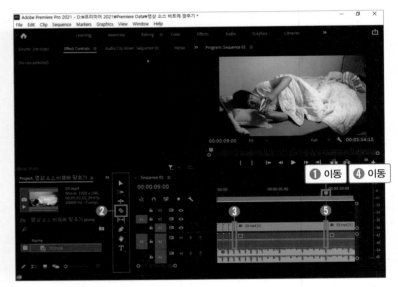

9 '03.mp4' 영상 클립이 3개로 분리되었습니다. 편집에 불필요한 중간 부분은 [Tools] 패널의 [Selection Tool](▶)로 클릭하고, Delete 를 눌러 삭제합니다.

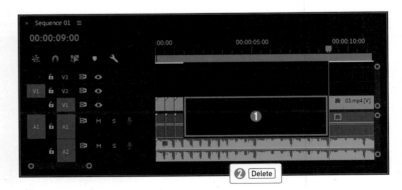

10 영상 클립에서 삭제되고 남은 빈 곳을 마우스 오른쪽 버튼으로 클릭하고 [Ripple De-lete]를 선택합니다. 빈 곳이 삭제되어 떨어져 있던 영상 클립이 자동으로 붙습니다. 위와 같은 방법으로 '03.mp4' 영상 클립에서 불필요한 장면을 삭제하고, 필요한 장면만 붙여서 편집합니다. 비트가 바뀌는 시간 지점은 배경음악을 듣고 각자 편집해보기 바랍니다.

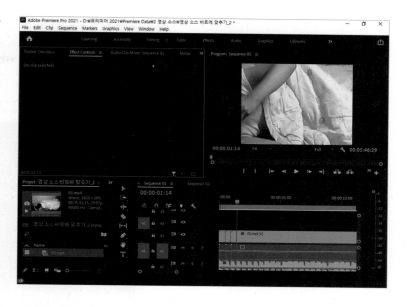

11 나머지 영상 파일(04~17.mp4)도 불러와 비트에 맞춰 편집하여 완성합니다. 편집이 끝나면 [File] > [Export] > [Media]([Ctrl]+[M]) 메뉴를 이용하여 mp4 영상으로 만들고 확인합니다.

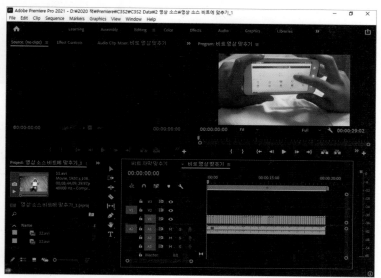

TIP

오디오 클립 파형 보기

· [Timeline] 패널에서는 오디오 클립의 볼륨. 음소거 또는 파형을 볼 수 있습니다.
· [Timeline] 패널에서 클립의 오디오 파형을 보려면 [Timeline Display Settings] > [Show Audio Waveform] 표시를 클릭합니다.
오디오 클립이 [Timeline] 패널에 있을 때 [Source Monitor] 패널에서 클립을 보려면 클립을 두 번 클릭합니다.

준비 파일 : Part 02 > Chapter 03 > Section 04 > 2 영상 소스 폴더 파일
완성 파일 : Part 02 > Chapter 03 > Section 04 > 2 영상 소스 > 비트 중심의 자막 편집 테크닉 완성.mp4

1 기존 작업하던 프로젝트에서 새 시퀀스를 만들기 위해서 [File] > [New] > [Sequence] ([Ctrl]+[N]) 메뉴를 클릭하고, [New Sequence] 대화상자가 열리면 다음과 같이 설정한 후 [OK] 버튼을 클릭합니다.

- [Editing Mode] : Custom
- [Timebase] : 30.00 frames/second
- [Frame Size] : 1920
- [horizontal] : 1080
- [Pixel Aspect Ratio] : Square Pixels (1.0)

2 제공된 배경음악을 불러오기 위해서 [File] > [Import]([Ctrl]+[I]) 메뉴를 클릭하고, [Import] 대화상자가 열리면 'BGM beat.wav' 파일을 선택하고 [열기] 버튼을 클릭합니다. [Project] 패널의 'BGM beat.wav' 오디오 클립을 [Timeline] 패널 [A2] 트랙의 시작점으로 드래그하여 배경음악을 넣은 후 [Space Bar]를 눌러 삽입된 배경음악의 비트를 확인합니다.

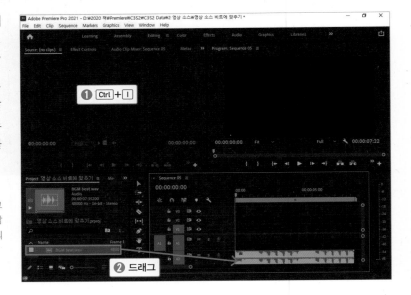

TIP
오디오 클립을 [Timeline] 패널 [A1] 트랙에 넣지 않고 [A2] 트랙에 넣는 이유는 불러올 영상에도 오디오가 포함된 경우, 겹쳐서 배경음악이 지워질 수 있으므로 영상의 오디오가 들어올 자리를 미리 확보하기 위함입니다.

3 다음으로 동영상 소스를 불러오기 위해서 [Import] 대화상자를 열고 '21~31.mp4' 파일을 한꺼번에 선택하고 [열기] 버튼을 클릭합니다. [Project] 패널에서 '21~31.mp4'까지 [Timeline] 패널의 [V1] 트랙에 하나씩 순서대로 붙여넣은 후 Space Bar 를 눌러 사운드의 비트에 맞추어 편집된 영상을 확인합니다.

TIP

반드시 하나씩 클립을 옮겨서 배치해야 합니다. 한꺼번에 드래그하여 배치할 경우, 순서가 뒤죽박죽될 수 있습니다.

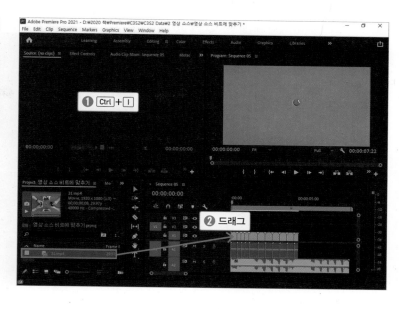

4 이제 사운드의 비트에 맞는 자막을 만들어 넣어 보겠습니다. [Current Time Indicator]를 첫 번째 손이 등장하는 지점 00:00:00:15로 옮깁니다.

5 새 자막을 만들기 위해서 [Tools] 패널에서 [Type Tool](**T**)을 클릭한 후 [Program Monitor] 패널의 화면에 '채팅중독'을 입력합니다.

6 [Effect Controls] 패널에서 [Graphics] > [Text]를 열어 확인하면 입력한 자막의 옵션을 설정할 수 있습니다. [Source Text]의 옵션에서 폰트 종류, 글자 크기, 글자 색상을 다음과 같이 적절히 설정하여 배치합니다.

TIP
• 글자의 위치는 [Program Monitor] 패널에서 [Selection Tool]로 움직여 바꿀 수 있습니다.
• 글자의 색상은 [Appearance]의 [Fill] 색상 변경을 통해 바꿀 수 있습니다.

7 자막이 영상에 맞춰서 끝나야 하므로 길이를 조절해 보겠습니다. 자막 클립의 [Out 점]을 오른쪽으로 드래그하여 '31.mp4' 영상 클립의 [Out 점]에 맞춥니다.

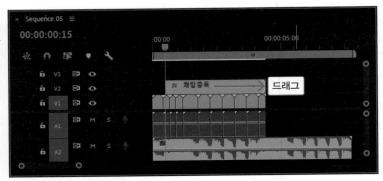

8 두 번째 자막을 편집하기 위해서 [Current Time Indicator]를 두 번째 손이 등장하는 지점 00:00:00:23로 옮긴 후 [Tools] 패널에서 [Type Tool](**T**)을 클릭하고 [Program Monitor] 패널의 화면을 클릭하여 '게임중독'을 입력합니다. [Effect Controls] 패널에서 [Graphics] > [Text]를 열어 폰트 종류, 글자크기, 글자 색상을 다음과 같이 적절히 설정하여 배치합니다.

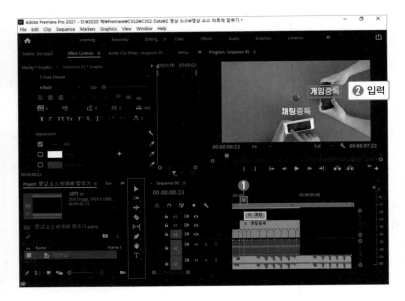

9 자막이 영상에 맞춰서 끝나야 하므로 길이를 조절해 보겠습니다. 자막 클립의 [Out 점]을 오른쪽으로 드래그하여 00:00:02:24 지점에 맞춥니다.

TIP

자막 클립과 영상의 자세한 설정은 'Part 02 > Chapter 03 > Section 04 > 2 영상 소스 > 비트 중심의 동영상 편집 테크닉.prproj' 파일을 참고해 주세요.

10 이와 같은 방법으로 뒷부분의 자막도 사운드 비트에 맞추어 편집합니다. 편집이 끝나면 [File] > [Export] > [Media]([Ctrl]+[M]) 메뉴를 이용하여 mp4 영상으로 만들고 확인합니다.

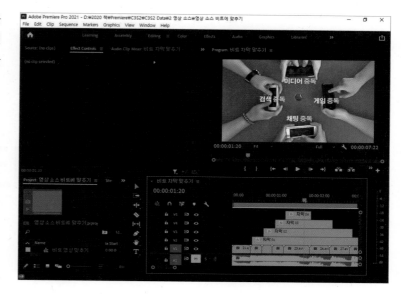

TIP

오디오 볼륨 조절하기

프리미어 프로를 이용하여 영상 편집을 할 때 다양한 장소에서 촬영된 동영상 소스를 이용하여 편집하게 됩니다. 이때 촬영 위치, 장소, 거리마다 소리의 크기가 다르게 녹음될 수 있습니다. 하나의 클립 안에서도 어떤 부분은 소리가 너무 작거나 크게 들리는 부분도 있을 수 있습니다. 따라서 영상 편집을 할 때 [Audio Meters] 패널에서 볼륨을 확인하고 적당한 크기로 조절하는 작업이 필요합니다. 오디오 볼륨을 조절하기 위해서는 [Audio Gain]이 아주 효과적인 도구입니다. 다음과 같은 순서를 통해 볼륨을 조절할 수 있습니다.

1. 오디오 클립을 선택하고 마우스 오른쪽 버튼을 클릭한 후 [Audio Gain]을 선택합니다.
2. [Audio Gain] 대화상자가 열리면 [Adjust Gain by] 값을 조절합니다.
3. 볼륨을 키우려면 +값을 낮추려면 −값을 조절합니다.
4. 재생하고, [Audio Meters] 패널을 확인하여 −3dB∼−6dB 사이에서 볼륨의 크기가 나타나는지 확인합니다.

영상 효과의 테크닉 실무

영상콘텐츠 공모전 20년 도전 노하우!

마지막 고급 실무는 현장에서 가장 많이 사용하는 영상 효과의 테크닉입니다. 처음 예제와 비교해서 약간의 난이도는 있지만, 침착하게 하나씩 따라 하고 몇 번 더 연습하다 보면 모두 소화할 수 있을 것으로 생각합니다. 특히 화면전환 테크닉은 반드시 여러 번 따라 해볼 것을 추천합니다. 가장 현장 중심적인 실무 예제이기 때문입니다. 또한 화면 분할과 화면 이동, 그리고 영상 합성 테크닉도 알아두면 언젠가 반드시 응용이 가능한 예제들입니다.

01

SECTION

화면전환(트랜지션) 테크닉

핵심 내용

본 예제는 느린 음악에 맞추어 화면전환 효과를 삽입한 감성 미디어입니다. 화면전환(트랜지션)은 영상 편집 실무에서 많이 사용하는 기법의 하나지만, 이 기능을 잘못 사용하면 오히려 산만한 결과를 초래하기도 합니다. 본 예제에서는 프리미어 프로의 Motion과 Transition, 그리고 Transition을 통한 Adjustment Layer와 Border 기능을 배우고, 흑백 이미지 교체와 콘트라스트 효과에 대해서 안내합니다. 특히, 키프레임에 숫자를 입력하는 방식이 아닌 [Program Monitor] 패널에서 직접 모션을 주는 방법, 그리고 꼬리에 꼬리를 무는 '스토리 편집법'에 대해서 학습하겠습니다.

핵심 기능

Motion, Transition, Adjustment Layer, Border

STORYBOARD

DDL 포럼 프레젠테이션 작품 중 일부분

[Motion] + [Transition] [Border] ------------------------------------▶

------------------------------------▶

------------------------------------▶

[Adjustment Layer] + [Tint] ------------------------------------▶

------------------------------------▶

준비 파일 : Part 02 > Chapter 04 > Section 01 폴더 파일 **완성 파일 :** Part 02 > Chapter 04 > Section 01 > 트랜지션 테크닉 실무 완성.mp4

1 프리미어 프로를 실행한 후 [New Project]를 실행하여 새 프로젝트를 시작합니다. [New Project] 대화상자가 열리면 [Name]에 임의의 프로젝트 이름을 입력하고, [Location] 의 [Browse] 버튼을 클릭하여 프로젝트 파일 이 저장될 폴더를 선택한 후 [OK] 버튼을 클릭합니다.

TIP
• 프리미어 프로의 시작 화면은 프로그램의 버전 및 개인 설정에 따라 다를 수 있습니다.
• [Edit] > [Preferences] > [General]의 [When Opening a Project] 옵션으로 화면 설정을 바꿀 수 있습니다. [시작] 화면에서 [New Project]를 클릭하거나 상단 의 [File] > [New] > [Project] 메뉴를 클릭하여 새 프로젝트를 시작할 수 있습니다.

2 기본 작업 화면이 열리면 새 시퀀스를 만들기 위해서 [File] > [New] > [Sequence] (Ctrl + N) 메뉴를 클릭하고, [New Sequence] 대화상자가 열리면 다음과 같이 설정한 후 [OK] 버튼을 클릭합니다.

• [Editing Mode] : Custom
• [Timebase] : 30.00 frames/second
• [Frame Size] : 1920
• [horizontal] : 1080
• [Pixel Aspect Ratio] : Square Pixels (1.0)

TIP
유튜브에서 가장 많이 사용하는 영상 크기와 프레임으로 설정했습니다.

3 이미지 소스를 편집하기 전에 미리 이미지 소스에 대한 기본 재생 길이를 재설정해놓으면 편리합니다. [Edit] > [Preferences] > [Timeline] 메뉴를 클릭하고, [Preferences] 대화상자가 열리면 [Still Image Default Duration]을 '150 Frames'로 설정하고, [OK] 버튼을 클릭합니다.

TIP
• [Still Image Default Duration] 옵션이 있는 위치는 프로그램의 버전에 따라 다를 수 있습니다.
• 현재 시퀀스 설정이 1초당 30 Frames이므로 이미지 클립의 재생 길이를 150 Frames로 설정하면 이미지 한 장당 5초(30x5)의 길이라는 뜻입니다.

4 제공된 배경음악을 불러오기 위해서 [File] > [Import]([Ctrl]+[I]) 메뉴를 클릭하고, [Import] 대화상자가 열리면 'Song DDL.wav' 파일을 선택하고 [열기] 버튼을 클릭합니다. [Project] 패널의 'Song DDL.wav' 오디오 클립을 [Timeline] 패널 [A1] 트랙의 시작점으로 드래그하여 배경음악을 넣은 후 [Space Bar]를 눌러 삽입된 배경음악을 확인합니다.

TIP

[Project] 패널의 비어있는 공간을 더블클릭하여 [Import] 대화상자를 빠르게 열 수 있습니다.

5 제공된 이미지를 불러오기 위해서 [File] > [Import]([Ctrl]+[I]) 메뉴를 클릭하고, [Import] 대화상자가 열리면 'Title.png' 파일을 선택하고 [열기] 버튼을 클릭합니다. [Project] 패널의 'Title.png' 이미지 클립을 [V1] 트랙의 시작점으로 드래그하여 배치하고 확인합니다.

TIP

[Still Image Default Duration] 옵션 설정에 따라 정확히 5초의 길이로 이미지가 트랙에 배치됩니다.

6 이제 나머지 이미지를 모두 불러와 배치해 보겠습니다. [File] > [Import]([Ctrl]+[I]) 메뉴를 클릭하고, [Import] 대화상자가 열리면 '01~38.jpg' 파일을 선택하고 [열기] 버튼을 클릭합니다. [Project] 패널의 '01~38.jpg' 이미지 클립을 [V1] 트랙에 순서대로 붙여넣어 다음과 같이 편집한 후 재생하여 영상을 확인합니다.

7 이미지 사이에 화면전환(트랜지션) 효과를 적용해 보겠습니다. [Window] > [Effects] 메뉴를 클릭하여 [Effects] 패널을 연 후 [Video Transitions] > [Dissolve] > [Cross Dissolve]를 찾습니다.

TIP

[Cross Dissolve]는 두 화면이 교차하여 장면전환이 이루어지는 트랜지션입니다.

8 [Timeline] 패널을 선택하고 ⊞를 눌러 화면의 필요한 구간을 확대한 후 '01.jpg'와 '02.jpg' 이미지 클립 사이에 [Effects] 패널의 [Cross Dissolve]를 드래그합니다. 2개의 클립 사이에 효과가 삽입된 것을 확인한 후 Space Bar 를 눌러 화면전환을 확인합니다.

TIP

[Cross Dissolve]는 영상과 이미지 등 사운드를 제외한 모든 클립에 적용할 수 있습니다.

9 화면전환의 기본 적용 시간은 1초입니다. 이를 수정하기 위해서 [Timeline] 패널에서 적용된 [Cross Dissolve]를 선택하고, [Effect Controls] 패널에서 [Duration]을 00:00:03:00으로 설정하여 화면전환의 길이를 3초로 늘립니다. Space Bar 를 눌러 늘어난 효과를 확인합니다.

TIP

화면전환의 [In 점], [Out 점]을 직접 드래그하여 효과의 길이를 늘이는 방법도 있습니다. 양방향 각각 다른 길이로도 조절할 수 있습니다.

10 앞선 방법을 이용하여 나머지 클립에 화면 전환을 적용합니다. [Effect] 패널에서 [Video Transitions]의 효과들을 한 번씩 적용해 보는 것도 좋습니다.

TIP

이외에도 다양한 화면전환 효과들을 한 번씩 적용해 보길 바랍니다. 그러나 어울리지 않는 화면전환은 영상 작품을 오히려 산만하게 만들 수 있으니 유의하도록 합니다.

TIP

프리미어 프로의 화면전환 효과

프리미어 프로에서 제공하는 화면전환 효과는 8가지 대분류에 따라 다양한 효과를 제공하고 있습니다. 대분류에 따른 효과의 기능은 다음과 같습니다.

- 3D Motion : 3D 효과를 애니메이션으로 적용하여 화면을 전환합니다.
- Dissolve : 2개의 장면이 여러가지 방식으로 겹치면서 화면을 전환합니다.
- Immersive Video : VR에서 몰입감을 주기 위한 화면전환 효과입니다.
- Iris : 다양한 도형 모양을 이용하여 2개의 장면이 교차되는 화면전환 효과입니다.
- Page Peel : 종이를 넘기는 듯한 느낌으로 화면을 전환합니다.
- Slide : 하나의 장면이 다른 장면을 밀어내며 화면을 전환합니다.
- Wipe : 화면이 자동차 와이퍼로 닦이는 것처럼 화면을 전환합니다.
- Zoom : 장면을 확대하거나 축소하면서 화면을 전환합니다.

1 편집된 클립들에 흑백 효과를 적용해 보
겠습니다. 이미지 클립이 상당히 많아서 하나
씩 효과를 적용하고 수정하려면 시간이 오래
걸리므로 한 번에 적용하는 방법을 이용해 보
겠습니다. [Project] 패널의 [New Item](🔲)을
클릭하고, [Adjustment Layer]를 클릭합니다.

TIP
Adjustment Layer(조정 레이어)는 다수의 클립에 같은
효과를 일률적으로 적용할 때 편리하게 사용합니다.

2 [Adjustment Layer] 대화상자가 열리면
기본 설정 그대로 [OK] 버튼을 클릭합니다.

3 [Project] 패널에 'Adjustment Layer'
클립이 만들어졌음을 확인합니다. [Current
Time Indicator]를 효과가 시작될 지점
인 00:01:20:00으로 옮긴 후 [Project] 패널
의 'Adjustment Layer' 클립을 [V2] 트랙의
[Current Time Indicator]의 시작점에 드래
그하고, [Out 점]을 오른쪽으로 드래그하여
[V1] 트랙의 끝에 맞춥니다.

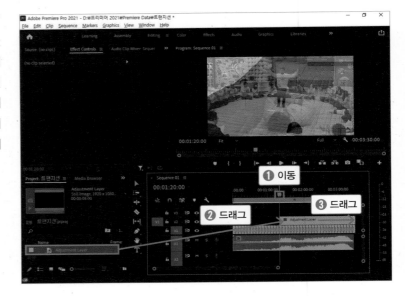

4 효과를 적용하기 위해서 [Effects] 패널을 연 후 [Video Effects] > [Color Correction] > [Tint]를 찾습니다.

TIP
[Tint]는 채도를 0으로 만들어 화면을 흑백으로 만듭니다.

5 [Effects] 패널의 [Tint]를 'Adjustment Layer' 클립으로 드래그하고, [Space Bar] 를 눌러 적용된 흑백 효과를 확인합니다.

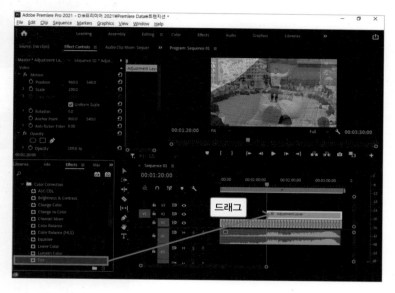

6 흑백 효과에 밝기와 대비를 수정하여 좀 더 밝고 선명한 흑백 영상을 만들기 위해서 [Effects] 패널에서 [Video Effects] > [Color Correction] > [Brightness & Contrast]를 찾아서 [V2] 트랙의 'Adjustment Layer' 클립에 드래그한 후 [Effects Controls] 패널의 [Video Effects] > [Brightness & Contrast]를 다음과 같이 설정합니다.

• [Brightness] : 36
• [Contrast] : 22

7 흑백 효과가 자연스럽게 시작되게 하려면 [Timeline] 패널에서 'Adjustment Layer' 클립을 선택하고, [Effect Controls] 패널에서 [Opacity] 키프레임을 다음과 같은 위치에 생성하고, 수치를 설정합니다.

• 00:01:22:00 지점 : 0%
• 00:01:27:00 지점 : 100%

TIP
Adjustment Layer(조정 레이어)에 [Opacity]를 적절하게 혼합하면 효과가 부드럽게 나타나게 하거나 사라지는 모션을 쉽게 만들 수 있습니다.

8 다음으로 영상에서 시선을 모아주는 방법으로써 외곽이 어두운 흑백 Border 이미지를 불러와 편집해 보겠습니다. [Project] 패널의 빈 곳을 클릭한 후 [Import] 대화상자가 열리면 'border.png' 파일을 불러온 후 [V3] 트랙에 드래그하고, [Out 점]을 오른쪽으로 드래그하여 아래 영상의 [Out 점]에 맞춥니다. 편집이 마무리되면 [File] > [Export] > [Media]([Ctrl]+[M]) 메뉴를 이용하여 mp4 영상으로 만들고 확인합니다.

02

화면 분할 및 화면 이동 테크닉

핵심 내용

화면 분할 기법은 영화나 뉴스에서 전화 통화나 프로야구의 투수와 포수 등 주요 인물들을 한 화면에서 보여주고자 할 때 사용하는 기법입니다. 화면을 나누는 기능은 단순하지만, 이를 응용하는 기술은 다양하다는 뜻입니다. 또한 분할된 화면을 함께 이동하는 기법은 더욱 다양합니다. 본 예제에서는 Crop Effect를 통해 화면을 2~4개로 나누는 기법을 실습해 보고, Position과 Crop 기능으로 화면 이동 테크닉에 대해서도 배워보겠습니다.

핵심 기능

Crop, Effect Controls > Motion

STORYBOARD

전국인터넷중독예방 UCC 경진대회 '대상' 수상 작품 중 일부분

[원본 영상]

⬇

[Crop Effect] - ▶   [Position + Crop] - ▶

- ▶

- ▶

준비 파일 : Part 02 > Chapter 04 > Section 02 폴더 파일　**완성 파일 :** Part 02 > Chapter 04 > Section 02 > 화면 분할 및 화면 이동 테크닉 완성.mp4

1 프리미어 프로를 실행한 후 [New Proj-ect]를 실행하여 새 프로젝트를 시작합니다. [New Project] 대화상자가 열리면 [Name]에 임의의 프로젝트 이름을 입력하고, [Location]의 [Browse] 버튼을 클릭하여 프로젝트 파일이 저장될 폴더를 선택한 후 [OK] 버튼을 클릭합니다.

TIP
- 프리미어 프로의 시작 화면은 프로그램의 버전 및 개인 설정에 따라 다를 수 있습니다.
- [Edit] > [Preferences] > [General]의 [When Open-ing a Project] 옵션으로 화면 설정을 바꿀 수 있습니다. [시작] 화면에서 [New Project]를 클릭하거나 상단의 [File] > [New] > [Project] 메뉴를 클릭하여 새 프로젝트를 시작할 수 있습니다.

2 기본 작업 화면이 열리면 새 시퀀스를 만들지 않았기 때문에 [Timeline] 패널이 비활성화되어 있습니다. 새 시퀀스를 따로 만들지 않고 클립을 이용하여 쉽게 시퀀스를 만들어 보겠습니다. 먼저 제공된 영상을 불러오기 위해서 [File] > [Import]([Ctrl]+[I]) 메뉴를 클릭하고, [Import] 대화상자가 열리면 '01~10. mp4' 파일을 선택한 후 [열기] 버튼을 클릭합니다.

3 [Project] 패널에서 '01.mp4' 영상 클립을 마우스 오른쪽 버튼으로 클릭하여 [New Sequence From Clip]을 선택하면 새 시퀀스가 자동으로 만들어지고, [V1], [A1] 트랙에 클립이 들어갑니다. 재생하여 영상을 확인합니다.

❶ 마우스 오른쪽 클릭

4 하나의 영상에 2명의 인물이 보이도록 2분할 화면을 만들기 위해서 [Timeline] 패널에서 '01.mp4' 영상 클립을 선택한 후 [Effect Controls] 패널에서 [Motion] > [Position]을 '480, 540'으로 설정하여 영상 클립의 위치를 화면에서 왼쪽으로 옮깁니다.

5 다음으로 [Project] 패널의 '02.mp4' 영상 클립을 [Timeline] 패널 [V2] 트랙의 시작점으로 드래그한 후 [Effect Controls] 패널에서 [Position]을 '1450, 540'으로 설정하여 화면에서 위치를 오른쪽으로 옮깁니다.

6 화면을 2분할로 만들기 위해서는 영상 클립의 일부분을 잘라내야 합니다. 이를 위해서 [Window] > [Effects] 메뉴를 클릭하여 [Effects] 패널을 연 후 [Video Effects] > [Transform] > [Crop]을 찾습니다.

TIP
[Crop]은 클립의 상하좌우 일부분을 수치(%)로 입력하여 잘라낼 수 있습니다.

7 [Effects] 패널의 [Crop]을 [Timeline] 패널의 '02.mp4' 영상 클립에 드래그하여 적용하고, [Effect Controls] 패널에서 [Crop] > [Left]를 '25%'로 설정하여 클립의 왼쪽 일부분을 잘라냅니다. Space Bar 를 눌러 분할 화면을 확인합니다.

1 분할 화면에 움직임을 주어 다음 인물이 나오는 애니메이션을 만들기 위해서 [Current Time Indicator]를 '01.mp4' 영상 클립에서 인물의 얼굴이 돌아가는 지점인 00:00:02:15로 옮긴 후 [Timeline] 패널에서 '01.mp4' 영상 클립을 선택합니다. [Effects Controls] 패널에서 [Position] > [Toggle animation](◉)을 클릭하여 애니메이션을 활성화합니다.

2 [Current Time Indicator]를 '01.mp4' 영상 클립의 주인공이 사라지는 지점 00:00:03:08로 옮긴 후 [Effects Controls] 패널에서 [Position]을 '-960, 540'으로 설정하여 '01.mp4' 영상 클립이 오른쪽에서 왼쪽으로 이동하는 모션을 만듭니다.

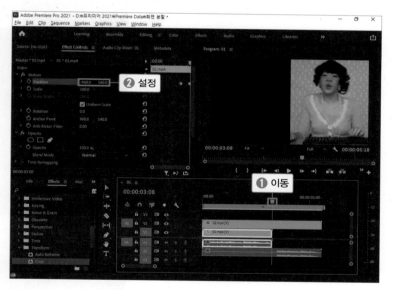

3 '02.mp4' 영상 클립에도 같은 애니메이션을 만들기 위해서 [Timeline] 패널에서 '02.mp4' 영상 클립을 선택하고, 00:00:02:15 위치에서 [Position] > [Toggle animation](◉)을 클릭하여 활성화한 후 00:00:03:08 위치에서 [Position]을 '480, 540'으로 설정하여 영상 좌측 끝부분으로 이동합니다.

317

4 '02.mp4' 영상 클립의 오른쪽에 절반의 공간을 확보하기 위해서 [Effect Controls] 패널에서 [Crop] > [Right]를 '24%'로 설정하여 화면 오른쪽 일부분을 잘라냅니다.

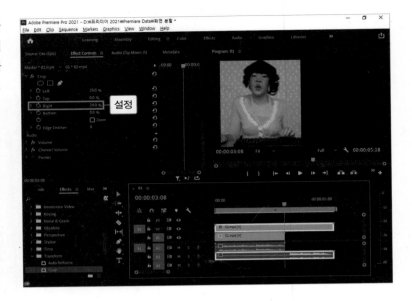

5 다음 영상을 불러와 편집하기 위해서 [Current Time Indicator]를 00:00:02:15 위치로 옮긴 후 [Project] 패널의 '03.mp4' 영상 클립을 [V3] 트랙의 시작점으로 드래그한 후 [Effect Controls] 패널에서 [Position]을 '1390, 540'으로 설정하여 이동합니다.

6 '03.mp4' 영상 클립 일부분을 잘라내기 위해서 [Effects] 패널의 [Crop]을 '03.mp4' 영상 클립에 적용하고, [Effect Controls] 패널에서 [Crop] > [Left]를 '28%'로 설정합니다.

7 '03.mp4' 영상 클립도 같은 애니메이션을 만들기 위해서 [Current Time Indicator]를 00:00:03:08로 옮긴 후 [Effects Controls] 패널에서 [Position] > [Toggle animation](⏱)을 클릭하여 활성화합니다.

8 [Current Time Indicator]를 00:00:02:15 위치로 옮긴 후 [Effects Controls] 패널에서 [Position]을 '2340, 540'으로 설정합니다. Space Bar 를 눌러 영상을 확인합니다.

9 나머지 영상을 활용하여 위와 같은 방법으로 화면을 분할하고, 차례대로 다음 인물이 나오도록 편집합니다. 이를 응용하여 4분할 화면도 만들어 봅니다. 모든 편집이 끝나면 [File] > [Export] > [Media](Ctrl +M) 메뉴를 이용하여 mp4 영상으로 만들고 확인합니다.

TIP
4분할 화면 만들기는 제공된 프리미어 파일(화면 분할 및 화면 이동 테크닉 실무.prproj)을 참고하기 바랍니다.

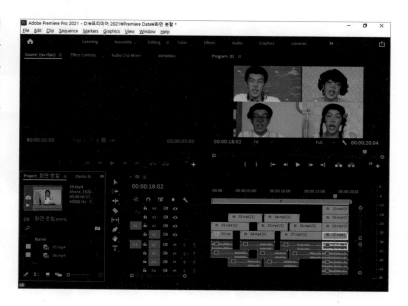

03

영상 합성 테크닉

핵심 내용

본 예제에서는 영상과 영상 합성에 대해서 배워보겠습니다. 프리미어 프로에서 [Video Effects] 패널의 [Ultra Key]를 이용해서 그린스크린을 지우고 배경 영상과 합성하는 방법입니다. 물론 애프터 이펙트의 특수 효과에서도 섬세한 영상 합성이 가능하지만, 프리미어 프로의 영상 합성과 비교해 보면서 자신만의 영상 합성법을 활용하기 바랍니다.

핵심 기능

Ultra Key

STORYBOARD

제1회 LIG 된다댄스 UCC 콘테스트 '최우수상' 수상 작품 중 일부분

그린스크린 촬영   배경 영상   영상 합성

[Ultra Key] ->

- ->

- ->

01 크로마키 합성 테크닉 Ultra Key

제1회 LIG 된다댄스 UCC 콘테스트
'최우수상' 수상 작품 중 일부분

준비 파일 : Part 02 > Chapter 04 > Section 03 폴더 파일   **완성 파일 :** Part 02 > Chapter 04 > Section 03 > 영상 합성 테크닉 완성.mp4

1 프리미어 프로를 실행한 후 [New Project]를 실행하여 새 프로젝트를 시작합니다. [New Project] 대화상자가 열리면 [Name]에 임의의 프로젝트 이름을 입력하고, [Location]의 [Browse] 버튼을 클릭하여 프로젝트 파일이 저장될 폴더를 선택한 후 [OK] 버튼을 클릭합니다.

TIP

- 프리미어 프로의 시작 화면은 프로그램의 버전 및 개인 설정에 따라 다를 수 있습니다.
- [Edit] > [Preferences] > [General]의 [When Opening a Project] 옵션으로 화면 설정을 바꿀 수 있습니다. [시작] 화면에서 [New Project]를 클릭하거나 상단의 [File] > [New] > [Project] 메뉴를 클릭하여 새 프로젝트를 시작할 수 있습니다.

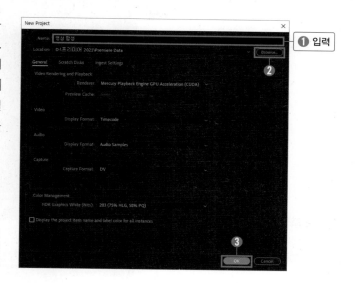

2 기본 작업 화면이 열리면 새 시퀀스를 만들지 않았기 때문에 [Timeline] 패널이 비활성화되어 있습니다. 새 시퀀스를 따로 만들지 않고 클립을 이용하여 쉽게 시퀀스를 만들어 보겠습니다. 먼저 제공된 영상을 불러오기 위해서 [File] > [Import](Ctrl+I) 메뉴를 클릭하고, [Import] 대화상자가 열리면 '01A~01B.mp4' 파일을 선택하고 [열기] 버튼을 클릭합니다.

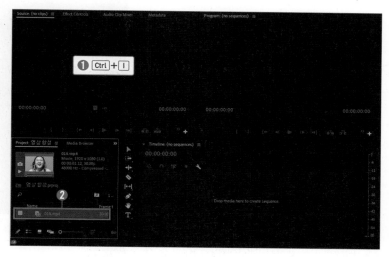

3 [Project] 패널에서 '01A.mp4' 영상 클립을 마우스 오른쪽 버튼으로 클릭하여 [New Sequence From Clip]을 선택하면 새 시퀀스가 자동으로 만들어지고, [V1], [A1] 트랙에 클립이 들어갑니다. 재생하여 영상을 확인합니다. 영상은 크로마키 합성을 위해서 그린스크린에서 촬영된 원본입니다.

TIP

크로마키(Chroma Key)는 두 개의 영상을 합성하는 기술을 말합니다. A와 B 이렇게 두 개의 영상이 있으면, A 영상에서 특정한 색을 제거하거나 투명하게 만들어서 합성할 B 영상이 제거된 부분으로 합성되게 하는 기술입니다. 이 합성 기능은 또한 '컬러 키, 그린스크린, 블루스크린 합성'이라고도 합니다.

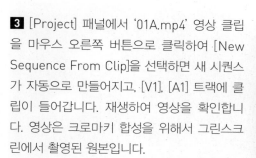

4 '01A.mp4' 영상 클립의 그린 배경을 지우기 위해서 [Window] > [Effects] 메뉴를 클릭하여 [Effects] 패널을 연 후 [Video Effects] > [Keying] > [Ultra Key]를 찾습니다.

TIP

[Ultra Key]는 블루스크린이나 그린스크린으로 촬영된 영상의 배경색을 지우기 위한 기능입니다.

5 [Effects] 패널에서 [Ultra Key]를 [Time-line] 패널 [V1] 트랙의 '01A.mp4' 영상 클립에 드래그한 후 [Effect Controls] 패널에서 효과의 옵션이 보이는지 확인합니다. 이제 옵션을 설정하여 배경을 투명하게 지워보겠습니다.

6 [Effect Controls] 패널 [Ultra Key] 옵션에서 [Key Color]의 [Spuit](🖋)를 클릭한 후 마우스 포인터가 스포이트 모양으로 바뀌면 [Program Monitor] 패널에서 녹색 배경의 한 부분을 클릭합니다.

TIP

• [Ultra Key]는 그린스크린의 녹색, 블루스크린의 파란색을 포함하여 다양한 색상을 특정하여 지울 수 있습니다.
• 효과 적용 후 인물은 선명하게, 배경색은 균일한 검은색으로 보여야 나중에 배경과 깨끗한 합성이 됩니다.

7 배경을 더 깨끗하게 지우기 위해서 [Ultra Key] > [Matte Generation]을 클릭해 열고, 해당 옵션을 다음과 같이 설정합니다.

- [Transparency] : 50
- [Shadow] : 45
- [Tolerance] : 90
- [Pedestal] : 51

TIP

- 스포이트로 클릭한 곳의 색상에 따라 옵션 설정의 결과가 달라질 수 있습니다. 화면을 확인하면서 옵션을 세밀하게 조절하면서 최대한 배경을 깨끗하게 만듭니다.
- [Matte Generation] : 배경색을 깨끗하게 지우기 위해서 투명도 조절, 밝은 부분과 어두운 부분의 범위 등을 설정합니다.

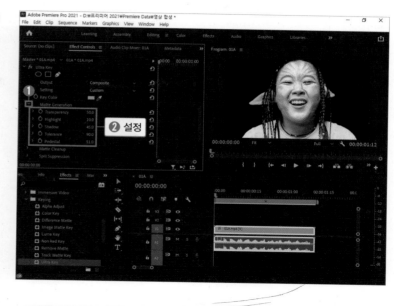

8 [Effect Controls] 패널의 [Ultra Key] 옵션 설정 후 [Program Monitor] 패널에서 다음과 같이 녹색 배경이 균일한 검은색이 되었음을 확인합니다.

9 다음으로 합성할 배경 영상을 트랙에 추가하기 위해서 [V1] 트랙을 비워야 합니다. [V1] 트랙의 '01A.mp4' 영상 클립을 위쪽 트랙으로 드래그하여 [V1] 트랙을 비웁니다.

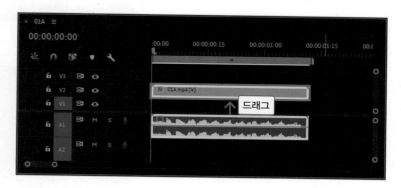

10 [Project] 패널의 '01B.mp4' 영상 클립을 [Timeline] 패널 [V1] 트랙의 시작점으로 드래그합니다. Space Bar 를 눌러 합성된 영상을 확인합니다.

TIP

• 오디오 트랙이 겹치지 않도록 주의합니다.
• 배경이 주인공보다 더 선명하거나 시선을 끌 경우, [Effects] 패널의 [Video Effects] > [Blur & Sharpen] > [Gaussian Blur]를 적용하여 배경을 흐리게 하는 것이 좋습니다.

11 위와 같은 방법으로 제공된 나머지 동영상 소스를 합성하고, 다음과 같이 차례대로 붙여 넣습니다.

TIP

동영상 소스를 붙이고 합성하는 방법은 제공된 프리미어 파일(영상 합성 테크닉 실무.prproj)을 참고하기 바랍니다.

12 마지막으로 배경음악을 넣어 마무리합니다. [Import] 대화상자를 열고, 'BGM.wav'와 '된다송.wav' 파일을 불러온 후 다음과 같이 편집하여 완성합니다. Space Bar 를 눌러 완성된 합성 영상을 확인합니다. 모든 편집이 끝나면 [File] > [Export] > [Media](Ctrl + M) 메뉴를 이용하여 mp4 영상으로 만들고 확인합니다.

02 루메트리 프리셋 필터 테크닉 Lumetri Presets

1 이제 완성된 합성 영상에 색 보정 필터를 적용해 보겠습니다. 각각의 클립에 필터를 하나씩 적용하기는 어려우므로 한꺼번에 적용하고 쉽게 수정하기 위해서 Adjustment Layer를 만들어 필터를 적용하겠습니다. [Project] 패널에서 [New Item](■)을 클릭하여 [Adjustment Layer]를 클릭합니다.

TIP

Adjustment Layer에 효과나 필터 등을 적용하면 아래에 있는 모든 클립은 자동으로 적용되는 레이어 클립입니다.

2 [Adjustment Layer] 대화상자가 열리면 [OK] 버튼을 클릭하여 레이어를 만듭니다.

TIP

[Video Settings]의 설정이 시퀀스 설정과 같게 자동으로 설정되므로 따로 수정할 필요가 없습니다.

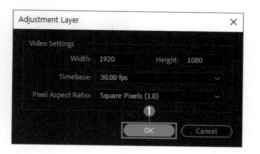

3 [Project] 패널에 'Adjustment Layer' 클립이 만들어졌음을 확인합니다.

4 [Project] 패널의 'Adjustment Layer' 클립을 [Timeline] 패널의 [V3] 트랙에 드래그하여 배치하고, 길이를 조절하여 [V1], [V2] 트랙에 편집된 영상 클립의 길이와 맞춥니다.

5 이제 'Adjustment Layer' 클립에 색 보정 필터 하나를 적용해 보겠습니다. [Window] > [Effects] 메뉴를 클릭하여 [Effects] 패널을 연 후 [Lumetri Presets] > [Cinematic] > [Cinespace 25]를 찾습니다.

TIP
[Lumetri Presets]에 있는 다양한 색 보정 필터를 사용해보시기 바랍니다.

6 [Effects] 패널에서 [Cinespace 25]를 [Timeline] 패널 [V3] 트랙의 'Adjustment Layer' 클립에 드래그한 후 화면의 변화를 확인합니다.

TIP
다른 색 보정 필터를 적용하기 위해서는 적용한 필터를 [Effect Controls] 패널에서 삭제하고 [Effects] 패널에서 다른 필터를 적용합니다.

7 모든 편집이 끝나면 [File] > [Export] > [Media]([Ctrl]+[M]) 메뉴를 이용하여 mp4 영상으로 만들고 확인합니다.

TIP

프리미어 프로 합성

클립 및 트랙을 합성할 때는 다음과 같은 방법이 있습니다.

- 클립에 투명도를 적용하여 합성하는 방법은 가장 기초적인 합성 기능으로, [Effect Controls] 패널에서 해당 클립의 [Opacity]만 조정하면 배경, 또는 아래 트랙에 있는 클립과 자연스럽게 합성됩니다.

- 일반적으로는 투명하게 만들 영역을 정의하는 알파 채널이 이미 포함된 MOV 포맷과 같은 소스 파일을 가져오는 것도 좋습니다. 이러한 소스들은 유튜브나 소스를 무료로 제공하는 사이트에서 쉽게 찾을 수 있습니다. 이러한 동영상 소스는 합성 편집이 쉽고 다양한 효과를 쉽게 만들 수 있는 장점이 있습니다.

- 클립의 소스 파일에 알파 채널이 포함되어 있지 않은 경우에는 마스크로 특정 영역을 선택하거나 키잉 기능으로 특정 색상을 이용하여 투명도를 수동으로 적용한 후, 효과를 적용하여 합성할 수 있습니다.

- Adobe After Effects, Adobe Photoshop 및 Adobe Illustrator 등의 응용 프로그램에서는 알파 채널을 지원하는 형식으로 합성을 위한 파일을 쉽게 만들 수도 있습니다.

05

유튜브 영상
실무 꿀팁

영상콘텐츠 공모전 20년 도전 노하우!

다음은 유튜브 영상 제작 실무에서 유용한 팁을 소개하겠습니다. 유튜브 영상 실무 꿀팁은 유튜브를 시작하는 초보 유튜버를 위해 영상을 제작하는 데 필요한 팁으로써 몰라도 영상은 충분히 만들 수 있지만 꿀팁을 활용하면 작업 시간을 줄이고 더욱 나은 결과물을 얻을 수 있습니다. 이번 챕터에서는 유튜브 업로드를 위한 최적의 출력 설정을 통해 출력 영상의 용량은 적으면서도 최적의 화질을 얻을 수 있는 방법을 소개하고, 출력된 영상을 유튜브에 업로드하고 삭제하며, 다운로드하여 저장하는 방법을 소개합니다. 또한 프리미어 프로로 유튜브 섬네일을 쉽게 만드는 방법과 유튜브 영상에 AI 인공지능 더빙 활용하기, 유튜브 영상 편집을 위한 무료 소스를 얻을 수 있는 방법을 소개합니다.

01 유튜브 업로드를 위한 최적의 출력 설정하기 Export Settings

SECTION

01 [Format] & [Preset]

❶ **[Format]** : [Export Settings]에서 가장 중요한 첫 번째 설정은 [Format]을 설정하는 것입니다. 이는 영상 코덱(압축 방식)을 말하여 유튜브에서 가장 적합한 코덱인 'H.264'로 설정하면 됩니다.

❷ **[Preset]** : 출력될 영상의 크기 및 프레임(초당 이미지 수) 등을 설정하는 기능으로써 미리 유튜브 용도로 설정된 'YouTube 1080p Full HD'를 기본으로 사용하고, 이보다 낮은 화질의 'YouTube 720p HD', 화질이 더 높은 'YouTube 2160p 4K Ultra HD'를 선택적으로 골라 사용할 수 있습니다. 또한, 시퀀스 설정에서 미리 유튜브 용도로 설정을 했다면 'Match Source - High bitrate'를 선택하여 출력을 진행해도 됩니다.

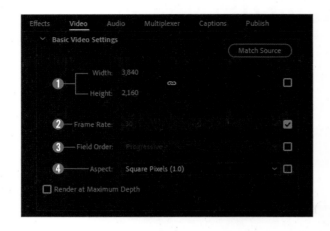

[Video] > [Basic Video Settings]는 [Preset] 설정에 따라 자동으로 입력됩니다. 특별한 출력 설정이 필요한 경우, 수정하여 출력할 수 있으나 [Preset]에서 설정한 값을 그대로 유지하는 것이 좋습니다.

❶ **[Width], [Height]** : 'YouTube 1080p Full HD'를 기준으로 Full HD 크기인 가로 1920x1080 픽셀 단위로 설정합니다 (촬영된 원본 크기에 따라 편집하고 [Preset]에서 설정한 값에 따라 크기는 달라질 수 있습니다).

- 1920x1080 : 표준 Full HD 사이즈
- 1280x720 : HD 사이즈로 적은 용량 대비 우수한 화질
- 3840x2160 : Ultra HD 사이즈로 고용량 고화질

❷ **[Frame Rate]** : 일반적으로 촬영한 원본 소스와 같은 프레임 속도로 인코딩 및 업로드되는 것이 좋습니다. 일반 프레임 속도는 초당 24, 25, 30, 48, 50, 60프레임이 포함되며 이외 프레임 속도도 허용되긴 하지만 보통은 30프레임을 기본으로 24, 60프레임 중 하나를 골라 사용하면 됩니다.

❸ **[Field Order]** : 새 시퀀스를 설정할 때 미리 설정하며, 'Progressive'로 설정해야 합니다. 만약에 촬영된 원본이 프로그레시브가 아닌 인터레이스된 영상이라면 업로드하기 전에 디인터레이스 과정을 거쳐야 합니다. 예를 들어 1080i(Interlaced) 60프레임 영상은 1080p(Progressive) 30프레임으로 반드시 변환되어야 합니다.

❹ **[Aspect]** : 화면을 구성하는 가장 작은 단위인 화소의 비율을 설정하는 옵션으로써 유튜브 용도로 사용하기 위해서는 'Square Pixels (1.0)'으로 설정하면 됩니다.

TIP
- 영상의 출력 크기는 촬영된 영상 소스의 크기와 일치시키는 것이 좋습니다. 현재 출시된 대부분의 촬영 기기의 1920x1080 크기를 기본으로 사용하며, [YouTube 1080p Full HD] 설정을 표준으로 설명했습니다.
- 1920x1080 크기는 컴퓨터에서의 YouTube 표준 가로세로 비율인 16:9입니다. 이 외에 세로형, 정사각형 등 다른 가로세로 비율의 영상을 유튜브에 업로드하면 영상 크기에 맞게 유튜브 플레이어가 자동으로 조정됩니다. 따라서 가로세로 비율 및 기기에 따라 최적의 시청 환경을 즐길 수 있습니다.

03 [Video] > [Bitrate Settings]

[Video] 설정에서 가장 많이 신경을 써야 할 부분은 초당 데이터 전송률을 설정하는 [Bitrate Settings]입니다. 유튜브에 영상을 업로드 시 권장되는 전송 방식과 전송률은 아래와 같습니다.

❶ **[Bitrate Encoding]** : VBR 방식은 가변 전송률을 의미하며, 상황에 따라 최적의 전송률을 선택하여 영상을 재생하게 되므로 용량 대비 화질에서 우수한 방식입니다. 'VBR, 1 Pass'를 선택하면 내보내기 속도가 빨라지지만, 품질은 저하됩니다. 'VBR, 2 Pass' 방식으로 선택하면 품질은 더 낮지만 내보내기 속도는 느려집니다. 따라서 최고의 화질을 원한다면 'VBR, 2 Pass' 방식을 선택하는 것이 좋습니다. CBR 방식은 일정한 전송률을 유지하는 것으로써 스트리밍 방송 목적으로 사용하며, 일반적인 영상에서는 선택하지 않습니다.

❷ **[Target Bitrate [Mbps]] & [Maximum Bitrate [Mbps]]**

초당 데이터 전송률을 설정하며, 값이 작을수록 파일 크기가 작아 업로드 속도가 빨라집니다. 화질을 적절히 유지할 수 있는 최저 데이터 전송 속도를 선택하는 것이 좋습니다. 일반적으로 [Target Bitrate [Mbps]] 값만 설정하면 됩니다. 하지만 영상의 시각적 복잡도가 평균 이상이면 'Target Bitrate' 보다 더 높은 최대 비트레이트로 설정합니다. 다음은 유튜브에서 권장하는 영상의 비트 전송률입니다. 참고하여 자신의 영상을 출력할 때 설정하면 됩니다.

■ **SDR(Standard Dynamic Range) 영상 업로드 시 권장 영상 비트 전송률**

※ SDR(Standard Dynamic Range)은 화면의 어두운 곳에서 밝은 곳을 표현할 때 범위를 표시하는 표준 방식으로써 용량이 작지만 밝은 영역은 너무 밝게 표현되고, 어두운 부분은 뭉개져서 표현되기 쉽습니다.

영상 크기(해상도)	[Target Bitrate [Mbps]] 영상 비트 전송률	
	프레임 속도 24, 25, 30	프레임 속도 48, 50, 60
3840x2160(2160p 4K)	35~45Mbps	53~68Mbps
1920x1080(1080p)	8Mbps	12Mbps
1280x720(720p)	5Mbps	7.5Mbps

■ **HDR(High Dynamic Range) 영상 업로드 시 권장 동영상 비트 전송률**

※ HDR(High Dynamic Range)은 화면의 어두운 곳에서 밝은 곳을 표현할 때 범위를 표시하는 방식으로써 표준 방식보다 더 넓어진 밝기 단계의 범위를 가지고 있습니다. 따라서 화질이 우수하고 현실과 같은 자연스러운 표현이 가능합니다.

영상 크기(해상도)	[Target Bitrate [Mbps]] 영상 비트 전송률	
	프레임 속도 24, 25, 30	프레임 속도 48, 50, 60
3840x2160(2160p 4K)	44~56Mbps	66~85Mbps
1920x1080(1080p)	10Mbps	15Mbps
1280x720(720p)	6.5Mbps	9.5Mbps

[Audio] 설정 역시 [Preset] 설정에 따라 자동으로 설정되며, 특별한 수정 없이 출력하는 것이 좋습니다. 다음은 각 옵션에서 유튜브 업로드를 위한 최적의 설정을 안내합니다.

❶ **[Audio Format Settings]** : 유튜브의 권장 설정은 'AAC' 세팅을 사용합니다.

❷ **[Audio Codec]** : 오디오 압축 방식을 설정하는 옵션으로써 'AAC' 옵션으로 설정합니다.

❸ **[Sample Rate]** : 유튜브의 권장 설정은 '48000Hz' 세팅을 사용합니다.

❹ **[Channels]** : 'Stereo'를 기본으로 하고, 입체 사운드 영상은 '5.1' 옵션으로 설정합니다.

❺ **[Audio Quality]** : 가장 좋은 음질로 출력하기 위해서 'High'로 설정합니다.

❻ **[Bitrate [kbps]]** : 채널을 'Stereo'로 설정하였을 때 '320'으로, '5.1' 옵션으로 선택하였을 때 '512'로 설정하면 됩니다.

02 유튜브 업로드, 삭제, 다운로드

SECTION

01 내 채널에 영상 업로드하기

1 다음으로 출력된 영상을 유튜브에 올려보
겠습니다. 인터넷 주소창에 'youtube.com'을
입력한 후 유튜브 메인 화면이 보이면 로그인
을 하기 위해서 오른쪽 위 또는, 왼쪽에 보이
는 파란색 [로그인] 버튼을 클릭합니다.

TIP
웹브라우저는 유튜브의 모든 기능과 고화질을 이용하기
위해서는 구글 크롬(Google Chrome) 브라우저를 이용하
는 것이 좋습니다.

2 유튜브에 영상을 업로드하기 위해서는
Google 계정이 필요합니다. 아직 계정이 없
으면 새로 생성한 후 로그인 화면에서 필요한
정보를 입력하여 로그인합니다.

3 로그인이 완료되면 메인 화면 오른쪽 위에 로그인 프로필이 표시됩니다. 이제 프리미어 프로에서 만든 영상을 올릴 준비가 되었습니다. 화면 오른쪽 위에 있는 [업로드]( )를 클릭하여 [동영상 업로드]를 클릭합니다.

TIP
로그인에 사용된 계정에서 이름과 성. 프로필 사진 등을 변경할 수 있습니다.

4 유튜브 계정을 만들어 접속한 후 업로드를 위한 채널을 아직 개설하지 않았을 경우 다음과 같이 [크리에이터 활동 시작하기] 창이 표시됩니다. [시작하기] 버튼을 클릭하여 채널 만들기를 시작합니다.

TIP
• 기존에 유튜브 업로드를 이용했다면 창이 열리지 않습니다.
• 유튜브 채널은 유튜브의 영상 관리 시스템입니다.
• 채널 이름은 나중에 변경할 수 있지만. 처음에 신중하게 결정하여 창작 활동을 지속하는 것이 좋습니다.

5 이제 채널 생성 방식을 선택합니다. [내 이름 사용]은 Google 계정에 사용된 이름을 사용하여 채널을 만드는 옵션이며, [맞춤 이름 사용]은 사용자가 창작을 위한 임의의 브랜드 이름을 사용하여 채널을 만들 수 있습니다. 이번에는 두 번째 방식으로 채널을 만들어 보겠습니다. [맞춤 이름 사용]의 [선택] 버튼을 클릭합니다.

6 [채널 이름 만들기] 창이 열리면 [채널 이름]에 임의의 채널 이름을 입력한 후 아래 설명란에 체크하고, [만들기] 버튼을 클릭합니다.

7 새로 채널이 생성되었습니다. 이 페이지에서 프로필 사진을 올릴 수 있으며, 채널 설명을 입력할 수도 있습니다. 사진 및 설명을 입력한 후 [저장하고 계속하기] 버튼을 클릭하거나, [나중에 설정] 버튼을 클릭하여 다음 페이지로 넘어갑니다.

8 이제 영상을 업로드 할 수 있습니다. [동영상을 업로드하여 시작하기] 화면이 보이면 중앙에 [동영상 업로드] 버튼을 클릭합니다.

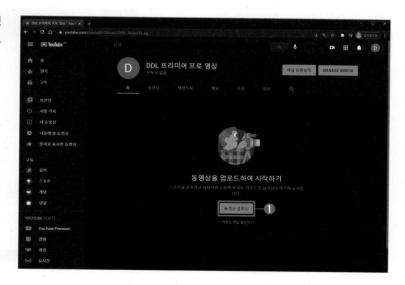

9 [동영상 업로드] 화면이 열리면 [파일 선택] 버튼을 클릭합니다.

TIP

[파일 선택] 버튼을 클릭하는 대신 [윈도우 탐색기]에서 영상 파일을 브라우저 화면의 중앙에 드래그 앤 드롭해도 됩니다.

10 [열기] 대화상자가 열리면 업로드하려는 영상 파일을 찾아 선택하고 [열기] 버튼을 클릭합니다.

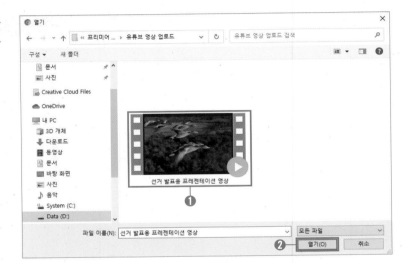

11 유튜브로 파일이 전송되며 적절한 코덱과 용량으로 변환되는 과정을 거칩니다. [세부정보] 화면에서 업로드되는 영상의 [제목]과 [설명], [미리보기 이미지], [재생목록], [시청자층] 등의 내용을 적절하게 입력합니다. 모든 내용의 입력이 끝나면 [다음] 버튼을 클릭합니다.

TIP

• [시청자층]은 아동용 콘텐츠 여부를 설정하는 것으로써 일반 용도의 영상의 경우 [아니요, 아동용이 아닙니다]로 설정하는 것이 좋습니다.

• [연령 제한(고급)]은 일반적인 영상의 경우 [아니요, 동영상 시청자를 만 18세 이상으로 제한하지 않겠습니다]를 선택합니다.

12 [동영상 요소] 화면이 열리면 [최종 화면 추가]와 [카드 추가] 옵션을 설정할 수 있습니다. 기존에 업로드한 영상이 있는 경우, 홍보를 위해 설정하거나 아무것도 설정하지 않고 [다음] 버튼을 클릭하여 넘어가도 됩니다.

TIP

- [최종 화면 추가]는 영상이 끝날 때 관련된 영상을 이어서 볼 수 있도록 화면에 바로가기 링크 등을 제공하여 홍보할 수 있도록 합니다.
- [카드 추가]는 영상 재생 중에 관련된 영상을 볼 수 있도록 화면에 바로가기 링크 등을 제공하여 홍보할 수 있도록 합니다.

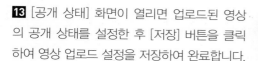

13 [공개 상태] 화면이 열리면 업로드된 영상의 공개 상태를 설정한 후 [저장] 버튼을 클릭하여 영상 업로드 설정을 저장하여 완료합니다.

TIP

- **[비공개]** : 특정 사람만 영상을 감상할 수 있습니다.
- **[일부 공개]** : 영상 링크를 공유하고 이를 가지고 있는 사람만 영상을 감상할 수 있습니다.
- **[공개]** : 누구나 제한 없이 영상을 감상할 수 있습니다.

14 게시가 완료되면 다음과 같은 [게시된 동영상] 화면이 표시됩니다. 밑에 보이는 주소는 유튜브에 게시된 영상의 주소입니다. 정상적으로 재생이 되는지 확인하기 위해서 새 웹페이지를 열고, 주소를 입력합니다.

15 다음과 같이 영상이 문제없이 재생되는지
확인합니다.

TIP

• 업로드가 완료되면 유튜브에서 영상 업로드와 처리가
완료되었음을 알리는 이메일이 전송되며. 그러면 이메
일을 친구나 가족에게 전달하여 영상을 손쉽게 공유할
수 있습니다.

• 유튜브에서 자신이 올린 영상을 검색할 때. 필터에서
[업로드 날짜]를 오늘로 설정하면 쉽게 찾을 수 있습니
다.

※ 유튜브는 지속해서 업데이트되고 있습니다. 앞에서 설명한 계정 로그인, 채널 생성. 영상 업로드의 화면과 메뉴 내용은 Google의 업데이트에
따라 바뀔 수 있습니다.

02 내 채널의 영상 삭제하기

1 다음으로 자신의 유튜브 채널에 있는 영상을 삭제해 보겠습니다. 유튜브 메인 화면에서 자신의 계정을 이용하여 로그인한 후 왼쪽에서 [내 동영상] 메뉴를 클릭합니다.

TIP

화면 해상도 또는, 브라우저의 크기가 작을 경우, 오른쪽 메뉴들이 표시되지 않을 수도 있습니다. 이때는 왼쪽 위 끝에 있는 3줄 아이콘을 클릭하여 메뉴를 표시하고 [내 동영상] 메뉴를 클릭해도 됩니다.

2 내 채널 화면에서 그동안 올린 모든 콘텐츠가 표시됩니다. 영상을 삭제하기 위해서 해당 영상을 체크한 후 메뉴가 열리면 [추가 작업] 버튼을 클릭하여 [완전삭제]를 클릭합니다.

TIP

상단의 [수정] 메뉴에서는 영상의 [제목], [설명] 등을 다시 수정할 수 있습니다.

3 [동영상 삭제] 대화상자가 열리면 [삭제된 동영상은 되돌릴 수 없음을 알고 있습니다.]에 체크한 후 [완전삭제] 버튼을 클릭합니다. 삭제 작업이 마무리되면 [동영상 ○○개가 삭제되었습니다] 표시가 알림으로 뜨고 목록에서 영상이 이제는 보이지 않습니다.

TIP

• 삭제 처리가 된 이후에는 되돌리기가 불가능하므로 신중하게 작업을 진행합니다.

• 영상이 삭제되면 아무도 볼 수 없게 됩니다. 영상 검색 결과와 미리보기 이미지에서 사라지는 데는 다소 시간이 걸릴 수 있습니다.

1 유튜브 영상 중 몇 영상은 자신의 PC에 저장하여 언제든지 사용하고 싶을 때가 있습니다. 영상을 저장하면 인터넷이 안 되는 환경에서도 언제든지 사용할 수 있다는 장점이 있습니다.

TIP
유튜브 자체에도 영상 저장 기능이 있습니다. 유튜브에서는 '유튜브 프리미엄'이라는 유료화 기능으로써 이는 월마다 일정액을 지불하고 고급 기능을 이용하며 영상 저장, 광고 제거, 백그라운드 재생 등입니다.

2 먼저 유튜브에서 저장하고 싶은 영상을 검색하여 재생한 후 인터넷 주소창에 재생되고 있는 영상의 주소에서 나머지 주소는 그대로 두고 'youtube' 문자 앞부분에 'ss'를 입력합니다.

• 'www.youtube.com' → 'www.**ss**youtube.com'

3 잠시 기다리면 다음과 같은 화면으로 바뀌면서 [다운로드] 버튼이 표시됩니다. [다운로드] 버튼 오른쪽에 화면 해상도 및 품질을 선택한 후 [다운로드] 버튼을 눌러 해당 영상을 내려받습니다. 다운로드가 끝나면 파일이 저장된 폴더를 찾아 검색한 후 파일을 더블클릭하여 영상을 재생합니다.

TIP
• 다른 메뉴나 버튼을 클릭하면 광고 사이트로 이동하므로 주의해야 합니다. 화면이 자동으로 바뀌면 [뒤로가기] 기능을 통해 이전 화면으로 돌아가면 됩니다.
• 화면의 해상도 및 브라우저의 종류에 따라 화면의 모양이나 버튼이 조금씩 다를 수 있습니다.
• 몇 개의 특정한 영상은 분석이 안 될 수도 있습니다.
• 위와 같은 방법으로 내려받을 수 있는 영상의 최대 해상도는 720p(1280x720)입니다.

03
프리미어 프로로 유튜브 섬네일 만들기

1 유튜브 섬네일 만들기 위한 프로그램은 포토샵 등 여러 가지를 사용할 수 있지만 가장 좋은 방법은 자신이 잘 다루고, 편한 프로그램을 사용하는 것입니다. 이번 예제에서는 프리미어 프로로 유튜브용 심플 섬네일을 만들어보겠습니다. 프리미어 프로를 실행하고 섬네일을 만들기 위한 영상을 불러와 [Timeline] 패널에 배치합니다.

TIP

프리미어 프로는 포토샵과 마찬가지로 레이어 개념에 따라 개별 트랙으로 작업할 수 있으므로 영상에 자막과 그림을 각각 다른 트랙에 넣고 디자인하여 쉽게 섬네일을 만들 수 있습니다.

2 클립 중에서 가장 마음에 드는 장면을 [Current Time Indicator]로 검색하여 찾습니다. 이미지 편집 프로그램에서는 영상의 특정한 장면을 찾은 후 이미지로 만들어 가져와야 하지만 프리미어 프로에서는 쉽게 찾은 후 바로 섬네일 편집을 할 수 있는 장점이 있습니다.

TIP

영상을 편집하다 보면 영상의 주제와 내용을 가장 잘 표현하는 한 장의 이미지를 고를 수 있습니다.

3 자막을 입력하기 위해서 [Tools] 패널에서 [Type Tool](T)을 클릭하고, [Program Monitor] 패널에 영상의 제목이나 중요한 내용을 간단하게 입력합니다. [Timeline] 패널의 [V2] 트랙에 자동으로 자막 클립이 위치에 만들어졌음을 확인합니다. [Effect Controls] 패널에서 [Graphics] > [Text]를 열어 자막의 폰트 종류, 크기, 자간 등을 다음과 같이 적절히 설정하여 배치합니다.

TIP
유튜브 섬네일에 들어가는 자막은 크게 설정해야 가독성이 좋습니다.

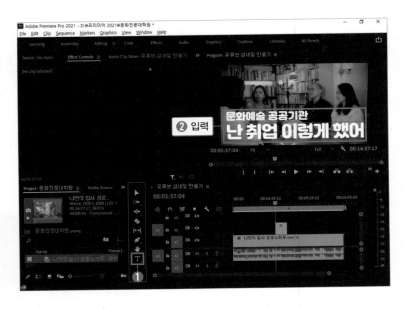

4 다음으로 자막의 색상과 테두리, 그림자를 넣어 꾸며 보겠습니다. [Source Text]의 아래 위치한 [Appearance] 옵션 중 [Fill]과 [Stroke], [Shadow]의 설정을 조절하여 다음과 같이 읽기 쉽고 눈에 잘 띄는 자막으로 디자인합니다.

TIP
• [Fill] : 글자 색상을 설정합니다.
• [Stroke] : 글자에 외곽선을 설정합니다.
• [Background] : 글자의 배경을 설정합니다.
• [Shadow] : 글자에 그림자를 설정합니다.

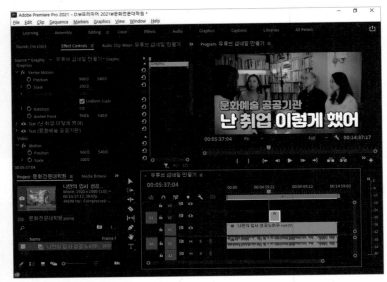

5 다음과 같이 간단하게 유튜브 섬네일을 완성했습니다. 이제 이 장면을 한 장의 이미지로 출력해 보겠습니다. [Program Monitor] 패널의 [Export Frame](📷)을 클릭합니다.

TIP
[Export Frame]은 [Current Time Indicator]가 위치한 장면을 한 장의 이미지로 출력하는 기능입니다.

6 [Export Frame] 대화상자가 열리면 [Name]에 임의의 이름을 입력하고, [Format] 은 'JPEG'로 설정합니다. [Path]의 [Browse] 버튼을 클릭하여 이미지 파일이 저장될 위치를 설정한 후 [OK] 버튼을 클릭하여 이미지를 저장합니다.

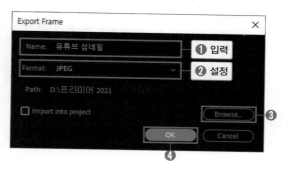

7 [윈도우 탐색기]를 열어 저장된 유튜브 섬네일 이미지를 확인합니다.

1 네이버에서 2020년 2월 출시한 클로바 더빙은 실제 성우가 말한 것 같은 자연스러운 목소리와 남자와 여자, 아이, 아나운서 등 성별, 직업군에 따라 다른 목소리를 사용할 수 있습니다. 또한 간단하지만, 영상에 맞춰 목소리를 편집할 수 있는 기능까지 제공합니다. 생각보다 쉽고 사용 방법이 까다롭지 않으므로 누구나 쉽게 고품질의 더빙을 사용할 수 있는 장점이 있습니다.

TIP

해외에서도 비슷한 TTS 더빙 프로그램이 있지만 자연스럽지 못하고, 사용 방법이 어려울뿐더러 한국어를 지원하지 않거나 제한적으로 지원하므로 실제로 영상 편집에 적용하기는 어렵습니다.

2 클로바 더빙을 시작하기 위해서 인터넷 브라우저를 열고, 주소창에 'clovadubbing.naver.com'을 입력하여 네이버 클로바 더빙 페이지를 엽니다. [CLOVA Dubbing] 페이지를 확인한 후 [클로바더빙 시작하기] 버튼을 클릭합니다.

TIP

네이버 또는 구글에서 검색할 경우, 클로바를 이용한 다양한 사이트들이 나타나므로 검색창에 '클로바 더빙'을 정확하게 검색해서 찾아야 합니다.

클로바더빙 기능을 상업적으로 사용하기 위해서는 제한된 사용(글자 개수 : 3,000자) 또는 유료 서비스 플랜에 가입해야 합니다. 상세한 요금 내용은 ncloud.com/product/aiService/clovaDubbing 페이지를 참조합니다. 서비스 플랜은 총 2가지로 [Standard]와 [Premium]으로 구분됩니다. 요금은 [Standard] : 19,900원, [Premium] : 89,000원이며, 글자에 따라 추가 요금이 발생할 수 있습니다.

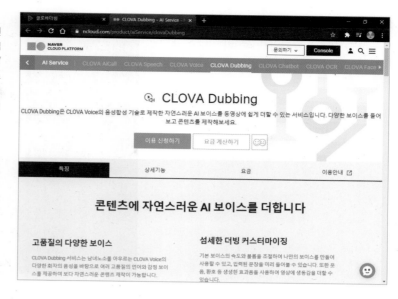

3 클로바 더빙을 이용하려면 반드시 [Naver] 로그인 정보가 필요합니다. 로그인 정보가 없으면, 무료 회원 가입을 통해 아이디를 만든 후 로그인합니다.

네이버 회원 가입은 무료지만, 특별한 몇 가지 기능을 사용하기 위해서는 요금을 내야 하므로 주의합니다.

4 로그인이 성공적으로 이루어지면 [CLOVA Dubbing] 페이지가 열립니다. 더빙을 시작하기 위해서 [내 프로젝트]의 [새 프로젝트 생성]에서 [+] 아이콘을 클릭합니다.

5 [프로젝트명] 대화상자가 열리면 임의의 프로젝트 이름을 입력하고 [생성] 버튼을 클릭합니다.

6 [클로바더빙 무료 사용 제한 안내] 팝업 창이 열립니다. 무료 사용과 상업적 사용에 관한 내용을 참고한 후 팝업 페이지를 닫습니다.

TIP
[클로바더빙 무료 사용 제한 안내]에 관한 내용은 사용자와 로그인 횟수, 시기에 따라 보이지 않을 수도 있습니다.

7 모든 설정이 마무리되면 다음과 같이 더빙을 편집할 수 있는 프로그램의 형태로 페이지가 열립니다. [동영상 추가]나 [PDF 추가] 버튼을 통해 영상 소스, 또는 PDF 문서를 불러와 더빙을 편집한 후 영상으로 출력할 수 있습니다. 이번 예제에서는 더빙 파일만 만든 후 더빙을 넣는 편집은 프리미어 프로에서 하도록 하겠습니다.

TIP
[CLOVA Dubbing] 페이지에서 편집은 간단한 기능만 가능하므로 상세한 영상 편집을 위해서는 더빙 파일만 만든 후 프리미어 프로를 이용하는 것이 좋습니다.

8 [더빙 추가]에 더빙할 내용을 입력합니다. 입력이 끝나면 더빙 목소리를 설정하고, [▶미리 듣기] 버튼을 클릭하여 더빙 음성을 확인합니다.

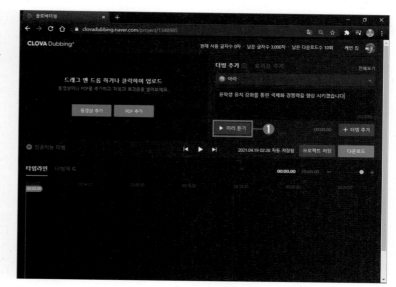

9 [▶미리 듣기]로 적당한 음성을 찾았다면 [+ 더빙 추가] 버튼을 클릭하여 더빙을 [타임라인]에 추가합니다. 위와 같은 방법으로 필요한 더빙을 모두 입력하여 더빙을 추가합니다. 모든 더빙의 추가가 마무리되면 파일로 내려받기 위해서 [다운로드] 버튼을 클릭합니다.

TIP

추가된 모든 더빙은 [더빙 목록] 탭에서 확인 가능합니다.

10 [주의사항 안내] 팝업 창이 열리면 내용을 확인하고 [위 내용을 확인했습니다.]에 체크한 후 [확인] 버튼을 클릭합니다.

11 [다운로드] 대화상자가 열리면 [개별 더빙 파일] 메뉴를 클릭하여 파일을 내려받기합니다.

TIP
효과음을 추가하였을 경우. [음원 파일]로 선택하면 하나의 오디오 파일로 출력되어 나중에 상세한 편집이 어려울 수 있습니다.

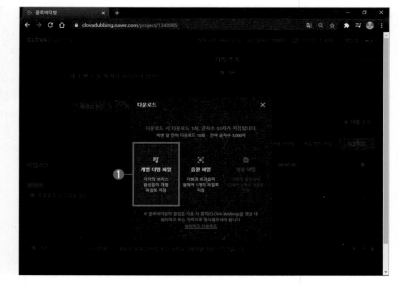

12 출력이 끝나면 [윈도우 탐색기]를 이용하여 출력된 더빙 파일이 저장된 폴더를 찾은 후 mp3 파일을 더블클릭하여 더빙 파일을 확인합니다.

TIP
[윈도우 탐색기]는 단축키 ⊞+E를 눌러 쉽게 불러낼 수 있습니다.

13 더빙 파일 불러오기 위해서 [File] > [Import](Ctrl+I) 메뉴로 [Import] 대화상자를 열고 더빙 파일을 선택한 후 [열기] 버튼을 클릭하여 [Project] 패널에 불러옵니다.

14 [Project] 패널의 더빙 클립을 [Timeline] 패널 오디오 트랙에 드래그하여 넣은 후 `Space Bar`를 눌러 삽입된 더빙을 확인합니다.

TIP

TYPECAST(타입캐스트)

클로바 더빙 외에 TYPECAST(타입캐스트)라는 사이트에서도 인공지능 더빙을 지원합니다.

클로바 더빙 외에 TYPECAST(타입캐스트)라는 사이트에서도 인공지능 더빙을 지원합니다.

자연스러운 내레이션이 가능한 텍스트 무료 음성 변환 사이트입니다. 원하는 남성 혹은 여성의 인물을 선택할 수 있습니다. 인물을 선택하고 사용자가 원하는 스타일로 속도, 끊어 읽기 등으로 이차가공을 할 수 있습니다.

유튜브, 페이스북 등 각종 온라인 채널에서 자유롭게 사용이 가능합니다. 다만 상업용에서 사용할 경우는 별도의 문의가 필요하며, 경우에 따라 유튜브는 인공지능 음성 텍스트 영상을 반기지 않기 때문에 영상에 경고를 받을 수도 있습니다.

05

유튜브 영상 편집을 위한
무료 사이트 안내

01 무료 배경음악 및 효과음 사이트

유튜브 영상 편집 실무에서 큰 고민거리 중 하나는 '배경음악' 소스입니다. 이럴 때 입문자들은 저작권이 있는 소스를 사용하지 않도록 주의해야 하고, 안정적인 무료 사이트의 소스를 사용하길 바랍니다. 그러나 일부 무료 사이트는 시간이 지나면 유료로 바뀌거나 주소가 사라지는 경우가 있으므로 유의하기 바랍니다. 이러한 경우에는 구글이나 유튜브에 '무료 배경음악'이라고 검색하면 다양한 무료 소스 사이트를 찾을 수 있습니다.

■ 유튜브 오디오 보관함 studio.youtube.com

1 유튜브 영상 편집을 위해 필요한 무료 음악과 음향 효과 소스는 유튜브의 오디오 보관함에서 쉽게 구할 수 있습니다. 유튜브에 로그인 후 상단 오른쪽 프로필을 클릭하여 [Youtube 스튜디오] 메뉴를 클릭합니다.

TIP
• 유튜브 오디오 보관함을 이용하기 위해서는 구글 아이디가 필요합니다.
• 인터넷 주소창에 'studio.youtube.com'를 직접 입력해도 됩니다.

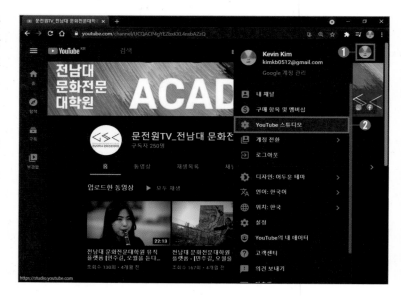

2 왼쪽에 채널 메뉴들이 보이면 [오디오 보관함]을 클릭합니다. [무료 음악]과 [음향 효과] 탭이 보입니다. [무료 음악] 탭에서는 [트랙 제목]과 [장르], [분위기] 등의 분류를 통해 검색할 수 있으며 음악을 재생하여 감상할 수 있습니다.

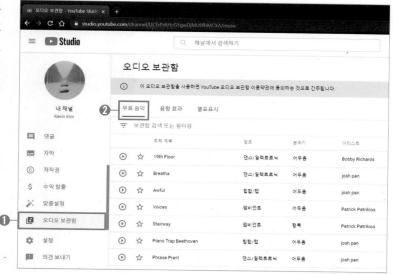

3 음악을 검색한 후 재생하고 마음에 들 경우, [다운로드] 버튼을 클릭하여 음원을 내려받습니다. 효과음 역시 같은 방법으로 검색하여 사용할 수 있습니다.

TIP

· 음원에 따라 라이선스 유형이 다를 수 있습니다. 특정한 음원은 반드시 저작자를 표시해야 하므로 주의합니다. [라이선스 유형]의 내용을 읽고 저작자 표시가 필요한 경우, 반드시 이를 표시해야 합니다.

· 검색 또는 필터링에서 [저작자 표시 필요 없음]을 선택하여 저작자 표시가 필요 없는 음원만 사용할 수 있습니다.

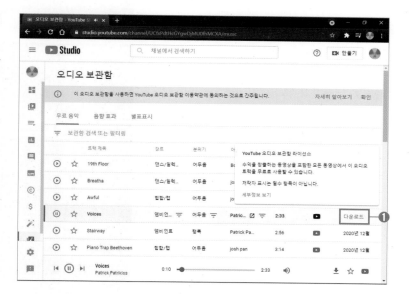

■ **유튜브 NoCopyrightSounds 채널** youtube.com/user/NoCopyrightSounds

1 다음은 유튜브 영상 편집을 위해 필요
한 다양한 장르의 무료 음악을 구할 수 있는
NoCopyrightSounds 채널입니다. NoCopy-
rightSounds 채널은 목소리가 들어간 무료
팝 뮤직을 사용할 수 있으므로 매우 인기가
많은 채널입니다. NoCopyrightSounds 채널
에서 다양한 음악을 검색하고 재생해 봅니다.

TIP
- 웹브라우저 주소창에 'youtube.com/user/NoCopy-
  rightSounds'를 직접 입력해도 됩니다.
- 약자로 'NCS'만 검색해도 됩니다.

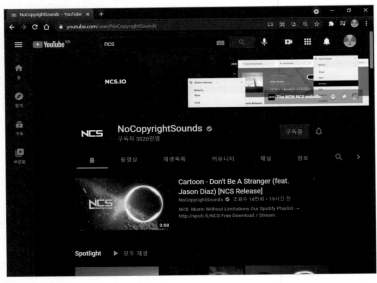

2 마음에 드는 음원을 찾고 재생했다면 아래
쪽 [더보기]에 음원에 대한 설명이 보입니다.
음원을 내려받기 위해서 [Free Download /
Stream]의 링크를 클릭하여 무료 회원가입
후 사용할 수 있습니다.

TIP
해당 음원의 유튜브 주소 중 youtube.com 앞쪽에 'ss'를
추가하여 쉽게 내려받을 수 있습니다. 책의 유튜브 실무
꿀팁 항목을 참고하기 바랍니다.

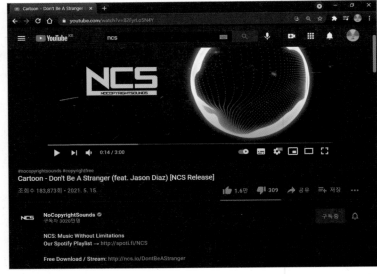

3 NoCopyrightSounds 채널에서 내려받은
음원은 대부분 출처 표기나 저작자 표시를 반
드시 해야 합니다. [더보기]에서 [When you
are using this track, we simply ask that
you put this in your description:] 아래의
저작권과 저작자 표시 내용을 복사하여 자신
의 유튜브 영상 설명에 이를 붙여넣기 하면
음원을 무료로 사용할 수 있습니다.

TIP
무료로 제공되는 소스일지라도 대부분 저작권 범위가 다
르므로 상세 내용을 확인하여 피해를 보는 일이 없도록 주
의해야 합니다.

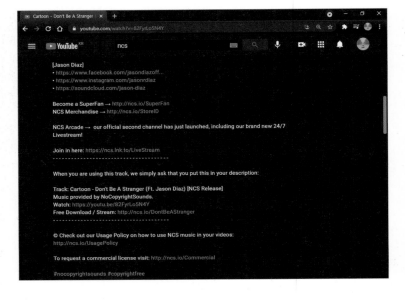

■ **유튜브 Vlog No Copyright Music 채널** youtube.com/c/VlogNoCopyrightMusic/videos

1 다음은 유튜브 영상 편집을 위해 필요한 다양한 장르의 무료 배경음악을 구할 수 있는 Vlog No Copyright Music 채널입니다. Vlog No Copyright Music 채널은 시대의 흐름에 맞는 배경음악을 사용할 수 있으므로 매우 인기가 많은 채널입니다. Vlog No Copyright Music 채널에서 다양한 음악을 검색하고 재생해 봅니다.

TIP

주소창에 'youtube.com/c/VlogNoCopyrightMusic/videos'를 직접 입력해도 됩니다.

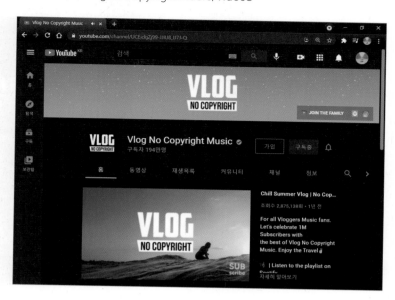

2 마음에 드는 음원을 찾고 재생했다면 아래쪽 [더보기]에 음원에 대한 설명이 보입니다. 음원을 내려받기 위해서 [Free Download] 링크를 클릭하여 무료 회원가입 후 사용할 수 있습니다.

TIP

해당 음원의 유튜브 주소 중 youtube.com 앞쪽에 'ss'를 추가하여 쉽게 내려받을 수 있습니다. 책의 유튜브 실무 꿀팁 항목을 참고하기 바랍니다.

3 Vlog No Copyright Music 채널에서 내려받은 음원은 대부분 출처 표기나 저작자 표시를 반드시 해야 합니다. [더보기]에서 [Licence] 아래의 저작권과 저작자 표시 내용을 복사하여 자신의 유튜브 영상 설명에 이를 붙여넣기 하면 음원을 무료로 사용할 수 있습니다.

TIP

무료로 제공되는 소스일지라도 대부분 저작권 범위가 다르므로 상세 내용을 확인하여 피해를 보는 일이 없도록 주의해야 합니다. 무료 음원의 경우에는 저작자 표시를 하면 대부분 상업적으로 이용할 수 있습니다.

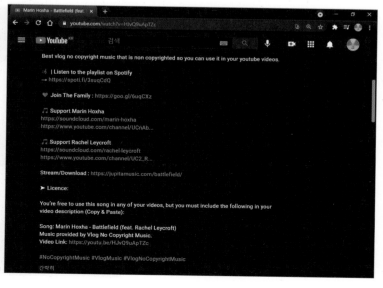

1 다음은 유튜브 영상 편집을 위해 필요한 다양한 효과음을 구할 수 있는 Gaming Sound FX 채널입니다. Gaming Sound FX 채널은 다양한 상황에 어울리는 효과음을 쉽게 구해 사용할 수 있습니다. Gaming Sound FX 채널에서 다양한 효과음을 검색하고 재생해 봅니다.

TIP
주소창에 'youtube.com/user/gamingsoundfx/videos'를 직접 입력해도 됩니다.

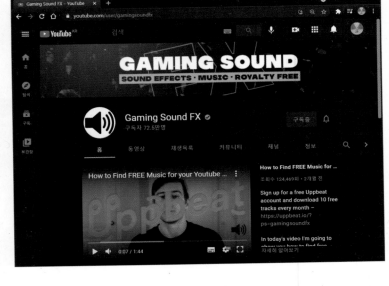

2 특히 Gaming Sound FX 채널은 [Gaming Sound Effects]와 [MLG Sounds Effects] 재생목록을 정리하여 유튜브에서 많이 사용되는 효과음을 제공하므로 상당히 유용합니다.

3 마음에 드는 음원을 찾고 재생했다면 웹브라우저 주소창에 재생되고 있는 음원의 주소에서 나머지 주소는 그대로 두고 'youtube' 문자 앞부분에 'ss'를 입력합니다.

• 'www.youtube.com' → 'www.ssyoutube.com' 웹페이지가 바뀌고 [다운로드] 버튼이 표시되면 간단한 설정 후 [다운로드] 버튼을 눌러 해당 영상을 내려받습니다.

TIP
책의 유튜브 실무 꿀팁 항목 중 [유튜브 동영상 다운로드하기] 편을 참고하기 바랍니다.

■ **유튜브 DayDreamSound 채널** youtube.com/c/데이드림사운드DayDreamSound/videos

1 다음은 유튜브 영상 편집을 위해 필요한 다양한 효과음을 구할 수 있는 데이드림사운드 DayDreamSound 채널입니다. 데이드림사운드 DayDreamSound 채널은 한국 채널이므로 자신이 원하는 효과음을 쉽게 찾아서 사용할 수 있는 장점이 있습니다. 데이드림사운드 DayDreamSound 채널에서 다양한 효과음을 검색하고 재생해 봅니다.

TIP
웹브라우저 주소창에 'youtube.com/c/데이드림사운드 DayDreamSound/videos'를 직접 입력해도 됩니다.

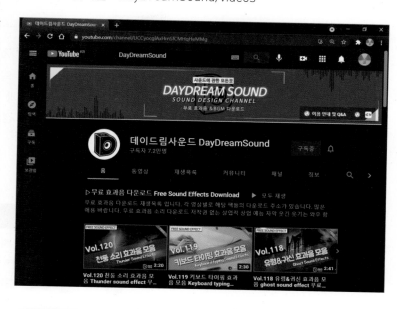

2 마음에 드는 음원을 찾고 재생했다면 아래쪽 [더보기]에 음원에 대한 설명이 보입니다. 음원을 내려받기 위해서 [다운로드 / Download] 링크를 클릭하여 회원가입 없이 내려받은 후 바로 사용할 수 있습니다.

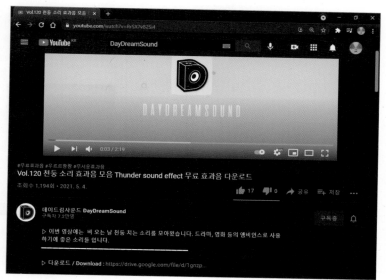

3 이 채널에서 제공해주는 음원 파일의 저작권은 전혀 출처나 저작자 표시가 필요 없음으로 곧바로 어디에든 어떠한 목적으로든 사용할 수 있습니다.

TIP
특정한 음원은 저작자 표시가 필요할 수 있으므로 매번 저작권 관련 내용을 확인한 후 무료 소스를 사용하는 것이 자신의 콘텐츠를 보호할 수 있는 최선의 길입니다.

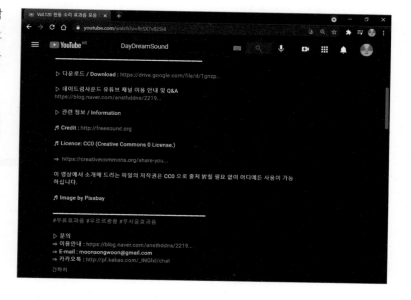

유튜브 영상 편집 실무에서 특정 '이미지'나 '아이콘', '영상' 소스가 필요할 때가 있습니다. 이러한 경우에 입문자들은 저작권이 있는 소스를 사용하지 않도록 주의해야 하고, 안정적인 무료 사이트의 소스를 사용하길 바랍니다. 그러나 일부 무료 사이트는 시간이 지나면 유료로 바뀌거나 주소가 사라지는 경우가 있음에 유의하기 바랍니다. 이러한 경우에는 구글이나 유튜브에 '무료 이미지' 또는 '무료 아이콘', 또는 '무료 영상 배경'이라고 검색하면 다양한 무료 소스 사이트를 찾을 수 있습니다.

■ 구글 이미지 검색 google.com

1 유튜브 영상 편집을 위해 필요한 무료 이미지는 결국 구글의 이미지 검색이 가장 편합니다. 구글에서 필요한 키워드를 입력하여 검색하고 상단의 [이미지] 탭을 클릭하여 이미지만 보이도록 설정합니다.

TIP
구글에서 이미지 검색을 하면 저작권 유무 구분 없이 모든 사진이 나오게 됩니다.

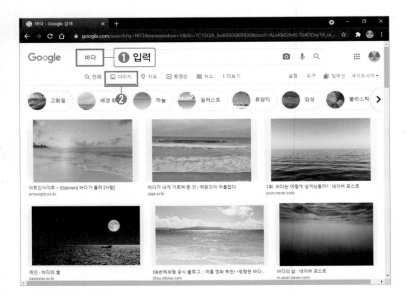

2 이미지 검색에서 [도구]를 클릭하고 [사용권] 메뉴에서 다음과 같이 [크레에이티브 커먼스 라이선스]를 선택하여 무료 이미지만 보이도록 합니다.

TIP
• **크리에이티브 커먼즈 라이선스** : 무료지만 상세 라이선스 종류에 따라 조건이 다를 수 있습니다.
• **상업 및 기타 라이선스** : 상업적으로 이용하기 위해서는 유료 또는 라이선스가 필요한 이미지입니다.

3 필터링 된 무료 이미지 중 사용하고자 하는 이미지를 클릭하면 해당 이미지의 저작권 관련 내용을 확인할 수 있습니다. [라이선스 세부정보]를 클릭하여 확인한 후 이미지를 내려받아 사용하면 됩니다.

TIP
• 이미지를 내려받기 위해서는 해당 이미지를 클릭하여 제공 사이트에서 직접 내려받거나 구글에서 검색된 이미지에 마우스 오른쪽 버튼을 클릭하여 [이미지를 다른 이름으로 저장] 메뉴를 클릭하면 됩니다.
• 고화질 이미지가 필요한 경우. [크기]를 [큼]으로 설정할 수 있습니다.
• [유형]을 [클립아트], [선화], [GIF]로 설정하여 각각 유형의 이미지를 선택적으로 검색할 수 있습니다.

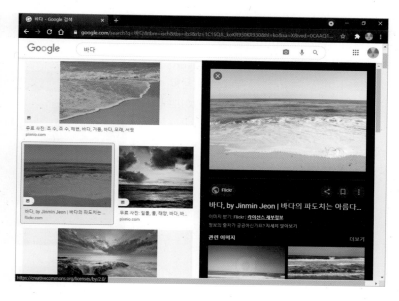

■ 픽사 베이 pixabay.com

1 유튜브 영상 편집을 위해 고품질의 이미지나 영상 소스가 필요한 경우, 구글 이미지 검색보다는 픽사 베이를 이용하는 것이 좋습니다. pixabay.com에 접속하면 다음과 같은 검색 화면을 볼 수 있습니다.

TIP
픽사베이는 한글 검색도 지원하므로 쉽게 원하는 소스를 찾을 수 있는 장점이 있습니다. 또한 다양한 벡터 이미지, 아이콘 등의 그래픽 소스 등도 무료로 구할 수 있습니다.

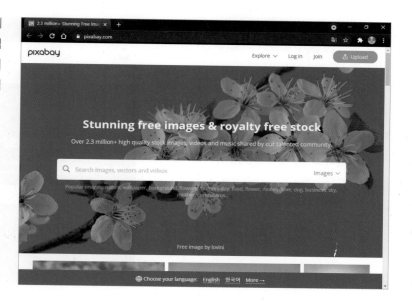

2 필요한 이미지를 검색하면 가장 위쪽에는 [Sponsored Images iStock]으로 유료 광고 이미지가 보입니다. 이 이미지들은 유료이므로 아래쪽 [Free images]에 보이는 이미지 중 하나를 선택해야 합니다.

TIP
• 검색 후 위쪽 탭에서 정렬과 소스의 종류, 분류를 통해 원하는 소스를 쉽게 정렬하여 찾을 수 있습니다.
• 제공하는 소스의 유형은 사진, 벡터 그래픽스, 일러스트, 동영상 등입니다.

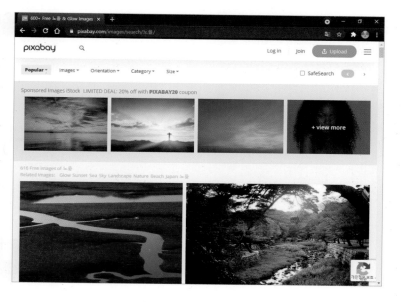

3 이미지를 선택하면 세부 내용이 표시됩니다. [Free Download] 버튼을 클릭하여 이미지를 내려받습니다. 픽사 베이에서 제공하는 대부분의 이미지는 상업적 무료로 이용할 수 있으며, 저작자나 출처를 표시하지 않아도 됩니다.

TIP
[Free Download] 버튼을 클릭하면 이미지의 크기를 고를 수 있습니다. 유튜브 영상 편집을 위해서는 1920x1080 사이즈가 적합합니다. 이때 더 큰 사이즈의 이미지를 내려받고 싶으면 픽사 베이에 무료 회원가입을 해야 하는 이미지도 있습니다.

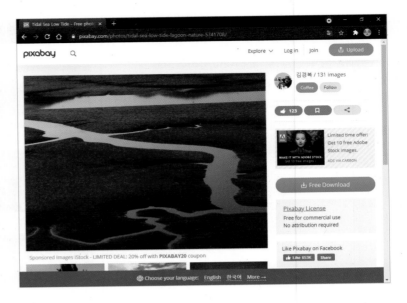

■ **언스플래시** unsplash.com

1 유튜브 영상 편집을 위해 고품질의 이미지나 영상 소스가 필요한 경우, 픽사 베이와 함께 언스플래시 사이트를 이용합니다. unsplash.com에 접속하면 다음과 같은 검색 화면을 볼 수 있습니다.

TIP
언스플래시의 장점은 메인 화면에서 소스를 주제별로 볼 수 있고 검색 또한 가능하다는 점입니다. 다양한 일반 사용자들이 올려놓은 고품질 이미지를 무료로 이용할 수 있는 점도 매우 강점입니다.

2 상단의 주제별 메뉴를 클릭하면 해당하는 내용의 이미지들이 보이게 됩니다. 언스플래시는 총 27개의 주제로 이미지들을 쉽게 검색할 수 있습니다. 이는 사용자들이 자신이 직접 찍은 사진을 주제별 설정하여 올려놓은 것입니다.

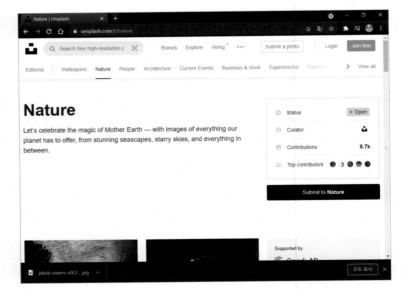

3 내려받으려는 이미지에 마우스 포인터를 올리면 저작권자의 프로필과 이름이 표시되고 하단 오른쪽에 [Download photos] 아이콘이 표시됩니다. 아이콘 클릭만 하면 바로 이미지를 내려받아 사용할 수 있습니다.

TIP

이미지를 내려받은 후 저작자 표시에 관한 내용이 나옵니다. SNS를 통해 저작자에게 고마움을 표시하거나, 자신의 저작물에 저작자를 표시해야 합니다. 2가지 방법 중에서 하나만 선택하여 실행하면 됩니다.

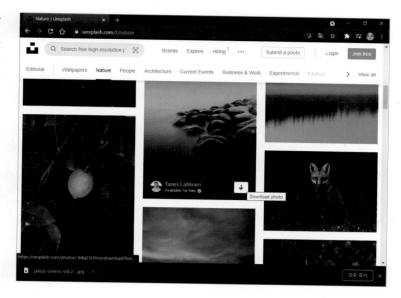

■ 공유마당 gongu.copyright.or.kr

1 다음으로 소개할 무료 소스 사이트는 한국저작권위원회에서 운영하는 공유마당입니다. 많은 양의 자료가 올라와 있지는 않지만, 다양한 종류의 소스를 저작권 걱정 없이 사용할 수 있다는 장점이 있습니다. 메인 화면에서 검색어를 입력하여 원하는 종류와 주제로 소스를 검색합니다.

TIP

공유마당에서는 PPT, 배경음악, 효과음, 폰트, 소설, 일러스트 등의 광범위한 무료 소스를 구할 수 있는 장점이 있습니다.

2 대표적으로 이미지, 영상, 음악, 어문, 무료 폰트와 같은 종류의 소스를 제공하고 있으며 PPT, 웹툰, 포스터 등의 소스도 내려받을 수 있습니다.

3 검색하여 원하는 소스를 찾고, 클릭하면 내려받을 수 있으며, 다음과 같이 공유하거나 저작물 다운로드에 관한 내용을 확인할 수 있습니다. 무료로 제공되는 소스이지만 출처를 남기거나 저작자를 표시해야 하는 경우가 있으므로 반드시 소스마다 개별로 저작물에 대한 라이선스 범위를 확인해야 합니다.

TIP
유튜브 영상을 제작할 경우, [더보기] 칸에 필요한 정보를 남겨 저작물에 대한 라이선스 규정을 준수할 수 있습니다.

■ **플랙션** flaticon.com

1 마지막으로 소개할 무료 소스 사이트는 플랙션입니다. 플랙션은 아이콘을 전문적으로 제공하는 사이트로서 고품질의 PNG 이미지를 쉽게 구할 수 있습니다. 사이트를 접속하면 검색창을 볼 수 있고, 검색은 개별 아이콘 검색인 [Icons], 패키지 검색으로 아이콘 세트를 찾을 수 있는 [Packs]로 나누어져 있습니다.

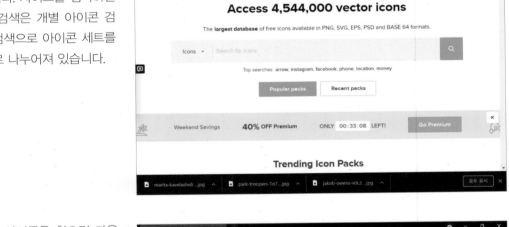

2 검색어를 입력하여 아이콘을 찾으면 다음과 같이 다양한 모양의 아이콘이 검색됩니다. 이때 가장 상단에 있는 아이콘은 유료로 제공되는 소스이며, 아래에 보이는 아이콘 중에서도 왕관 표시가 있는 아이콘은 유료로만 사용할 수 있으니 주의해야 합니다.

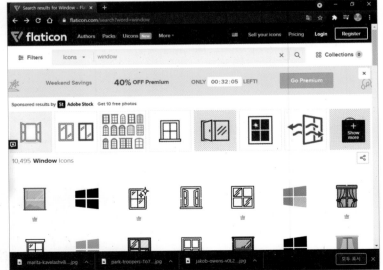

3 검색된 아이콘을 클릭하면 다음과 같은 화면이 보이며 [PNG] 또는, [SVG] 형식으로 아이콘을 내려받을 수 있습니다. [PNG] 이미지는 'px' 단위로 크기를 설정하여 내려받을 수 있습니다. [PNG] 버튼을 클릭하고, 대화상자가 열리면 [Free download] 버튼을 클릭하여 내려받아 사용할 수 있습니다.

TIP

• 아이콘을 사용하여 유튜브 영상을 만들 경우, 저작자를 [더보기] 칸에 표시해야 합니다.
• [SVG] 형식은 웹페이지를 만들 때 사용할 수 있는 이미지 형식입니다.

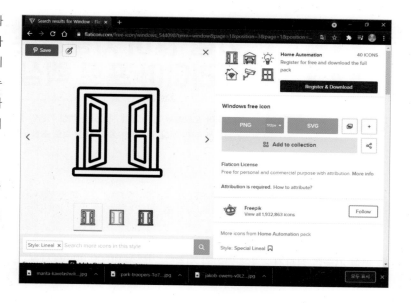

TIP

기타 무료 동영상 소스 사이트

• Pexels Video(videos.pexels.com) : 고화질 동영상 소스 사이트입니다.
• CLIPSTILL(www.clipstill.com) : 반복적인 짧은 동영상 소스 사이트입니다.
• STOCK FOOTAGE 4 FREE(www.stockfootageforfree.com) : 로그인이 필요하지만 다양한 동영상 소스를 제공합니다.
• Videezy(www.videezy.com) : 짧은 동영상 소스 사이트입니다.
• Life of Vids(www.lifeofvids.com) : 드론뷰 동영상 사이트입니다.

※ 라이선스는 사용하기 전에 사용자가 스스로 꼼꼼히 확인하고 사용해야 합니다.

01 가장 많이 사용하는 프리미어 프로 핵심 기능

Special

프리미어 프로에서 가장 많이 사용하는 핵심 기능인 클립 기본 편집, 영상 렌더링, 이미지 설정, 투명도 애니메이션, 스톱모션, 화면 레이아웃 수정, 자막, 영상 속도 조절 기능에 관하여 알아보겠습니다.

01 영상 클립 기본 편집

❶ **편집 기준점 정하기** : 영상 편집의 시작은 기준점 00:00:00:00(시:분:초:프레임)을 정하는 것으로 시작됩니다.
  • [Current Time Indicator] : [Timeline] 패널에서 영상 편집의 기준 지점을 표시하는 수직선을 말합니다.
  • [Playhead Position] : 00:00:00:00(시:분:초:프레임)으로 표시되며 프레임 숫자로 변경할 수 있습니다.

❷ **클립 자르고 지우기** : 기준점이 설정되면 이를 기준으로 클립을 자른 후 불필요한 부분은 삭제합니다.
  • [Razor Tool] : 자르기 툴로써 클립을 여러 조각으로 자를 수 있습니다.
  • [Selection Tool] : 잘린 클립의 불필요한 부분을 선택하고 Delete 를 눌러 삭제합니다. 이와 함께 앞쪽 또는, 뒤쪽만 잘라낼 때는 [Selection Tool]로 [In 점] / [Out 점]을 안쪽으로 드래그하여 자르기와 지우기를 동시에 적용할 수 있습니다.

❸ **이어 붙이기** : 클립을 잘라내어 중간이 빈 경우 이를 이어붙여서 연결합니다.
  • [Ripple Delete] : 빈 곳을 마우스 오른쪽 버튼으로 클릭하여 자동으로 연결합니다.
  • [Selection Tool] : 뒤쪽에 있는 클립들을 드래그하여 앞쪽으로 이동합니다.

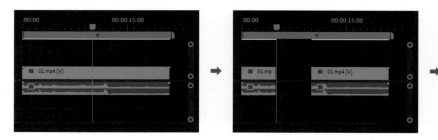 

❶ 편집 기준점 정하기　　　　❷ 클립 자르고 지우기　　　　❸ 이어 붙이기

02 영상 출력(렌더링) 설정

❶ **[Export Settings] 대화상자 열기** : 영상 편집을 마무리고 영상 파일로 출력하기(렌더링)을 위한 대화상자입니다.
  [File] > [Export] > [Media] 메뉴를 클릭하거나 단축키 Ctrl + M 을 누릅니다.

❷ **출력 포맷 결정하기** : 렌더링의 첫 단계는 영상의 출력 포맷 및 코덱을 결정하는 것입니다.
  • [Format] : 영상의 확장자를 결정합니다. MP4 등이 주로 사용됩니다.
  • 코덱(Codec) : 코더(coder)와 디코더(decoder)의 합성어로, 영상 및 오디오 데이터를 압축하거나 푸는 소프트웨어입니다. 필요에 따라 영상과 오디오를 각각 설정해주는 경우도 있습니다.
  • 화면 사이즈 : 화면의 크기를 말합니다.
  • 화면 비율 : 영상의 '가로세로비' 또는, '화면비'를 말합니다.

❸ **영상 파일로 렌더링하기** : 모든 설정이 마무리되면 영상 파일로 만드는 과정을 거쳐야 합니다.

- 파일 이름과 경로 정하기 : 영상 파일이 저장될 위치와 파일명을 입력합니다.
- [Export] : 모든 출력 설정이 마무리되면 컴퓨터가 자동으로 계산하여 영상 파일을 만듭니다.

영상 편집   ❶, ❷ 영상 출력(렌더링) 설정   ❸ 출력 진행(엔코딩)

03 스틸 이미지 설정

❶ **스틸 이미지 재생 길이 설정하기** : 스틸 이미지를 불러오기 전에 재생 길이를 먼저 설정하는 것이 좋습니다.

[Edit] > [Preferences] > [Timeline] 메뉴를 클릭하여 [Preferences] 대화상자가 열리면 [Still Image Default Duration]을 설정합니다. 단위는 2가지로 설정할 수 있습니다.

- [Second] : 스틸 이미지의 재생 길이를 '초' 단위로 설정합니다.
- [Frame] : 스틸 이미지의 재생 길이를 '프레임(초당 이미지 개수)' 단위로 설정합니다. 시퀀스의 프레임 설정에 따라 길이가 다르게 재생됩니다.

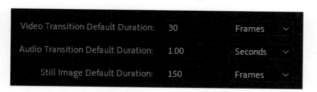

[Preferences] 대화상자에서 스틸 이미지 재생 길이 설정

❷ **PSD 파일 불러오기** : 프리미어 프로에서는 일반 이미지뿐만 아니라 포토샵의 PSD 포맷을 불러올 수 있습니다.

- 불러오기 방식 선택하기 : 하나의 스틸 이미지, 레이어 선택 등을 설정합니다.
- 레이어 선택하기 : [Import Layered File] 대화상자에서 필요한 레이어만 선택할 수 있습니다.
- 크기 설정하기 : 프리미어 프로의 작업 사이즈에 맞출 것인지 결정합니다.

❸ **스틸 이미지 소스 확인하기**

포토샵(PSD) 파일을 레이어별로 불러왔거나 다수의 스틸 이미지가 포함된 폴더를 통째로 불러왔을 경우. [Project] 패널에서 생성된 'Bin(폴더)'를 확인한 후 편집하기 쉽도록 알기 쉬운 이름으로 변경하는 것이 좋습니다.

❷ PSD 파일 불러오기　　❷ PSD 불러오기 방식 설정(레이어 선택하기)　　❸ [Project] 패널에서 확인

❹ 스틸 이미지 재생 길이 변경하기

- [Selection Tool] : [Timeline] 패널에 스틸 이미지를 배치한 후 클립의 앞쪽 또는, 뒤쪽을 드래그하여 재생 길이를 임의로 변경합니다. 스틸 이미지로 만든 클립의 경우 무한대로 재생 길이를 변경할 수 있습니다.
- [Speed/Duration] : [Timeline] 패널에 스틸 이미지를 배치한 후 세밀한 편집을 위해 클립의 재생 길이를 정확한 숫자로 변경합니다.

❹ [V1] 트랙에 배치하기　　❹ 재생 길이 변경　　❹ 재생 길이 변경 완료

04 투명도 애니메이션

2개의 클립에 투명도(Opacity) 효과를 적용하여 클립이 자연스럽게 나타나거나 교차되는 효과를 만듭니다. [Effect Controls] 패널에서 해당 클립의 [Opacity]에 키프레임을 만들어 투명도가 올라가거나 내려가는 지점을 설정합니다.

❶ A 클립에서 B 클립 나타나기

- A 클립 키프레임 : 1번 비디오 트랙에 위치하며 [Opacity] 100%로써 변하지 않습니다.
- B 클립 키프레임 : 2번 비디오 트랙에 위치하며 [Opacity]를 0% → 100%로 만듭니다.
- 결과 : A 클립이 보이는 상태에서 B 클립이 자연스럽게 나타납니다.

❷ A,B 클립 겹치기 : A와 B 클립이 교차되며 디졸브 화면전환 효과가 발생합니다.

- A와 B 클립은 서로 다른 비디오 트랙에 위치해야 합니다.
- A와 B 클립에서 [Opacity]가 변하는 키프레임의 위치는 동일합니다.
- 결과 : A 클립이 사라지면서 B 클립이 자연스럽게 나타나면서 화면전환 효과가 적용됩니다.

❶ A 클립 [Opacity] : 100% - ➤ 100%

B 클립 [Opacity] : 0% - ➤ 100%

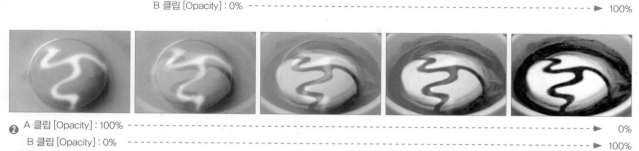

❷ A 클립 [Opacity] : 100% - ➤ 0%

B 클립 [Opacity] : 0% - ➤ 100%

05 스톱모션

❶ **스틸 이미지 재생 길이 설정하기** : 스톱모션은 1초당 이미지가 4~6장 필요하기 때문이 스틸 이미지를 불러오기전 먼저 재생 길이를 적절하게 설정하는 것이 매우 중요합니다.
  • [Edit] > [Preferences] > [Timeline] > [Still Image Default Duration]을 4~6 Frame으로 설정합니다.

❷ **폴더별로 불러오기** : 스틸 이미지가 매우 많기 때문에 폴더를 통째로 불러오는 것이 편리합니다.
  • [Import Folder] : [Import] 대화상자에서 폴더를 선택하고, [Import Folder] 버튼을 클릭합니다.

❸ **스틸 이미지 묶기**
  • [Project] 패널에서 폴더를 [Timeline] 패널로 드래그하여 비디오 트랙에 배치합니다.
  • [Nest] : [Timeline] 패널에서 배치된 스틸 이미지를 한꺼번에 선택하고, [Nest]를 적용하여 하나로 묶습니다.

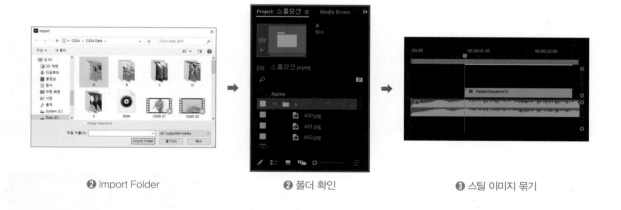

❷ Import Folder   ❷ 폴더 확인   ❸ 스틸 이미지 묶기

❶ **조절 박스 나타내기** : 레이아웃을 수정하기 위해서는 먼저 조절 박스를 나타내야 합니다.
  • 클립이 선택된 상태에서 [Effect Controls] 패널에서 [Motion] 항목을 클릭합니다.
  • [Program Monitor] 패널에서 조절 박스를 확인합니다.

❷ **조절 박스 조절하기** : [Program Monitor] 패널에서 조절 박스를 움직여 레이아웃을 수정합니다.
  • [Position] : 조절 박스의 내부를 드래그합니다.
  • [Scale] : 조절 박스의 외곽에 위치한 점들을 드래그합니다.
  • [Rotation] : 조절 박스의 외곽 부분을 드래그합니다.

원본 영상 소스   ❶, ❷ 조절 박스에서 레이아웃 수정   레이아웃 수정 완료

❶ **자막의 종류** : 기본적으로 정지된 자막 또는 상하/좌우로 이동하는 애니메이션 자막을 만들 수 있습니다. 또한 다양한
  애니메이션 효과를 적용하여 화려한 오프닝 타이틀, 예능 자막 등도 만들 수 있습니다.
  • [Default Still] : 스틸 이미지 자막을 만듭니다.
  • [Default Roll] / [Default Crawl] : 상하/좌우 이동 애니메이션용 영상 자막을 만듭니다.

❷ **글자 입력하고 수정하기** : 프리미어 프로에서 글자를 입력하고 수정하는 방법은 2가지가 있습니다.
  • [Type Tool] : [Tools] 패널에서 [Type Tool]을 선택한 후 [Program Monitor] 패널에서 글자를 입력하고 [Effect
    Controls] 패널에서 폰트, 자간, 행간, 색상, 그림자 효과 등을 쉽게 수정할 수 있습니다.
  • [Legacy Title] : [File] > [New] > [Legacy Title] 메뉴를 통해 [타이틀 디자이너] 창에서 글자를 입력하고 다양한 옵
    션을 빠르게 수정할 수 있습니다.

❸ **스틸 이미지 자막넣기** : 스틸 이미지 자막을 포토샵에서 만들고, 배치하여 편집합니다. 프리미어 프로에서 만들기 어려
  운 다양한 디자인을 적용하여 자막을 삽입할 수 있는 장점이 있지만 수정이 불편할 수 있습니다.

❶ 오프닝 자막   ❷, ❸ 영상 삽입 자막   Roll 자막

08 재생 속도 설정

[Clip Speed/Duration] 대화상자 : 클립의 재생 속도와 재생 시간을 설정합니다. [Speed]는 재생 속도를 조절하고, [Duration]은 클립의 재생 시간을 시간(타임코드) 단위로 설정합니다.

- 영상 빨리감기 : [Clip Speed/Duration]의 [Speed]를 100% 보다 큰 값으로 입력합니다.
- 영상 느리게 감기 : [Clip Speed/Duration]의 [Speed]를 100% 보다 작은 값으로 입력합니다.
- 영상 되감기 : [Reverse Speed]를 체크하고, [Speed]를 조절합니다.

TIP

자주 사용하는 프리미어 프로 Effects

- Auto Color : 화면의 색과 대비 자동 조절
- Auto Contrast : 화면 중간톤을 조정하여 색과 대비 자동 조절
- Auto Levels : 화면의 하이라이트와 명암을 조정하고 자동 밝기 가능
- Brightness & Contrast : 화면의 밝기와 대비 조절
- ProcAmp : 화면의 색상. 밝기. 채도를 한꺼번에 조정
- Shadow/Highlight : 쉐도우 부분을 밝게하고 하이라이트를 줄임. 화면 밝기를 전체적으로 조정하고 역광 이미지를 보정함
- Tint : 검은색과 흰색으로 화면 색상을 바꿈
- Color Balance : 색상 조정
- Lut Buddy : 색보정 파일 연결
- Chroma Key : 지정한 색상을 제거하여 합성에 사용
- Leave Color : 특정 색상만 남기고 흑백 처리함
- Black/White : 흑백 효과
- Fast Color Corrector : 간편한 색상 변환
- PitchShifter : 음성 변조
- Warp Stabilizer : 영상의 흔들림을 보정

03

애프터 이펙트 실무

:: Chapter ::

애프터 이펙트 2021에서 가장 많이 사용하는 패널 및 새로운 기능

영상콘텐츠 공모전 20년 도전 노하우!

애프터 이펙트 2021은 영상에 효과를 넣고, 모션 그래픽과 같은 디지털 애니메이션을 만들 수 있는 프로그램입니다. 프리미어 프로와 포토샵을 비롯한 어도비사의 프로그램보다는 배우기가 조금은 더 어려운 프로그램에 속합니다. 그러나 화면 구성은 일반 사용자는 물론 초보자도 쉽게 배워서 사용할 수 있게 구성되어 있습니다. 하드디스크나 DVD에서 불러온 파일은 모두 [Project] 패널로 등록되고, 이렇게 등록된 파일은 'Footage(푸티지)'라고 하는데, 이를 가공하기 위해서 [Timeline] 패널에 'Layer(레이어)'를 넣고, [Composition] 패널에서 합성 및 효과, 모션을 주도록 구성되어 있습니다.

01 애프터 이펙트 기본 화면 살펴보기

SECTION

애프터 이펙트의 기본 화면은 풀다운 메뉴와 옵션 바, 그리고 [Tools], [Project], [Composition], [Timeline], [Info], [Preview], [Effects & Presets] 패널로 구성되어 있습니다.

01 애프터 이펙트의 시작 화면 살펴보기[Home]

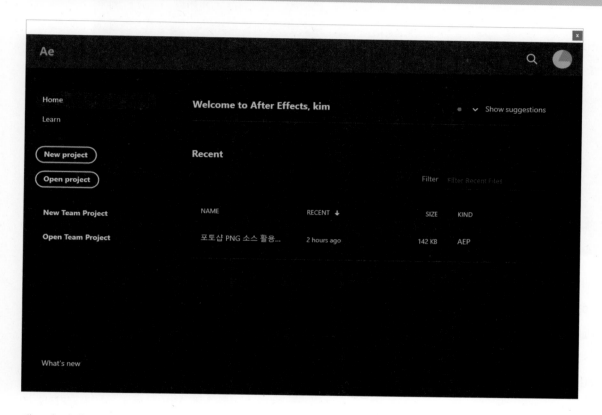

애프터 이펙트 2021을 실행하면 위와 같은 시작 화면 인터페이스를 볼 수 있습니다. [Home] 패널에서는 가장 중요한 메뉴인 [New Project](Ctrl+Alt+N)와 [Open Project](Ctrl+O) 메뉴 및 팀 프로젝트 메뉴를 큰 버튼 형식으로 왼쪽에 표시하고, 오른쪽에는 최근 작업했던 파일의 이름, 작업 시기를 보여주어 쉽게 기존 작업을 열 수도 있습니다. [Home] 패널을 닫고 애프터 이펙트 기본 화면에서 위쪽에 있는 풀다운 메뉴를 통해서도 새 파일 만들기와 같은 작업을 진행할 수 있습니다. [Home] 패널을 이용한 작업 파일 열기는 작업하던 파일 목록을 통해 한 번에 쉽게 기존 작업을 이어갈 수 있으므로 사용자의 작업 시간을 단축하고 파일 관리의 편리함을 더 했습니다. 하지만 사용자에 따라서 [Home] 패널의 기능이 필요하지 않은 경우, 다음과 같은 방법을 통해 이를 해제하고 기존 버전의 시작 구성과 화면으로 돌아갈 수 있습니다.

❶ [Edit] > [Preferences] > [General](Ctrl+Alt+;) 메뉴 클릭
❷ [Enable Home Screen] 체크 해제
❸ [OK] 버튼을 클릭하고 애프터 이펙트 재실행

TIP 애프터 이펙트 버전에 따라 패널의 이름과 메뉴의 이름이 다를 수 있습니다.

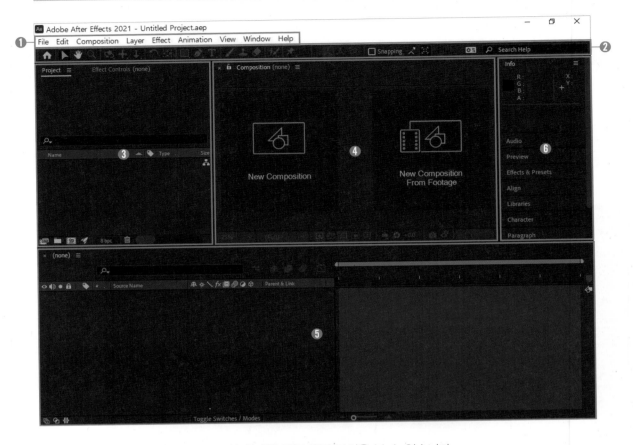

애프터 이펙트의 기본 인터페이스는 위와 같은 작업 화면 구성을 볼 수 있습니다.

❶ **[풀다운 메뉴]** : 애프터 이펙트의 모든 기능과 도움말이 풀다운 메뉴로 정리되어 있습니다.

❷ **[Tools] 패널** : 왼쪽부터 애프터 이펙트에서 가장 중요한 기능인 선택 기능과 화면 크기 조절 등의 주요 기능들이 아이콘 형태로 정리되어 있고, 오른쪽 부분에는 [Workspace Preset]과 [Search Help] 기능 등이 있습니다.

❸ **[Project] 패널** : 외부에서 제작하거나 애프터 이펙트에서 만든 이미지, 사운드 등의 소스 파일을 관리합니다.

❹ **[Composition] 패널** : [Current Time Indicator]가 위치한 시간의 장면을 보여주고, 작업 과정과 결과를 시각적으로 표시합니다.

❺ **[Timeline] 패널** : [Project] 패널에서 소스 파일을 불러와 레이어로 배치하여 효과와 모션 등을 주는 실질적인 작업 공간입니다.

❻ **기타 패널** : [Info], [Audio], [Preview] 패널 등 작업에 필요한 주요 패널들이 보입니다.

TIP
• 애프터 이펙트 버전에 따라 패널의 이름과 메뉴의 이름이 다를 수 있습니다.
• 작업 공간의 모양은 사용자에 따라 다를 수 있습니다. 위의 화면 구성 설명은 [Default] 설정입니다. 화면 구성은 작업의 종류와 편리에 따라 [Window] > [Workspace] 메뉴에서 미리 설정된 다양한 형태가 있습니다.

02 [Project] 패널 살펴보기

[Project] 패널은 작업에 필요한 다양한 종류의 소스 파일을 관리합니다. 애프터 이펙트 작업은 수많은 파일을 사용하게 되므로 폴더 기능을 이용하여 파일을 종류나 목적에 따라 체계적으로 관리하는 것이 좋습니다.

01 [Project] 패널의 기능 살펴보기

❶ **[Footage Detail]** : 선택한 파일의 섬네일 이미지와 속성 등을 표시합니다.

❷ **[Find a Project item]** : 파일을 검색하여 찾습니다.

❸ **[Columns]** : 파일의 이름과 속성, 크기 등을 표시합니다.

❹ **[Interpret Footage]** : 파일에 대한 속성과 정보 등을 수정합니다.

❺ **[Create a new Folder]** : 새로운 폴더를 만듭니다.

❻ **[Create a new Composition]** : 새로운 컴포지션을 만듭니다. [Composition] > [New Composition] 메뉴를 클릭한 것과 같습니다.

❼ **[Project Settings and adjust Project render settings]** : 프로젝트에 대한 다양한 설정을 할 수 있습니다.

❽ **[Project Setting & Color Depth]** : [Project Settings] 대화상자를 열어 프로젝트 설정을 수정할 수 있습니다.

❾ **[Delete selected project items]** : 선택한 파일을 삭제합니다.

❿ **[Project Flowchart]** : 현재 프로젝트의 플로우차트를 표시합니다.

[Tools] 패널 살펴보기

[Tools] 패널은 레이어의 선택과 이동, 화면의 확대 축소, 마스크 만들기 등의 기능을 제공합니다. 버튼의 오른쪽 아래에 보이는 작은 삼각형은 숨겨진 기능이 있다는 표시로써 해당 버튼을 길게 클릭하면 팝업 메뉴가 열리고, 필요한 툴을 클릭하여 사용할 수 있습니다.

01 [Tools] 패널의 각 툴 살펴보기

❶ **[Selection Tool]** : 파일과 레이어, 키프레임, 마스크, 효과 등을 선택하여 특정한 작업을 수행할 수 있습니다.

❷ **[Hand Tool]** : [Composition], [Timeline] 패널이 확대되어 있을 때 화면을 원하는 위치로 옮길 수 있습니다.

❸ **[Zoom Tool]** : [Composition] 패널에서 화면을 확대하거나 축소합니다.

❹ **[Orbit Around Cursor Tool], [Orbit Around Scene Tool], [Orbit Around Camera POI], [Pan Under Cursor Tool], [Pan Camera POI Tool], [Dolby Toward Cursor Tool], [Dolby to Cursor Tool], [Dolby Camera POI Cursor Tool]** : [Layer] > [Camera] 메뉴로 카메라를 만들고, 레이어의 '3D Layer' 아이콘이 활성화된 상태에서 카메라의 움직임을 제어합니다.

❺ **[Rotation Tool]** : [Composition] 패널에서 레이어를 회전합니다.

❻ **[Pan Behind (Anchor Point) Tool]** : 레이어의 [Anchor Point](중심점 : 회전축)를 이동하거나 마스크가 적용된 레이어의 경우, 마스크를 고정한 채 레이어의 위치를 이동할 수 있습니다.

❼ **[Shape Tool]** : 벡터 도형을 만들어 오브젝트 또는, 마스크로 사용합니다.
- **[Rectangle Tool]** : 사각형 도형 또는, 마스크를 만듭니다.
- **[Rounded Rectangle Tool]** : 모서리가 둥글게 처리된 사각형 도형 또는, 마스크를 만듭니다.
- **[Ellipse Tool]** : 원형의 도형 또는, 마스크를 만듭니다.
- **[Polygon Tool]** : 다각형의 도형 또는, 마스크를 만듭니다.
- **[Star Tool]** : 별 모양의 도형 또는, 마스크를 만듭니다.

TIP Shift 를 누른 채 [Shape Tool]을 사용하면 가로와 세로 비율이 1:1인 도형이나 마스크를 만들 수 있습니다.

❽ **[Pen Tool]** : 사용자가 원하는 모양의 도형이나 마스크, 패스를 만들 수 있습니다.
   • **[Pen Tool]** : 점과 선을 이용해 도형, 마스크, 패스를 만들 수 있습니다.
   • **[Add Vertex Tool]** : 점을 추가합니다.
   • **[Delete Vertex Tool]** : 점을 삭제합니다.
   • **[Convert Vertex Tool]** : 곡선 또는 직선으로 바꿉니다.
   • **[Mask Feather Tool]** : 마스크의 경계 부분을 부드럽게 만들기 위한 수치를 설정합니다.

❾ **[Type Tool]** : 글자를 입력하거나 수정합니다.
   • **[Horizontal Type Tool]** : 가로 방향으로 문자를 입력합니다.
   • **[Vertical Type Tool]** : 세로 방향으로 문자를 입력합니다.

TIP 문자를 입력한 후 [Character] 패널에서 문자의 폰트, 크기, 굵기, 간격 등을 세밀하게 조절할 수 있습니다.

❿ **[Brush Tool]** : 스케치 효과를 만들고, 애니메이션으로 만들 수 있습니다.

⓫ **[Clone Stamp Tool]** : 이미지를 복제하고, 애니메이션으로 만들 수 있습니다.

⓬ **[Eraser Tool]** : 이미지의 특정한 부분을 삭제하고, 애니메이션으로 만들 수 있습니다.

⓭ **[Roto Brush Tool]** : 영상에서 특정한 부분을 분리하여 다른 영상 및 이미지와 합성하는 로토스코핑(Rotoscoping) 기법을 위한 기능입니다.
   • **[Roto Brush Tool]** : 영상에서 분리하고자 하는 부분을 브러시로 선택합니다.
   • **[Refine Edge Tool]** : 분리된 영상에서 경계 부분을 세밀하게 정리할 수 있습니다.

⓮ **[Puppet Tool]** : 이미지에 핀을 꽂아서 만들고, 이를 중심으로 변형을 줍니다.
   • **[Puppet Position Pin Tool]** : 이미지에 핀을 만들고, 위치를 옮깁니다.
   • **[Puppet Starch Tool]** : 변형의 영향을 받지 않도록 특정한 부분을 고정합니다.
   • **[Puppet Bend Tool]** : 이미지에 핀을 만들고, 회전을 할 수 있습니다.
   • **[Puppet Advanced Tool]** : 이미지에 핀을 만들고, 위치 이동 및 회전을 할 수 있습니다.
   • **[Puppet Overlap Tool]** : 이미지가 변형으로 인해 겹쳐질 때 우선순위와 영역을 지정합니다.

⓯ **[Sync Settings]** : 애프터 이펙트의 작업 환경 설정을 크리에이티브 클라우드에 저장한 후, 다른 기기에서 작업할 때, 설정을 불러와 같은 환경에서 작업할 수 있게 만듭니다.

⓰ **[Search Help]** : 애프터 이펙트의 기능을 검색하거나 도움말을 찾을 때 사용합니다. 'www.Adobe.com'에서 정보를 찾아 웹브라우저를 통해 검색 결과를 표시합니다.

04

[Composition] 패널 살펴보기

SECTION

[Composition] 패널은 작업 진행 상황과 결과를 시각적으로 확인하고, [Position], [Rotation], [Scale] 등의 모션을 직접 편집할 수 있습니다.

01 [Composition] 패널의 기능 살펴보기

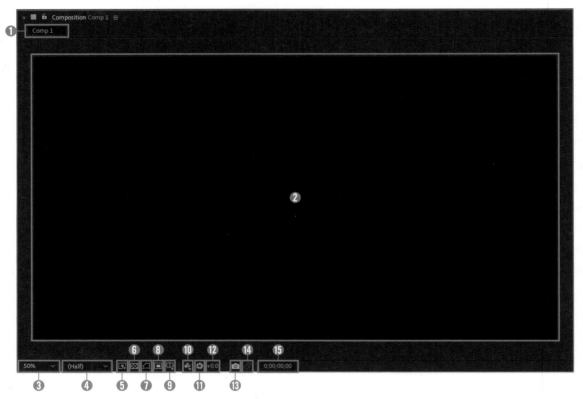

❶ **[Composition Navigator]** : 현재 작업 중인 컴포지션의 연결을 한눈에 확인할 수 있습니다.

❷ **[Composition View]** : 작업 진행 상황과 결과물을 표시합니다.

❸ **[Magnification ratio popup]** : 컴포지션 화면의 크기를 비율을 통해 조절합니다. 클릭하여 확대하거나 축소합니다. 다른 방법으로는 컴포지션 화면에 마우스 커서를 위치한 후, 마우스 휠을 상하로 움직여 쉽게 화면의 크기를 설정할 수 있습니다.

❹ **[Resolution/Down Sample Factor Popup]** : 화면의 해상도를 설정합니다. 해상도를 높이면 깨끗한 화면을 볼 수 있으며 해상도를 낮추게 되면 컴퓨터의 자원을 적게 사용하므로 결과를 빠르게 확인할 수 있습니다. 최종 렌더링 품질과는 상관없습니다.

❺ **[Fast Previews]** : 화면에서 미리보기 품질을 설정합니다. 미리보기가 시간이 오래 걸릴 경우, 낮춰서 설정하면 좋습니다.

❻ [Toggle Transparency Grid] : 배경을 검은색 또는, 투명으로 설정합니다. 투명으로 설정한다면 레이어의 투명도를 확인하며 작업할 수 있습니다.

❼ [Toggle Mask and Shape Path Visibility] : 도형이나 마스크의 점과 선을 표시하거나 숨깁니다. 작업 중 이러한 선들이 방해될 경우, 잠시 숨겨 놓는 용도로 사용됩니다.

❽ [Region of Interest] : 화면에서 원하는 부분만 선택하여 볼 수 있습니다. 작업이 복잡하고 무거워져서 결과물을 확인하는 데 시간이 오래 걸린다면 이 기능을 사용하여 미리보기를 할 때 원하는 부분만 매우 빠르게 확인할 수 있습니다.

❾ [Choose grid and guide options] : 컴포지션 화면에 [Title/Action Safe], [Proportional Grid], [Grid], [Guides], [Rulers]를 표시하거나 숨깁니다.

❿ [Show Channel and Color Management Settings] : 현재 화면에 보이는 결과물의 RGB 색상과 알파를 채널별로 볼 수 있습니다.

⓫ [Reset Exposure] : 화면의 노출을 초기화합니다.

⓬ [Adjust Exposure] : 컴포지션 화면의 노출을 조절합니다. 화면이 너무 밝거나 어두워서 확인이 어려울 때 조절합니다. [Reset Exposure]를 클릭하여 기본 설정으로 되돌릴 수 있으며 최종 렌더링 결과물과는 상관없습니다.

⓭ [Take Snapshot] : 현재 컴포지션 화면을 메모리에 저장합니다. 마지막 클릭한 단 한 장의 장면만 저장할 수 있습니다.

⓮ [Show Snapshot] : [Take Snapshot]으로 저장된 화면을 봅니다. 주로 효과 적용 전/후를 비교할 때 사용합니다.

⓯ [Preview Time] : [Current Time Indicator]가 [Timeline] 패널에서 위치한 곳의 시간을 표시하고, 클릭하면 원하는 시간 지점으로 이동할 수 있는 [Go to Time] 대화상자가 열립니다.

05

[Timeline] 패널 살펴보기

[Timeline] 패널은 소스 파일을 레이어별로 배치하여 효과, 모션 등을 적용하는, 실질적으로 거의 모든 작업이 이루어지는 패널입니다.

01 [Timeline] 패널의 기능 살펴보기

❶ **[Label Color & Composition Name]** : 현재 컴포지션의 라벨 색상과 이름을 표시합니다.

❷ **[Current-time display]** : [Current Time Indicator]가 위치한 곳의 시간을 표시합니다. [Ctrl]을 누른 채 클릭하면 SMPTE(Society of Motion Picture and Television Engineers) Timecode와 Frame Timecode 표시 형식으로 볼 수 있습니다.

❸ **[Quick Search]** : 레이어를 검색하여 찾습니다.

❹ **[Composition Mini-Flowchart]** : 현재 컴포지션의 미니 플로우차트를 표시합니다.

❺ **[Hide Shy Layers]** : [Shy](🈂)가 활성화된 레이어를 [Timeline] 패널에서 숨깁니다.

❻ **[Enable Frame Blending]** : 영상 파일에 가상의 프레임을 삽입하여 레이어의 연결을 부드럽게 합니다.

❼ **[Enable Motion Blur]** : [Motion Blur](◎)가 활성화된 레이어에 모션 블러 효과를 적용합니다.

❽ **[Graph Editor]** : 키프레임 모션을 그래프 형태로 표시하고, 수정할 수 있습니다.

❾ **[Time Ruler]** : 설정한 표시 형식에 따라 시간과 프레임을 표시합니다.

❿ **[Work Area]** : 출력되는 영역을 설정할 수 있습니다.

⓫ **[Current Time Indicator]** : [Timeline] 패널에서 작업의 기준선이 되는 슬라이더로써 영상을 탐색하거나 확인할 수 있습니다.

⓬ **[Expand or Collapse the Layer Switches pane]** : [Timeline] 패널에 [Layer Switches]를 표시하거나 숨깁니다.

⓭ **[Expand or Collapse the Transfer Controls pane]** : [Timeline] 패널에 [Transfer Controls]를 표시하거나 숨깁니다.

⓮ **[Expand or Collapse In/Out/Duration/Stretch panes]** : [Timeline] 패널에 [In 점]과 [Out 점], [Duration] 등을 표시하거나 숨깁니다.

⓯ **[Zoom In/Out]** : [Timeline] 패널을 확대 또는, 축소합니다.

02 [Timeline] 패널의 칼럼 기능 살펴보기

[Timeline] 패널 [Column]과 [Layer Switch] : 레이어의 기본 기능과 표시 방법, 합성 등을 제어합니다. [Timeline] 패널의 [Expand or Collapse the Layer Switches pane](🔲), [Expand or Collapse the Transfer Controls pane](🔲)이 활성화되어 있지 않은 경우, 다음과 같은 기능의 아이콘이 보이지 않습니다.

⑯ **[Video]** : 레이어의 이미지를 [Composition] 패널에서 숨기거나 표시합니다.

⑰ **[Audio]** : 레이어의 오디오를 On/Off 합니다.

⑱ **[Solo]** : 표시한 레이어만 [Composition] 패널에 표시합니다.

⑲ **[Lock]** : 레이어의 모든 편집 기능을 잠급니다.

⑳ **[Label]** : 레이어의 라벨 색상을 바꿉니다.

㉑ **[#]** : 레이어의 번호를 표시합니다.

㉒ **[Source Name/Layer Name]** : 레이어의 이름을 표시합니다. 이름을 마우스 오른쪽 버튼으로 클릭한 후 [Rename]을 선택하여 변경할 수 있습니다.

㉓ **[Shy]** : [Hide Shy Layers](🔲)가 활성화된 상태에서 표시하면 레이어를 [Timeline] 패널에서 숨깁니다.

㉔ **[Collapse Transformation/Continuously Rasterize]** : 레이어의 이미지를 원본 크기로 표시합니다. 벡터 오브젝트의 경우, 벡터 속성을 유지한 채 비트맵으로 화면을 표시하여 이미지 품질을 좋게 합니다.

㉕ **[Quality]** : 레이어의 화질을 조절할 수 있습니다.

㉖ **[Effect]** : 레이어에 적용된 효과를 표시하거나 숨깁니다.

㉗ **[Frame Blending]** : 영상의 프레임을 부드럽게 처리하여 표시합니다.

㉘ **[Motion Blur]** : [Enable Motion Blur](🔲)가 활성화된 상태에서 표시하면 레이어에 모션 블러 효과를 적용합니다.

㉙ **[Adjustment Layer]** : 적용된 효과가 아래 있는 모든 레이어에 같게 적용됩니다.

㉚ **[3D Layer]** : 레이어의 Z축을 활성화하여 3D로 만듭니다.

㉛ **[Blending Mode]** : 레이어의 모드를 변경하여 색상(Color), 대비(Contrast), 밝기(Bright), 채도(Saturation), 색조(Tone) 등의 속성으로 현재 레이어와 아래 위치한 레이어를 합성합니다.

TIP [Blending Mode]가 보이지 않는다면, [Timeline] 패널의 하단 왼쪽의 두 번째(Expand or Collapse the Transfer Controls pane) 아이콘이 켜져 있는지 확인합니다.

㉜ **[Preserve Underlying Transparency]** : 레이어의 Alpha 값을 보존합니다.

㉝ **[Track Matte]** : 레이어와 레이어를 [Alpha Matte]와 [Luma Matte]로 합성합니다.

㉞ **[Parent & Link]** : 레이어의 종속 관계를 지정합니다. 이때 [Parent]에 연결된 'Child' 레이어는 [Opacity]를 제외한 모든 속성을 따라가게 됩니다.

[Composition Settings] 대화상자 살펴보기

[Composition Settings] 대화상자는 애프터 이펙트 작업의 첫 번째 단계로써 해상도, 재생 시간 등을 설정합니다.

01 [Composition Settings] 대화상자의 기능 살펴보기

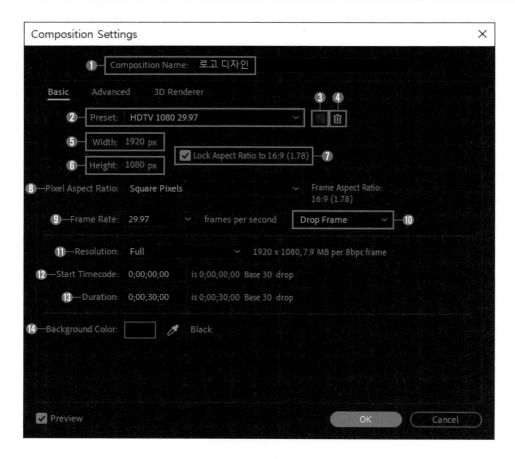

❶ **[Composition Name]** : 컴포지션의 이름을 입력합니다.

❷ **[Preset]** : 저장된 옵션을 선택하면 해상도, 화면 비율, 프레임 등이 자동으로 설정됩니다.

❸ **[Save]** : [Composition Settings]의 설정된 값을 [Preset]으로 저장합니다.

❹ **[Delete]** : 저장한 [Preset]을 삭제합니다.

❺ **[Width]** : 컴포지션의 가로 크기를 픽셀 단위로 설정합니다.

❻ **[Height]** : 컴포지션의 세로 크기를 픽셀 단위로 설정합니다.

❼ **[Lock Aspect Ratio]** : 해상도의 비율을 유지합니다. [Width]와 [Height]를 각각 변경하면 설정된 비율에 따라 [Width], [Height] 크기가 자동으로 바뀝니다.

❽ **[Pixel Aspect Ratio]** : 픽셀의 가로, 세로 비율을 설정합니다. 설정에 따라 화면 비율이 바뀝니다.

❾ **[Frame Rate]** : 영상의 초당 프레임 수를 설정합니다.

❿ **[Drop Frame/Non-Drop Frame]** : NTSC의 초당 29.97프레임은 초당 30프레임을 기준으로 할 때 중간에 빠지는 프레임이 생깁니다. 이때 프레임을 바로잡기 위해 시간의 오차를 계산하여 건너뛰는 방식인 'Drop Frame'을 사용합니다. 'Non-Drop Frame'은 오차를 바로잡지 않습니다.

⓫ **[Resolution]** : 이미지 해상도 크기를 설정합니다. 일반적으로 'Full'로 설정하여 원본 화질로 작업하는 것이 좋습니다.

⓬ **[Start Timecode]** : 컴포지션의 시작 시간을 설정합니다.

⓭ **[Duration]** : 컴포지션의 재생 시간을 설정합니다.

⓮ **[Background Color]** : 배경 색상을 설정합니다.

TIP

애프터 이펙트의 컴포지션 기본 사항

• 애프터 이펙트의 컴포지션은 영상을 만들기 위한 작업대와 같습니다. 컴포지션마다 자체 [Timeline] 패널에서 작업을 할 수 있습니다. 컴포지션에는 동영상과 오디오, 글자, 사진, 이미지 등의 여러 레이어를 이용하여 영상을 만들게 됩니다.

• 컴포지션을 출력하여 원하는 형식으로 최종 출력 영상을 만듭니다.

• 간단한 프로젝트에는 하나의 컴포지션으로 구성할 수 있으며, 복잡한 프로젝트에는 대량의 푸티지나 많은 효과를 구성할 수백 개의 컴포지션이 포함될 수 있습니다.

• 영어 버전의 경우 컴포지션을 'Composition' 또는, 'Comp'으로 약칭합니다.

• 컴포지션은 [Project] 패널에 항목으로 표시됩니다. [Project] 패널에서 컴포지션 항목을 두 번 클릭하면 컴포지션이 자체 [Timeline] 패널에서 열립니다.

• 언제든지 컴포지션 설정을 변경할 수 있습니다. 그러나 처음으로 컴포지션을 만들 때 최종 출력을 염두에 두고 영상의 크기, 비율, 프레임 등의 설정을 미리 지정하는 것이 가장 좋습니다.

07

애프터 이펙트 핵심 단축키 알아두기

01 [File] 메뉴 단축키

New Project	Ctrl + Alt + N
Open Project	Ctrl + O
Close	Ctrl + W
Save	Ctrl + S
Save As	Ctrl + Shift + S
Import File	Ctrl + I

02 [Edit] 메뉴 단축키

Undo	Ctrl + Z
Redo	Ctrl + Shift + Z
Cut	Ctrl + X
Copy	Ctrl + C
Paste	Ctrl + V
Clear	Delete
Duplicate	Ctrl + D
Split Layer	Ctrl + Shift + D
Select All	Ctrl + A

03 [Composition] 메뉴 단축키

New Composition	Ctrl + N
Composition Settings	Ctrl + K
Add to Render Queue	Ctrl + M

04 [Layer] 메뉴 단축키

New Solid	Ctrl + Y
New Adjustment Layer	Ctrl + Alt + Y
New Mask	Ctrl + Shift + N
Group Shapes	Ctrl + G
Ungroup Shapes	Ctrl + Shift + G
Pre-compose	Ctrl + Shift + C

05 [Effect] 메뉴 단축키

Effect Controls	F3
가장 최근 적용한 Effect 적용	Ctrl + Alt + Shift + E

06 [View] 메뉴 단축키

Zoom In	>
Zoom Out	<
Show Rulers	Ctrl + R
Show Guides	Ctrl + ;
Show Grid	Ctrl + ~

07 [Window] 메뉴 단축키

Character 패널 보이기 / 숨기기	Ctrl + 6
Paragraph 패널 보이기 / 숨기기	Shift + 7

08 [Tools] 단축키

Selection Tool	V
Hand Tool	H
Temporarily Hand Tool	Space Bar / middle mouse button
Zoom In Tool	Z
Zoom Out Tool	Zoom Tool이 선택된 상태에서 Alt
Rotation Tool	W
Camera Tool	C
Pan Behind Tool	Y
Shape Tool	Q
Pen Tool	G
Type Tool	Ctrl + T
Brush, Clone Stamp, and Eraser Tools	Ctrl + B
Roto Brush Tool	Alt + W
Puppet Tool	Ctrl + P

Work Area 시작점으로 이동	`Shift`+`Home`
Work Area 끝점으로 이동	`Shift`+`End`
이전 키프레임 또는, 마커로 이동	`J`
다음 키프레임 또는, 마커로 이동	`K`
Timeline의 시작점으로 이동	`Home`
Timeline의 끝점으로 이동	`End`
1 프레임 앞으로 이동	`Page Down`
1 프레임 뒤로 이동	`Page Up`
레이어 In 점으로 이동	`I`
레이어 Out 점으로 이동	`O`
레이어 속성 열기 / 닫기	`Ctrl`+`~`
Anchor Point 속성 열기 / 닫기	`A`
Opacity 속성 열기 / 닫기	`T`
Position 속성 열기 / 닫기	`P`
Rotation 속성 열기 / 닫기	`R`
Scale	`S`
Effects	`E`
키프레임 보기	`U`

그 밖의 단축키는 상단 메뉴의 [Help] > [Keyboard Shortcuts] 메뉴에 있습니다.

01

애프터 이펙트 2021의 새로운 기능

핵심 내용

어도비(Adobe)의 애프터 이펙트가 2021년 4월에 2021 버전으로 업그레이드되었습니다. 애프터 이펙트는 영상에 애니메이션과 모션 그래픽을 위한 다양한 기능을 추가하거나 업그레이드하여 지속해서 발전하는 모습을 보여주고 있습니다. 이번에는 애프터 이펙트 2021에서 추가되거나 향상된 기능을 소개하고, 같이 알아보겠습니다.

인물과 배경 자동으로 분리하기 Roto Brush 2.0

애프터 이펙트 2021에서 가장 향상된 기능 중 하나는 [Roto Brush Tool](🖌️)입니다. [Roto Brush Tool]은 영상에서 인물이나 특정한 물체를 자동으로 분리하여 합성에 사용할 수 있도록 만들어주는 대단히 유용한 툴입니다. 특히 배경이 크로마키 그린스크린이 아니거나 복잡한 색상일 경우, 일반적인 방법으로 인물과 배경을 분리하는 것은 매우 힘들지만 [Roto Brush Tool]을 이용하면 가능합니다.

도형을 이용한 애니메이션 추가하기 Taper & Wave

영상에 말 자막 또는, 설명글 등 캡션 자막을 쉽게 입력 및 수정할 수 있도록 [Text] 패널과 다양한 기능이 추가되었습니다.

01 인물과 배경 자동으로 분리하기 Roto Brush 2.0

1 애프터 이펙트 2021에서 가장 향상된 기능 중 하나는 [Roto Brush Tool](🖌)입니다. [Roto Brush Tool](🖌)은 영상에서 인물이나 특정한 물체를 자동으로 분리하여 합성에 사용할 수 있도록 만들어주는 대단히 유용한 툴입니다. 특히 배경이 크로마키 그린스크린이 아니거나 복잡한 색상일 경우, 일반적인 방법으로 인물과 배경을 분리하는 것은 매우 힘들지만 [Roto Brush Tool](🖌)을 이용하면 가능합니다. 애프터 이펙트 2021에서는 기존에 1.0 버전에서 아쉬웠던 기능을 향상하여 2.0으로 선보입니다.

TIP
[Roto Brush Tool]은 이미지뿐만 아니라 영상 소스를 대상으로 작동하기 때문에 매우 유용합니다.

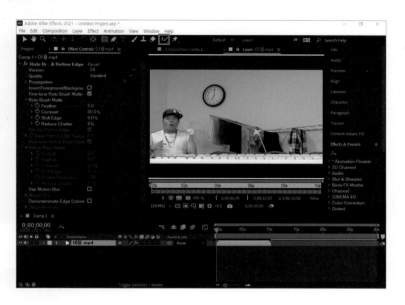

2 그럼 이제 간단하게 새롭게 선보이는 [Roto Brush 2.0]을 같이 알아보겠습니다. 먼저 영상 소스를 하나 불러와 [Timeline] 패널에 배치하여 레이어로 만듭니다. 불러온 영상은 일반적인 배경에서 인물을 촬영한 것이면 모두 가능합니다. [Roto Brush Tool](🖌)을 적용하기 위해서 [Timeline] 패널에 배치된 레이어의 이름을 더블클릭하여 레이어 화면을 띄웁니다.

TIP
[Roto Brush Tool]을 비롯한 몇 기능들은 [Composition] 패널에서는 동작하지 않으므로 따로 해당 레이어 화면을 열어 기능을 적용한 후, 다시 [Composition] 패널로 돌아와야 합니다.

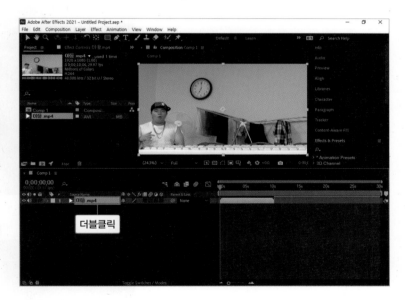

3 [Roto Brush Tool]()은 특수 효과 중 하나이지만 적용은 일반 효과와는 조금 다릅니다. 툴을 선택하고 화면에 직접 그리면서 적용해야 합니다. 상단의 [Tools] 패널에서 [Roto Brush Tool]()을 클릭합니다.

TIP

[Roto Brush Tool]을 선택하기 전, 컴포지션 화면이 아닌 레이어 화면이 보이는지 확인하세요.

4 [Roto Brush Tool]()로 레이어 화면에서 인물만 그려서 선택합니다. 그린 부분에 녹색 선이 표시됩니다.

TIP

인물의 모양을 비슷하게 자동으로 인식하므로 정확하게 인물만 선택하지 않아도 됩니다. 영역을 그려도 되고 색칠하는 것처럼 선택해야 할 부분만 선으로 표시해도 충분합니다.

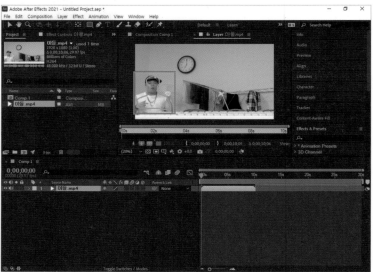

5 [Roto Brush Tool]()로 선택을 끝내면 애프터 이펙트 2021이 자동으로 영역을 찾아 분홍색 선으로 영역을 표시합니다.

TIP

분홍색 선 바깥쪽 부분은 투명이 돼서 자동으로 지워지게 됩니다.

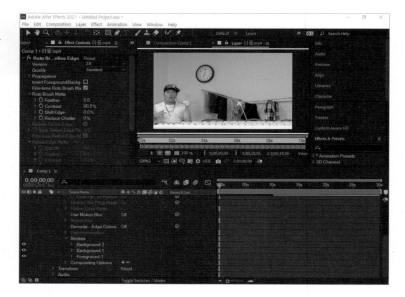

6 선택한 영역이 마음에 들지 않을 경우, 수정하여 영역을 추가하거나 뺄 수 있습니다. [Roto Brush Tool](🖌)로 추가할 영역을 다시 녹색 선으로 칠하거나, 빼고 싶은 영역은 Alt 를 누른 채 선을 그려 불필요한 영역은 삭제합니다. 모든 선택이 마무리되면 Space Bar 를 눌러 자동으로 계산이 끝날 때까지 기다립니다.

TIP
• 영상 소스의 경우 여러 장면에서 다른 선택이 요구될 경우, 필요한 장면에서 영역을 다시 수정할 수 있습니다.

7 [Composition] 패널로 돌아와 확인해보면 배경이 다음과 같이 없어진 것을 확인할 수 있습니다. 이제 [Timeline] 패널에 다른 레이어를 추가하여 합성할 수 있습니다.

TIP
선택된 영역이 마음에 들지 않을 경우, 다시 레이어 화면을 열어 [Roto Brush Tool]로 영역을 수정한 후, 다시 계산하여 영역을 수정합니다.

8 애프터 이펙트 2021에서 새로워진 [Roto Brush Tool](🖌)을 이용하여 인물과 배경을 다음과 같이 분리했습니다.

1 다음은 애프터 이펙트 2021에서 새롭게 추가된 기능입니다. 애프터 이펙트는 도형을 이용한 다양한 모션 그래픽에도 강한 장점들이 있는데 이번에 추가된 기능은 선에 애니메이션 기능을 추가하여 자연스러운 모션 그래픽을 만들 수 있는 [Taper]와 [Wave] 기능입니다. [Taper]는 선의 한쪽 부분을 가늘게 또는 두껍게 만드는 기능이고, [Wave]는 선에 물결 효과를 추가하는 기능입니다.

TIP

[Taper]와 [Wave] 기능은 애프터 이펙트에서 그린 선과 도형에만 적용됩니다.

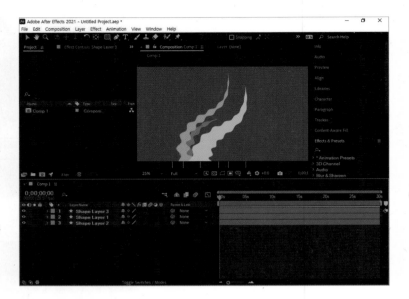

2 이제 간단하게 새롭게 추가된 [Taper]와 [Wave] 기능을 알아보겠습니다. 먼저 이러한 기능들을 적용하기 위해서는 애프터 이펙트 자체에서 선 또는, 도형을 직접 그려야 합니다. [Pen Tool](✎)을 클릭하고, [Composition] 패널에 다음과 같은 줄기 모양을 그립니다. [Fill]은 'None', [Stroke]는 임의의 색상으로 설정한 후, 선 두께를 상당히 두껍게 만듭니다. [Timeline] 패널의 레이어를 열어 [Contents] > [Shape 1]을 확인하면 [Taper]와 [Wave]가 있음을 확인할 수 있습니다.

TIP

[Taper]와 [Wave] 기능은 면에 적용되는 것이 아니라 선에 적용되기 때문에 선의 두께가 없는 경우, 적용할 수 없습니다.

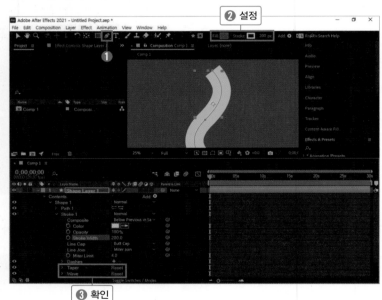

3 [Taper]의 옵션을 열어 [Start Length] 또는, [End Length]의 값을 수정하여 한쪽 선의 두께를 다음과 같이 얇거나 두껍게 만들 수 있습니다. 이러한 기능을 이용하여 잎사귀 모양을 디자인할 수도 있고, 잎사귀가 자라나는 모션 그래픽도 애니메이션 할 수 있습니다. 사용자에 따라 다양한 응용이 가능하여 앞으로 유용하게 사용될 것으로 기대됩니다.

TIP
[Taper]에서 조절할 수 있는 다양한 항목을 모두 수정해 보시기 바랍니다.

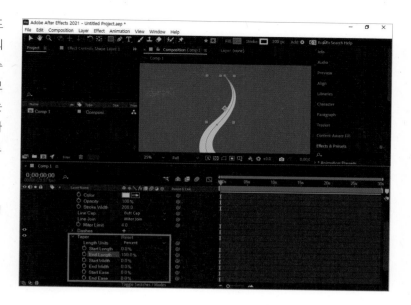

4 다음으로 [Wave]의 옵션을 열어 [Amount] 값을 수정하여 다음과 같이 선의 모양에 물결 효과를 줄 수 있습니다. 미역 줄기와 같은 모양을 디자인할 수도 있으며, [Phase] 값을 조정하여 물결이 움직이는 모션 그래픽도 만들 수 있습니다.

TIP
[Wave]에서 조절할 수 있는 다양한 옵션을 모두 수정해보기 바랍니다.

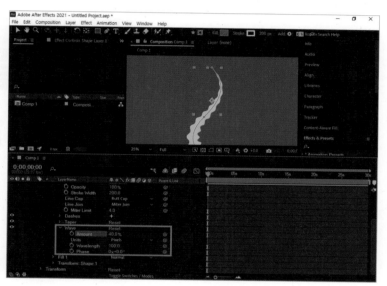

영상 테크닉을 위한 애프터 이펙트 실무 기초

영상콘텐츠 공모전 20년 도전 노하우!

애프터 이펙트 실무를 원한다면 '기초'에 충실해야 합니다. 화려한 테크닉으로 할 수 있는 것은 특수하고 제한적이지만, 기초를 알면 다양한 것을 모두 만드는 것이 가능하기 때문입니다. 특히 애프터 이펙트 실무에서는 프리미어, 포토샵과의 연계 기능을 알아두는 것이 매우 중요합니다. 그래야 유기적으로 프로그램을 빠르게 익힐 수 있기 때문입니다. 따라서 필자는 프리미어, 포토샵과 연계할 수 있는 영상 작품 만들기를 '애프터 이펙트 실무 기초'에 예제로 사용했습니다. 또한, 제작에 필요한 다양한 소스 파일을 이용하여 예제를 실습해 보면서 애프터 이펙트의 다양성과 창의성을 제시하고자 합니다.

01

동영상과 이미지 소스 활용
애니메이션 기초

핵심 내용

애프터 이펙트는 누구나 쉽게 영상에 애니메이션을 만들 수 있는 영상 디자인 프로그램입니다. 이를 활용하여 공모전과 유튜브에 도전할 수 있는 다양한 영상을 만들 수 있습니다. 본 예제에서는 디자인된 이미지와 동영상 소스를 불러와 불투명도 애니메이션, 이동 애니메이션을 실습하고, 이를 통해 초보자도 얼마든지 쉽게 애프터 이펙트의 기본 애니메이션을 할 수 있다는 것을 알려주고자 합니다.

핵심 기능

Import → Layer
Opacity Animation
Position Animation
Add to Adobe Media Encoder Queue

STORYBOARD

SBC 다큐멘터리 인트로 중 일부분

준비 파일 : Part 03 > Chapter 01 > Section 01 폴더 파일   **완성 파일 :** Part 03 > Chapter 01 > Section 01 > 동영상과 이미지 소스 활용 애니메이션 기초 완성.mp4

1 윈도우에서 [시작] 버튼을 클릭한 후 [Adobe After Effects 2021]을 찾아 프로그램을 실행합니다. 애프터 이펙트 2021의 기본 실행 화면은 다음과 같습니다. 최근 작업 프로젝트가 새 창으로 표시되면 닫고 다음과 같은 기본 화면을 확인합니다.

TIP

• 개인 설정에 따라 [Home] 패널이 먼저 실행될 경우, 닫고 다음과 같은 기본 화면을 만드세요.

• 애프터 이펙트는 3개의 주요 패널로 구성되어 있습니다. 왼쪽 위의 [Project] 패널, 중앙 상단의 [Composition] 패널, 그리고 하단의 [Timeline] 패널입니다. 그외 옵션 패널은 오른쪽에 [Preview], [Effects & Presets] 등이 있습니다.

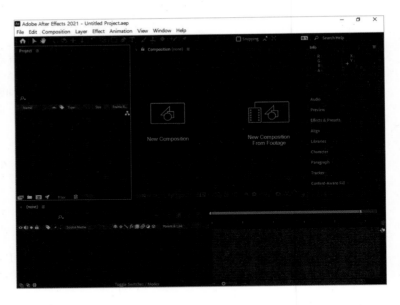

2 이제 제공된 동영상과 이미지 파일을 불러와 키프레임 애니메이션 영상을 만들어 보겠습니다. 소스 파일을 불러오기 위해서 [File] > [Import] > [File]([Ctrl]+[I]) 메뉴를 클릭합니다.

TIP

[Project] 패널의 비어있는 아래 공간을 더블클릭해도 [Import File] 대화상자를 불러올 수 있습니다.

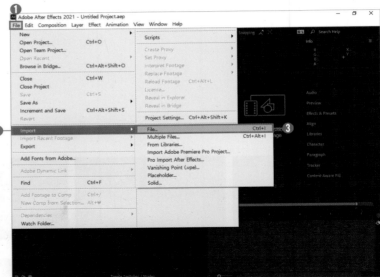

3 [Import File] 대화상자가 열리면 '배경.mp4' 파일을 선택하고 [Import] 버튼을 클릭하여 파일을 불러옵니다. [Project] 패널의 '배경.mp4' 푸티지를 확인합니다. 해당 푸티지를 마우스 오른쪽 버튼으로 클릭하고, [New Comp from Selection]을 선택합니다.

TIP

• 컴포지션(Composition)은 포토샵의 캔버스처럼 작업대를 말하는 것으로써 이미지와 텍스트 등을 넣고 모션을 주어 애니메이션을 만드는 작업 공간입니다.

• [New Comp from Selection]은 컴포지션을 만들 때 복잡한 설정이 필요 없이 선택한 파일의 해상도, 프레임과 같은 옵션으로 자동 생성되는 기능입니다.

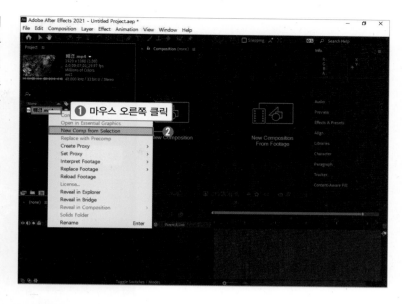

4 새 컴포지션이 다음과 같이 자동으로 만들어집니다. Space Bar 를 눌러 배경 영상을 확인합니다.

자동으로 만들어진 컴포지션의 설정은 다음과 같습니다.

• [Width] : 1920(가로), [Height] : 1080(세로)

• [Pixel Aspect Ratio] : Square Pixels(픽셀 비율)

• [Frame Rate] : 29.97(초당 프레임 개수)

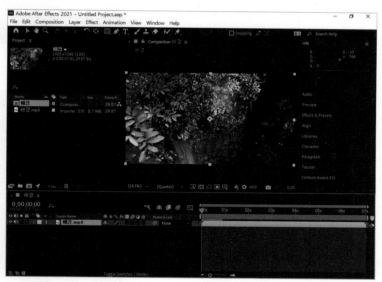

1 제공된 로고 이미지를 불러오기 위해서 [File] > [Import] > [File]($\boxed{\text{Ctrl}}$+$\boxed{\text{I}}$) 메뉴를 클릭하고, '로고.png' 파일을 찾아 선택한 후 [Import] 버튼을 클릭합니다. [Project] 패널에 '로고.png' 푸티지를 확인하고, [Timeline] 패널의 1번 위치에 드래그하여 다음과 같은 순서로 레이어를 만듭니다.

TIP
- 레이어의 순서에 주의합니다. 순서에 따라 전혀 다른 결과물이 나올 수 있습니다.
- png 포맷 이미지는 배경을 투명한 상태로 저장할 수 있는 장점이 있습니다. 따라서 글씨, 로고 등을 저장하여 배경 영상과 합성할 수 있습니다.

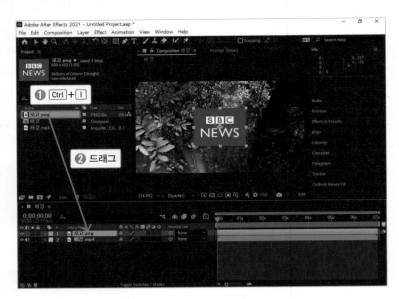

2 로고 이미지의 위치와 크기를 변경해 보겠습니다. [Timeline] 패널에서 '로고.png' 레이어를 선택하고, 왼쪽의 작은 화살표를 클릭하여 [Transform]의 아래 옵션까지 보이게 합니다. [Scale]을 '50, 50%'로 설정하여 크기를 변경하고, [Position]을 '210, 180'으로 설정하여 위치를 다음과 같이 변경합니다.

TIP
- '로고.png' 레이어를 선택하고 $\boxed{\text{Shift}}$를 누른 채, $\boxed{\text{P}}$와 $\boxed{\text{S}}$를 눌러도 [Position]과 [Scale]을 표시할 수 있습니다.
- [Scale]은 크기, [Position]은 위치를 변경할 수 있습니다.

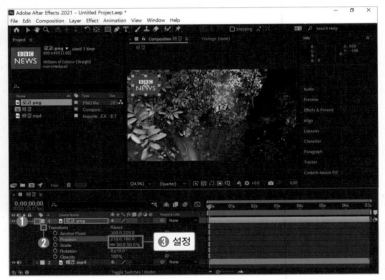

3 [Current Time Indicator]가 0:00:00:00 위치에 있는 것을 확인합니다. 투명도 애니메이션 효과를 만들기 위해서 [Opacity] > [Time–Vary stop watch](◎)를 클릭해 활성화하여 [Current Time Indicator]가 위치한 곳에 키프레임을 생성하고, '0%'로 설정합니다.

TIP

• **[Current Time Indicator]** : 시:분:초:프레임(0:00:00:00)으로 표시하며, [Timeline] 패널에서 파란색 수직선입니다. 현재 편집 위치를 시간으로 표시하는 슬라이더로 영상을 확인하거나 탐색하고, 편집의 기준선이 됩니다.

• [Opacity] 0%는 완전 투명으로써 이미지가 보이지 않습니다.

4 [Current Time Indicator]를 0:00:01:00 위치로 옮기고, [Opacity]를 '100%'로 설정한 후 [Current Time Indicator]를 좌우로 이동하면서 투명도 애니메이션 효과를 확인합니다.

TIP

• [Opacity] 100%는 완전 불투명으로써 이미지가 화면에 완전하게 표시됩니다.

• 0:00:00:00에서 첫 번째 키프레임을 만든 후, 시간대를 옮겨, 0:00:01:00에서 다른 값을 입력한 경우, 자동으로 두 번째 키프레임이 만들어지며, 애프터 이펙트는 2개 키프레임 간에 다른 값을 시간에 따라 변화시켜가며 이미지가 나타나는 애니메이션이 만들어지게 됩니다.

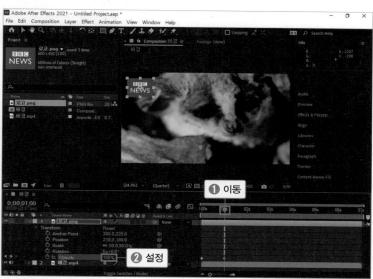

1 다음으로 이미지 푸티지 이동 애니메이션을 만들어 보겠습니다. 제공된 로고 이미지를 불러오기 위해서 [File] > [Import] > [File] (Ctrl+I) 메뉴를 클릭하고, '자막 디자인 1.png' 파일을 찾아 [Timeline] 패널의 1번 위치에 드래그하여 레이어를 만듭니다. 레이어를 열고, 0:00:02:00 위치에서 [Position] > [Time-Vary stop watch](⏱)를 클릭해 활성화한 후, '−520, 540'으로 설정합니다. [Current Time Indicator]를 0:00:03:00 위치로 옮기고, '960, 540'으로 설정한 후 [Current Time Indicator]를 좌우로 이동하면서 이동 애니메이션 효과를 확인합니다.

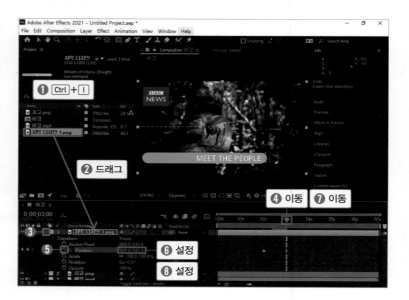

2 이어서 [File] > [Import] > [File](Ctrl+I) 메뉴를 클릭하고, '자막 디자인 2.png' 파일을 찾아 [Timeline] 패널의 1번 위치에 드래그하여 레이어를 만듭니다. 레이어를 열고, 0:00:03:00 위치에서 [Position] > [Time-Vary stop watch](⏱)를 클릭해 활성화한 후, '960, 1100'으로 설정합니다. [Current Time Indicator]를 0:00:04:00 위치로 옮기고, '960, 540'으로 설정합니다.

04 미디어 인코더로 출력하기 Add to Adobe Media Encoder Queue

1 이제 모든 애니메이션 작업이 마무리되었으므로 영상으로 출력해 보겠습니다. [Composition] > [Add to Adobe Media Encoder Queue](Ctrl+Alt+M) 메뉴를 클릭합니다.

TIP

[Add to Adobe Media Encoder Queue] 메뉴가 활성화되지 않아 선택할 수 없을 때, [Composition] 패널 또는 [Timeline] 패널을 선택한 후 다시 메뉴를 확인합니다.

2 Adobe Media Encoder가 실행되고 [대기열]에 출력할 내용이 표시됩니다. [출력 파일]의 파란색 글자를 클릭하여 [다른 이름으로 저장: Save As] 대화상자가 열리면 영상이 저장될 폴더를 선택한 후 [파일 이름]을 임의로 설정합니다. 오른쪽 위의 [대기열 시작] 버튼(녹색 플레이 아이콘)을 클릭하여 영상을 만듭니다. 출력이 끝나면 파일을 찾아 더블클릭하여 영상을 확인합니다.

TIP

Adobe Media Encoder는 Adobe의 정품 Premiere Pro, After Effects를 설치할 때 자동으로 설치됩니다. 주로 영상 출력 또는, 포맷 변환을 위해 사용됩니다.

PNG 소스 활용 애니메이션 기초

핵심 내용

애프터 이펙트는 누구나 쉽게 영상에 애니메이션을 만들 수 있는 영상 디자인 프로그램입니다. 이를 활용하여 공모전과 유튜브에 도전할 수 있는 다양한 영상을 만들 수 있습니다. 본 예제에서는 앞서 배운 기능을 활용하여 PNG 소스로 움직이는 포스터를 제작해 보겠습니다. 디자인된 이미지와 동영상 소스를 불러와 이동 애니메이션을 실습하고, 이를 통해 초보자도 얼마든지 쉽게 애프터 이펙트의 기본 애니메이션을 할 수 있다는 것을 알려주고자 합니다.

핵심 기능

Import → Layer

Position Animation

Add to Adobe Media Encoder Queue

STORYBOARD

빈센트 반 고흐 기획전 웹 홍보영상 중 일부분

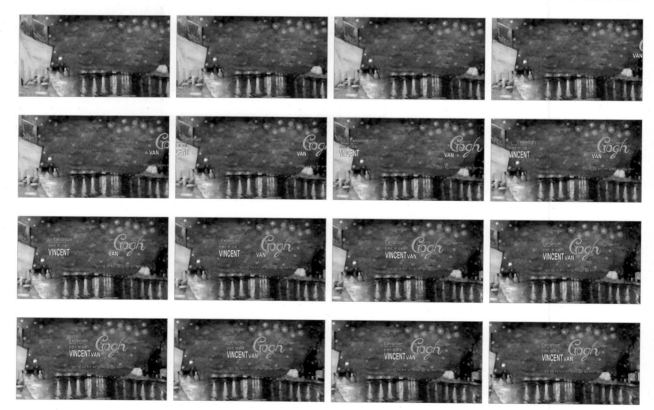

01 이미지 푸티지 이동 애니메이션 만들기 Import + Position

준비 파일 : Part 03 > Chapter 01 > Section 02 폴더 파일 **완성 파일 :** Part 03 > Chapter 01 > Section 02 > 포토샵 PNG 소스 활용 애니메이션 기초 완성.mp4

1 새 컴포지션을 만들기 위해서 [Composition] > [New Composition](Ctrl+N) 메뉴를 클릭합니다.

TIP

• 컴포지션(Composition)은 포토샵의 캔버스처럼 작업대를 말하는 것으로써 이미지와 텍스트 등을 넣고 모션을 주어 애니메이션을 만드는 작업 공간입니다. 새 작업을 시작하기 위해서는 새 컴포지션을 만들어야 합니다.

• 기존 작업 중인 컴포지션이 있다면 [File] > [Close Project] 메뉴를 클릭하여 모든 컴포지션을 닫은 후, 새 컴포지션을 시작합니다.

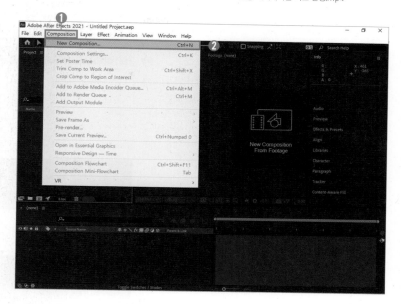

2 [Composition Settings] 대화상자가 열리면 다음과 같이 설정한 후 [OK] 버튼을 클릭합니다.

• [Composition Name] : 움직이는 포스터
• [Width] : 1920(가로 크기)
• [Height] : 1080(세로 크기)
• [Pixel Aspect Ratio] : Square Pixels(픽셀의 비율)
• [Frame Rate] : 29.97(초당 프레임)
• [Duration] : 0:00:10:00(총 영상의 길이)

TIP

위의 설정에서 [Composition Name]과 [Duration]을 제외한 모든 옵션은 다른 컴포지션을 만들 때 똑같이 입력해도 됩니다.

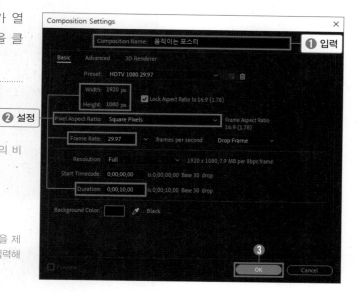

3 제공된 이미지 파일을 불러오기 위해서 [File] > [Import] > [File](Ctrl+I) 메뉴를 클릭합니다.

TIP
매번 메뉴를 클릭하는 것보다는 단축키 또는, [Project] 패널의 비어있는 공간을 더블클릭하여 [Import] 대화상자를 여는 것이 편리합니다.

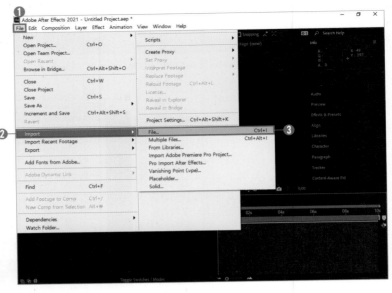

4 [Import File] 대화상자가 열리면 '배경.png' 파일을 선택하고 [Import] 버튼을 클릭하여 파일을 불러옵니다. [Project] 패널의 '배경.jpg' 푸티지를 확인한 후 [Timeline] 패널로 드래그하여 레이어를 만듭니다.

TIP
이미지 파일을 불러와 레이어로 배치하면 컴포지션에서 설정한 길이(현재 0:00:10:00 → 10초)만큼 레이어로 만들어집니다.

5 이미지의 위치를 변경해 보겠습니다. [Timeline] 패널에서 '배경.jpg' 레이어의 [Position]을 '1130, 540'으로 설정하여 위치를 변경합니다. [Current Time Indicator]가 0:00:00:00 위치에 있는 것을 확인하고, [Position] > [Time-Vary stop watch](◎)를 클릭해 활성화하여 [Current Time Indicator]가 위치한 곳에 키프레임을 생성합니다.

TIP
배경 이미지는 가로가 컴포지션보다 긴 이미지 파일입니다. 이번 예제에서는 배경을 가로로 이동하여 움직이는 포스터 배경을 만들어 보겠습니다.

6 [Current Time Indicator]를 0:00:09:29 위치로 이동하고 [Position]에 '790, 540'을 입력합니다. [Space Bar]를 눌러 재생하여 영상을 확인합니다.

7 제공된 자막 디자인 이미지를 불러오기 위해서 [File] > [Import] > [File]([Ctrl]+[I]) 메뉴를 클릭하고, '자막 디자인 1~자막 디자인 7.png' 파일 7개를 찾아 불러옵니다.

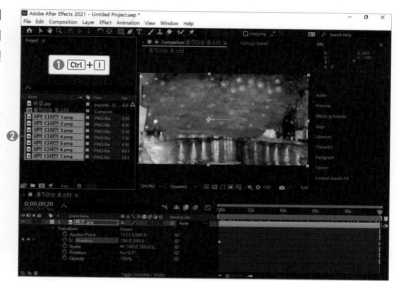

8 [Project] 패널에서 7개의 자막 이미지 푸티지를 [Timeline] 패널로 드래그하여 다음과 같이 총 7개의 레이어를 만듭니다. 레이어를 열고, [Position]의 값을 임의로 설정하여 다음과 같이 자막들을 배치합니다. 자막의 위치는 그림과 똑같지 않아도 됩니다. 각자 창의력을 발휘하여 자막의 위치를 적절하게 배치합니다.

TIP

[Timeline] 패널에서 [Position] 값을 설정하여 위치를 원하는 곳으로 이동하는 것은 매우 불편합니다. 따라서 [Composition] 패널에서 각 레이어를 선택하고 시각적으로 확인하면서 위치를 이동하는 것이 좋습니다.

9 다음과 같이 배경 이미지에 어울리게 자막 이미지들을 배치합니다.

10 [Current Time Indicator]를 0:00:07:00 위치로 이동합니다. 자막 디자인 1부터 7까지 레이어를 열고, [Position] > [Time-Vary stop watch]( )를 클릭해 활성화합니다.

TIP

[Timeline] 패널에서 Shift 를 누른 채, 7개의 레이어를 함께 선택하고, P 를 눌러 [Position]만 표시할 수 있습니다.

11 [Current Time Indicator]를 0:00:02:00 위치로 이동합니다. 각 레이어의 [Position] 값을 변경하여 [Composition] 패널의 밖으로 자막 이미지들을 옮겨서 보이지 않게 합니다. 재생하여 위치 이동 애니메이션을 확인합니다.

TIP

• 자막 이미지의 위치를 랜덤하게 설정하면 서로 다른 속도로 움직이는 애니메이션을 만들 수 있습니다.

• 화면 밖에 자막 이미지들이 안쪽으로 들어와 포스터가 완성되는 애니메이션입니다.

02 배경음악(BGM) 푸티지 삽입하고 영상 출력하기 | Import + Add to Adobe Media Encoder Queue

1 마지막으로 제공된 배경음악(BGM) 파일을 불러와 넣어보겠습니다. [File] > [Import] > [File](Ctrl + I) 메뉴를 클릭하고, 'BGM. mp3' 파일을 찾아 불러온 후 [Timeline] 패널로 드래그하여 음악을 넣습니다. 이동 애니메이션을 통해 움직이는 포스터를 만들었습니다. [Composition] > [Add to Adobe Media Encoder Queue] 메뉴를 클릭하여 영상 파일로 만든 후, 파일을 찾아 확인합니다.

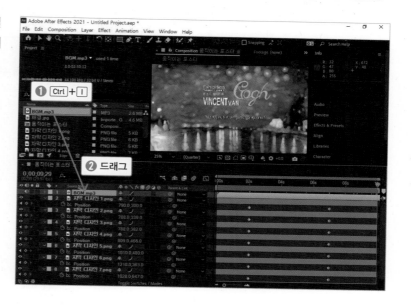

TIP

PNG 소스 이미지

· 'Portable Network Graphics'의 약자로써 이미지 파일의 포맷 형식입니다.

· PNG는 무손실 압축 포맷을 채택하였으며, 32비트 트루컬러를 표현할 수 있어 포토샵에서 합성 이미지나 영상의 소스 용도로 사용된 파일의 경우 PNG 포맷으로 저장하여 작업하는 데 주로 사용됩니다.

· 무손실 압축 포맷임에도 다른 무손실 포맷인 BMP, CX, GA 등에 비해 압축 효율이 좋은 편이어서, PNG 형식으로 저장할 경우, 적은 용량으로 선명한 이미지를 얻을 수 있는 장점이 있습니다. 따라서 웹용으로 GIF 포맷을 대체하여 사용하기도 합니다.

· PNG 포맷의 가장 큰 특징은 알파 채널을 포함하여 완벽하게 불투명도를 표현할 수 있다는 점입니다. 따라서 이를 이용한 합성 용도로 자주 사용합니다.

03

일러스트레이터 AI 소스 활용한 애니메이션 기초

핵심 내용

애프터 이펙트는 누구나 쉽게 영상에 애니메이션을 만들 수 있는 영상 디자인 프로그램입니다. 이를 활용하여 공모전과 유튜브에 도전할 수 있는 다양한 영상을 만들 수 있습니다. 본 예제에서는 디자인된 일러스트레이터 벡터 이미지를 불러와 불투명도 로고 애니메이션을 실습하고, 이를 통해 초보자도 얼마든지 쉽게 애프터 이펙트의 기본 애니메이션을 할 수 있다는 것을 알려주고자 합니다.

핵심 기능

Illustrator Import
Solid Layer
Transform Animation
Keyframe Assistant > Sequence Layer

STORYBOARD

DDL 포럼 홍보애니메이션 중 일부분

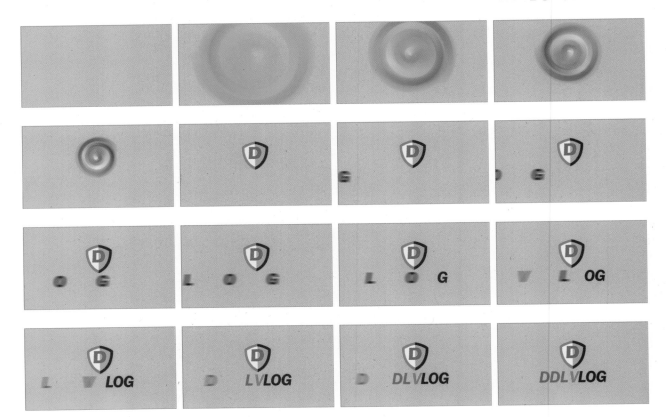

01 일러스트레이터 벡터 파일 불러오기 Import

준비 파일 : Part 03 > Chapter 01 > Section 03 폴더 파일   완성 파일 : Part 03 > Chapter 01 > Section 03 > 일러스트 AI 소스 활용 애니메이션 기초 완성 영상.mp4

1 제공된 일러스트레이터 AI 파일을 불러
오기 위해서 [File] > [Import] > [File]([Ctrl]
+[I]) 메뉴를 클릭합니다. [Import File] 대화
상자가 열리면 '로고 디자인.ai' 파일을 선택하
고 [Import] 버튼을 클릭하여 파일을 불러옵
니다.

TIP

• AI 파일은 Adobe Illustrator에서 만든 벡터 이미지입
니다.
• [Project] 패널의 중앙에 비어있는 공간을 더블클릭하
면 [Import File] 대화상자를 쉽게 열 수 있습니다.
• [Import File] 대화상자에서 [Sequence Options]의 체
크가 해제되어 있어야 합니다. 이 옵션은 여러 장의 연속
된 이미지를 불러와 애니메이션으로 만들 수 있습니다.

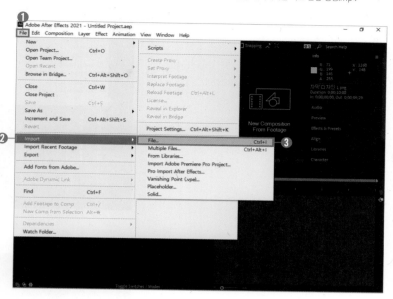

2 AI 파일에 레이어가 다수일 경우, 다음과
같은 대화상자가 열립니다. [Import Kind]
는 'Composition', [Footage Dimensions]는
'Layer Size'로 설정하고 [OK] 버튼을 클릭합
니다.

TIP

'Composition'과 'Layer Size'로 설정하고 파일을 불러올
경우, 일러스트레이터에서 만든 해상도 설정에 따라 컴포
지션이 자동으로 만들어집니다. 컴포지션에는 일러스트레
이터에서 만든 레이어가 자동으로 포함되어 있습니다.

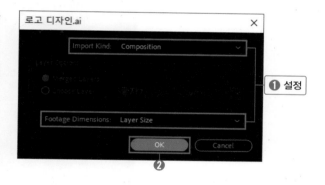

3 [Project] 패널에 '로고 디자인' 컴포지션
이 들어왔음을 확인합니다. '로고 디자인' 컴포
지션을 더블클릭하여 [Timeline] 패널에 불러
옵니다. [Timeline] 패널에서 '로고' 레이어와
'글자 1부터 7'까지 총 8개의 레이어를 확인합
니다. 모든 레이어의 [For vertor layer](☀)를
활성화하여 레이어를 선명하게 만듭니다.

TIP

• [Project] 패널에 생긴 '로고 디자인'은 컴포지션 파일이
며, 아래 폴더에는 각 레이어의 이미지가 저장되어 있습
니다.
• AI 레이어의 경우 [For vertor layer]를 활성화하면 레
이어를 확대해도 화질이 깨지지 않고 선명함을 유지합
니다.
• [For vertor layer] 아이콘이 보이지 않는 경우,
[Timeline] 패널 상단의 아이콘을 마우스 오른쪽 버튼
으로 클릭하여 [Columns] > [Switches]의 체크 표시
를 확인합니다.

4 일러스트레이터 파일을 불러와서 자동으로 만들어진 컴포지션의 설정을 확인해 보겠습니다. [Composition] > [Composition Settings]([Ctrl]+[K]) 메뉴를 클릭합니다.

TIP

[Composition Settings] 메뉴는 현재 작업 중인 컴포지션의 설정을 확인하고, 필요에 따라 크기, 초당 프레임, 길이, 배경색 등의 설정을 변경할 수 있습니다.

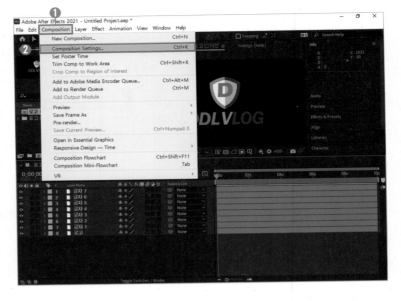

5 [Composition Settings] 대화상자가 열리면 옵션을 확인한 후 [Duration]을 0:00:06:00으로 설정합니다.

- [Width] : 1920
- [Height] : 1080
- [Pixel Aspect Ratio] : Square Pixels
- [Frame Rate] : 29.97

TIP

- [Duration]은 영상의 길이 즉, 재생 시간을 의미합니다.
- [Background Color]는 컴포지션의 배경 색상을 의미합니다. 하지만 실제 영상에 [Background Color] 색상은 출력은 되지 않으므로 다른 레이어와 색상을 구분하고자 할 때만 사용합니다.

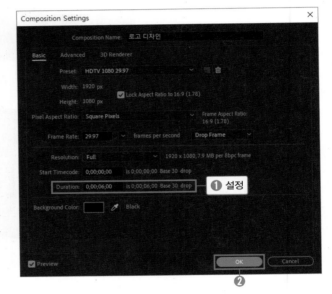

6 배경 색상을 변경해 보겠습니다. 단색 배경을 만들기 위해서 [Layer] > [New] > [Solid]([Ctrl]+[Y]) 메뉴를 클릭합니다. [Solid Settings] 대화상자가 열리면 [Name]을 '배경', [Color]를 '노란색'으로 설정하고 [OK] 버튼을 클릭하여 단색 배경 이미지 레이어를 만듭니다.

TIP

- 이름과 색상은 임의대로 설정해도 됩니다.
- 크기는 작업 중인 컴포지션의 크기와 같이 자동으로 설정되므로 따로 입력하지 않아도 됩니다.
- 색상 오른쪽의 스포이트 아이콘을 클릭하여 화면에서 색상을 복사해 올 수 있습니다.

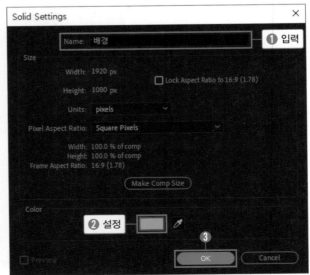

7 [Timeline] 패널에서 '배경' 단색 레이어의 위치를 가장 아래로 이동하여 다음과 같이 배경을 만듭니다. 일러스트레이터 파일을 불러와 다음과 같이 단색 배경을 배치했습니다.

TIP
단색 배경 레이어의 순서에 주의합니다.

TIP

일러스트레이터 AI 레이어 애니메이션 팁

AI 소스를 벡터로 변환하여 선명하고 만들고, 수정이 쉽도록 벡터 쉐입(모양) 레이어로 변환하여 작업하는 것이 좋습니다. 하지만 더는 일러스트 프로그램과 동적인 연결은 되지 않습니다. 변환할 경우, 일러스트에서 소스를 수정해도 더는 애프터 이펙트에서 자동으로 수정된 사항이 업데이트되지 않음으로 필요에 따라 결정하여 작업해야 합니다.

일러스트 AI를 벡터 쉐입(모양) 레이어로 변환하는 과정은 다음과 같습니다.

1. 변환할 일러스트 AI 레이어를 선택합니다.

2. 마우스 오른쪽 버튼을 클릭하고 [Create] > [Create Shapes from Vector Layer]를 선택하여 변환합니다.

3. 새로 만들어진 쉐입 레이어의 레이어 옵션을 열고 창의적인 애니메이션을 만들 수 있습니다.

1 다음으로 트랜스폼 모션을 만들고 순서대로 실행되는 시퀀스 레이어 애니메이션을 적용해 보겠습니다. [Current Time Indicator]를 0:00:02:00 위치로 이동하고, [Timeline] 패널에서 '로고.jpg' 레이어를 열어 [Scale]과 [Rotation], [Opacity]의 [Time-Vary stop watch](⏱)를 클릭해 활성화하여 키프레임을 생성합니다.

TIP

0:00:02:00 위치에 [Scale]과 [Rotation], [Opacity] 총 3개의 키프레임을 만들어야 합니다.

2 [Current Time Indicator]를 0:00:01:00 위치로 이동하고, [Scale]은 '460, 460%', [Rotation]은 '8x+0.0°', [Opacity]는 '0%'로 설정합니다. 다음으로 모션 블러 효과를 적용하기 위해서 [Timeline] 패널에서 '로고' 레이어의 [Motion Blur](⬤)를 활성화합니다. Space Bar 를 눌러 효과를 확인합니다.

TIP

• 로고가 보이지 않는 상태에서 자연스럽게 나타나고, 커진 상태에서 회전하면서 작아지는 애니메이션입니다.
• 모션 블러는 움직임에 속도감을 더하는 효과입니다.
• [Motion Blur] 아이콘이 보이지 않는 경우, [Timeline] 패널 상단의 아이콘을 마우스 오른쪽 버튼으로 클릭한 후 [Columns] > [Switches]의 체크 표시가 활성화되어 있는지 확인합니다.

3 이어서 각 글자에 애니메이션을 만들고 순서대로 배치해 보겠습니다. [Current Time Indicator]를 0:00:03:00 위치로 이동합니다. '글자 1부터 7'까지 레이어를 열고, [Position] > [Time-Vary stop watch](⏱)를 클릭해 활성화합니다.

TIP

[Timeline] 패널에서 Shift 를 누른 채, 7개의 레이어를 함께 선택하고, P 를 눌러 [Position]만 표시할 수 있습니다.

4 [Current Time Indicator]를 0:00:02:00 위치로 이동합니다. 글자 레이어가 모두 선택된 상태에서 [Position] 첫 번째 값을 왼쪽으로 드래그하여 마이너스 값으로 변경합니다. 그림과 같이 컴포지션 화면의 밖으로 글자들을 옮겨서 보이지 않게 합니다. 재생하여 위치 이동 애니메이션을 확인합니다.

5 현재 만들어진 애니메이션은 한꺼번에 모든 레이어가 동시에 움직이기 때문에 이를 순차적으로 배치해 보겠습니다. [Timeline] 패널에서 '글자 1부터 7' 레이어에 적용된 모든 키프레임을 드래그하여 선택한 후 [Animation] > [Keyframe Assistant] > [Sequence Layers] 메뉴를 클릭합니다.

6 [Sequence Layers] 대화상자가 열리면 [Overlap]을 체크하고 [Duration]을 0:00:05:22로 설정한 후 [OK] 버튼을 클릭합니다.

7 [Timeline] 패널의 키프레임이 다음과 같이 순차적으로 배치되었음을 확인합니다.

TIP
[Sequence Layers] 대화상자에서 [Duration]을 낮게 설정할수록 간격이 넓게 배치됩니다. 배치된 간격이 마음에 들지 않을 경우, Ctrl+Z를 눌러 이전 명령을 취소한 후, 다시 [Sequence Layers] 기능을 적용합니다.

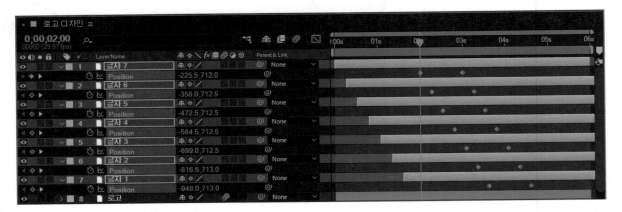

8 다음으로 글자에 모션 블러 효과를 적용하기 위해서 [Timeline] 패널에서 '글자 1부터 7' 레이어의 [Motion Blur]( )를 활성화합니다. Space Bar 를 눌러 효과를 확인합니다.

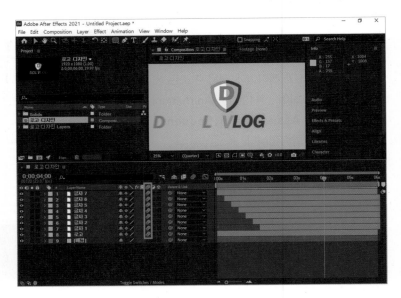

9 마지막으로 제공된 배경음악 파일을 불러와 넣어보겠습니다. [File] > [Import] > [File] (Ctrl + I) 메뉴를 클릭하고, 'BGM.wav' 파일을 찾아 불러온 후 [Timeline] 패널로 드래그하여 음악을 넣습니다. 트랜스폼 애니메이션과 순차 배치를 통해 로고 애니메이션을 만들었습니다. [Composition] > [Add to Adobe Media Encoder Queue] 메뉴를 클릭하여 영상 파일로 만든 후, 파일을 찾아 확인합니다.

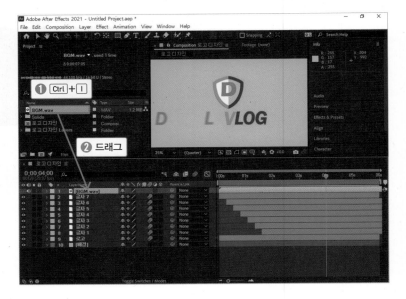

04

SECTION

트랜스폼 애니메이션 기초

핵심 내용

애프터 이펙트는 누구나 쉽게 영상에 애니메이션을 만들 수 있는 영상 디자인 프로그램입니다. 이를 활용하여 공모전과 유튜브에 도전할 수 있는 다양한 영상을 만들 수 있습니다. 본 예제에서는 이미지와 영상을 불러와 트랜스폼 기능으로 기초 오프닝 애니메이션을 실습하고, 이를 통해 초보자도 얼마든지 쉽게 애프터 이펙트의 기본 애니메이션을 할 수 있다는 것을 알려주고자 합니다.

핵심 기능

Import → Layer
Scale + Rotation Animation
Position Animation
Gaussian Blur
Solid Layer

STORYBOARD

애프터 이펙트 CC 신기능 소개 영상 중 일부분

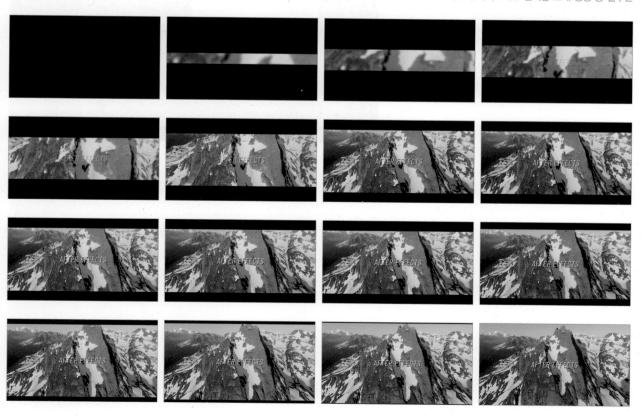

준비 파일 : Part 03 > Chapter 01 > Section 04 폴더 파일 **완성 파일 :** Part 03 > Chapter 01 > Section 04 > 트랜스폼 애니메이션 기초 완성.mp4

1 [Adobe After Effects CC 2021]을 실행하고 기본 화면을 확인합니다. 이제 제공된 영상과 이미지 파일을 불러와 블러 효과를 적용하여 오프닝 애니메이션 영상을 만들어 보겠습니다. 소스 파일을 불러오기 위해서 [File] > [Import] > [File](Ctrl + I) 메뉴를 클릭합니다.

TIP
• [Project] 패널의 비어있는 아래 공간을 더블클릭해도 [Import File] 대화상자를 불러올 수 있습니다.
• 작업 시간 단축과 기능 사용의 편리함을 위해 단축키 사용을 권장합니다.

2 [Import File] 대화상자가 열리면 '오프닝 배경.mp4' 파일을 선택하고 [Import] 버튼을 클릭하여 파일을 불러옵니다. [Project] 패널의 '오프닝 배경.mp4' 푸티지를 확인하고, 마우스 오른쪽 버튼을 클릭한 후 [New Comp from Selection]을 선택합니다.

TIP
• 컴포지션(Composition)은 포토샵의 캔버스처럼 작업대를 말하는 것으로써 이미지와 텍스트 등을 넣고 모션을 주어 애니메이션을 만드는 작업 공간입니다.
• [New Comp from Selection]은 컴포지션을 만들 때 복잡한 설정이 필요 없이 선택한 파일의 해상도, 프레임과 같은 옵션으로 자동 생성되는 기능입니다.

3 새 컴포지션이 다음과 같이 자동으로 만들어집니다. 재생하여 배경 영상을 확인합니다. 회전과 크기 애니메이션을 만들기 위해서 [Current Time Indicator]를 0:00:03:00 위치로 이동하고, '오프닝 배경.mp4' 레이어를 열어 [Scale]과 [Rotation] > [Time-Vary stop watch](◎)를 클릭해 활성화하여 [Current Time Indicator]가 위치한 곳에 키프레임을 생성합니다.

TIP

0:00:03:00 위치에 [Scale]과 [Rotation] 키프레임이 모두 만들어졌는지 확인합니다.

4 [Current Time Indicator]를 0:00:00:00 위치로 이동하고 [Scale]을 '220, 220%'로, [Rotation]을 '45°'로 설정합니다. Space Bar 를 눌러 영상을 확인합니다.

TIP

0:00:00:00에서 영상의 크기가 확대된 채로 회전되어 있다가 0:00:03:00에서 원래 크기와 위치로 돌아갑니다.

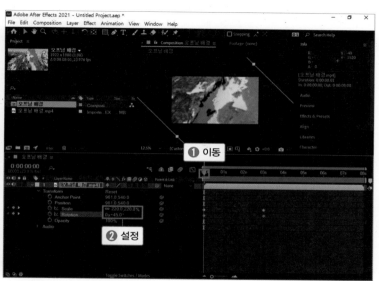

5 영상이 시작할 때는 흐렸다가 선명하게 바뀌는 블러 애니메이션 효과를 적용하기 위해서 '오프닝 배경.mp4' 레이어가 선택된 상태에서 [Effect] > [Blur & Sharpen] > [Gaussian Blur] 메뉴를 클릭합니다.

TIP

[Gaussian Blur]는 대표적인 흐림 효과입니다. 간단하게 적용할 수 있으며, 애니메이션 적용이 매우 쉽습니다.

6 [Effects Controls] 패널에 [Gaussian Blur]의 옵션이 나타납니다. 0:00:00:00 위치에서 [Blurriness] > [Time-Vary stop watch](◉)를 활성화하고, '30'으로 설정하여 블러 효과를 적용합니다.

TIP

애프터 이펙트에서 효과를 적용할 경우, [Effects Controls] 패널에 적용된 효과의 옵션이 나타납니다. 효과의 옵션 중 [Time-Vary stop watch] 아이콘이 있다는 의미는 애니메이션이 가능하다는 것입니다. 따라서 효과 옵션의 조합을 통해 다양한 애니메이션 제작이 가능합니다.

7 [Current Time Indicator]를 0:00:03:00 위치로 이동하고 [Blurriness]를 '0'으로 설정합니다. Space Bar 를 눌러 재생하여 영상을 확인합니다.

TIP

[Effects Controls] 패널에서 효과의 옵션을 조절할 수 있으며, [Timeline] 패널의 해당 레이어를 열어 [Effects]에서도 적용된 효과의 옵션을 입력하고, 키프레임을 수정할 수 있습니다.

8 다음으로 타이틀을 넣고 투명도 애니메이션을 적용해 보겠습니다. [File] > [Import] > [File](Ctrl + I) 메뉴를 클릭하고, '타이틀.png' 파일을 찾아 불러온 후 [Timeline] 패널의 1번 위치로 드래그합니다. 레이어를 열고, 0:00:01:00 위치에서 [Opacity] > [Time-Vary stop watch](◉)를 클릭해 활성화한 후 '0%'로 설정합니다. [Current Time Indicator]를 0:00:03:00 위치로 이동하고 '100%'로 변경하여 투명도 애니메이션을 만듭니다.

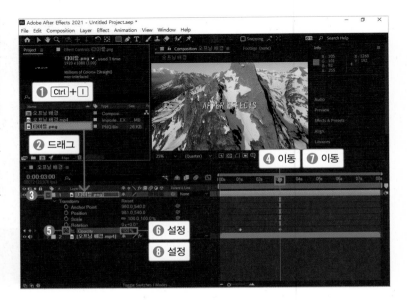

02 단색 레이어로 프레임 만들기 Solid Layer

1 오프닝 영상의 상하에 단색 레이어로 프레임을 넣어 영화와 같은 느낌을 만들어 보겠습니다. [Layer] > [New] > [Solid]([Ctrl]+[Y]) 메뉴를 클릭하여 [Solid Settings] 대화상자가 열리면 [Name]을 '검은 배경'으로, [Color]를 '검은색'으로 설정하고 [OK] 버튼을 클릭하여 단색 레이어를 만듭니다.

TIP

단색 레이어의 크기는 작업 중인 컴포지션의 설정에 따라 자동으로 설정되므로 따로 수정하지 않아도 됩니다.

2 '검은 배경' 단색 레이어가 만들어졌음을 확인하고, 레이어를 열어 [Position]을 보이게 합니다. 두 번째 값을 '0'으로 설정하여 그림과 같이 위쪽 반만 덮을 수 있도록 수정합니다.

TIP

• 레이어의 순서에 주의합니다. 단색 레이어가 가장 위쪽에 배치되어야 합니다.
• 레이어를 선택하고 단축키 [P]를 누르면 [Position]만 표시됩니다.

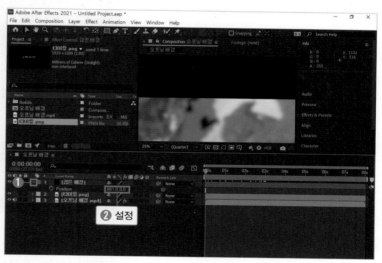

3 '검은 배경' 레이어가 선택된 상태에서 [Edit] > [Duplicate]([Ctrl]+[D]) 메뉴를 클릭하여 레이어를 복사합니다. 복사된 레이어를 열어 [Position]의 두 번째 값을 '1080'으로 설정하여 그림과 같이 아래쪽 반을 덮을 수 있도록 수정합니다. 위쪽과 아래쪽 모두 검은 배경 단색으로 가려졌습니다.

TIP

[Duplicate]는 레이어를 복사할 때 자주 사용하는 기능이므로 단축키 [Ctrl]+[D]를 외워서 적용하는 것이 좋습니다.

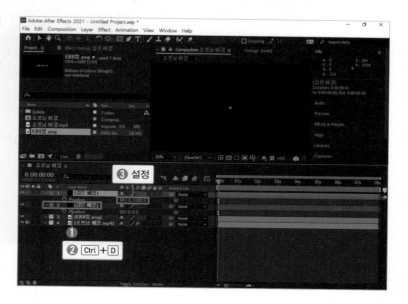

4 이제 프레임에 애니메이션을 적용하기 위해서 0:00:00:00 위치에서 '검은 배경' 단색 레이어의 [Position] > [Time-Vary stop watch](⊙)를 클릭하여 키프레임을 만듭니다. 원본과 복사된 2개의 레이어에 모두 키프레임을 만듭니다.

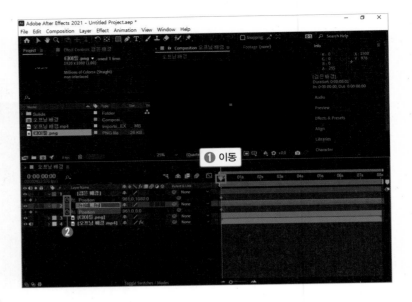

5 [Current Time Indicator]를 0:00:03:00 위치로 이동하고 1번 레이어의 [Position]은 '961, 1490'으로, 2번 레이어의 [Position]은 '961, −410'으로 설정하여 프레임이 아래위로 열리는 애니메이션을 만듭니다. [Space Bar] 를 눌러 애니메이션을 확인합니다.

6 이제 프레임이 바깥으로 완전히 사라지는 애니메이션을 만들어 보겠습니다. [Current Time Indicator]를 0:00:05:00 위치로 이동합니다. 0:00:03:00에 있는 [Position]의 키프레임을 선택하고 [Ctrl]+[C]를 눌러 복사하고 [Ctrl]+[V]를 눌러 0:00:05:00에 붙여넣기 합니다.

TIP
키프레임을 하나씩 선택하고 복사, 붙여넣기 합니다. 드래그하여 한꺼번에 선택할 경우, 레이어 전체가 선택되어 복사되기 때문에 주의합니다.

7 [Current Time Indicator]를 0:00:06:00 위치로 이동하고 1번 레이어의 [Position]은 '961, 1620'으로, 2번 레이어의 [Position]은 '961, -540'으로 설정하여 프레임이 아래위로 사라지는 애니메이션을 만듭니다. [Space Bar] 를 눌러 애니메이션을 확인합니다.

8 마지막으로 제공된 배경음악 파일을 불러와 넣어보겠습니다. [File] > [Import] > [File] ([Ctrl]+[I]) 메뉴를 클릭하고, 'BGM.wav' 파일을 찾아 불러온 후 [Timeline] 패널로 드래그하여 음악을 넣습니다.

9 트랜스폼과 흐림 효과를 활용하여 오프닝 애니메이션을 만들었습니다. [Composition] > [Add to Adobe Media Encoder Queue] 메뉴를 클릭하여 영상 파일로 만든 후, 파일을 찾아 확인합니다.

05

마스크 효과 애니메이션 기초

핵심 내용

애프터 이펙트는 누구나 쉽게 영상에 애니메이션을 만들 수 있는 영상 디자인 프로그램입니다. 이를 활용하여 공모전과 유튜브에 도전할 수 있는 다양한 영상을 만들 수 있습니다. 본 예제에서는 디자인된 이미지와 영상을 불러와 마스크 효과를 적용하고, 이를 통해 초보자도 얼마든지 쉽게 인스타그램 합성 애니메이션을 만들 수 있다는 것을 알려주고자 합니다.

핵심 기능

Import → Layer

Solid Layer

Mask

Curves

STORYBOARD

개인용 브이로그 인스타그램 홍보영상 중 일부분

01 단색 레이어로 동영상과 이미지 푸티지 합성하기 Solid Layer

개인용 브이로그 인스타그램
홍보영상 중 일부분

준비 파일 : Part 03 > Chapter 01 > Section 05 폴더 파일 **완성 파일** : Part 03 > Chapter 01 > Section 05 > 마스크 효과 애니메이션 기초 완성.mp4

1 [Adobe After Effects 2021]을 실행하고 기본 화면을 확인합니다. 이제 제공된 영상과 이미지 파일을 불러와 인스타그램 합성 애니메이션 영상을 만들어 보겠습니다. 소스 파일을 불러오기 위해서 [File] > [Import] > [File] (Ctrl+I) 메뉴를 클릭합니다.

TIP

• [Project] 패널의 비어있는 아래 공간에 더블클릭해도 [Import File] 대화상자를 불러올 수 있습니다.
• 작업 시간 단축과 기능 사용의 편리함을 위해 단축키 사용을 권장합니다.

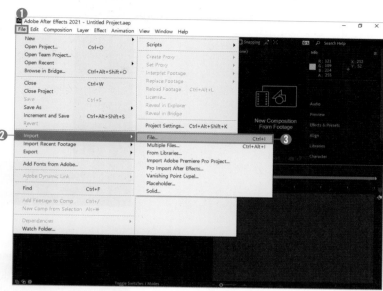

2 [Import File] 대화상자가 열리면 '인스타그램.mp4' 파일을 선택하고, [Import] 버튼을 클릭하여 파일을 불러옵니다. [Project] 패널의 '인스타그램.mp4' 푸티지를 확인합니다. 파일에 마우스 오른쪽 버튼을 클릭하고 [New Comp from Selection]을 선택합니다.

TIP

• 컴포지션(Composition)은 포토샵의 캔버스처럼 작업대를 말하는 것으로써 이미지와 텍스트 등을 넣고 모션을 주어 애니메이션을 만드는 작업 공간입니다.
• [New Comp from Selection]은 컴포지션을 만들 때 복잡한 설정이 필요 없이 선택한 파일의 해상도, 프레임과 같은 옵션으로 자동 생성되는 기능입니다.

3 만들어진 컴포지션을 확인하고, 재생하여 영상도 확인해 봅니다. 이제 인스타그램 합성을 위해 화면에 효과를 넣어보기 위해서 솔리드 레이어를 하나 만들겠습니다. [Layer] > [New] > [Solid]([Ctrl]+[Y]) 메뉴를 클릭합니다.

TIP
작업의 편리함과 시간 단축을 위해 단축키를 사용하는 것이 좋습니다.

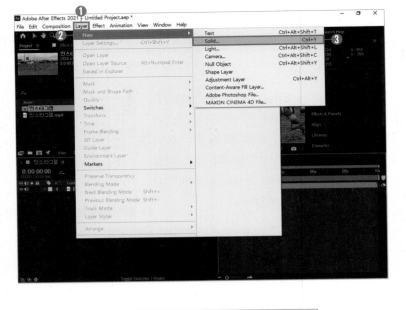

4 [Solid Settings] 대화상자가 열리면 [Name]을 '검은 배경'으로, [Color]를 '검은색'으로 설정하고 [OK] 버튼을 클릭하여 단색 레이어를 만듭니다.

TIP
단색 레이어의 크기는 작업 중인 컴포지션의 설정에 따라 자동으로 설정되므로 따로 수정하지 않아도 됩니다.

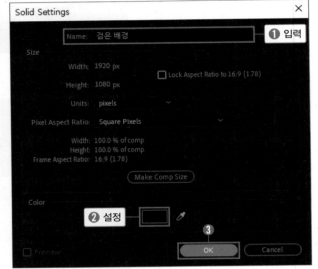

5 '검은 배경' 단색 레이어가 만들어졌음을 확인하고, 레이어를 열어 [Opacity]를 보이게 한 후, '60%'로 설정하여 그림과 같이 반투명한 상태로 수정합니다.

TIP
• 레이어의 순서에 주의합니다. 단색 레이어가 가장 위쪽에 배치되어야 합니다.
• 레이어를 선택하고 단축키 [T]를 누르면 [Opacity]만 표시됩니다.

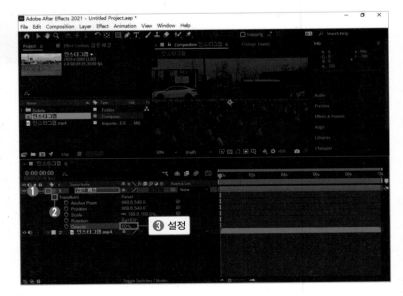

6 제공된 인스타그램 합성 이미지를 불러오기 위해서 [File] > [Import] > [File]([Ctrl]+[I]) 메뉴를 클릭하고, '인스타그램 합성.png' 파일을 찾아 선택한 후 [Import] 버튼을 클릭합니다. [Project] 패널에 '인스타그램 합성.png' 푸티지를 확인하고, [Timeline] 패널의 1번 위치에 드래그하여 다음과 같은 순서로 레이어를 만듭니다.

TIP
- 레이어의 순서에 주의합니다. 순서에 따라 전혀 다른 결과물이 나올 수 있습니다.
- png 포맷 이미지는 배경을 투명한 상태로 저장할 수 있는 장점이 있습니다. 따라서 글씨, 로고 등을 저장하여 배경 영상과 합성할 수 있습니다.

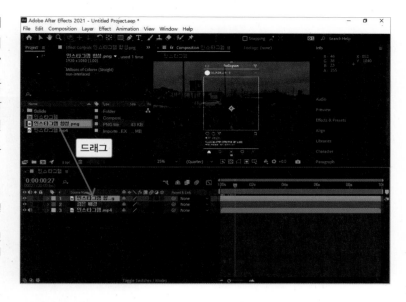

7 다음과 같이 영상과 이미지를 활용하여 인스타그램 합성 영상을 만들었습니다. [Space Bar]를 눌러 영상을 확인합니다.

TIP
애프터 이펙트 마스크 기능
- 마스크(Mask)는 시각적으로 레이어를 분리하여 합성에 사용되는 대표적인 기능입니다. 프리미어 프로를 비롯한 포토샵과 일러스트 등 시각 그래픽 프로그램에서는 대부분 비슷한 기능으로 사용되는 기능으로써 반드시 사용 방법과 제작에 관련한 내용을 숙지하고 넘어가는 것이 좋습니다.
- 마스크는 레이어의 일정 부분을 가리거나 일정 부분만 보여줄 수 있기 때문에 합성의 기본이 되고, 여러 가지 동영상과 사진 파일을 부분적으로 중첩하는 용도로도 활용됩니다. 애프터 이펙트에서 소스로 사용할 그림을 직접 그려서 애니메이션을 만들 때도 마스크는 필수라고 할 만큼 자주 사용합니다. 마스크는 글자가 그려지는 드로잉 애니메이션으로도 활용할 수 있습니다.

1 인스타그램의 사각형 영역에만 밝게 표시하기 위해서 마스크를 그려보겠습니다. [Timeline] 패널에서 2번에 있는 '검은 배경' 레이어를 선택하고, [Tools] 패널에서 [Rectangle Tool](⬛)을 클릭하여 인스타그램의 가운데 박스와 같은 크기로 마스크를 그립니다.

TIP

• 반드시 레이어를 선택한 상태에서 박스를 그려야만 마스크가 만들어집니다.
• 마스크를 그리면 일정 영역을 가려서 원하는 부분만 표시할 수 있습니다.

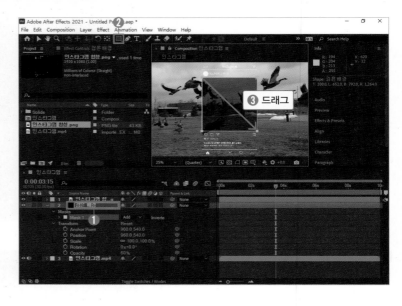

2 '검은 배경' 레이어에 마스크가 그려졌는지 확인한 후, 레이어를 열어 [Mask 1]의 'Add'를 'Subtract'로 변경하여 마스크의 영역을 반전합니다.

TIP

Add 옵션은 마스크의 안쪽을 가리고, Subtract는 반대로 안쪽은 표시하고 바깥쪽은 가리는 옵션입니다.

3 마스크를 그리고 일정 영역만 표시하여 인스타그램 합성 효과를 만들었습니다. 재생하여 영상을 확인합니다.

4 영상에 효과를 적용하여 밝기와 대비를 수정해 보겠습니다. [Timeline] 패널에서 3번에 있는 '인스타그램.mp4' 레이어를 선택하고, 마우스 오른쪽 버튼을 클릭한 후 [Effect] > [Color Correction] > [Curves]를 선택합니다.

TIP
레이어를 선택하고 상단의 [Effect] > [Color Correction] > [Curves] 메뉴를 클릭해도 됩니다.

5 [Effects Controls] 패널에 [Curves]의 옵션이 표시됩니다. [Curves]의 곡선이 보이면 곡선의 모양을 마우스로 드래그하여 다음과 같이 수정합니다. 인스타그램 합성 애니메이션 과정이 마무리되었습니다. [Composition] > [Add to Adobe Media Encoder Queue] 메뉴를 클릭하여 영상으로 만든 후, 파일을 찾아 확인합니다.

TIP
[Curves]는 밝기와 대비를 그래프를 통해 수정할 수 있습니다. 곡선의 모양을 영문자 S와 비슷하게 만들면 밝기와 대비가 높아져 보기 좋은 화질을 만들 수 있습니다.

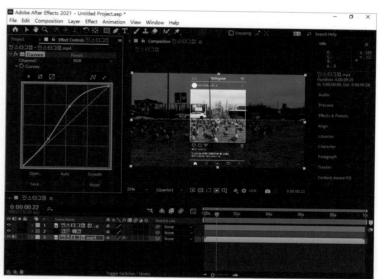

06

SECTION

포토샵 PSD 소스 활용 애니메이션 기초

핵심 내용

본 예제에서는 픽토그램이라는 포토샵 PSD 디자인 소스 파일을 활용하여 레이어와 레이어의 링크와 회전 애니메이션 테크닉, 모션 블러, 잔상 효과 모션 테크닉 등을 실습하고, 이를 통해 초보자도 얼마든지 쉽게 애프터 이펙트의 기본 애니메이션을 할 수 있다는 것을 알려주고자 합니다.

핵심 기능

Parent Layer + Rotation Opacity

Duplicate + Scale + Opacity + Motion Blur

Audio Levels

STORYBOARD

전남대학교 도서관 공모전 '우수상' 수상 작품 중 일부분

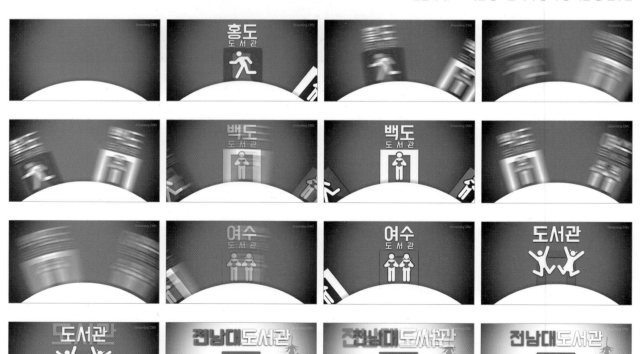

01 포토샵 파일과 배경음악 불러오기 Import

준비 파일 : Part 03 > Chapter 01 > Section 06 폴더 파일   **완성 파일 :** Part 03 > Chapter 01 > Section 06 > 포토샵 PSD 소스 활용 애니메이션 기초 완성.mp4

1 제공된 포토샵 PSD 파일을 불러오기 위해서 [File] > [Import] > [File](**Ctrl**+**I**) 메뉴를 클릭합니다. [Import File] 대화상자가 열리면 '픽토그램.psd' 파일을 선택하고, [Import] 버튼을 클릭하여 파일을 불러옵니다.

TIP

• [Project] 패널의 중앙에 비어있는 공간을 더블클릭하여 [Import File] 대화상자를 쉽게 열 수 있습니다.

• [Import File] 대화상자에서 [Sequence Options]의 체크가 해제되어 있어야 합니다. 이 옵션은 여러 장의 연속된 이미지를 불러와 애니메이션으로 만들 수 있습니다.

2 포토샵 PSD 파일에 레이어가 다수일 경우, 다음과 같은 대화상자가 열립니다. [Import Kind]를 'Composition – Retain Layer Sizes'로 설정하고 [OK] 버튼을 클릭합니다.

TIP

• 'Composition – Retain Layer Sizes'로 설정하고 파일을 불러올 경우, 포토샵에서 만든 해상도 설정에 따라 컴포지션이 자동으로 만들어집니다. 컴포지션에는 포토샵에서 만든 레이어가 자동으로 포함되어 있습니다.

• [Layer Options]는 포토샵 레이어에 스타일 효과(그림자, 선, 돌출 효과 등)가 적용되어 있으면, 레이어에 합쳐서 불러올 것인지, 아니면 애프터 이펙트에서도 수정할 수 있도록 설정을 그대로 남겨두는지에 관한 옵션입니다.

3 [Project] 패널에 '픽토그램' 컴포지션이 들어왔음을 확인합니다. '픽토그램' 컴포지션을 더블클릭하여 [Timeline] 패널에 불러옵니다. [Timeline] 패널에서 레이어를 각각 확인합니다.

TIP
- 포토샵 파일을 불러올 경우, [Project] 패널에 생긴 '픽토그램'은 컴포지션 파일이며, 아래 폴더에는 각 레이어의 이미지가 저장되어 있습니다.
- 포토샵에서 레이어의 보기(눈 아이콘)를 해제하고 애프터 이펙트에서 불러왔다면 보기만 해제된 상태로 레이어가 들어와 있습니다.

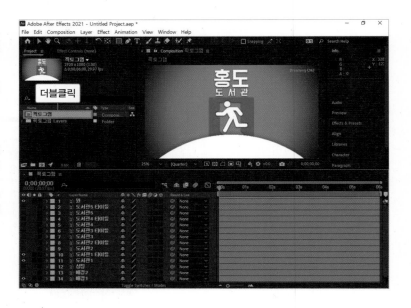

4 포토샵 파일을 불러와 자동으로 만들어진 컴포지션의 설정을 확인해 보겠습니다. 단축키 Ctrl+K를 눌러 [Composition Settings] 대화상자가 열리면 옵션을 확인한 후 [Duration]을 0:00:07:00으로 설정합니다.

- [Width] : 1920
- [Height] : 1080
- [Pixel Aspect Ratio] : Square Pixels
- [Frame Rate] : 29.97

TIP
[Duration]은 영상의 길이 즉, 재생 시간을 의미합니다.

5 제공된 배경음악 파일을 불러오기 위해서 [File] > [Import] > [File](Ctrl+I) 메뉴를 클릭하고, 'BGM.mp3' 파일을 찾아 선택한 후 [열기] 버튼을 클릭합니다. [Project] 패널의 'BGM.mp3' 푸티지를 확인하고, [Timeline] 패널로 드래그하여 배경음악(BGM)을 넣습니다.

TIP
[Timeline] 패널에서 배경음악 레이어의 위치는 크게 중요하지 않으므로 적당한 위치에 가져다 놓습니다.

6 BGM의 비트(Beat)에 맞춰 애니메이션을 만들 것이므로 'BGM.mp3' 레이어를 열고, [Audio] > [Waveform]을 열어 오디오 파형을 확인한 후 Space Bar 를 눌러 배경음악의 흐름을 파악합니다.

TIP
• 오디오 파형에 맞춰 애니메이션을 적용하는 것이 매우 중요합니다.
• [Audio Levels]는 소리의 절대 크기와 상관없이 원본 음악 파일의 소리 크기를 모두 +0.00dB로 표시합니다.

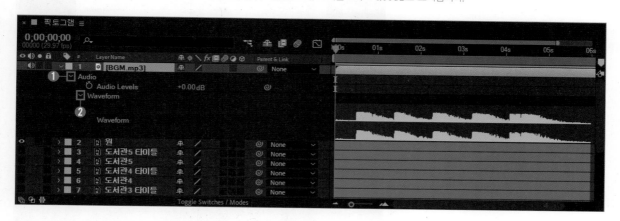

1 애니메이션을 만들기 위해서 먼저 기준점을 만들어야 합니다. [Layer] > [New] > [Null Object](Ctrl + Alt + Shift + Y) 메뉴를 클릭합니다.

TIP
• [New] 메뉴에는 단색 레이어, 조명, 카메라 등의 레이어를 만들 수 있는 기능들이 모여 있습니다.
• [Null Object]는 화면에 실제로 표시되지 않습니다. 단지 애니메이션을 위한 기준점 또는, 매개체로 사용됩니다.

2 [Timeline] 패널에 'Null' 레이어를 선택하고, Enter 를 눌러 레이어의 이름을 '기준점'으로 변경합니다. 레이어를 열어 [Transform] > [Position]을 '960, 2160'으로 설정합니다.

TIP
[Position]의 앞쪽 값은 X 좌표의 위치이며, 뒤쪽 값은 Y 좌표의 위치를 의미합니다.

3 이제 레이어와 레이어를 연결하여 움직임을 제어하는 방법을 실습해 보겠습니다. '도서관 1' 레이어를 '기준점' 레이어의 움직임에 따라가도록 만들기 위해서 '도서관 1' 레이어 [Parent & Link]의 'None'을 '기준점'으로 설정합니다. 이제부터 '도서관 1'은 '기준점' 레이어의 움직임을 따라가게 됩니다. 같은 방법으로 '도서관 1 타이틀' 레이어의 [Parent & Link]를 같은 '기준점'으로 설정합니다.

TIP

[Parent & Link]는 레이어 간의 종속 관계를 지정합니다. 자식 레이어가 부모 레이어의 모든 움직임을 따라가는 기능입니다. 단, Opacity(불투명도)는 따로 적용됩니다.

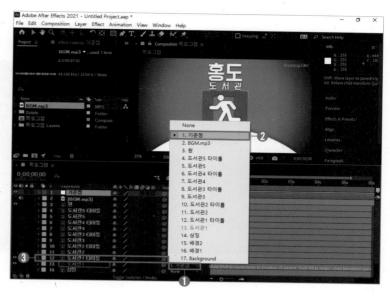

4 레이어의 연결이 잘 되었는지 확인하기 위해서 '기준점' 레이어에 회전 모션을 적용해 보겠습니다. '기준점' 레이어를 열고, [Rotation]을 '-38"로 설정합니다. 다음과 같이 앞서 연결한 두 개의 레이어가 자동으로 회전됩니다.

TIP

레이어를 선택하고 단축키 R을 누르면 [Rotation]만 보이므로 빠르게 값을 설정할 수 있습니다.

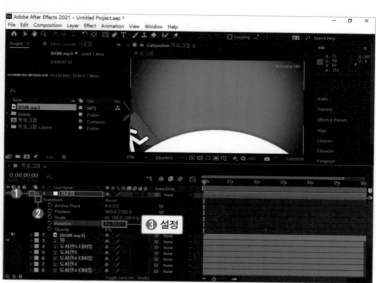

5 이제 다음 레이어를 연결해 보겠습니다. [Timeline] 패널에서 '도서관 2' 레이어와 '도서관 2 타이틀' 레이어의 [Video](👁)를 클릭하여 화면에 표시합니다.

TIP

[Video] 아이콘은 레이어의 눈 모양 아이콘을 말합니다. 이 아이콘을 켜거나 꺼서 화면에 이미지를 표시하거나 숨길 수 있습니다.

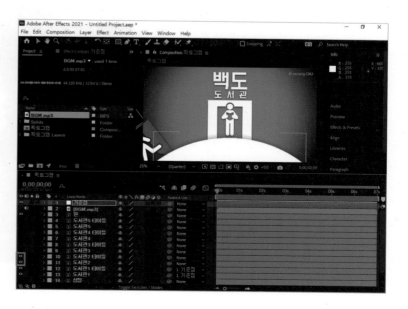

6 레이어와 레이어를 연결하기 위해서 '도서관 2', '도서관 2 타이틀' 레이어 [Parent & Link]의 'None'을 '기준점'으로 설정합니다.

7 레이어의 연결이 잘 되었는지 확인하기 위해서 '기준점' 레이어의 [Rotation]을 '−76°'로 설정합니다. 다음과 같이 앞서 연결한 두 개의 레이어가 자동으로 회전됩니다.

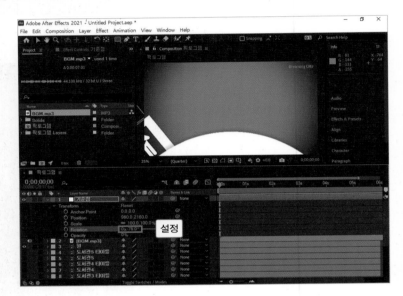

8 같은 방법으로 다음 레이어를 연결해 보겠습니다. [Timeline] 패널에서 '도서관 3' 레이어와 '도서관 3 타이틀' 레이어의 [Video](◉)를 클릭하여 화면에 표시합니다. 레이어와 레이어를 연결하기 위해서 '도서관 3', '도서관 3 타이틀' 레이어의 [Parent & Link]의 'None'을 '기준점'으로 설정합니다.

TIP
[Parent & Link] 연결은 필요에 따라 해제할 수 있으며, 언제든지 다른 레이어와 연결도 가능합니다.

03 모션 블러 효과 적용하기 | Rotation + Motion Blur

1 이제 회전 모션을 만들고, 모션 블러 효과를 적용해 보겠습니다. [Timeline] 패널의 '기준점' 레이어를 선택하고, **R**을 눌러 [Rotation]을 보이게 합니다. [Current Time Indicator]를 0:00:01:10 위치로 옮긴 후 [Time-Vary stop watch](⏱)를 클릭하여 키프레임을 만들고, '0°'로 설정합니다.

TIP
[Rotation]의 0x0.0에서 앞쪽 값은 회전수를 말하며, 뒤쪽 값은 각도를 의미합니다.

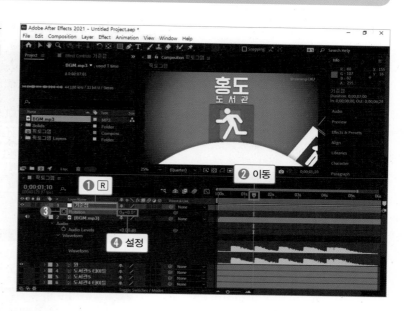

2 [Current Time Indicator]를 0:00:01:15 위치로 옮기고, '기준점' 레이어의 [Rotation]을 '-38°'로 설정합니다. [Current Time Indicator] 좌우 이동을 통해 회전 모션을 확인하고, **Space Bar**를 눌러 배경음악에 맞는 움직임을 확인합니다.

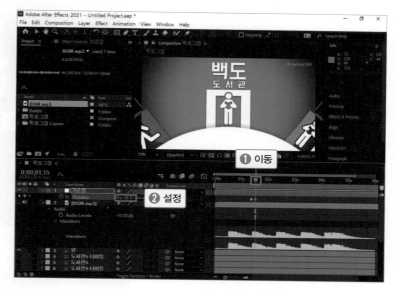

3 이어서 계속 회전 모션을 추가해 보겠습니다. [Current Time Indicator]를 0:00:02:07로 옮긴 후, '기준점' 레이어 [Rotation]의 0:00:01:15에 있는 키프레임을 선택하고, Ctrl + C , Ctrl + V 를 눌러 키프레임을 복사하여 붙여넣습니다.

TIP
복사한 키프레임을 붙여넣을 때 [Current Time Indicator]를 기준으로 붙여넣게 되므로 위치에 주의합니다.

4 [Current Time Indicator]를 0:00:02:12 위치로 옮기고, '기준점' 레이어의 [Rotation]을 '−76"로 설정합니다. Space Bar 를 눌러 배경음악에 맞는 움직임을 확인합니다.

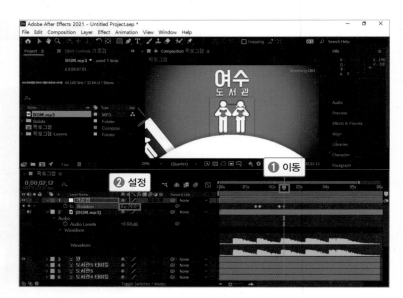

5 다음으로 각 레이어에 모션 블러 효과를 적용해 보겠습니다. [Timeline] 패널에서 '도서관 1', '도서관 1 타이틀' 레이어와 '도서관 2', '도서관 2 타이틀' 레이어, '도서관 3', '도서관 3 타이틀' 레이어의 [Motion Blur]( )를 활성화합니다. 다음으로 [Timeline] 패널 상단에 있는 [Enables Motion Blur]( )가 파란색으로 켜져 있는지 확인하고, Space Bar 를 눌러 효과를 확인합니다.

TIP
[Motion Blur] 아이콘이 보이지 않는 경우, [Timeline] 패널 상단의 아이콘을 마우스 오른쪽 버튼으로 클릭하여 [Columns] > [Switches]의 체크 표시가 활성화되어 있는지 확인합니다.

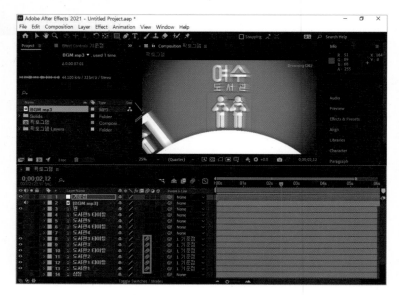

04 사운드에 맞춘 애니메이션 만들기

1 다음으로 사운드 비트에 맞춰 각 레이어의 앞뒤 부분을 잘라서 편집해 보겠습니다. [Current Time Indicator]를 0:00:00:16으로 옮기고, '도서관 1', '도서관 1 타이틀', '도서관 2', '도서관 2 타이틀', '도서관 3', '도서관 3 타이틀' 6개 레이어를 선택한 후, Alt+[를 눌러 앞부분을 잘라냅니다.

TIP

• 다수의 레이어를 선택할 때는 Ctrl을 누른 채 각 레이어를 선택하면 됩니다.
• Shift를 누른 채 레이어의 [In 점]을 드래그하여 [Current Time Indicator]까지 이동해도 됩니다.

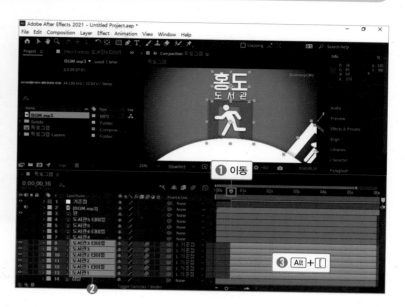

2 레이어가 선택된 상태에서 [Current Time Indicator]를 00:00:03:07로 옮긴 후, Alt+]를 눌러 6개 레이어의 뒷부분을 잘라냅니다.

TIP

작업 시간 단축을 위해 단축키 사용을 권장합니다.

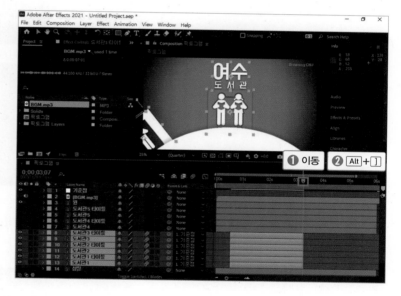

3 다음 장면에 사용할 이미지를 보이게 하려면 [Timeline] 패널에서 '도서관 4' 레이어와 '도서관 4 타이틀' 레이어의 [Video](◉)를 클릭하여 화면에 표시합니다.

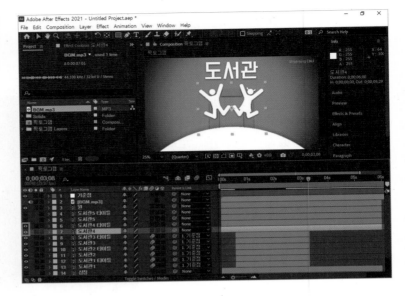

4 레이어의 앞뒤 부분을 잘라서 편집하기 위해서 [Current Time Indicator]를 0:00:03:08로 옮기고, '도서관 4', '도서관 4 타이틀' 레이어를 선택한 후, Alt+[]를 눌러 앞부분을 잘라냅니다.

5 [Timeline] 패널에서 '도서관 4', '도서관 4 타이틀', '배경 1' 레이어를 선택합니다. [Current Time Indicator]를 00:00:04:03으로 옮긴 후, Alt+[]를 눌러 레이어의 뒷부분을 잘라냅니다.

6 다음 장면에 사용할 이미지를 보이게 하려면 [Timeline] 패널에서 '도서관 5', '도서관 5 타이틀' 레이어와 '배경 2', '상징' 레이어의 [Video]( )를 클릭하여 화면에 표시합니다.

TIP

'상징' 레이어가 화면에서 너무 튀어 보일 경우, [Opacity]를 40%로 설정하여 색을 연하게 수정합니다.

7 레이어의 앞부분을 잘라서 편집하기 위해서 [Current Time Indicator]를 0:00:04:04로 옮기고, '도서관 5', '도서관 5 타이틀' 레이어와 '배경 2', '상징' 레이어를 선택한 후, Alt + [ ] 를 눌러 앞부분을 잘라냅니다.

8 배경음악의 비트에 맞춰 레이어의 앞뒤 부분을 잘라 편집했습니다. Space Bar 를 눌러 애니메이션을 확인합니다.

1 다음으로 타이틀에 크기와 불투명도를 조합하여 잔상 효과를 적용해 보겠습니다. [Timeline] 패널에서 '도서관 4 타이틀' 레이어를 선택하고 Ctrl+D를 눌러 레이어를 복사한 후 [Current Time Indicator]를 0:00:03:08 위치로 옮깁니다.

TIP

레이어 복사는 상단의 [Edit] > [Duplicate] 메뉴를 클릭해도 되며, 단축키는 Ctrl+D입니다. 실무에서 많이 사용하는 단축키이니 기억하기 바랍니다.

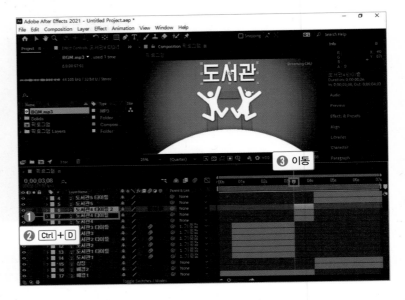

2 복사된 '도서관 4 타이틀 2' 레이어의 [Scale]과 [Opacity]에서 [Time-Vary stop watch](◎)를 클릭하여 키프레임을 만듭니다.

3 [Current Time Indicator]를 0:00:03:18 위치로 옮기고, 다음과 같이 입력합니다.

- [Scale] : 160, 160%
- [Opacity] : 0%

4 같은 방법으로 '도서관 5 타이틀' 레이어를 복사하여 [Scale]과 [Opacity]에 애니메이션을 적용합니다. 모션 적용 후에는 항상 [Current Time Indicator]를 좌우로 옮기면서 어떤 변화가 생겼는지 확인하고, Space Bar 를 눌러 배경음악과 함께 애니메이션을 확인합니다.

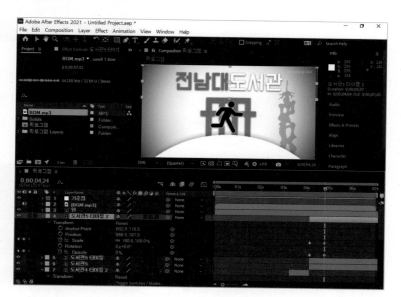

1 제공된 더빙 파일을 불러오기 위해서 [File] > [Import] > [File](Ctrl + I) 메뉴를 클릭하고, 'Voice.wav' 파일을 찾아 선택한 후 [Import] 버튼을 클릭합니다. [Project] 패널의 'Voice.wav' 푸티지를 확인하고, [Time-line] 패널로 드래그하여 더빙을 넣습니다.

TIP

더빙이 BGM 비트와 일치하도록 음악을 들으면서 녹음을 합니다. 단, 영상의 속도나 비트를 예상할 수 없을 때는 단락을 끊어서 더빙하는 방법이 더 편리합니다. 녹음 후에는 프리미어 프로를 이용하여 배경음악에 맞게 편집한 후 사용합니다.

2 녹음한 목소리 크기를 확인한 후 배경음악의 소리 크기보다 차이가 클 경우, [Audio Levels]를 조절합니다. 현재 더빙의 경우 'BGM.mp3' 레이어의 [Audio]를 클릭해 열고, [Audio Levels]의 dB 수치를 '−3' 정도로 조절하면 됩니다. 모든 작업 과정이 마무리되었습니다. [Composition] > [Add to Adobe Media Encoder Queue] 메뉴를 클릭하여 영상 파일로 만든 후, 파일을 찾아 확인합니다.

02

키프레임
애니메이션 실무

영상콘텐츠 공모전 20년 도전 노하우!

모든 애니메이션이 키프레임에서 출발하기 때문에 이를 활용한 테크닉은 헤아릴 수 없이 많지만, 본 챕터에는 다양한 키프레임 테크닉을 활용한 붓글씨 애니메이션, 이동 경로 애니메이션, 모션 트래킹 등의 실무 노하우를 실습 예제로 담았습니다. 이를 여러 번 복습하고 응용한다면 키프레임 애니메이션에 자신감이 생길 것입니다.

01

트랜스폼 키프레임 애니메이션 실무

핵심 내용
다음 예제에서는 트랜스폼 모션을 활용한 기초 키프레임 테크닉에 대해 알아보겠습니다. 이 중에서 Keyframe Assistant와 Parent, 그리고 Graph Editor와 Motion Blur에 대해서 실습해 보겠습니다.

핵심 기능
Keyframe Assistant, Parent + Graph Editor + Motion Blur

STORYBOARD

여수엑스포 UCC 공모전 '해양수산부장관상' 수상 작품 중 일부분

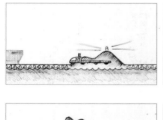

01 위치 이동과 가속도 애니메이션 만들기 Keyframe Assistant

여수엑스포 UCC 공모전
'해양수산부장관상' 수상 작품 중 일부분

준비 파일 : Part 03 > Chapter 02 > Section 01 폴더 파일　**완성 파일 :** Part 03 > Chapter 02 > Section 01 > 트랜스폼 키프레임 애니메이션 실무 완성.mp4

1 새 컴포지션을 만들기 위해서 [Composi-tion] > [New Composition]([Ctrl]+[N]) 메뉴를 클릭합니다. [Composition Settings] 대화상자가 열리면 다음과 같이 설정한 후 [OK] 버튼을 클릭합니다.

- [Composition Name] : 키프레임
- [Width] : 1920
- [Height] : 1080
- [Pixel Aspect Ratio] : Square Pixels
- [Frame Rate] : 29.97
- [Duration] : 0:00:06:00

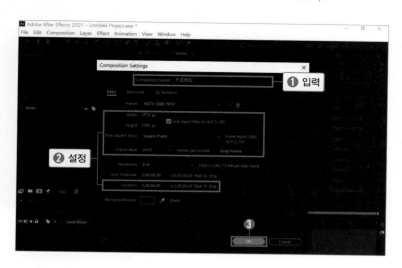

2 제공된 배경 이미지를 불러오기 위해서 [File] > [Import] > [File]([Ctrl]+[I]) 메뉴를 클릭하고, '배경 1.jpg' 파일을 찾아 선택한 후 [Import] 버튼을 클릭합니다. 불러온 이미지 파일을 [Timeline] 패널로 드래그한 후 레이어를 열어 [Position]을 '586, 540'으로 수정하고 위치를 그림과 같이 배치합니다.

TIP
'배경 1'은 가로가 긴 이미지입니다. 따라서 수평으로 움직이는 트랜스폼 모션을 적용하겠습니다.

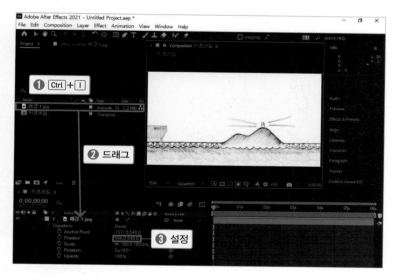

3 다음으로 제공된 이미지를 불러오기 위해서 [File] > [Import] > [File]([Ctrl]+[I]) 메뉴를 클릭하고, '트럭.png' 파일을 찾아 선택한 후 [Import] 버튼을 클릭합니다. 불러온 이미지 파일을 [Timeline] 패널의 1번 위치로 드래그한 후 레이어를 열어 [Position]을 '1070, 740', [Scale]을 '20, 20%'로 설정하여 위치와 크기를 그림과 같이 배치합니다.

TIP
레이어의 순서에 주의합니다.

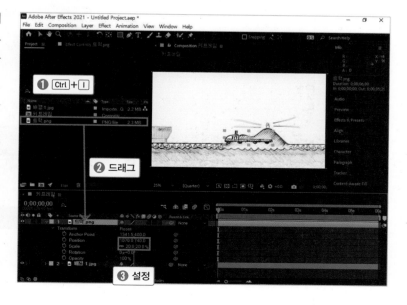

4 이제 불러온 이미지에 위치 이동 애니메이션을 만들어 보겠습니다. [Timeline] 패널의 '배경 1.jpg'와 '트럭.png' 레이어를 선택한 후, **P**를 눌러 [Position]을 보이게 하고, 0:00:00:00에서 [Time-Vary stop watch]( )를 클릭하여 활성화합니다.

5 [Current Time Indicator]를 0:00:04:00 위치로 옮기고, '트럭.png' 레이어 [Position]은 '547, 740'으로, '배경 1.jpg' 레이어는 '1333, 540'으로 설정하여 위치 이동 애니메이션을 만듭니다.

TIP
배경과 트럭 모두 오른쪽에서 왼쪽으로 움직이는 모션을 만들었습니다.

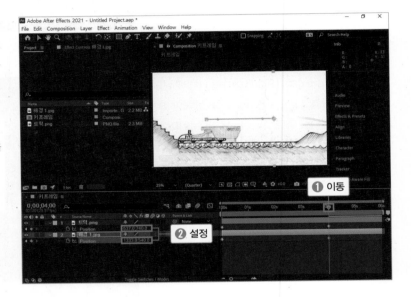

6 **Space Bar**를 눌러 재생하여 위치 이동 모션을 확인합니다.

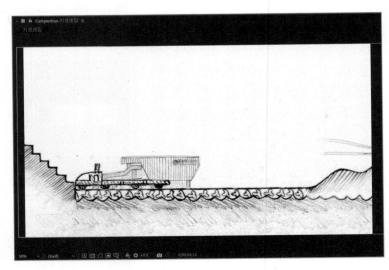

7 위치 이동 모션에 가속도를 추가하기 위해서 '트럭.png' 레이어의 [Position] 키프레임을 2개 모두 선택하고 마우스 오른쪽 버튼을 클릭한 후 [Keyframe Assistant] > [Easy Ease](F9)를 선택합니다. '트럭.png' 레이어가 천천히 출발하면서 속도가 점점 빨라지고 속도가 줄면서 자연스럽게 멈추는 것을 확인합니다.

TIP

• [Easy Ease] : 키프레임에서 느리게 출발했다 점점 빨라지고 끝나는 지점에서 다시 속도가 느려집니다.
• [Easy Ease In] : 모션 속도가 점점 느려집니다.
• [Easy Ease Out] : 모션 속도가 점점 빨라집니다.

8 조금 더 자연스러운 모션으로 수정하기 위해서 '트럭.png' 레이어의 [Position]을 선택하고, [Graph Editor](□)를 클릭하여 그래프 가속도 수정 모드를 활성화합니다. [Timeline] 패널에 보이는 직선의 그래프를 곡선으로 수정해야 합니다. 그래프가 보이면 아래에 [Choose graph type and options](□)를 클릭하여 [Edit Speed Graph]로 설정합니다.

TIP

[Edit Speed Graph]는 속도 값을 시각적인 그래프로 표시하고 이를 수정하여 모션에 가속 또는 감속을 적용함으로써 현실적인 움직임을 만들어 낼 수 있습니다.

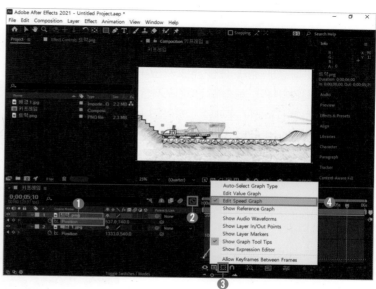

9 곡선 아래에 있는 베지어 핸들(노란색 선)을 좌우로 이동하여 다음과 같은 곡선 모양으로 만든 후 [Graph Editor](□)를 클릭하여 그래프 수정 모드를 해제합니다. 재생하여 가속도가 적용된 모션을 확인합니다.

TIP

곡선이 완만한 지점에서는 가속, 감속이 느리게 진행되고 경사가 급한 지점은 빠르게 진행됩니다.

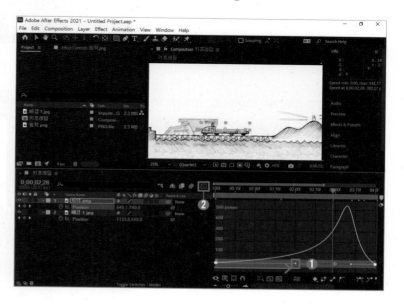

1 다음으로 회전 가속도 애니메이션을 만들어 보겠습니다. 제공된 PSD 파일을 불러오기 위해서 [File] > [Import] > [File]([Ctrl]+[I]) 메뉴를 클릭합니다. [Import File] 대화상자가 열리면 '링크 모션.psd' 파일을 선택하고, [Import] 버튼을 클릭하여 파일을 불러옵니다. [Import Kind]를 'Composition – Retain Layer Sizes'로 설정하고 [OK] 버튼을 클릭합니다.

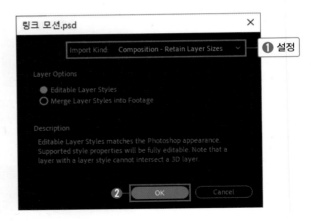

TIP

'Composition – Retain Layer Sizes'로 설정하고 파일을 불러올 경우, 포토샵에서 만든 해상도 설정에 따라 컴포지션이 자동으로 만들어집니다. 컴포지션에는 포토샵에서 만든 레이어가 자동으로 포함되어 있습니다.

2 [Project] 패널에 '링크 모션' 컴포지션이 들어왔음을 확인합니다. '링크 모션' 컴포지션을 더블클릭하여 [Timeline] 패널에 불러옵니다. [Timeline] 패널에서 4개의 레이어를 각각 확인합니다.

TIP

포토샵 파일을 불러올 경우, [Project] 패널에 생긴 '링크 모션'은 컴포지션 파일이며, 아래 폴더에는 각 레이어의 이미지가 저장되어 있습니다.

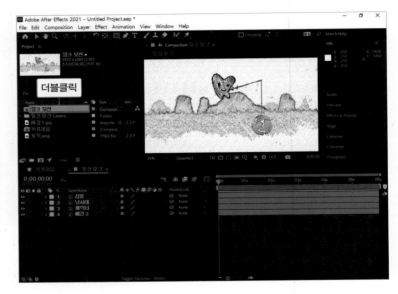

3 모션을 만들기 전에 회전의 중심점을 설정해야 합니다. '심볼' 레이어를 선택하고, [Tools] 패널에서 [Pan Behind]( )를 클릭하고 [Composition] 패널에서 중심점을 이동하여 낚싯대의 끝점으로 설정합니다.

TIP

• [Pan Behind] 도구는 레이어의 중심점을 이동하는 기능입니다. 중심점을 설정하여 회전의 모션을 사용자가 원하는 기준으로 애니메이션을 만들 수 있습니다.

• '심볼'의 회전은 낚싯대 끝점을 기준으로 이루어져야 하므로 중심점을 위와 같이 설정했습니다.

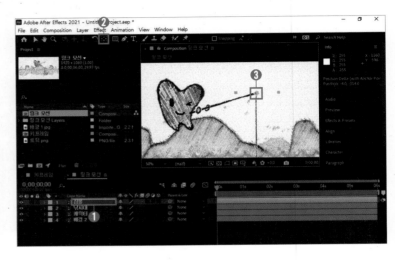

4 같은 방법으로 '낚싯대' 레이어를 선택하고, [Tools] 패널에서 [Pan Behind](⬚)를 클릭하고 [Composition] 패널에서 중심점을 이동하여 캐릭터의 몸통 쪽으로 설정합니다.

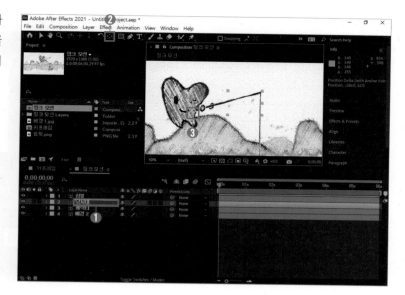

5 다음으로 링크를 걸어 심볼과 낚싯대를 연결해 보겠습니다. [Timeline] 패널에서 '심볼' 레이어 [Parent]의 'None'을 클릭하고, 레이어 선택 메뉴가 열리면 '2. 낚싯대'로 설정하여 2개의 레이어를 연결합니다.

TIP

'낚싯대' 레이어에 모션을 주면 '심볼' 레이어가 자동으로 모션을 따라가게 연결됩니다.

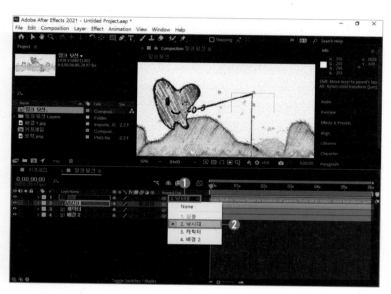

6 모션을 주기 위해서 [Timeline] 패널의 '낚싯대' 레이어를 선택하고, R을 눌러 [Rotation]을 보이게 합니다. [Current Time Indicator]를 0:00:00:20 위치로 옮기고, [Time-Vary stop watch](⏱)를 클릭하여 활성화한 후 [Current Time Indicator]를 0:00:01:10 위치로 옮기고, '−15°'로 설정합니다.

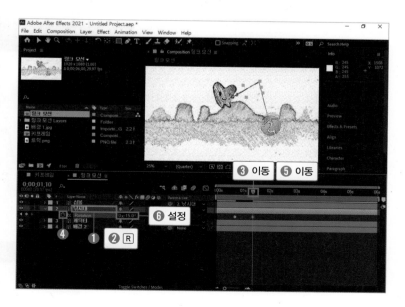

7 '심볼' 레이어가 좌우로 흔들리는 모션을 만들기 위해서 레이어를 선택하고, R을 눌러 [Rotation]을 보이게 합니다. [Current Time Indicator]를 0:00:00:25 위치로 옮기고, [Time-Vary stop watch](◉)를 클릭하여 활성화한 후 [Current Time Indicator]를 0:00:01:15 위치로 옮기고, '−50°'로 설정하여 흔들리는 모션을 만듭니다.

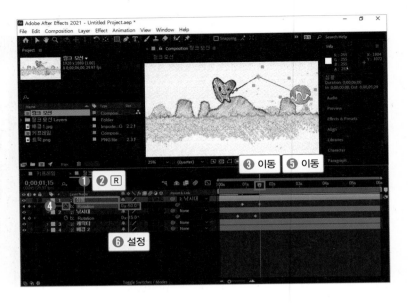

8 조금 더 흔들리는 낚시 모션을 만들기 위해서 '심볼' 레이어 [Rotation]의 0:00:02:10 위치는 '60°', 0:00:03:00 위치는 '−30°'로 설정하여 키프레임을 생성합니다. [Current Time Indicator]를 좌우로 옮기면서 회전 모션을 확인합니다. 이어서 0:00:03:15 위치는 '40°', 0:00:03:25 위치는 '−5°', 0:00:04:00 위치는 '20°', 0:00:04:04 위치는 '10°', 0:00:04:07 위치는 '6'로 설정합니다.

TIP
위에서 제시한 값은 참고용입니다. 각각 다른 시간대에 다른 회전 값을 설정하여 모션을 다르게 줘도 됩니다.

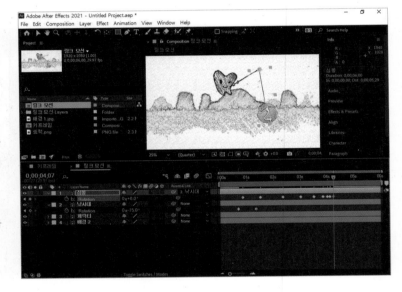

9 '심볼' 레이어에 흔들리는 회전 모션을 적용하고, 재생하여 영상을 확인합니다.

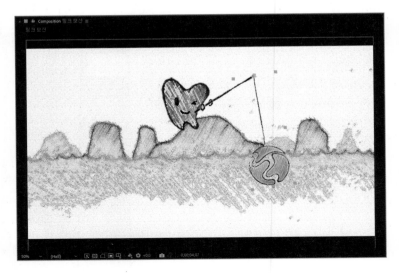

10 모션에 가속도를 추가하기 위해서 '심볼' 레이어 [Rotation]을 선택하고 F9 를 눌러 가속도 효과를 적용합니다.

11 조금 더 자연스러운 모션으로 수정하기 위해서 '심볼' 레이어의 [Rotation]을 선택하고 [Graph Editor](ⓒ)를 클릭하여 활성화합니다. 가속도 곡선이 표시되면 그림과 같은 곡선 모양을 만듭니다.

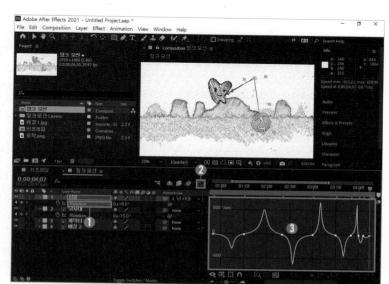

12 [Timeline] 패널에서 '심볼' 레이어의 [Motion Blur](ⓒ)를 클릭하여 활성화하고, [Enables Motion Blur](ⓒ)가 파란색으로 켜져 있는지 확인합니다. 회전 가속도 모션을 완성했습니다. [Composition] > [Add to Adobe Media Encoder Queue] 메뉴를 클릭하여 영상 파일로 만든 후, 파일을 찾아 확인합니다.

TIP

[Motion Blur] 아이콘이 보이지 않는 경우, [Timeline] 패널 상단의 아이콘을 마우스 오른쪽 버튼으로 클릭하여 [Columns] > [Switches]의 체크 표시가 활성화되어 있는지 확인합니다.

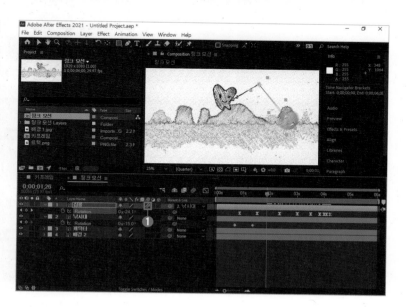

02

SECTION

이미지 패스 애니메이션 실무

핵심 내용

글씨가 순서대로 그려지는 패스 애니메이션은 현장에서 많이 사용하는 실무 기법입니다. [Effects] > [Stroke] 메뉴를 적용하여 이미지 붓글씨를 써나가는 기법에 대해 실습하겠습니다.

핵심 기능

Pen Tool + Stroke Effect

STORYBOARD ──────────────

제2회 자살예방 및 생명사랑 UCC 공모전 '최우수상' 수상 작품 중 일부분

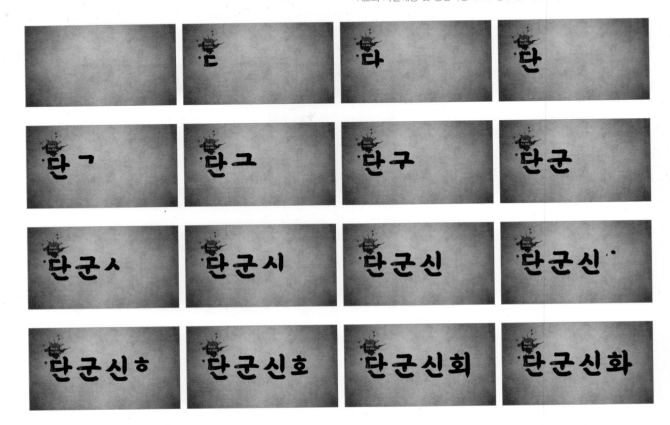

01 이미지 패스 만들기 Pen Tool

준비 파일 : Part 03 > Chapter 02 > Section 02 폴더 파일   **완성 파일 :** Part 03 > Chapter 02 > Section 02 > 이미지 패스 애니메이션 실무 완성.mp4

1 제공된 PSD 파일을 불러오기 위해서 [File] > [Import] > [File]([Ctrl]+[I]) 메뉴를 클릭합니다. [Import File] 대화상자가 열리면 'Path Effect.psd' 파일을 선택하고, [Import] 버튼을 클릭하여 파일을 불러옵니다.

TIP

[Project] 패널의 중앙에 비어있는 공간을 더블클릭하면 [Import File] 대화상자를 쉽게 열 수 있습니다.

2 포토샵 파일에 레이어가 2개 이상일 경우, 다음과 같은 대화상자가 열립니다. [Import Kind]를 'Composition - Retain Layer Sizes'로 설정하고 [OK] 버튼을 클릭합니다.

TIP

'Composition - Retain Layer Sizes'로 설정하고 파일을 불러올 경우, 포토샵에서 만든 해상도 설정에 따라 컴포지션이 자동으로 만들어집니다. 컴포지션에는 포토샵에서 만든 레이어가 자동으로 포함되어 있습니다.

TIP

애프터 이펙트와 포토샵 파일 연동

- 애프터 이펙트는 Adobe에서 만든 그래픽 프로그램으로서 Creative Cloud에 포함되어 있찮습니다. Creative Cloud에는 포토샵과 일러스트 등의 프로그램이 있는데 애프터 이펙트와 동적으로 연동이 가능하다는 장점이 있습니다.
- 포토샵은 이미지 편집의 대명사로 불리는 Creative Cloud의 핵심 프로그램 중의 하나입니다. 포토샵은 다양한 레이어를 이용하여 합성 이미지를 만들어 내고 PSD라는 고유의 포맷으로 저장하게 됩니다. 애프터 이펙트는 이러한 포토샵의 레이어를 그대로 불러와 애니메이션을 만들 수 있다는 장점이 있습니다.
- 'Composition - Retain Layer Sizes' 옵션으로 포토샵 PSD 파일을 불러올 경우, 레이어를 개별로 최대한 활용하여 작업할 수 있는 장점이 있습니다.

3 [Project] 패널에 'Path Effect' 컴포지션이 들어왔음을 확인합니다. 컴포지션을 더블클릭하여 [Timeline] 패널에 불러옵니다. 총 3개의 레이어를 각각 확인합니다.

자동으로 생성된 컴포지션의 설정은 다음과 같습니다.
- Width : 1920px
- Height : 1080px
- Frame Rate : 29.97

4 [Timeline] 패널의 '붓글씨' 레이어를 선택하고, [Tools] 패널의 [Pen Tool](✏)을 클릭한 후 [Composition] 패널에서 마우스 휠로 다음과 같이 화면을 확대합니다.

TIP
- 레이어를 선택하지 않고 [Pen Tool]로 도형이나 선을 그릴 경우, Mask가 아닌 Shape Layer가 생성되므로 주의합니다.
- [Composition] 패널의 화면 확대/축소는 마우스 휠을 사용하거나 단축키 Ctrl + + , - 로 할 수 있으며, 확대된 화면을 이동할 때는 Space Bar +마우스 드래그로 이동합니다.

5 붓글씨가 써지는 애니메이션을 만들기 위해서는 글씨가 그려지는 순서에 따라 경로를 그려줘야 합니다. [Composition] 패널의 '단' 문자에 맞춰 글자를 쓰는 순서에 따라 [Pen Tool](✏)로 선을 그립니다.

TIP
애프터 이펙트 [Pen Tool] 사용법
- 마우스 버튼을 클릭하면 직선을 그릴 수 있고, 드래그하면 곡선을 그릴 수 있습니다.
- 선을 그리다 실수를 하거나 끊어지는 경우, 선의 끝점을 클릭하고 이어서 그려나갑니다.
- 그려진 선의 점을 삭제하려면 Ctrl 을 누른 상태에서 점을 클릭하고, 점을 추가하려면 추가할 곳의 선을 클릭하면 됩니다.
- 직선을 곡선 또는, 곡선을 직선으로 바꾸려면 Alt 를 누른 상태에서 점을 드래그하거나 클릭합니다.

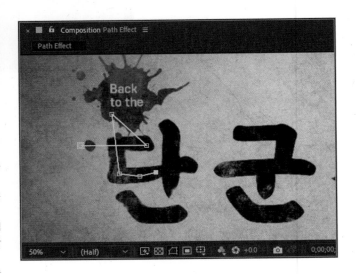

6 [Pen Tool](✏)로 선을 계속 그려 다음과 같이 '단' 문자가 써지는 경로를 순서대로 이어서 그립니다.

TIP
- 자음과 모음에 따라 글이 써지는 순서대로 선을 이어서 그리며, 글자의 두께에 맞춰 각 중심에 선을 그리면 됩니다.
- 경로는 나중에 수정이 필요하므로 처음부터 너무 자세하게 그릴 필요는 없습니다.

7 경로가 끊어지지 않도록 '단군신화' 각 글자를 따라 그립니다.

TIP
- 선의 색상은 [Timeline] 패널에서 해당 레이어를 열어 [Masks] > [Mask 1]의 왼쪽에 있는 색상 아이콘을 클릭하여 바꿀 수 있습니다.

1 [Timeline] 패널의 '붓글씨' 레이어가 선택된 상태에서 [Effects] > [Generate] > [Stroke] 메뉴를 클릭하여 효과를 적용합니다.

TIP
• [Stroke]는 선이나 도형에 선 두께, 색상 등을 설정하고 선이 그려지는 애니메이션을 만들 수 있습니다.
• 애프터 이펙트가 한글판인 경우, [효과] > [생성] > [선] 메뉴로 적용할 수 있습니다.

2 [Effect Controls] 패널에 [Stroke]가 적용되어 있는지 확인합니다. [Brush Size]의 수치를 마우스로 서서히 드래그하면서 흰색 선이 글자 두께와 비슷하거나 조금 더 두껍도록 설정합니다. [Brush Hardness]는 '85%', [Opacity]는 '60%' 정도로 설정하여 글자와 흰색 선이 동시에 보이도록 설정합니다.

TIP
[Brush Hardness]는 선의 경계선의 부드러움 정도를 설정합니다. 수치가 높을수록 경계는 선명해집니다.

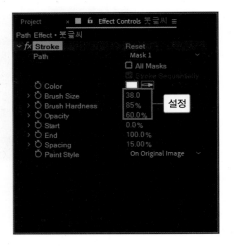

3 [Composition] 패널에서 각 글자에 맞춰 흰색 선이 잘 겹쳐지도록 [Pen Tool](✎)로 선의 모양과 경로를 수정합니다.

TIP
선의 모양과 경로를 글자에 맞게 얼마나 세밀하게 수정하는가에 따라 붓글씨 애니메이션의 자연스러움이 결정됩니다.

4 [Composition] 패널에서 선의 수정이 끝나면 [Effect Controls] 패널에서 [Stroke]의 옵션을 다음과 같이 설정합니다.

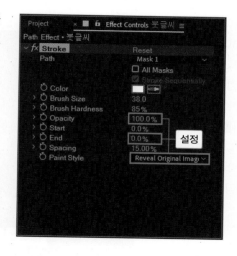

- [Opacity] : 100%
- [End] : 0.0%
- [Paint Style] : Reveal Original Image

TIP

- [End]의 수치를 이용하여 붓글씨 애니메이션을 만듭니다. [End]를 0%에서 100%까지 애니메이션을 적용하면 선이 순서대로 그려지는 애니메이션이 만들어집니다.
- [Paint Style]의 'Reveal Original Image'는 흰색 선이 있는 부분에 선 대신 원래의 글자 이미지를 표시할 수 있습니다.

5 [Timeline] 패널의 [Current Time Indi-cator]가 0:00:00:00 위치에 있음을 확인하고, [Effect Controls] 패널의 [Stroke] > [End]의 [Time-Vary stop watch](◎)를 클릭하여 애니메이션을 활성화한 후 [Current Time Indicator]를 0:00:06:00 위치로 옮기고, [End] 수치를 '100%'로 설정합니다. Space Bar 를 눌러 글자가 그려지는 붓글씨 애니메이션을 확인합니다.

TIP

- '붓글씨' 레이어를 선택하고 단축키 U 를 눌러 애니메이션 키프레임을 표시합니다. 0:00:00:00과 0:00:06:00 위치에 키프레임이 생성되어 있는지 확인합니다.
- 애니메이션 속도를 수정하려면 0:00:06:00에 있는 두 번째 키프레임을 [Selection Tool]로 이동하여 간격을 조정합니다.
- 작업 중인 컴포지션의 재생 길이를 수정하기 위해서는 단축키 Ctrl + K 를 눌러 [Composition Settings] 대화상자가 열리면 [Duration]에 원하는 길이를 입력합니다.

6 [Timeline] 패널의 [Current Time Indi-cator]를 좌우로 움직이며 애니메이션이 어색한 부분을 찾아 [Pen Tool](✐)로 [Composition] 패널에서 경로를 더욱 세밀하게 수정합니다. 모든 수정이 끝나면 Space Bar 를 눌러 수정된 애니메이션을 확인합니다.

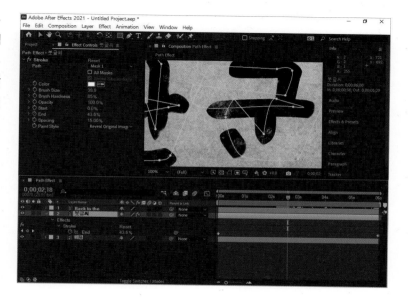

7 다음으로 'Back to the' 레이어가 안 보였다가 서서히 나타나는 애니메이션을 만들어 보겠습니다. 레이어를 선택하고, 단축키 T 를 눌러 [Opacity]를 보이게 한 후 [Current Time Indicator]를 0:00:00:00 위치로 옮깁니다. [Time-Vary stop watch](⏱)를 클릭하여 애니메이션을 활성화하고, '0%'로 설정한 후 [Current Time Indicator]를 0:00:00:15 위치로 옮기고, '100%'로 설정합니다.

TIP

[Opacity]를 0%에서 100%로 할 경우, 안 보이는 상태에서 자연스럽게 나타나는 애니메이션이 되고, 100%에서 0%로 할 경우, 자연스럽게 사라지는 애니메이션을 만들 수 있습니다.

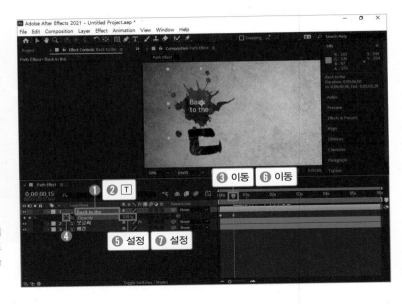

8 제공된 음악을 불러오기 위해서 [File] > [Import] > [File](Ctrl + I) 메뉴를 클릭합니다. [Import File] 대화상자가 열리면 'BGM. wav' 파일을 선택하고, [Import] 버튼을 클릭하여 파일을 불러옵니다. [Project] 패널의 'BGM.wav' 푸티지를 [Timeline] 패널로 드래그하여 삽입합니다. Space Bar 를 눌러 배경음악과 애니메이션을 확인합니다. 붓글씨 애니메이션의 모든 작업 과정이 마무리되었습니다. [Composition] > [Add to Adobe Media Encoder Queue] 메뉴를 클릭하여 영상 파일로 만든 후, 파일을 찾아 확인합니다.

03

SECTION

자막 패스 애니메이션 실무

핵심 내용

다음 예제에서는 애프터 이펙트에서 글자를 입력하고 여기에 패스를 그려서 이를 따라가는 자막 패스 애니메이션에 대해 알아보겠습니다. 특히 Text Path Options 테크닉과 Transform의 Position 복사 등을 활용하여 자연스러운 이동 경로 모션을 실습해 보겠습니다.

핵심 기능

Path Options + Position

STORYBOARD

제3회 전국 즐거운 환경 영상 콘테스트 '우수상' 수상 작품 중 일부분

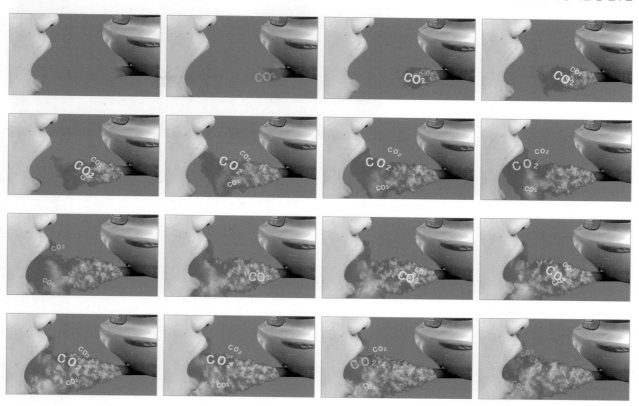

준비 파일 : Part 03 > Chapter 02 > Section 03 폴더 파일   **완성 파일 :** Part 03 > Chapter 02 > Section 03 > 자막 패스 애니메이션 실무 완성.mp4

1 제공된 배경 영상 파일을 불러오기 위해서 [File] > [Import] > [File]([Ctrl]+[I]) 메뉴를 클릭합니다. [Import File] 대화상자가 열리면 '배경.mp4' 파일을 선택하고, [Import] 버튼을 클릭하여 파일을 불러옵니다. [Project] 패널의 '배경.mp4' 푸티지를 마우스 오른쪽 버튼으로 클릭한 후 [New Comp from Selection]을 선택합니다.

TIP

[New Comp from Selection]은 컴포지션을 만들 때 복잡한 설정이 필요 없이 선택한 파일의 해상도, 프레임과 같은 옵션으로 자동 생성됩니다.

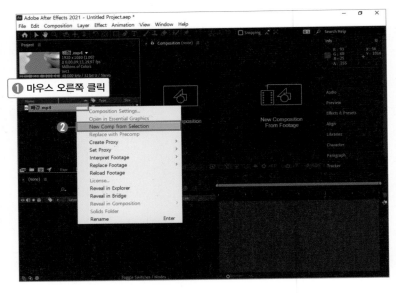

2 새 컴포지션이 자동으로 만들어집니다. 재생하여 배경 영상을 확인합니다.

자동으로 만들어진 컴포지션의 설정은 다음과 같습니다.
• [Width] : 1920, [Height] : 1080
• [Pixel Aspect Ratio] : Square Pixels
• [Frame Rate] : 29.97

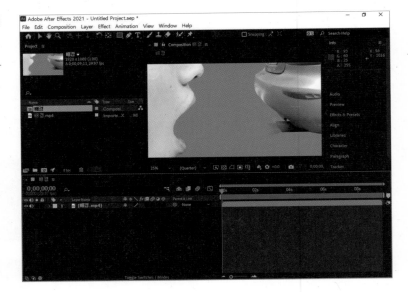

3 자동차 배기구에서 배출되는 CO2 글자를 만들고 왼쪽에 배치된 사람의 입까지 들어가는 모션을 만들어 보겠습니다. [Tools] 패널에서 [Horizontal Type Tool](T)을 클릭하고 화면에 'CO2'를 입력합니다. 글자의 폰트와 색상, 크기 등을 적당하게 설정합니다. 설정이 끝나면 [Timeline] 패널에서 텍스트 레이어를 선택하고 Enter 를 눌러 레이어의 이름을 '글자 1'로 변경합니다.

TIP

글자의 폰트와 색상, 크기 등은 [Character] 패널을 열어 설정할 수 있습니다.

TIP

본문 따라하기에서 글자의 정확한 설정을 확인하고 싶으면, 'Part 03 > Chapter 02 > Section 03 > 자막 패스 애니메이션 실무.aep' 파일을 확인하세요.

4 이제 글자에 모션을 만들기 위한 패스를 만들어 보겠습니다. [Timeline] 패널의 '글자 1' 레이어를 선택한 후 [Tools] 패널의 [Pen Tool]($\nearrow$)을 클릭합니다. [Composition] 패널에서 다음과 같이 사람의 입에서부터 자동차의 배기구 쪽으로 패스를 그립니다.

TIP

선을 그릴 때 반드시 레이어가 선택된 상태에서 그려야 합니다.

5 패스를 자동차 배기구까지 이어서 그린 후, 곡선을 정밀하게 조절하여 다음과 같이 자연스럽게 휘어지는 부드러운 선 모양을 만듭니다.

TIP

[Pen Tool]의 곡선 수정법

직선을 곡선으로 바꾸려면 Alt 를 누른 상태에서 패스의 점에 대고 드래그하면 됩니다. 점의 이동은 [Selection Tool]로 수정하는 것이 편리합니다.

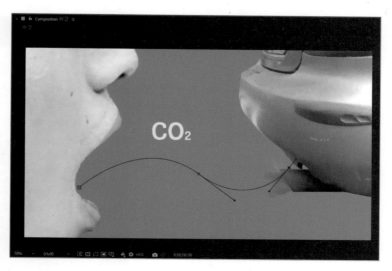

6 [Timeline] 패널의 '글자 1' 레이어를 열고, [Text] > [Path Options] > [Path]의 'None'을 'Mask 1'로 설정합니다. [Current Time Indicator]가 0:00:00:00 위치에 있음을 확인한 후 [First Margin] > [Time-Vary stop watch](◎)를 클릭하여 첫 번째 키프레임을 만들고, 값을 조절하여 글자가 배기구의 입구까지 닿도록 합니다.

TIP

- 레이어의 [Path Options]는 텍스트 레이어에만 있습니다. 영상, 이미지 등의 다른 레이어에는 이 옵션이 없습니다.
- [Mask 1]은 앞서 그린 곡선을 지칭합니다.
- [First Margin]의 값은 선의 길이와 위치에 따라 다르게 표현되므로 화면에서 글자의 위치를 보면서 적당한 값을 찾아야 합니다.

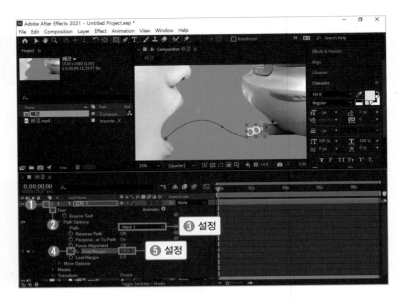

7 [Current Time Indicator]를 0:00:03:00 위치로 옮기고, [First Margin]의 값을 적당하게 설정하여 글자의 위치를 그림과 같이 입의 입구까지 이동합니다. 재생하여 글자의 패스 애니메이션을 확인합니다.

TIP

[First Margin]의 값은 선의 길이와 위치에 따라 다르게 표현되므로 화면에서 글자의 위치를 보면서 적당한 값을 찾아야 합니다.

8 다음으로 글자가 패스를 따라 움직일 때 처음에는 보이지 않다가 자연스럽게 보이는 효과를 추가해 보겠습니다. '글자 1' 레이어의 [Transform] > [Opacity]를 보이게 한 후 [Current Time Indicator]를 0:00:00:00 위치로 옮깁니다. [Opacity] > [Time-Vary stop watch](◎)를 클릭하여 활성화하고, '0%'로 설정하고, 0:00:00:15 위치에서 '100%'로 설정합니다.

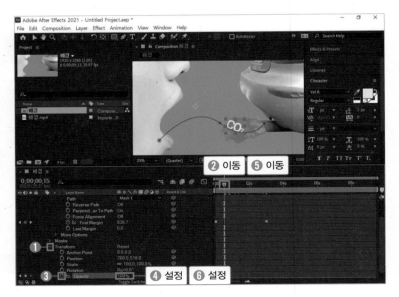

9 이어서 글자가 자연스럽게 사라지는 효과를 뒤쪽에 추가하겠습니다. [Current Time Indicator]를 0:00:02:15 위치로 옮기고, 0:00:00:15에 있는 키프레임을 선택하고 Ctrl+C, Ctrl+V를 눌러 복사하고 붙여넣습니다. [Current Time Indicator]를 0:00:03:00 위치로 옮기고, '0%'로 설정합니다. 글자의 패스 모션 애니메이션이 완성되었습니다. 재생하여 애니메이션을 확인합니다.

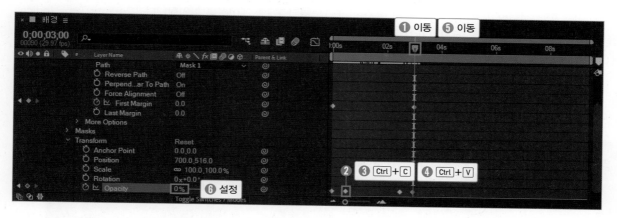

10 위와 같은 방법으로 '글자 2'와 '글자 3' 레이어를 추가하여 만들고 패스 애니메이션을 적용합니다.

TIP

'글자 1' 레이어를 복사한 후, 수정하여 만들어도 됩니다. 그림과 같이 글자의 크기를 다르게 하여 여러 개 더 만드는 이유는 애니메이션에 자연스러움을 더하기 위함입니다. 각자 창의력을 발휘하여 추가해 봅니다.

TIP

본문 따라하기의 정확한 설정을 확인하고 싶으면, 'Part 03 > Chapter 02 > Section 03 > 자막 패스 애니메이션 실무.aep' 파일을 확인하세요.

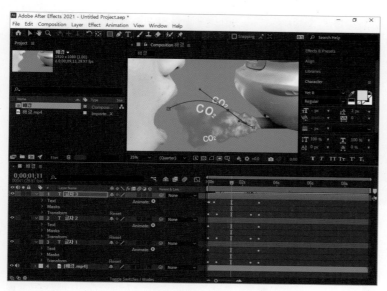

1 만들어진 자막 패스 애니메이션을 복사하여 글자들이 물의 흐름처럼 계속 나오게 해보겠습니다. '글자 1', '글자 2', '글자 3' 레이어를 함께 선택하고, Ctrl + C 를 눌러 복사합니다. 복사된 3개의 레이어를 확인합니다. [Current Time Indicator]를 0:00:03:00 위치로 옮기고, Ctrl + Alt + V 를 눌러 붙여넣습니다. 다음과 같이 [Current Time Indicator]를 기준으로 레이어가 새로 복사된 것을 확인합니다.

TIP
- Ctrl + Alt + V (Paste layers at current time) : 복사된 레이어를 [Current Time Indicator]의 위치에 붙여넣습니다.
- 기계적으로 복사된 느낌을 줄이려면 레이어의 [Position]과 [Scale] 값을 각각 임의대로 다르게 수정하면 됩니다.

2 한 번 더 복사하기 위해서 [Current Time Indicator]를 0:00:06:00 위치로 옮기고, Ctrl + Alt + V 를 눌러 붙여넣습니다. 다음과 같이 [Current Time Indicator]를 기준으로 레이어가 새로 복사된 것을 확인합니다.

3 자막 패스 애니메이션의 모든 작업 과정이 마무리되었습니다. [Composition] > [Add to Adobe Media Encoder Queue] 메뉴를 클릭하여 영상 파일로 만든 후, 파일을 찾아 확인합니다.

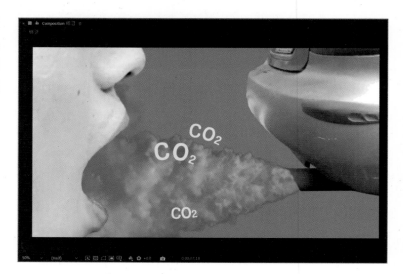

04

모션 트래킹 애니메이션 실무

핵심 내용

본 실무 예제에서는 특정한 색상이나 채도의 차이를 활용하여 사물의 움직임을 추적하는 모션 트래킹에 대해 알아보겠습니다. 특히 Track Motion과 Motion Tracker Apply 등의 테크닉을 배워서 모션 트래킹 애니메이션 제작에 활용할 수 있도록 안내했습니다.

핵심 기능

Track Motion

STORYBOARD

제2회 대한민국 맑은 공기 UCC 공모전 '우수상' 수상 작품 중 일부분

준비 파일 : Part 03 > Chapter 02 > Section 04 폴더 파일   완성 파일 : Part 03 > Chapter 02 > Section 04 > 모션 트래킹 애니메이션 실무 완성.mp4

1 제공된 모션 트래킹 영상 파일을 불러오기 위해서 [File] > [Import] > [File]([Ctrl]+[I]) 메뉴를 클릭합니다. [Import File] 대화상자가 열리면 '모션 트래킹.mp4' 파일을 선택하고, [Import] 버튼을 클릭하여 파일을 불러옵니다. [Project] 패널의 '모션 트래킹.mp4' 푸티지를 마우스 오른쪽 버튼으로 클릭하고 [New Comp from Selection]을 선택하여 컴포지션을 자동 생성합니다.

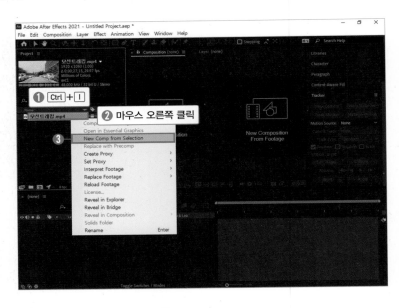

TIP
[New Comp from Selection]은 컴포지션을 만들 때 복잡한 설정이 필요 없이 선택한 파일의 해상도, 프레임과 같은 옵션으로 자동 생성됩니다.

2 영상에서 보이는 사람의 움직임을 추적하고 기록하여 이 데이터를 다른 이미지에 적용하여 사람을 따라 움직이는 타이틀 트래킹 모션을 만들어 보겠습니다. 애프터 이펙트에서 모션 트래킹을 하기 위해서 [Window] > [Tracker] 메뉴를 클릭하여 패널을 불러옵니다.

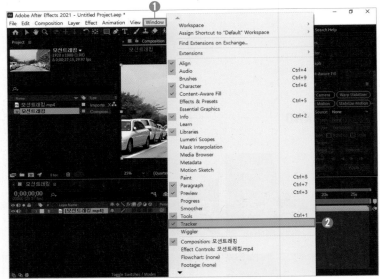

TIP
[Motion Tracking]이란 영상에서 지정된 피사체의 움직임을 추적하여 기록하는 기능입니다.

3 [Tracker] 패널이 열리면 [Timeline] 패널에 있는 '모션 트래킹.mp4' 레이어를 선택하고, 트래킹을 시작하기 위해서 [Track Motion] 버튼을 클릭합니다.

TIP
[Tracker] 패널에서는 피사체의 움직임을 추적하여 기록하는 역할을 합니다.

4 [Composition] 패널 옆에 [Layer] 탭이 새로 열립니다. 화면 중앙에 모션 트래킹 영역을 지정하는 2개의 박스로 이루어진 'Track Point 1'이 보입니다.

TIP
'Track Point 1'의 안쪽 박스는 모션을 트래킹하려는 대상의 위치와 영역을 설정하고, 바깥쪽 박스는 트래킹의 최대 영역을 설정합니다.

5 이제 'Track Point 1'의 영역을 피사체에 맞게 조절해야 합니다. 마우스 휠로 화면을 확대합니다. 'Track Point 1'의 중심 위치를 다음과 같이 추적할 대상으로 옮기고, 안쪽과 바깥쪽 박스의 크기를 그림과 같이 각각 조절합니다.

TIP
• 안쪽의 작은 박스를 머리 부분을 넓게 지정하고, 바깥쪽 박스를 상체를 지정했습니다.
• 박스의 크기가 커질수록 피사체의 추적은 비교적 정확해지지만 추적을 위한 계산 시간은 더 걸리게 됩니다.

6 모션 트래킹을 시작하기 전에 추적을 위한 옵션 설정을 위해서 [Tracker] 패널의 [Options] 버튼을 클릭합니다.

7 [Motion Tracker Options] 대화상자가 열리면 [Channel]에서 [Saturation]을 체크하고 [OK] 버튼을 클릭합니다.

TIP
[Motion Tracker Options] 대화상자의 [Channel] 설정
움직임을 추적하는 데 필요한 이미지의 차이를 설정하는 옵션입니다. 추적할 대상이 주변의 색상과 구분될 때는 [RGB]를 체크하고, 밝기가 주변과 차이가 있는 경우에는 [Luminance]를 체크하며, 채도가 차이가 있는 경우 [Saturation]을 체크합니다.

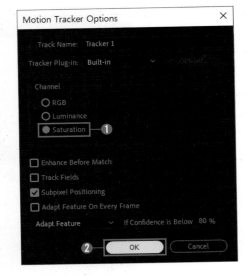

8 모션 트래킹을 위한 모든 설정이 마무리되었으므로 이제 피사체 추적을 시작해 보겠습니다. [Tracker] 패널에서 [Analyze forward] (▶)를 클릭하여 모션 트래킹을 시작합니다.

9 'Track Point 1'이 영상에서 피사체의 모션을 추적하여 다음과 같이 키프레임을 자동으로 생성합니다. 예제에서는 10초 정도까지만 추적을 진행해 보겠습니다.

TIP
• 트래킹이 중간에 실패하는 경우 : [Tracker] 패널의 [Reset] 버튼을 클릭하고, 'Track Point 1'의 위치와 크기, 채널 등을 재설정한 후, 다시 [Analyze forward]를 클릭합니다.
• 10초가 지나면서 트래킹이 제대로 되지 않는 이유는 피사체의 크기가 너무 작아지면서 추적이 어려워지기 때문입니다.

10 모션 트래킹이 끝나면 추적된 결과가 기록된 키프레임을 확인해 보겠습니다. '모션 트래킹.mp4' 레이어에서 단축키 U를 눌러 [Motion Trackers] > [Track Point 1]에 수많은 키프레임이 생성되어 있음을 확인합니다.

TIP

단축키 U : 선택된 레이어에 있는 모든 키프레임을 표시합니다.

11 제공된 타이틀 이미지를 불러오기 위해서 [File] > [Import] > [File](Ctrl+I) 메뉴를 클릭하고, '타이틀.png' 파일을 찾아 선택한 후 [Import] 버튼을 클릭합니다. [Project] 패널에 '타이틀.png' 푸티지를 확인하고 [Time-line] 패널의 1번 위치에 드래그하여 다음과 같은 순서로 레이어를 만듭니다.

12 이제 추적 데이터를 타이틀 이미지에 적용해 보겠습니다. [Tracker] 패널에서 [Motion Source]를 '모션 트래킹.mp4'로 설정하여 추적 데이터를 불러옵니다.

TIP

추적이 끝나고 다른 작업을 하게 될 경우 [Tracker] 패널의 선택이 해제되어 추적 결과를 다시 확인하기 어렵습니다. 이때 [Motion Source]를 다시 설정해 주면 방금 추적한 결과를 다시 불러올 수 있습니다.

13 모션 트래킹의 피사체 추적으로 생성된 키 프레임을 타이틀 이미지에 적용하기 위해서 [Tracker] 패널의 [Edit Target] 버튼을 클릭합니다.

14 [Motion Target] 대화상자가 열리면 [Layer]를 체크하고 '1. 타이틀.png'로 설정한 후 [OK] 버튼을 클릭합니다.

TIP
[Motion Target] 대화상자
모션 트래킹 결과를 어떤 레이어에 적용하는지 설정합니다.

15 실행을 위해 [Tracker] 패널의 [Apply] 버튼을 클릭합니다. [Motion Tracker Apply Options] 대화상자가 열리면 [Apply Dimensions]가 'X and Y'로 설정되어 있음을 확인한 후 [OK] 버튼을 클릭합니다.

TIP
[Apply Dimensions]를 'X and Y'로 설정하면 상하좌우의 모든 모션을 그대로 타이틀 이미지에 적용합니다.

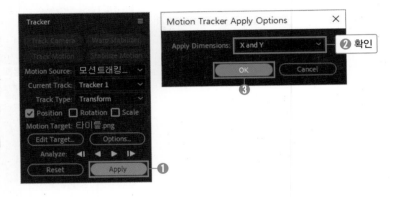

16 '타이틀.png' 레이어를 선택하고, 단축키 U를 눌러 [Transform] > [Position]에 트래킹 키프레임이 적용되어 있음을 확인합니다. 재생하여 모션 트래킹 영상을 확인합니다.

17 타이틀의 위치와 크기를 적절하게 조절
해 보겠습니다. '타이틀.png' 레이어를 선택하
고 [Anchor Point]의 값을 수정하여 타이틀의
위치를 주인공 위쪽에 배치합니다. 크기를 조
절하기 위해서 [Current Time Indicator]를
0:00:03:15 위치로 옮긴 후 [Scale] > [Time-
Vary stop watch](⏱)를 클릭하여 활성화하고,
'85, 85%'로 설정합니다.

TIP
[Anchor Point]는 다양한 모션의 기준이 되는 레이어의
중심 위치를 설정합니다. 단축키는 A입니다.

18 [Current Time Indicator]를 0:00:07:10 위치로 옮기고, [Scale]을 '60, 60%'로 설정하여 주인공이 화면에서 멀어지면
서 크기가 작아지면 타이틀의 크기도 작아지는 모션을 만듭니다.

19 피사체를 추적하고 그 결과를 타이틀에 적
용해 보았습니다. 재생하여 영상을 확인합니다.

1 다음으로 영상 푸티지의 재생 속도를 빠르게 조절하여 완성해 보겠습니다. 빠르기 효과를 적용하기 전 레이어를 모두 합쳐야 합니다. [Timeline] 패널에서 레이어를 모두 선택한 후 [Layer] > [Pre-compose]([Ctrl]+[Shift]+[C]) 메뉴를 클릭하여 레이어를 하나의 컴포지션으로 묶습니다.

TIP

[Pre-compose]는 레이어를 합쳐서 컴포지션으로 만들어 효과 적용 및 관리를 편하게 합니다.

2 [Pre-Compose] 대화상자가 열리면 [New composition name]을 임의로 입력하고, [Move all attributes into the new composition]을 체크한 후 [OK] 버튼을 클릭합니다.

TIP

[Move all attributes into the new composition] 옵션은 각 레이어에 있는 속성과 모션을 새 컴포지션으로 옮기는 설정입니다.

3 재생 속도를 좀 더 빠르게 조절하기 위해서 'Fast Motion' 레이어를 마우스 오른쪽 버튼으로 클릭한 후 [Time] > [Time Stretch]를 선택합니다.

TIP

[Time Stretch]는 재생 속도와 재생 순서를 조절하여 빠르게 또는 느리게 조절하며, 역재생 효과 또한 적용할 수 있습니다.

4 [Time Stretch] 대화상자가 열리면 [Stretch Factor]를 '50%' 정도로 설정하고 [OK] 버튼을 클릭합니다. 레이어를 확인하면 레이어의 길이가 줄어들고 재생 속도가 빨라집니다.

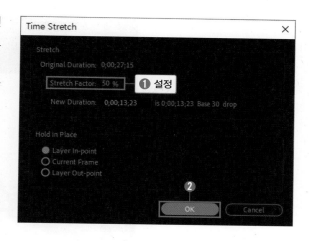

TIP

• [Stretch Factor]의 값이 100 이하면 재생 속도가 빨라지고 100 이상이면 느려집니다.

• 재생 속도가 처음에는 느리고, 뒤쪽은 빠른 영상을 원한다면, 여러 가지 방법이 있지만 가장 쉬운 방법은 해당 레이어를 복사한 후 영상을 2등분으로 잘라서 단계별 속도를 설정하여 편집하면 됩니다. 더 세분화하려면 더 작게 잘라서 편집하면 됩니다.

5 다음으로 배경음악을 넣어보겠습니다. [File] > [Import] > [File]([Ctrl]+[I]) 메뉴를 클릭하고. 대화상자가 열리면 'BGM.wav' 파일을 선택한 후 [Import] 버튼을 클릭합니다. [Project] 패널의 'BGM.wav' 푸티지를 [Timeline] 패널로 드래그하여 배경음악을 삽입합니다.

6 마지막으로 영상의 출력 범위 영역을 지정해 보겠습니다. 예제에서 필요한 부분은 5초 이내이므로 5초 정도로 설정하겠습니다. [Current Time Indicator]를 0:00:05:00 위치로 옮기고, 단축키 [N]을 눌러 [Time Navigator End]를 5초로 설정합니다.

TIP

앞부분을 잘라내어 출력 영역을 설정할 경우, 단축키 [B]를 누릅니다.

7 모션 트래킹과 속도 조절로 애니메이션의 모든 작업 과정이 마무리되었습니다. [Composition] > [Add to Adobe Media Encoder Queue] 메뉴를 클릭하여 영상 파일로 만든 후, 파일을 찾아 확인합니다.

TIP

애프터 이펙트의 모션 트래킹

• 애프터 이펙트의 Track Motion 기능은 자동으로 지정 포인트의 움직임을 인식해서 이동 포지션을 각 프레임마다 자동 저장하는 기능입니다. 단, 지정한 부분이 주변 색상과 큰 차이가 없거나 너무 빠르게 움직이는 구간에서는 인식이 제대로 되지 않는 문제가 발생하기도 합니다. 이런 경우에는 조금은 번거롭지만 해당 프레임마다 위치를 수동으로 지정해 줘야 합니다. 해당 프레임에서 추적된 위치를 마우스로 그냥 드래그해서 원하는 위치로 옮기기만 하면 됩니다.

• 만약 추적된 움직임 또는 동작이 불안정할 경우 이를 안정화할 수도 있는데, 이 경우 추적 데이터가 추적된 레이어에 애니메이션을 적용하는 데 사용되어 해당 레이어에 있는 개체의 움직임을 보정합니다.

• 추적된 움직임은 애프터 이펙트의 Expression을 사용해서 추적 데이터에 속성을 연결하여 다양한 방식으로 사용할 수 있습니다.

:: Chapter ::

03

컴포지션 레이어 실무

영상콘텐츠 공모전 20년 도전 노하우!

애프터 이펙트의 컴포지션 레이어와 포토샵의 레이어는 유사성이 많습니다. 이러한 레이어 테크닉을 블루스크린 크로마키 합성, 트랙 매트 합성 디자인, 3D 레이어 애니메이션, 원근 문자 디자인 영상, 3D 뷰 영상 등의 실무 예제 실습으로 다양한 응용이 가능하도록 안내해 보겠습니다.

01

SECTION

블루스크린 크로마키 합성 실무

핵심 내용

본 예제는 일기예보에서 사용하는 블루스크린 크로마키 합성 실무입니다. 선명한 크로마키를 위해 영상을 여러 번 겹치거나 Color Key 작업을 반복하는 방법을 알아보겠습니다. 또한 영상에서 프레임을 뽑아내어 자연스러운 효과를 주는 방법에 대해서 실습하겠습니다.

핵심 기능

Color Key + Save Frame

STORYBOARD

제63주년 대한민국 국회 UCC 공모전 '국회사무총장상' 수상 작품 중 일부분

01 블루스크린 크로마키 합성하기 Color Key

제63주년 대한민국 국회 UCC 공모전
'국회사무총장상' 수상 작품 중 일부분

준비 파일: Part 03 > Chapter 03 > Section 01 폴더 파일 **완성 파일**: Part 03 > Chapter 03 > Section 01 > 블루스크린 크로마키 합성 실무 완성.mp4

1 새 컴포지션을 만들기 위해서 [Composition] > [New Composition]([Ctrl]+[N]) 메뉴를 클릭합니다. [Composition Settings] 대화상자가 열리면 다음과 같이 설정한 후 [OK] 버튼을 클릭합니다

- [Composition Name] : 블루스크린 합성
- [Width] : 1920
- [Height] : 1080
- [Pixel Aspect Ratio] : Square Pixels
- [Frame Rate] : 29.97
- [Duration] : 0:00:06:00

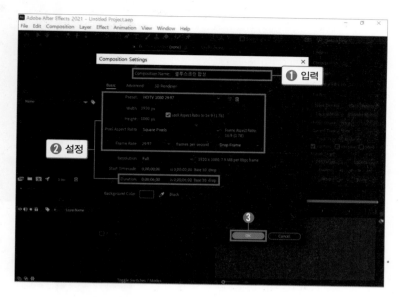

2 제공된 배경 이미지 파일을 불러오기 위해서 [File] > [Import] > [File]([Ctrl]+[I]) 메뉴를 클릭하고, '배경.jpg' 파일을 찾아 선택한 후 [Import] 버튼을 클릭합니다. 파일이 열리면 [Timeline] 패널에 드래그하여 '배경.jpg' 레이어를 만듭니다.

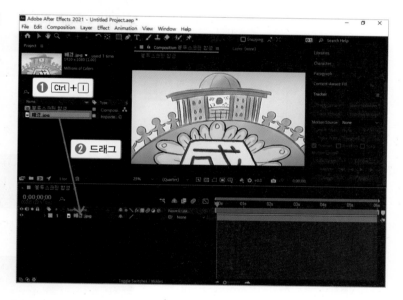

TIP

크로마키(Chroma Key)

- 두 개의 영상을 합성하는 기술로써 하나의 영상에서 특정 색을 제거하거나 투명하게 만들어서 뒤에 다른 영상이 보이게 할 수 있습니다. 이 기술은 또한 컬러 키, 그린스크린, 블루스크린이라고도 하는데요. 보통 기상 예보 방송에서 합성된 큰 지도 앞에서 서 있는 것처럼 보여 주지만 실제로는 파란색 배경이나 초록색 배경의 스튜디오 안에서 촬영을 통해 합성 영상으로 보이는 것입니다.
- 크로마키를 반드시 파란색과 초록색만 사용할 수 있는 것은 아니며 다양한 색상을 사용할 수 있는데 파란색과 초록색을 많이 사용하는 이유는 인물에서는 잘 나타나는 않는 색으로써 쉽게 투명으로 만들 수 있기 때문입니다. 특히 초록색은 사람들의 눈이 파란색인 경우도 있기 최근에는 자주 사용됩니다.

3 이어서 [File] > [Import] > [File]([Ctrl] +[I]) 메뉴를 클릭하고, '블루스크린.mp4' 파일을 찾아 [Timeline] 패널의 1번에 드래그합니다. '블루스크린.mp4' 레이어의 [Solo](◉)를 활성화하여 다른 레이어를 화면에서 보이지 않게 합니다. 또한 컴포지션 배경을 투명 격자 배경으로 표시하기 위해서 [Composition] 패널의 [Toggle Transparency Grid] (▦)를 클릭하여 활성화합니다.

TIP

- [Solo]는 특정 레이어만 컴포지션 화면상에 표시하여 편집할 수 있는 기능입니다.
- [Toggle Transparency Grid]는 컴포지션 화면의 배경을 격자 그리드 또는, 단색으로 바꿔서 표시할 수 있는 기능입니다.

4 인물만 남겨두고 블루스크린 배경만 삭제하기 위해서 '블루스크린.mp4' 레이어가 선택된 상태에서 [Effect] > [Keying] > [Color Range] 메뉴를 클릭합니다.

TIP

- [Color Range] : 영상에서 특정한 색상을 지우는 기능입니다. 뉴스나 일기예보 같은 영상을 만들 때, 인물과 배경의 그래픽을 합성하는 데 많이 사용됩니다. 한 번의 과정으로 색을 지우는 것 보다 여러 번의 과정으로 색을 지우는 것이 정밀한 결과물을 얻을 수 있습니다.
- 이전 버전에서 [Effect] > [Keying] > [Color Range] 메뉴가 없는 경우 [Effect] > [Keying] > [Color Key]를 적용합니다.

5 [Effect Controls] 패널에 [Color Range] 옵션이 보이면 가장 위쪽에 있는 첫 번째 [Spuit](🖊)를 클릭하고, [Composition] 패널에서 중앙의 파란색을 클릭합니다.

6 배경에 남아 있는 블루스크린 배경을 더 깨끗하게 지우기 위해서 [Effect Controls] 패널에 [Color Range]의 [Spuit+](🖌)를 클릭하고, [Composition] 패널에서 왼쪽 위쪽의 파란색을 클릭합니다. 클릭한 부분의 배경이 지워지는 것을 확인합니다.

7 이어서 [Spuit+](🖌)로 [Composition] 패널에서 남은 배경의 파란색을 클릭합니다. 다음과 같이 배경이 깨끗해질 때까지 여러 번 반복합니다.

TIP

애프터 이펙트의 Keying

• Keying은 이미지의 특정 색상 값이나 광도 값으로 투명도를 만들고 합성에 이용합니다. Keying을 사용하면 배경을 쉽게 바꿀 수 있습니다. 특히, 복잡해서 마스크를 쉽게 만들 수 없는 경우에 유용합니다. Keying을 적용하고 다른 레이어를 아래에 배치하면 배경이 보이는 합성 레이어가 형성됩니다.

• 배경색이 일정하지 않으며 구분하기 쉽지 않은 경우 Keying 효과에서 배경을 제거할 수 없습니다. 이러한 경우, 배경을 분리하기 위해 개별 프레임에 수동으로 그리거나 로토스코핑 기능을 사용해야 할 수 있습니다.

1 블루스크린 영상의 첫 장면은 자연스럽게 나타나고, 마지막 장면은 자연스럽게 사라지게 편집하기 위해서 앞뒤로 낱장의 스틸 이미지가 필요합니다. [Current Time Indicator]를 0:00:00:00 위치로 옮기고, [Composition] > [Save Frame As] > [File]([Ctrl]+[Alt]+[S]) 메뉴를 클릭합니다.

TIP

[Save Frame As]는 [Current Time Indicator]가 위치한 현재 장면을 한 장의 스틸 이미지로 만드는 기능입니다.

2 [Render Queue] 패널이 열리면 저장할 이미지의 파일 포맷을 설정하기 위해서 [Output Module]의 'Photoshop'을 클릭합니다.

TIP

[Output Module]은 출력 파일의 포맷을 설정합니다.

3 [Output Module Settings] 대화상자가
열리면 [Format]을 'PNG Sequence'로 설정
하고 [OK] 버튼을 클릭합니다.

TIP

배경이 투명한 알파 채널을 저장할 수 있는 PNG 이미지
로 설정했습니다.

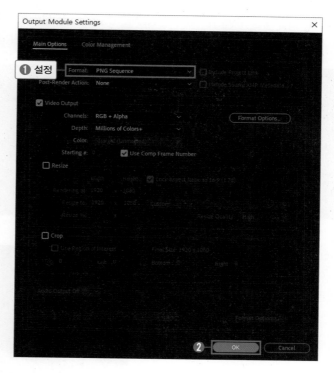

4 저장할 파일의 이름을 설정하기 위해서 [Output To]의 파란색 파일 이름을 클릭한 후 [Output Movie To] 대화상자가
열리면 스틸 이미지가 저장될 폴더에 파일 이름을 '시작'으로 입력하고 [저장] 버튼을 클릭합니다. [Output To]의 이름이
'시작.png'로 변경되었음을 확인합니다.

5 다시 '블루스크린 합성' 컴포지션으로 돌아
와서 [Current Time Indicator]를 0:00:02:07
위치로 옮기고, [Composition] > [Save
Frame As] > [File]([Ctrl]+[Alt]+[S]) 메뉴를
클릭합니다.

6 [Render Queue] 패널이 열리면 같은 방법으로 [Output Module]을 'PNG Sequence'로, [Output To]를 '마지막.png'로 설정합니다. 이제 2개의 스틸 이미지 출력 설정이 마무리되었습니다. [Render] 버튼을 클릭하여 이미지를 만듭니다.

7 [Project] 패널의 아래쪽 비어있는 공간을 더블클릭하여 [Import File] 대화상자가 열리면 방금 만든 '시작.png', '마지막.png' 파일을 찾아서 불러옵니다.

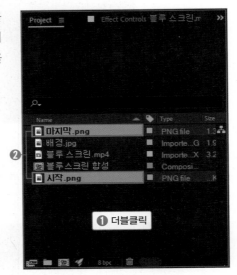

8 [Current Time Indicator]를 0:00:01:15 위치로 옮긴 후, '블루스크린.mp4' 레이어가 선택된 상태에서 단축키 [] 를 눌러 레이어를 [Current Time Indicator] 뒤로 이동합니다.

9 '시작.png' 푸티지를 [Timeline] 패널의 1번 레이어로 드래그하여 넣습니다. [Current Time Indicator]가 0:00:01:15 위치에 있음을 확인하고, Alt+[]를 눌러 뒤쪽 부분을 잘라 냅니다.

10 이번에는 '마지막.png' 푸티지를 [Timeline] 패널의 1번 위치로 드래그하고, [Current Time Indicator]를 0:00:03:23 위치로 옮긴 후, Alt+[]를 눌러 앞쪽 부분을 잘라냅니다.

11 레이어에 표시된 모든 [Solo](●)를 해제하여 배경 이미지가 보이게 합니다. 다음과 같이 인물과 배경이 합성되었음을 확인합니다.

12 영상과 스틸 이미지를 부드럽게 연결하기 위해 '시작.png' 레이어를 선택하고, [T]를 눌러 [Opacity]를 보이게 한 후 [Current Time Indicator]를 0:00:00:00 위치로 옮깁니다. [Opacity] > [Time-Vary stop watch](◎)를 클릭하여 활성화하고, '0%'로 설정한 후 [Current Time Indicator]를 0:00:01:15 위치로 옮기고 '100%'로 설정합니다. '마지막.png' 레이어도 [Opacity]를 0:00:03:23은 '100%', 0:00:05:29는 '0%'로 설정하여 마무리합니다.

13 마지막으로 더빙 파일을 불러오기 위해서 [File] > [Import] > [File]([Ctrl]+[I]) 메뉴를 클릭하고 '더빙.mp3' 파일을 찾아 [Project] 패널에 불러온 후 [Timeline] 패널의 0:00:02:10 위치에 드래그하여 더빙을 삽입합니다.

14 블루스크린 크로마키 합성의 모든 작업 과정이 마무리되었습니다. [Composition] > [Add to Adobe Media Encoder Queue] 메뉴를 클릭하여 영상 파일로 만든 후, 파일을 찾아 확인합니다.

02

SECTION

트랙 매트 합성 실무

핵심 내용

Track Matte를 활용한 합성은 다양한 영상 제작에 사용되는 실무 기술입니다. 본 예제에서는 간단한 심볼과 타이틀을 이용한 Track Matte 사용법 위주로 설명하겠습니다.

핵심 기능

Track Matte

STORYBOARD

여수세계박람회 홈페이지 인트로 영상 중 일부분

준비 파일 : Part 03 > Chapter 03 > Section 02 폴더 파일 완성 파일 : Part 03 > Chapter 03 > Section 02 > 트랙 매트 합성 실무 완성.mp4

1 먼저 트랙 매트 영상 첫 번째 장면의 컴포지션을 만들기 위해서 [Composition] > [New Composition]([Ctrl]+[N]) 메뉴를 클릭합니다. [Composition Settings] 대화상자가 열리면 옵션을 다음과 같이 설정한 후 [OK] 버튼을 클릭합니다.

- [Composition Name] : 장면 1
- [Width] : 1920
- [Height] : 1080
- [Pixel Aspect Ratio] : Square Pixels
- [Frame Rate] : 29.97
- [Duration] : 0:00:04:00

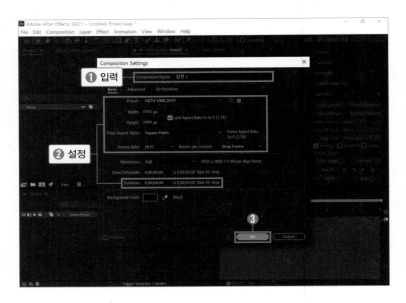

2 제공된 영상 파일을 불러오기 위해서 [File] > [Import] > [File]([Ctrl]+[I]) 메뉴를 클릭하고, '동영상배경1, 동영상배경2.mp4' 파일을 찾아 선택한 후 [Import] 버튼을 클릭합니다. [Project] 패널에 '동영상배경1.mp4', '동영상배경2.mp4' 푸티지를 확인하고, [Timeline] 패널로 드래그하여 다음과 같은 순서로 레이어를 만든 후 영상을 재생하여 확인합니다.

TIP
[Timeline] 패널에서 레이어의 순서에 주의합니다. 레이어의 순서에 따라 전혀 다른 결과물이 나오기 때문입니다.

3 다음으로 타이틀 모션을 만들기 위해서 준비된 이미지 파일을 불러오겠습니다. [File] > [Import] > [File]([Ctrl]+[I]) 메뉴를 클릭하고, '타이틀 01.png' 파일을 찾아 [Project] 패널에 불러온 후 [Timeline] 패널의 1번 위치로 드래그합니다. 레이어를 선택하고 [P]를 눌러 [Position]을 나타낸 후 '3478, 500'으로 설정하여 다음과 같은 위치에 배치합니다.

TIP

- [Import File] 대화상자에서 [Sequence Options]의 체크가 해제되어 있어야 합니다.
- 레이어를 선택하고 단축키 [P]를 누르면 [Position]만 표시됩니다. 다시 [P]를 누르면 숨길 수 있습니다.
- 레이어의 순서는 위에서 아래로 1번부터 시작하여 차례대로 번호가 붙습니다.

4 '동영상배경1.mp4' 레이어의 [TrkMat]를 'None'에서 'Alpha Matte "타이틀 01.png"'로 설정합니다. 배경이 타이틀 글자 안에 합성됩니다.

TIP

트랙 매트(TrkMat)

- Alpha(투명도), Luma(색상) 속성에 따라 현재 레이어의 이미지를 바로 위에 있는 레이어의 특정한 영역에만 표시합니다. 포토샵과 일러스트레이터의 마스크(Clipping Mask) 기능과 비슷합니다.
- [TrkMat]가 보이지 않는 경우. [Timeline] 패널 상단의 아이콘을 마우스 오른쪽 버튼으로 클릭한 후 [Columns] > [Modes]의 체크가 활성화되어 있는지 확인합니다.

5 타이틀 글자가 수평으로 움직이는 모션을 만들어 보겠습니다. [Current Time Indicator]를 0:00:00:00 위치로 이동하고, [Position] > [Time-Vary stop watch](◉)를 클릭하여 첫 번째 키프레임을 만든 후 [Current Time Indicator]를 0:00:03:29로 옮기고, '-1560, 500'으로 설정하여 애니메이션을 만듭니다. 재생하여 타이틀이 수평으로 움직이는 모션을 확인합니다.

TIP

트랙 매트 적용으로 타이틀 글자 안쪽 영역에는 '동영상배경1'이 보이고, 바깥쪽 영역에는 '동영상배경2'가 보이게 됩니다.

6 이어서 작은 크기의 타이틀을 불러와 배치하기 위해서 [File] > [Import] > [File]([Ctrl]+[I]) 메뉴를 클릭하고, '타이틀 02.png' 파일을 찾아 [Project] 패널에 불러온 후 [Timeline] 패널의 1번 위치로 드래그합니다. 레이어를 선택하고, [Position]을 '150, 910'으로 [Opacity]는 '60%'로 설정하여 다음과 같은 위치에 배치합니다.

TIP
- 이미지를 불러올 때 [Import File] 대화상자에서 [Sequence Options]의 체크가 해제되어 있어야 합니다.
- 레이어를 선택하고 [P]를 눌러 [Position]을 나타내고, 이어서 [Shift]+[T]를 누르면 [Opacity]를 함께 표시할 수 있습니다.

7 방금 배치한 작은 타이틀 글자가 움직이는 모션을 만들기 위해 [Current Time Indicator]를 0:00:00:00 위치로 이동하고, [Position] > [Time-Vary stop watch]()를 클릭하여 첫 번째 키프레임을 만든 후 [Current Time Indicator]를 0:00:03:29로 옮기고, '1170, 910'으로 설정하여 모션을 만듭니다. 재생하여 첫 번째 장면의 모션을 확인합니다.

TIP
책에서 지시한 내용대로 따라하는 것도 중요하지만 이를 응용하여 자신만의 창의력을 표현하도록 다른 모션을 적용해 보는 것도 좋습니다.

8 두 번째 장면의 컴포지션을 만들기 위해서 [Composition] > [New Composition]([Ctrl]+[N]) 메뉴를 클릭합니다. [Composition Settings] 대화상자가 열리면 옵션을 다음과 같이 설정하고 [OK] 버튼을 클릭합니다.

- [Composition Name] : 장면 2
- [Width] : 1920
- [Height] : 1080
- [Pixel Aspect Ratio] : Square Pixels
- [Frame Rate] : 29.97
- [Duration] : 0:00:06:00

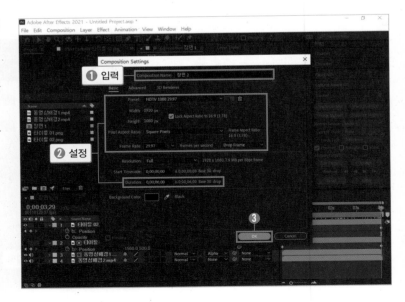

9 배경으로 사용할 이미지 파일을 불러오기 위해서 [File] > [Import] > [File](Ctrl+I) 메뉴를 클릭하고, '이미지배경.png' 파일을 찾아 [Project] 패널에 불러온 후 [Timeline] 패널로 드래그합니다. 다음과 같은 그레이디언트 배경 이미지를 확인합니다.

10 다음으로 심볼 이미지 파일을 불러오기 위해서 [File] > [Import] > [File](Ctrl+I) 메뉴를 클릭하고, '심벌.png' 파일을 찾아 [Project] 패널에 불러온 후 [Timeline] 패널의 1번 위치로 드래그합니다.

11 불러온 로고에 모션을 주기 위해서 [Current Time Indicator]가 0:00:00:00 위치에 있음을 확인하고, '심벌.png' 레이어 [Position]과 [Scale] > [Time–Vary stop watch]() 를 클릭한 후 [Current Time Indicator]를 0:00:02:00 위치로 옮기고, [Position]은 '960, 420', [Scale]은 '16, 16%'로 설정합니다.

TIP
[Position]과 [Scale]의 모션 조합은 특정 영역의 줌인, 줌 아웃에 자주 사용됩니다.

12 심벌 아래에 타이틀을 불러오기 위해서 [File] > [Import] > [File](Ctrl+I) 메뉴를 클릭하고, '타이틀 03.png' 파일을 찾아 [Project] 패널에 불러온 후 [Timeline] 패널의 1번 위치로 드래그합니다. 레이어를 열고, [Position]은 '960, 686', [Scale]은 '12,12%'로 설정하여 다음과 같은 위치와 크기로 배치합니다.

TIP
이미지를 불러올 때 [Import File] 대화상자에서 [Sequence Options]의 체크가 해제되어 있어야 합니다.

13 방금 배치한 타이틀에 투명도 모션을 적용하겠습니다. [Current Time Indicator]를 0:00:02:05 위치로 옮긴 후 '타이틀 03.png' 레이어의 [Opacity] > [Time-Vary stop watch](◉)를 클릭하여 활성화하고 '0%'로 설정합니다. [Current Time Indicator]를 0:00:03:05 위치로 옮기고, '100%'로 설정합니다. 타이틀이 자연스럽게 나타나는 투명도 모션이 만들어졌습니다.

14 심벌의 안쪽 영역에 합성할 불꽃놀이 이미지를 불러오기 위해서 [File] > [Import] > [File](Ctrl+I) 메뉴를 클릭하고, '불꽃놀이.jpg' 파일을 찾아 [Project] 패널에 불러온 후 [Timeline] 패널의 3번 위치로 드래그합니다. 0:00:03:05 위치에서 레이어를 열고, [Position]은 '960, 496', [Scale]은 '75, 75%'로 설정합니다.

TIP
[Timeline] 패널에서 레이어의 순서에 주의합니다.

15 불꽃놀이 이미지에 모션을 만들기 위해서 [Current Time Indicator]를 0:00:00:00 위치로 옮기고, [Position]과 [Scale] > [Time-Vary stop watch](◎)를 클릭하여 활성화하여 키프레임을 만듭니다. [Current Time Indicator]를 0:00:03:05 위치로 옮기고, [Position]은 '960, 390', [Scale]은 '120, 120%'로 설정하여 이미지가 확대되는 모션을 만듭니다.

16 심벌 안쪽 영역에 불꽃놀이 이미지를 표시하기 위한 트랙 매트를 적용하기 위해서 '불꽃놀이.jpg' 레이어 [TrkMat]의 'None'을 클릭하여 'Alpha Matte "심벌.png"'로 설정합니다.

17 현재는 심벌이 트랙 매트로만 사용되어 보이지 않기 때문에 심벌을 하나 더 레이어에 불러와 배치해 보겠습니다. [Project] 패널의 '심벌.png' 푸티지를 [Timeline] 패널의 1번 위치에 넣은 후, 레이어를 클릭해 열고 [Position]은 '960, 420', [Scale]은 '16, 16%'로 설정하여 같은 자리에 배치합니다.

18 [Current Time Indicator]를 0:00:02:05 위치로 옮긴 후 1번 '심벌.png' 레이어 [Opacity] > [Time–Vary stop watch] (⏱)를 클릭하여 활성화하고 '0%'로 설정합니다. [Current Time Indicator]를 0:00:03:05 위치로 옮기고 '100%'로 설정합니다.

19 Space Bar를 눌러 심벌과 불꽃놀이 이미지가 합성된 트랙 매트 두 번째 영상을 확인합니다.

TIP

애프터 이펙트의 트랙 매트

트랙 매트는 디지털 사진 및 동영상의 RGB(Red, Green, Blue)+알파(Alpha) 채널을 이용하여 합성을 할 수 있는 기능입니다. 트랙 매트는 2가지 방식으로 투명도를 만드는데 하나는 알파(Alpha) 방식이며, 두 번째는 루마(Luma) 방식입니다.

1. 알파(Alpha) 방식

트랙 매트를 적용하려는 레이어에 투명도를 가진 영역이 있는 경우, 이를 이용하여 마스크 영역을 생성하고 합성에 이용합니다. Alpah Inverted Matte 방식은 반대로 투명도가 없는 영역만을 이용하여 합성합니다.

2. 루마(Luma) 방식

트랙 매트를 적용하려는 레이어의 명암에 따라서 마스크 영역을 만들고 합성에 이용합니다. 검은색으로 된 영역은 가리고 흰색은 투명하게 만듭니다. 명암의 단계에 따라서 투명도는 다르게 나타납니다. Luma Inverted Matte로 설정할 경우, 검은색과 흰색의 영역을 반전하여 합성에 사용합니다.

02 컴포지션 레이어 합치기

1 이제까지 만든 결과물을 합쳐 트랙 매트 영상을 완성하기 위한 새 컴포지션을 만들기 위해서 [Composition] > [New Composition](Ctrl+N) 메뉴를 클릭합니다. [Composition Settings] 대화상자가 열리면 옵션을 다음과 같이 설정한 후 [OK] 버튼을 클릭합니다.

- [Composition Name] : 매트 영상
- [Width] : 1920
- [Height] : 1080
- [Pixel Aspect Ratio] : Square Pixels
- [Frame Rate] : 29.97
- [Duration] : 0:00:10:00

2 [Project] 패널에서 '장면 1', '장면 2' 컴포지션을 [Timeline] 패널로 드래그하여 다음과 같은 레이어 순서대로 배치합니다. '장면 2' 레이어의 중간 부분을 Shift를 누른 채 오른쪽으로 드래그하여 '장면 1' 레이어의 [Out 점]에 맞춥니다.

TIP

- Shift를 누른 채 레이어를 드래그하면 다른 레이어의 [In 점] 또는, [Out 점]에 정확하게 붙일 수 있습니다.
- 레이어의 이동이 생각대로 쉽게 되지 않는 경우, 레이어 2개를 함께 선택하고 [Animation] > [Keyframe Assistant] > [Sequence Layers] 메뉴를 클릭하면 레이어를 순서대로 자동 배치합니다.

3 마지막으로 배경음악 파일을 불러오기 위해서 [File] > [Import] > [File](Ctrl+I) 메뉴를 클릭하고, 'BGM.mp3' 파일을 찾아 [Project] 패널에 불러옵니다. [Timeline] 패널로 드래그하여 배경음악을 삽입하고, 트랙 매트 합성으로 모션을 완성합니다.

03

로토스코핑 애니메이션 실무

핵심 내용

특정 부분만 컬러로 처리하는 영상은 제품 광고 영상에서 많이 사용하는 테크닉으로 적절한 예제 선택이 필요합니다. 이때 필요한 기능이 영상에서 특정한 부분만 자동으로 선택하여 효과를 적용하는 로토스코핑(Rotoscoping) 기능이 있습니다. [Roto Brush Tool]과 Hue/Saturation에 대해 실습해 보겠습니다.

핵심 기능

Roto Brush Tool + Hue/Saturation

STORYBOARD ──────────────────────── 전국 찬소 CF 공모전 '대상' 수상 작품 중 일부분

↓

Roto Brush Tool + Hue/Saturation

↓

01 영상 푸티지 영역 선택하기 Roto Brush Tool

준비 파일 : Part 03 > Chapter 03 > Section 03 폴더 파일 **완성 파일 :** Part 03 > Chapter 03 > Section 03 > 로토스코핑 애니메이션 실무 완성.mp4

1 제공된 광고 영상 파일을 불러오기 위해서 [File] > [Import] > [File]([Ctrl]+[I]) 메뉴를 클릭합니다. [Import File] 대화상자가 열리면 '광고.mp4' 파일을 선택하고, [Import] 버튼을 클릭하여 파일을 불러옵니다. [Project] 패널의 '광고.mp4' 푸티지를 마우스 오른쪽 버튼으로 클릭한 후 [New Comp from Selection]을 선택합니다. 재생하여 영상을 확인합니다.

TIP

[New Comp from Selection]은 컴포지션을 만들 때 복잡한 설정이 필요 없이 선택한 파일의 해상도, 프레임, 재생 길이와 같은 옵션으로 자동 생성됩니다.

2 광고 영상에서 제품에 시선을 집중시키기 위해서 나머지 인물 부분은 분리하여 흑백 또는, 듀오톤 효과를 적용해 보겠습니다. 영상에서 특정한 부분만 따로 분리하기 위해서는 [Tools] 패널에서 [Roto Brush Tool](🖌)을 클릭하고, [Composition] 패널을 더블클릭하여 [Layer] 패널을 엽니다.

TIP

[Roto Brush Tool]과 [Refine Edge Tool], [Brush Tool]과 같이 영상 또는 이미지에 직접 무언가를 그려야 하는 기능은 [Composition] 패널이 아니라 개별 [Layer] 패널에서만 가능합니다.

3 [Layer] 패널에서 [Roto Brush Tool](🖌)이 활성화되면 녹색의 색상이 들어간 선을 그릴 수 있습니다. 영상에서 필요한 부분만 그려서 선택합니다.

TIP

선의 시작점과 끝점은 이어지지 않아도 되며, 한 번에 정확하게 선택하지 않아도 됩니다. 여러 번에 걸쳐서 원하는 부분을 조금씩 그려서 선택해도 됩니다.

4 선택이 되면 선택 영역이 진한 분홍색의 선으로 표시되고, [Effect Controls] 패널에 [Roto Brush Tool & Refine Edge] 효과가 자동으로 뜹니다. 조금 더 정확한 영역 선택을 위해 [Quality]를 'Best'로 설정합니다.

TIP
일단 선택이 되면 프로그램이 자동으로 선택 영역을 판단하게 됩니다. 때로는 그림과 같이 잘못된 영역이 선택되기도 하는데 다음 설명에서 이를 수정해 보겠습니다.

5 다음으로 선택된 영역을 조금 더 정확하게 수정해 보겠습니다. [Roto Brush Tool]( )이 선택된 상태에서 Alt 를 누르면 선택된 영역을 뺄 수 있는 기능이 활성화됩니다. Alt 를 누른 채 잘못된 영역에 선을 다음과 같이 그려서 수정합니다.

TIP
선택 수정 역시 한 번에 정확한 영역을 선택하지 않아도 됩니다. 여러 번에 걸쳐 조금씩 영역을 수정해도 됩니다.

6 선택 영역을 추가하거나 Alt 를 누른 채 수정하여 다음과 같이 제품이 있는 영역만 선택되도록 합니다.

TIP
그림과 같이 완벽하게 특정 부분만 선택하기는 어렵습니다. 하지만 촬영한 영상이 선명하거나 색상의 대비가 뚜렷하면 프로그램이 좀 더 나은 영역 선택을 할 수 있습니다.

7 Space Bar 를 눌러 재생하면 영상에서 제품이 보이는 부분을 자동으로 계산하여 선택 영역으로 만드는 작업이 적용됩니다. 아래쪽 [Roto Brush Tool & Refine Edge span]이 모두 녹색으로 표시되면 계산이 성공적으로 끝났음을 의미합니다.

TIP

자동 계산은 컴퓨터의 사양에 따라 시간이 오래 걸릴 수도 있습니다. 끝날 때까지 인내심을 가지고 기다리세요. 계산이 끝난 후, 영역이 마음에 들지 않으면 영역을 다시 수정하고 계산을 진행할 수 있습니다.

8 선택된 영역을 확인하기 위해서 [Composition] 패널에서 아래쪽 표시 설정 [Toggle Alpha]/[Toggle Alpha Boundary]/[Toggle Alpha Overlay](   )를 각각 클릭하여 그림과 같이 자신의 의도대로 특정한 영역이 잘 선택이 되었는지 확인합니다. [Toggle Alpha]는 선택된 영역을 흰색, 지워서 투명이 된 영역은 검은색으로 표시하며, [Toggle Alpha Boundary]는 진한 분홍색의 선으로 보여주고, [Toggle Alpha Overlay]는 지워서 투명이 될 부분에 특정 색상을 채워서 표시합니다.

TIP

선택 영역 표시 설정은 말 그대로 시각적인 확인을 위한 설정일 뿐이며, 결과는 모두 같습니다.

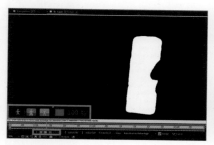  

9 영상에서 특정한 부분만 선택이 마무리되었으므로 이제 다음 작업을 위해 원래의 [Composition] 패널을 클릭하여 복귀합니다.

TIP

선택 영역이 맘에 들지 않을 경우, 언제든지 다시 [Composition] 패널의 영상을 더블클릭으로 [Layer] 패널을 열어 수정할 수 있습니다.

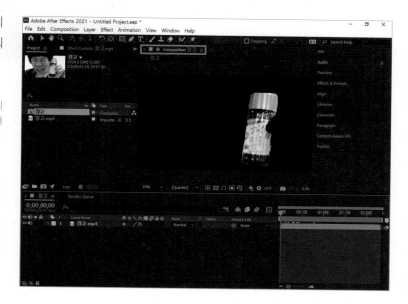

1 현재 남아 있는 부분은 제품의 영역이므로 나머지 부분에 효과를 적용하기 위해서는 같은 영상을 불러와서 작업해야 합니다. [Project] 패널에서 '광고.mp4' 푸티지를 드래그하여 [Timeline] 패널의 2번 레이어에 배치합니다.

TIP

[Composition] 패널의 영상은 하나처럼 보이지만 1번 레이어는 제품만 표시하며, 2번 레이어는 제품을 제외한 나머지 부분만 보입니다.

2 영상에서 약병을 제외한 나머지 부분을 듀오톤(Duotone) 색상으로 만들기 위해서 [Timeline] 패널에서 아래쪽 2번 '광고.mp4' 레이어를 선택하고, [Effect] > [Color Correction] > [Hue/Saturation] 메뉴를 클릭합니다.

TIP

흑백(Monotone) 색상으로 만들려면 [Color Correction]의 [Tint] 효과가 가장 빠르며, 이외에도 [Curves], [Color Balance] 등의 기능을 이용해도 됩니다.

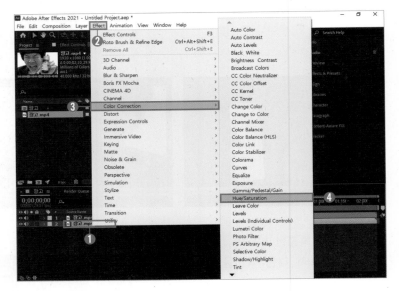

3 [Effect Controls] 패널에서 [Hue/Saturation] 옵션을 다음과 같이 설정합니다.

- [Colorize] : 체크
- [Colorize Hue] : 45°
- [Colorize Saturation] : 20
- [Colorize Lightness] : 15

TIP

[Colorize]는 듀오톤 색상 효과를 적용하는 옵션입니다. 흑백으로 바꾸는 것보다는 좀 더 느낌 있는 감성적인 영상을 만들 때 사용하면 좋습니다.

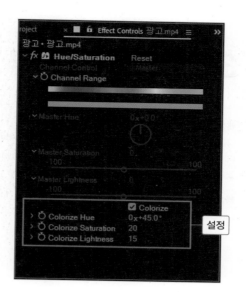

4 영상에서 특정 부분을 선택한 후 효과를 적용한 로토스코핑 특수 효과를 완성했습니다. [Composition] > [Add to Adobe Media Encoder Queue] 메뉴를 클릭하여 영상 파일로 만든 후, 파일을 찾아 확인합니다.

TIP

애프터 이펙트의 로토스코핑

- 로토스코핑이란 사람이나 객체의 움직임을 따라 한 프레임 한 프레임 애니메이션으로 옮겨 그리는 기법을 말합니다. 월트 디즈니의 <백설공주와 일곱 난쟁이>에서 사용되어 대중들에게 알려진 이후로 디즈니 계열의 애니메이션에서는 종종 로토스코핑 장면이 등장합니다. 이는 실사 영상 소스를 사용했기에 사실적인 움직임과 같은 부드러움과 실제감을 줄 수 있는 장점이 있습니다.
- 사실적인 움직임을 애니메이션으로 그려내는 데는 이만한 기법이 없는데 '움직임'이라는 측면에서는 손색이 없을 정도로 놀랄 만큼 부드러움을 표현할 수 있는 애니메이션 기법입니다. 하지만 많이 작업 시간이 요구되어 힘든 기법으로 인식되어 있지만, 애프터 이펙트에서는 [Roto Brush Tool]이라는 기능을 제공하여 인물과 배경을 쉽게 분리하고 여기에 다양한 효과를 추가하여 로토스코핑 애니메이션을 쉽게 만들 수 있습니다.

04

3D 원근 자막 실무

핵심 내용

다음 예제는 최근 광고 CF에서 많이 나오는 3D 원근 자막 실무입니다. 건물이나 풍경 등 공간의 투시도를 활용하는 디자인으로 3차원적인 느낌을 주는 예제입니다. 3D Layer를 기본으로 Mask Path와 Layer Style에 대하여 설명하겠습니다.

핵심 기능

Layer Style + Pre—Compose + 3D Layer

STORYBOARD

제25회 정보문화의달 창작 UCC 공모전 '행정안전부장관상' 수상 작품 중 일부분

제25회 정보문화의달 창작 UCC 공모전
'행정안전부장관상' 수상 작품 중 일부분

준비 파일 : Part 03 > Chapter 03 > Section 04 폴더 파일 **완성 파일** : Part 03 > Chapter 03 > Section 04 > 3D 원근 자막 실무 완성.mp4

1 제공된 배경 영상 파일을 불러오기 위해서 [File] > [Import] > [File](Ctrl+I) 메뉴를 클릭합니다. [Import File] 대화상자가 열리면 '3D 글자.mp4' 파일을 선택하고, [Import] 버튼을 클릭하여 파일을 불러옵니다. [Project] 패널의 '3D 글자.mp4' 푸티지를 마우스 오른쪽 버튼을 클릭하고 [New Comp from Selection]을 선택하여 새 컴포지션을 만듭니다.

TIP

[New Comp from Selection]은 컴포지션을 만들 때 복잡한 설정이 필요 없이 선택한 파일의 해상도, 프레임과 같은 옵션으로 자동 생성됩니다.

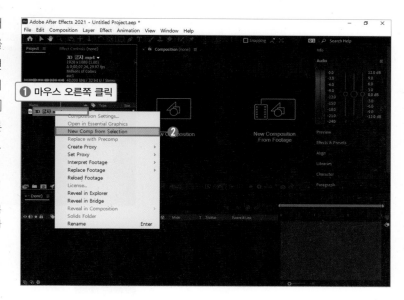

2 이제 배경과 어울리는 자막을 입력하고 비트에 맞게 모션을 만들겠습니다. [Tools] 패널에서 [Horizontal Type Tool](T)을 클릭하고 '스마트폰'의 '스' 글자만 입력합니다. 자막의 폰트와 색상, 크기 등을 그림과 같이 비슷하게 설정합니다.

TIP

• 글자의 폰트와 색상, 크기 등은 [Character] 패널을 열어 설정할 수 있습니다.
• [Character] 패널은 텍스트 레이어를 더블클릭하면 우측 중간 위치에서 열립니다.

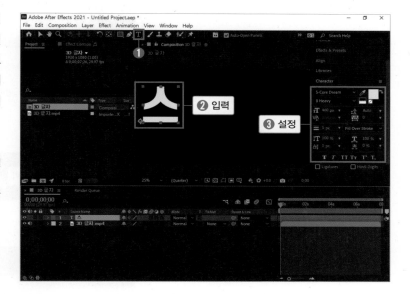

3 같은 방법으로 '마트폰'을 한 글자씩 설정
하여 다음과 같이 총 4개의 텍스트 레이어를
만듭니다. 자막의 폰트와 색상, 크기 등을 모
두 같게 설정합니다.

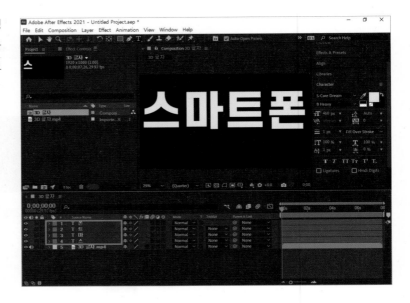

4 텍스트 레이어에 그림자 효과를 적용하여
배경과 합성되었을 경우에 잘 보이도록 만들
어 보겠습니다. '스' 레이어를 마우스 오른쪽
버튼으로 클릭한 후 [Layer Style] > [Drop
Shadow]를 선택하여 그림자 효과를 적용합
니다.

TIP
[Layer Style] 효과는 포토샵의 레이어 효과와 비교하여
옵션 설정 및 적용이 거의 비슷합니다. 다만 애프터 이펙
트의 [Layer Style] 효과는 여기에 애니메이션까지 적용
할 수 있습니다.

5 그림자 효과가 보이도록 [Current Time
Indicator]를 뒤쪽으로 옮기고, '스' 레이어를
열어 [Layer Style] > [Drop Shadow] 옵션
을 다음과 같이 설정합니다.

··

• [Opacity] : 50%
• [Distance] : 0
• [Spread] : 20%
• [Size] : 50

TIP
그림자 효과의 옵션은 각자 창의력을 발휘하여 책과는 다
르게 옵션 설정을 해도 좋습니다.

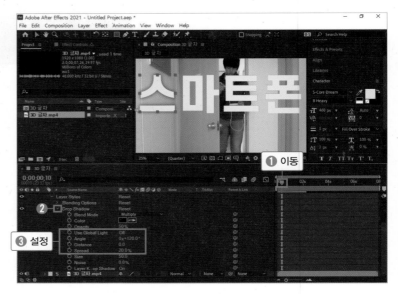

6 이제 그림자 효과를 복사하여 다른 텍스트 레이어에도 붙여넣기 하겠습니다. '스' 레이어의 [Drop Shadow]를 선택하고 Ctrl+C를 눌러 복사합니다. 나머지 '마', '트', '폰' 텍스트 레이어를 선택하고 Ctrl+V를 눌러 효과를 붙여넣습니다. 같은 그림자 효과가 모든 텍스트 레이어에 적용되었습니다.

TIP
[Position], [Scale] 등의 레이어 옵션 역시 복사, 붙여넣기가 됩니다. 이를 활용하여 여러 개의 레이어에 같은 옵션 설정을 해야 할 때 쉽게 이를 해결할 수 있습니다.

7 이제 텍스트 레이어를 영상의 비트에 맞춰 시작 지점을 수정하여 모션을 적용해 보겠습니다. [Current Time Indicator]를 0:00:00:16 위치로 옮기고, '스' 레이어가 선택된 상태에서 Alt+[를 눌러 앞부분을 잘라냅니다.

TIP
음악의 비트가 바뀌는 부분을 찾으려면 Ctrl을 누른 채 [Current Time Indicator]를 서서히 드래그하면 소리를 들으면서 비트가 강한 부분을 쉽게 찾을 수 있습니다.

8 같은 방법으로 나머지 텍스트 레이어도 영상의 비트에 맞춰 편집해 보겠습니다. '마' 레이어는 0:00:01:00 위치에서, '트' 레이어는 0:00:01:13 위치에서, '폰' 레이어는 0:00:01:24 위치에서 Alt+[를 눌러 앞부분을 잘라냅니다.

1 이제 텍스트 레이어를 3D 레이어로 만들어 배치해 보겠습니다. 먼저 4개의 텍스트 레이어를 하나로 합쳐야 합니다. 4개의 텍스트 레이어를 함께 선택하고 마우스 오른쪽 버튼을 클릭한 후 [Pre-compose]를 선택합니다.

TIP
[Pre-compose]는 선택한 레이어를 컴포지션으로 합쳐 모션 및 효과 적용을 편리하게 만듭니다.

2 [Pre-compose] 대화상자가 열리면 [New composition name]에 '3D 레이어 글자 1'을 입력하고 [OK] 버튼을 클릭합니다.

TIP
[New composition name]에 임의의 이름을 입력해도 되지만 책에서는 설명을 위해서 특정한 이름을 지정했습니다. 컴포지션 이름을 수정이 쉽도록 반드시 자신이 쉽게 확인할 수 있도록 변경하는 것이 좋습니다.

3 [Timeline] 패널에서 '3D 레이어 글자 1' 컴포지션 레이어를 확인합니다. 컴포지션 레이어의 [3D Layer]()를 활성화합니다. 레이어를 클릭해 열어 [Transform]을 보이게 하고, 문자를 배경의 왼쪽 벽에 맞추기 위해서 다음과 같이 입력합니다. 재생하여 영상을 확인합니다.

• [Position] : 180, 680, 1770
• [Scale] : 235, 235, 235
• [Y Rotation] : −88°

TIP
제시된 값을 그대로 입력하는 것도 좋지만, 직접 숫자를 임의대로 움직여 가며 적당한 값을 찾는 것이 실력 향상에 더 도움이 됩니다.

4 '3D 레이어 글자 1' 컴포지션 레이어를 선택하고 Ctrl +D 를 눌러 레이어를 복사합니다. 다음 비트에 맞추기 위해서 [Current Time Indicator]를 0:00:01:25 위치로 옮기고, 복사된 컴포지션 레이어가 선택된 상태에서 I 를 눌러 레이어의 시작 지점을 이동합니다.

TIP
레이어가 선택된 상태에서 단축키 I 를 누르면 [Current Time Indicator]를 기준으로 시작 지점을 이동합니다.

5 한 번 더 복사하여 비트에 맞춰 편집하겠습니다. '3D 레이어 글자 1' 컴포지션 레이어를 2개 모두 선택하고 Ctrl +D 를 눌러 복사합니다. 아래쪽 '3D 레이어 글자 1' 컴포지션 레이어는 0:00:02:19 위치로 시작 지점을 옮기고. 위쪽 '3D 레이어 글자 1' 컴포지션 레이어는 0:00:05:15 위치로 시작 지점을 옮깁니다.

6 영상에 3D 원근 문자 테크닉 작업 과정이 마무리되었습니다. [Composition] > [Add to Adobe Media Encoder Queue] 메뉴를 클릭하여 영상 파일로 만든 후, 파일을 찾아 영상을 확인합니다.

타이틀 특수 효과 테크닉 실무

영상콘텐츠 공모전 20년 도전 노하우!

애프터 이펙트의 최대 강점은 특수 효과입니다. 오프닝이나 타이틀 제작에서 다양하게 활용할 수 있는 먼지 합성, 빛 퍼짐 효과, 사운드 비트에 맞추는 특수 효과, 플래시 효과, 칠판 글씨 효과, 줌인 줌아웃 효과, 포커스인 포커스아웃 특수 효과 등의 예제를 학습하면 실무에 적용할 수 있습니다. 또한, 본 챕터에는 특수 효과와 함께 특수 효과 사운드 파일이 포함되어 있습니다.

01

SECTION

합성 특수 효과 테크닉 실무

핵심 내용

본 예제는 단순한 이미지 소스를 활용해 분필 가루 먼지가 퍼지는 특수 효과입니다. 이를 응용하면 연기나 먼지, 폭발 등의 합성 특수 효과 적용이 가능합니다. Scale과 Blending Mode 기능 위주로 실습해 보겠습니다.

핵심 기능

Scale + Blending Mode

STORYBOARD

한국도로공사 교통안전 UCC 공모전 '금상' 수상 작품 중 일부분

준비 파일 : Part 03 > Chapter 04 > Section 01 폴더 파일   완성 파일 : Part 03 > Chapter 04 > Section 01 > 타이틀 특수 효과 테크닉 실무 완성.mp4

1 새 컴포지션을 만들기 위해서 [Composition] > [New Composition](Ctrl+N) 메뉴를 클릭합니다. [Composition Settings] 대화상자가 열리면 다음과 같이 설정한 후 [OK] 버튼을 클릭합니다.

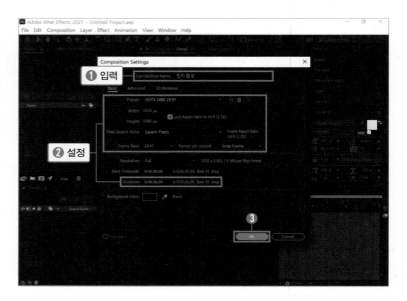

- [Composition Name] : 먼지 합성
- [Width] : 1920
- [Height] : 1080
- [Pixel Aspect Ratio] : Square Pixels
- [Frame Rate] : 29.97
- [Duration] : 0:00:06:00

2 제공된 배경 이미지 파일을 불러오기 위해서 [File] > [Import] > [File](Ctrl+I) 메뉴를 클릭하고, '배경.jpg' 파일을 찾아 선택한 후 [Import] 버튼을 클릭합니다. [Project] 패널에서 [Timeline] 패널로 드래그하여 레이어를 만듭니다.

TIP

배경 이미지는 칠판 이미지입니다. 여기에 분필 느낌의 타이틀을 넣고, 모션을 추가하여 오프닝 타이틀을 만들어 보겠습니다.

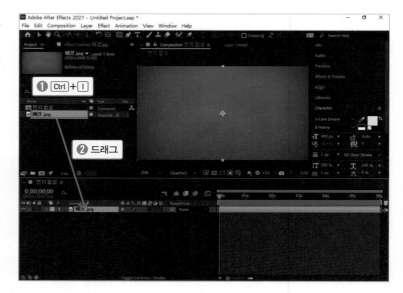

3 제공된 타이틀 이미지 파일을 불러오기 위해서 [File] > [Import] > [File](Ctrl+I) 메뉴를 클릭하고, '타이틀 1, 타이틀 2.png' 파일을 찾아 [Timeline] 패널의 1번, 2번 레이어에 배치합니다. '타이틀 1.png', '타이틀 2.png' 레이어의 [Mode]를 'Add'로 설정하여 배경과 자연스럽게 합성합니다.

TIP

- [Add] 블렌딩 모드는 아래 레이어와 어두운 부분을 제외하고 밝은 부분만 합성합니다.
- [Mode]가 보이지 않는 경우, [Timeline] 패널 상단의 아이콘을 마우스 오른쪽 버튼으로 클릭하여 [Columns] > [Modes]의 체크 표시가 활성화되어 있는지 확인합니다.

4 상단 왼쪽 타이틀(타이틀 2)이 자연스럽게 나타나는 모션을 만들기 위해서 '타이틀 2.png' 레이어를 선택하고, T를 눌러 [Opacity]를 보이게 한 후 [Current Time Indicator]를 0:00:00:15 위치로 옮깁니다. [Opacity] > [Time-Vary stop watch](⏱)를 클릭하여 활성화하고 '0%'로 설정한 후 [Current Time Indicator]를 0:00:02:00 위치로 옮기고 '100%'로 설정합니다.

5 다음으로 중앙의 타이틀(타이틀 1)이 빠르게 나타나는 모션을 만들기 위해서 '타이틀 1.png' 레이어를 열고, [Current Time Indicator]를 0:00:02:12 위치로 옮깁니다. [Scale]과 [Opacity] > [Time-Vary stop watch](⏱)를 클릭하여 활성화한 후 [Scale]은 '150, 150%', [Opacity]는 '0%'로 설정합니다.

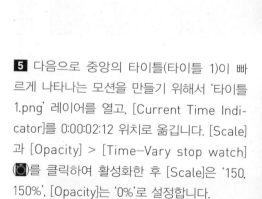
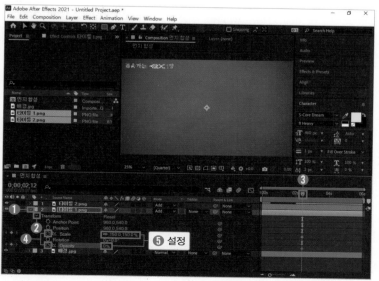

6 [Current Time Indicator]를 0:00:02:15 위치로 옮기고, [Opacity]를 '100%'로 설정한 후 [Scale]은 원래 크기인 '100, 100%'로 설정하여 크기를 줄입니다.

TIP
레이어의 크기를 숫자 입력이 아닌 이미지 자체를 보면서 조절할 수도 있습니다. 실무에서는 이미지의 크기를 눈으로 확인하며 조절해야 합니다. 해당 레이어를 선택하고 [Composition] 패널에서 레이어의 모서리의 조절점을 드래그하면 됩니다.

7 중앙의 타이틀이 나타나며 통통 튀기는 듯 반동 효과를 추가하기 위해서 [Timeline] 패널에서 '타이틀 1.png' 레이어의 [Scale]을 다음과 같이 입력한 후 재생하여 모션을 확인합니다.

- 0:00:02:16 : 103, 103%
- 0:00:02:17 : 100, 100%

8 적용된 모션에 가속도 효과를 추가하기 위해서 0:00:02:12과 0:00:02:15에 있는 2개의 키프레임을 함께 선택하고, F9 를 눌러 [Easy Ease]를 적용합니다. 가속과 감속이 앞뒤로 적용되어 자연스러운 움직임이 표현됩니다.

TIP
[Easy Ease]는 키프레임에 가속도를 적용하는 것으로써 출발할 때는 느리게 출발했다가 가속도가 붙어 빨라지는 자연스러운 움직임 등을 표현할 수 있습니다.

9 가속도 효과를 좀 더 세부적으로 수정해 보겠습니다. 느리게 가속이 붙은 후, 빠르게 멈추는 모션을 표현하기 위해서 [Scale]을 선택하고, [Graph Editor](⊠)를 클릭하여 그래프 수정 모드를 활성화합니다. 그래프가 보이면 아래에 [Choose graph type and options] 아이콘을 클릭하여 [Edit Speed Graph]로 설정합니다. 곡선에 있는 베지어 핸들(노란색 선)을 좌우로 이동하여 다음과 같은 곡선 모양으로 만든 후, 모션을 확인합니다. 그래프 수정이 마무리되면 [Graph Editor](⊠)를 클릭하여 그래프 수정 모드를 해제합니다.

③ [Edit Speed Graph] 선택

TIP

애프터 이펙트의 Graph Editor(그래프 에디터)는 움직임을 표현하고자 할때 가속과 감속을 표현할 수 있는 기능으로써 다음과 같은 4가지 모양의 그래프를 주로 이용하게 됩니다. 제시된 그래프의 곡선 모양과 비슷하게 설정하여 각각 다른 움직임을 만들어 낼 수 있습니다.

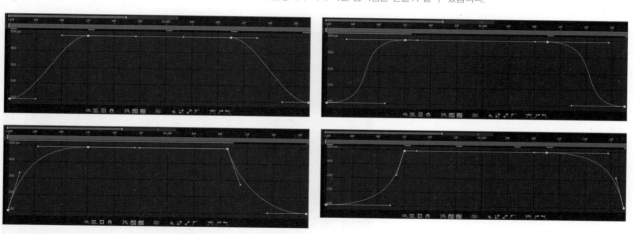

1 다음으로 타이틀 모션에 어울리는 먼지 효과를 합성해 보겠습니다. 제공된 먼지 합성 영상 파일을 불러오기 위해서 [File] > [Import] > [File]([Ctrl]+[I]) 메뉴를 클릭하고, '먼지.mp4' 파일을 찾아 선택한 후 [Import] 버튼을 클릭합니다. [Project] 패널에서 [Timeline] 패널의 1번 위치로 드래그합니다.

TIP

영상에 합성할 빛, 눈, 먼지 등의 영상 소스는 YouTube 등 영상 공유 사이트에서 비교적 쉽게 구할 수 있습니다. 사용에 관련된 저작권 허용 범위만 확인한 후, 사용하면 됩니다. 단순히 이러한 동영상 소스를 합성하는 것만으로도 수많은 응용 영상을 만들 수 있습니다.

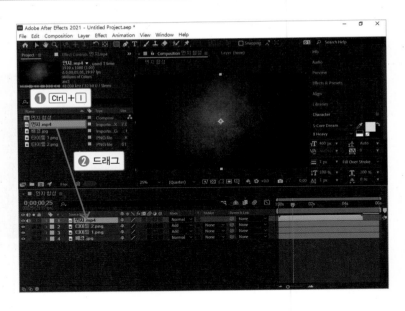

2 [Current Time Indicator]를 0:00:02:12 위치로 옮긴 후 '먼지.mp4' 레이어가 선택된 상태에서 [I]를 눌러 레이어의 위치를 [Current Time Indicator] 뒤로 옮깁니다. 배경과 합성하기 위해서 [Mode]의 'None'을 'Screen'으로 설정합니다.

TIP

블렌딩 모드는 영상 합성에서 가장 대표적이며, 쉽게 적용 가능한 기능입니다. 단순히 모드를 조정하는 것만으로도 다양한 합성 효과를 쉽게 만들 수 있습니다.

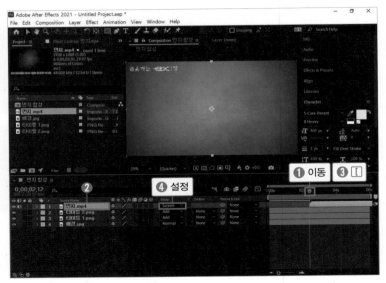

3 먼지가 타이틀의 모션에 맞춰 자연스럽게 나타나게 만들기 위해서 '먼지.mp4' 레이어를 선택하고, [T]를 눌러 [Opacity]를 보이게 한 후 [Current Time Indicator]를 0:00:02:12 위치로 옮깁니다. [Opacity] > [Time-Vary stop watch](◎)를 클릭하여 활성화하고 '0%'로 설정한 후 [Current Time Indicator]를 0:00:02:16 위치로 옮기고 '100%'로 설정합니다.

4 이번에는 먼지가 타이틀의 모션에 맞춰 자연스럽게 사라지게 만들기 위해서 [Current Time Indicator]를 0:00:04:15 위치에서 '100%', 0:00:05:29 위치에서 '0%'로 설정합니다.

5 마지막으로 효과음과 더빙을 넣어서 마무리하겠습니다. [File] > [Import] > [File]([Ctrl]+[I]) 메뉴를 클릭하고, 'Voice, Fx.wav' 파일을 찾아 [Timeline] 패널에 드래그하여 배경음악과 효과음을 넣습니다. [Current Time Indicator]를 0:00:00:20 위치로 옮긴 후 'Voice.wav' 레이어를 선택하고, [[]]를 눌러 위치를 [Current Time Indicator] 뒤로 옮깁니다.

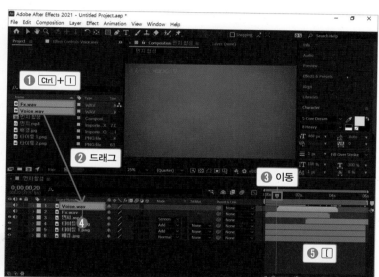

6 먼지 효과 합성 타이틀을 완성했습니다. [Composition] > [Add to Adobe Media Encoder Queue] 메뉴를 클릭하여 영상 파일로 만든 후, 파일을 찾아 확인합니다.

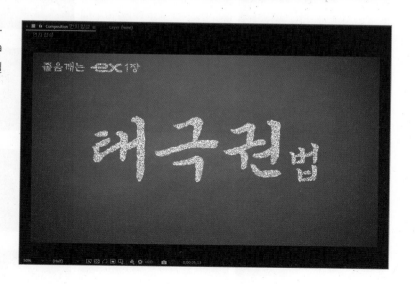

02

SECTION

후광 특수 효과 테크닉

핵심 내용

다음 예제는 이미지의 명도를 활용하여 빛이 퍼지는 모션입니다. CC Light Burst라는 후광 특수 효과를 적용하여 빛이 퍼지는 테크닉 실무 작품을 만들었습니다. 디자인을 조금만 바꾸어도 결과가 달라지기 때문에 다양한 응용력을 발휘할 수 있을 것입니다.

핵심 기능

CC Light Burst

STORYBOARD

LIG 된다댄스 UCC 콘테스트 '최우수상' 수상 작품 중 일부분

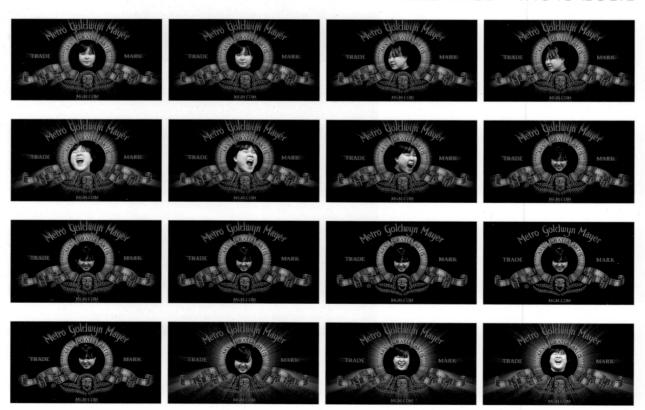

01 후광 특수 효과 합성 테크닉 CC Light Burst

준비 파일 : Part 03 > Chapter 04 > Section 02 폴더 파일 **완성 파일 :** Part 03 > Chapter 04 > Section 02 > 후광 특수 효과 테크닉 완성.mp4

1 합성에 필요한 인물 영상 파일을 불러오기 위해서 [File] > [Import] > [File]([Ctrl]+[I]) 메뉴를 클릭합니다. [Import File] 대화상자가 열리면 '인물.mp4' 파일을 선택하고 [Import] 버튼을 클릭하여 파일을 불러옵니다. [Project] 패널의 '인물.mp4' 푸티지를 마우스 오른쪽 버튼으로 클릭한 후 [New Comp from Selection]을 선택하여 새 컴포지션을 만듭니다.

TIP

[New Comp from Selection]은 컴포지션을 만들 때 복잡한 설정이 필요 없이 선택한 파일의 해상도, 프레임과 같은 옵션으로 자동 생성됩니다.

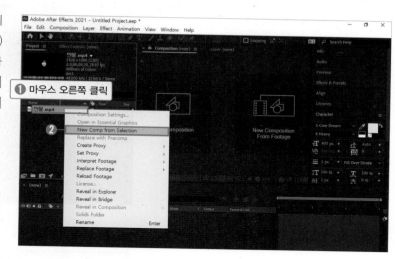

2 합성에 필요한 MGM 오프닝 이미지 파일을 불러오기 위해서 [File] > [Import] > [File] ([Ctrl]+[I]) 메뉴를 클릭합니다. [Import File] 대화상자가 열리면 'MGM Logo.png' 파일을 선택하고, [Import] 버튼을 클릭하여 파일을 불러옵니다. 인물 영상과 합성하기 위해서 [Timeline] 패널의 1번 위치로 드래그합니다.

3 다음으로 오프닝 로고에 빛이 퍼져나가는 후광 효과를 적용해 보겠습니다. 'MGM Logo.png' 레이어를 선택하고 [Ctrl]+[D]를 눌러 레이어를 하나 더 복사합니다. 아래쪽 원본 'MGM logo.png' 2번 레이어를 선택하고, [Effect] > [Generate] > [CC Light Burst 2.5] 메뉴를 클릭합니다.

TIP

프로그램의 버전에 따라 효과의 이름이 다를 수가 있습니다. [CC Light Burst 2.5]가 보이지 않는 경우 [CC Light Burst]를 찾아 적용합니다.

4 [Effect Controls] 패널에 [CC Light Burst 2.5]를 확인하고 결과를 확인합니다. 기본 옵션으로도 충분한 효과를 볼 수 있지만. 더 화려한 후광 효과를 원할 경우에 옵션을 각자 입맛에 맞게 설정합니다.

TIP
[CC Light Burst 2.5]를 더 밝게 빛나게 하고 싶은 경우 [Glow] 효과를 추가로 적용하면 됩니다.

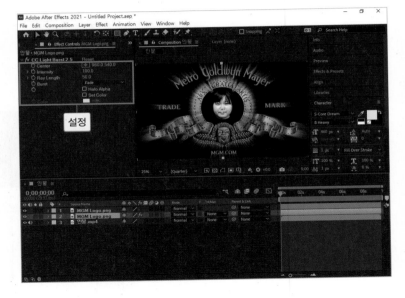

5 적용된 [CC Light Burst 2.5]의 옵션을 설정하여 애니메이션을 만들기 위해 2번 'MGM logo.png' 레이어를 클릭해 열고, [Current Time Indicator]를 0:00:01:15 위치로 옮긴 후 [CC Light Burst 2.5] > [Ray Length] > [Time-Vary stop watch](◎)를 클릭하여 활성화합니다.

TIP
[Ray Length]는 빛의 길이를 조절하는 옵션입니다.

6 [Ray Length]의 값을 [Current Time Indicator]의 시간대에 따라 다음과 같이 조절하여 빛이 커졌다가 작아지고, 다시 커지는 모션을 만듭니다.

• 0:00:02:00 : 70
• 0:00:05:20 : 0
• 0:00:06:10 : 120
• 0:00:09:19 : 90

TIP
각자 창의력을 발휘하여 임의의 시간대에 적당한 값을 설정하여 다른 애니메이션을 만들어 보는 것도 좋습니다.

02 무작위 떨림 효과 테크닉 Wiggler

1 뒤쪽 부분에서 빛의 길이를 무작위로 빠르게 바뀌도록 해보겠습니다. 0:00:06:10과 0:00:09:19에 있는 키프레임을 함께 선택하고, [Window] > [Wiggler] 메뉴를 클릭합니다. 화면의 오른쪽에 [Wiggler] 패널이 열리는 것을 확인합니다.

② [Wiggler] 메뉴를 클릭

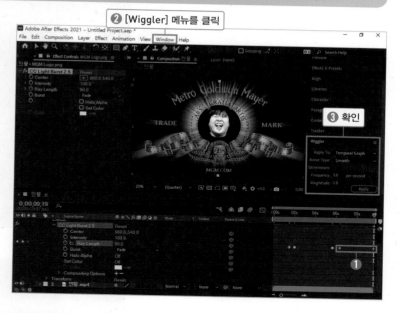

TIP

• 키프레임 2개만 각각 클릭하여 선택합니다. 드래그해서 선택할 경우, 다른 항목들까지 한꺼번에 선택되므로 [Wiggler]를 적용할 수 없습니다.

• [Wiggler]는 특정한 값을 지정한 범위 내에서 랜덤하게 바꾸는 효과를 만들 수 있습니다.

2 [Wiggler] 패널에서 다음과 같이 설정하고, [Apply] 버튼을 클릭합니다.

• [Frequency] : 5
• [Magnitude] : 40

TIP

[Frequency]는 값을 바꾸는 주기(Frame)를 말하며, [Magnitude]는 변화하는 값의 크기 범위를 설정합니다.

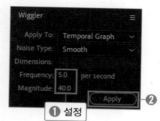

3 선택한 2개의 키프레임 사이에 다음과 같이 수많은 임의의 키프레임이 5 frame 주기로 40 크기의 범위 안에서 생성됩니다.

4 마지막으로 효과음 파일을 불러오기 위해서 [File] > [Import] > [File](Ctrl+I) 메뉴를 클릭하고, 'Fx 01, 02.wav' 파일을 찾아 [Project] 패널에 불러온 후 [Timeline] 패널로 2개 모두 드래그하여 효과음을 넣습니다.

5 MGM 영화 오프닝 합성 영상을 완성했습니다. [Composition] > [Add to Adobe Media Encoder Queue] 메뉴를 클릭하여 영상 파일로 만든 후, 파일을 찾아 영상을 확인합니다.

TIP
많이 사용하는 Generate 효과

■ **Audio Spectrum**
오디오가 포함된 레이어에 효과를 적용하면 오디오 스펙트럼이 표시됩니다. 이 효과는 오디오 레벨의 강도를 표시합니다.

■ **Audio Waveform**
오디오가 포함된 레이어의 오디오 파형을 표시하려면 비디오 레이어에 효과를 적용합니다.

■ **Beam**
레이저 빔 같은 빔의 이동을 만듭니다. 빔을 쏠 수도 있고 정지된 시작점이나 끝점을 사용하여 지팡이 모양의 빔을 만들 수도 있습니다.

■ **Ellipse**
단색 원 또는, 고리를 만듭니다.

■ **Eyedropper Fill**
선택한 색상을 레이어에 적용합니다. 이 효과는 한 레이어에서 색상을 선택하고, 블렌딩 모드를 사용하여 해당 색상을 다른 레이어에 적용하려는 경우에 유용합니다.

■ **Fill**
선택한 마스크를 원하는 색상으로 채웁니다.

■ **Lens Flare**
카메라 렌즈에 밝은 조명이 비쳐 발생하는 반사, 굴절을 만듭니다. 플레어의 중심을 배치할 위치를 지정하여 만듭니다.

■ **Paint Bucket**
레이어 영역을 단색으로 칠하는 페인트 효과입니다.

■ **Stroke**
패스 주변에 선 또는, 테두리를 만듭니다. 선 색상, 불투명도, 간격 및 브러시 특성을 지정할 수도 있습니다.

03 SECTION

별빛 특수 효과 테크닉

핵심 내용

본 예제는 배경음악의 비트에 맞추어 글자가 빛나는 별빛 특수 효과 테크닉 실무입니다. 애프터 이펙트의 CC Light Burst 2.5 + Glow 효과를 조합하여 글자가 비트에 맞추어 별빛처럼 반짝이는 모션을 만들어 보겠습니다.

핵심 기능

CC Light Burst 2.5 + Glow

STORYBOARD

도박중독예방치유공모전 '우수상' 수상 작품 중 일부분

준비 파일 : Part 03 > Chapter 04 > Section 03 폴더 파일   완성 파일 : Part 03 > Chapter 04 > Section 03 > 별빛 특수 효과 테크닉 완성.mp4

1 제공된 PSD 파일을 불러오기 위해서 [File] > [Import] > [File](Ctrl + I) 메뉴를 클릭합니다. [Import File] 대화상자가 열리면 '타이틀.psd' 파일을 선택하고 [Import] 버튼을 클릭하여 파일을 불러옵니다. [Import Kind]를 'Composition – Retain Layer Sizes'로 설정하고 [OK] 버튼을 클릭합니다.

TIP

'Composition – Retain Layer Sizes' 옵션은 포토샵에서 만든 해상도 설정에 따라 컴포지션이 자동으로 만들어지며, 각 레이어의 크기는 레이어마다 각각 다르게 자동으로 생성됩니다.

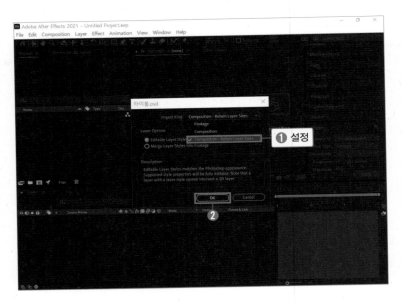

2 [Project] 패널에 '타이틀' 컴포지션이 들어왔음을 확인하고, '타이틀' 컴포지션을 더블클릭하여 [Timeline] 패널에 불러옵니다. [Timeline] 패널에서 레이어를 각각 확인합니다.

TIP

포토샵 파일을 불러올 경우, [Project] 패널에 자동으로 생성된 '타이틀'은 컴포지션 파일이며, 아래 폴더에는 각 레이어의 이미지가 저장되어 있습니다.

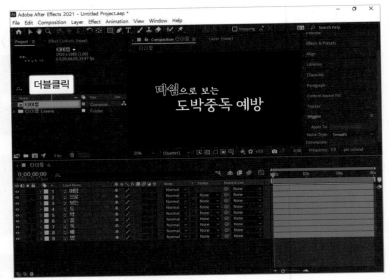

TIP

포토샵에서 애프터 이펙트용 이미지 만들기

• 애프터 이펙트에서 PSD 파일을 바로 컴포지션으로 불러와 작업하기 위해서는 포토샵에서 새 파일을 만들 때 크기와 해상도 등을 적절히 설정한 후, 작업하는 것이 좋습니다.

• 크기는 가장 많이 사용하는 FHD 사이즈인 가로 1920pixel, 세로 1080pixel로 설정하는 것이 좋습니다. 최종 출력할 사이즈를 먼저 결정한 후, 포토샵의 작업 사이즈를 같게 설정합니다.

• 모션을 주기 위해서는 레이어를 분리해서 작업해야 합니다. 포토샵에서 작업을 하기 전 미리 움직임을 계산하여 각각 다른 움직임이 필요할 경우, 반드시 레이어를 따로 분리하여 만듭니다. 이때 레이어의 이름 역시 쉽게 확인할 수 있도록 설정하는 것이 좋습니다.

3 제공된 영상 파일을 불러오기 위해서 [File] > [Import] > [File]($Ctrl$+I) 메뉴를 클릭하고, '손.mp4' 파일을 찾아 선택한 후 [열기] 버튼을 클릭합니다. [Project] 패널의 '손.mp4' 푸티지를 확인하고, [Timeline] 패널의 가장 아래쪽에 드래그하여 레이어를 만듭니다.

TIP

레이어의 순서에 주의합니다. 순서가 바뀌면 결과물의 내용도 달라질 수 있습니다.

4 이제 레이어별로 분리된 타이틀 글자들을 하나씩 움직여 애니메이션을 만들어 보겠습니다. [Timeline] 패널의 1번 '마임' 레이어를 선택하고, P를 눌러 [Position]을 나타냅니다. [Current Time Indicator]를 0:00:03:07로 이동한 후 [Position] > [Time-Vary stop watch]()를 클릭하여 활성화합니다.

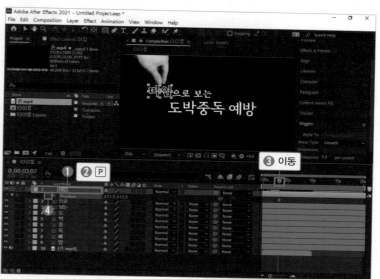

5 이제부터 시간대별로 손의 위치에 맞춰 문자를 이동해 보겠습니다. [Current Time Indicator]를 0:00:03:03 위치로 옮기고, [Composition] 패널에 보이는 손의 위치에 맞춰 '마임' 레이어를 옮깁니다. 레이어를 옮기면 [Timeline] 패널에 키프레임이 자동으로 생성됩니다.

TIP

• [Current Time Indicator]를 거꾸로 이동하면서 글자의 위치를 시간대에 따라 맞춰 이동합니다.
• [Current Time Indicator]를 한 프레임씩 움직이려면 $Ctrl$+$←$/$→$를 누르고, 글자의 위치는 $←$, $→$, $↑$, $↓$를 눌러 이동하면 편하게 모션을 만들 수 있습니다.

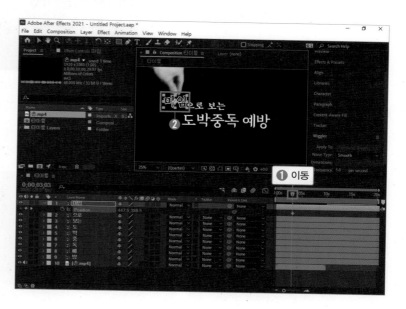

6 [Current Time Indicator]를 다음과 같은 시간대별로 옮겨가며 손이 이동하는 방향에 따라 '마임' 글자를 옮깁니다.

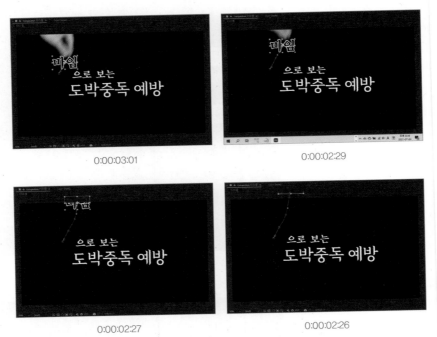

0:00:03:01　　　　　　　0:00:02:29

0:00:02:27　　　　　　　0:00:02:26

7 다음 글자에 모션을 적용하기 위해서 [Timeline] 패널의 '으로' 레이어를 선택합니다. P를 눌러 [Position]을 보이게 하고, [Current Time Indicator]를 0:00:04:08 위치로 옮긴 후 [Position] > [Time-Vary stop watch]를 클릭하여 활성화합니다.

8 [Current Time Indicator]를 다음과 같은 시간 지점대로 옮겨가며 손이 이동하는 방향에 따라 '으로' 문자를 옮깁니다.

TIP
시간대를 좀 더 세분화하여 손의 움직임에 맞춰 키프레임을 추가할수록 자연스러운 모션이 만들어집니다.

0:00:04:04　　　　　　0:00:04:00　　　　　　0:00:03:27

9 앞선 방법으로 '보는' 레이어에도 [Position] 모션을 적용합니다. 타이틀의 위쪽에 있는 글자의 모션이 손에 맞춰 모두 만들어졌습니다. Space Bar 를 눌러 타이틀 모션을 확인합니다.

TIP
각 레이어의 키프레임과 모션의 적용에 대한 내용을 확인하고 싶으면, 'Part 03 > Chapter 04 > Section 03 > 별빛 특수 효과 테크닉.aep' 파일을 확인하세요.

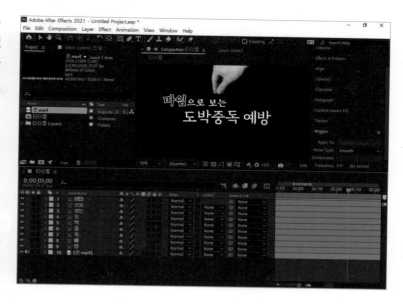

10 다음으로 타이틀 아래쪽에 있는 글자에 모션을 만들어 보겠습니다. [Timeline] 패널의 '도' 레이어를 열고, 0:00:06:04 위치에서 [Position] > [Time-Vary stop watch](⏱)를 클릭하여 활성화합니다.

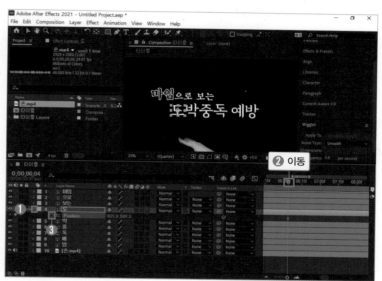

11 [Current Time Indicator]를 다음과 같은 시간 지점대로 옮겨가며 손이 이동하는 방향에 따라 '도' 문자를 옮깁니다.

0:00:05:29

0:00:05:22

0:00:05:20

12 '도' 글자에 회전 모션을 추가하기 위해서 0:00:05:24 위치에서 [Rotation] > [Time-Vary stop watch](🕐)를 클릭하여 활성화하고, [Rotation]을 '−1x+0°'로 설정합니다. 0:00:06:04 위치는 '0x+0°'로 설정합니다.

TIP

• 레이어를 선택하고 단축키 R을 누르면 [Rotation]만 표시할 수 있습니다.

• [Rotation]의 수치가 −1x+0°에서 0x+0°로 적용되면 시계 반대 방향으로 360° 회전을 의미합니다.

TIP

움직임을 좀더 자연스럽게 만들기

1. 키프레임 가감속 속력 그래프 편집기

애프터 이펙트에서 표준 키프레임을 설정하고 일반적인 동작을 얻는 수는 있지만 보통 동작이 매우 갑작스럽거나 원하던 효과가 아닐 수도 있습니다. 이때 천천히 들어오기를 설정하여 사용할 수 있습니다. 천천히 들어오기는 기본적으로 키프레임 사이의 값을 가져와서 키프레임 사이의 동작이나 매개 변수 자체를 부드럽게 합니다. 간단히 말하자면 객체가 움직일 때 두 번째 키프레임에 천천히 들어오기를 하면 이동한 후 천천히 움직입니다.

속력 그래프 편집기를 사용하여 모션을 더 세밀하게 조정할 수 있습니다. 속도 그래프를 사용하면 키프레임이 상호 작용하는 방식의 속도를 시각적으로 볼 수 있으며 방향 핸들과 베지어 곡선으로 속도를 원하는 대로 조정할 수 있습니다.

2. 모션 블러(Motion Blur)

동작 흐림 효과는 시간을 들여 애프터 이펙트에서 움직임에 실제와 같은 효과를 만들어내는 중요한 부분입니다. 슬로우 그로우(slow grow), 윕 팬(whip pan) 등과 같은 간단한 텍스트 애니메이션도 동작 흐림 효과를 사용하면 훨씬 자연스럽고 전문적인 느낌을 줄 수 있습니다.

동작 흐림 효과를 사용하려면 먼저 전체 컴포지션의 동작 흐림 효과 설정을 활성화한 후 개별 레이어의 동작 흐림 효과를 설정해야 합니다. 또한, 컴포지션 설정에서 고급 탭에 있는 추가 옵션으로 컴포지션의 동작 흐림 효과를 제어할 수 있습니다.

02 별빛 특수 효과 테크닉 CC Light Burst 2.5 + Glow

1 다음으로 글자가 빛나는 효과를 적용해 보 겠습니다. '도' 레이어가 선택된 상태에서 [Effect] > [Generate] > [CC Light Burst 2.5] 메뉴를 클릭하여 효과를 적용하고, 옵션을 다 음과 같이 설정합니다.

• [Intensity] : 100

TIP

[Effects & Presets] 패널에서 'CC Light Burst 2.5'를 검색하여 효과를 찾고 해당 레이어에 드래그하여 적용해 도 됩니다.

2 [Current Time Indicator]를 0:00:06:03 으로 이동하고, '도' 레이어를 열어 [Effects] > [CC Light Burst 2.5] > [Ray Length] > [Time–Vary stop watch](🕑)를 클릭하여 활 성화한 후 '0'으로 설정합니다. 시간대를 옮겨 가며, [Ray Length]의 값을 다음과 같이 설정 합니다.

• 0:00:06:04 → [Ray Length] : 100
• 0:00:06:09 → [Ray Length] : 0

TIP

[Ray Length]는 빛 퍼짐의 범위를 의미합니다.

3 이어서 '도' 레이어가 선택된 상태에서 [Effect] > [Stylize] > [Glow] 메뉴를 클릭하여 효과를 적용하고, 옵션을 다음과 같이 설정합니다.

- [Glow Threshold] : 0%
- [Glow Radius] : 100
- [Glow Color] : A & B Colors
- [Color A] : 파란색
- [Color B] : 파란색

TIP
[Effects & Presets] 패널에서 Glow를 검색하여 효과를 찾고 해당 레이어에 드래그하여 적용해도 됩니다.

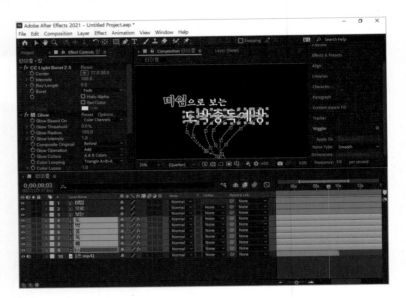

② [Glow] 메뉴 클릭

4 나머지 아래쪽에 있는 '박', '중', '독', '예', '방' 글자에도 [Position]과 [Rotation] 모션을 하나씩 적용합니다.

TIP
각 레이어의 키프레임과 모션의 적용에 대한 내용을 확인하고 싶으면, 'Part 03 > Chapter 04 > Section 03 > 별빛 특수 효과 테크닉.aep' 파일을 확인하세요.

5 위와 같은 방법으로 나머지 글자에도 [CC Light Burst 2.5]와 [Glow] 효과를 적용하여 빛나는 글자로 만듭니다.

TIP
[Effect Controls] 패널에서 '도' 레이어에 적용된 효과를 복사하고 나머지 레이어 붙여넣기 한 후 [Timeline] 패널에서 키프레임의 위치만 조절해도 됩니다.

6 애니메이션에 자연스러움을 더하기 위해서 영상 레이어를 제외한 글자 레이어의 [Motion Blur]()를 클릭하여 모두 활성화합니다.

TIP
모션 블러는 빠른 움직임에 잔상 효과를 추가하여 시각적으로 현실적인 느낌을 줄 수 있습니다.

7 다음으로 제공된 배경음악 파일을 불러 오기 위해서 [File] > [Import] > [File](Ctrl +I) 메뉴를 클릭하고, 'BGM.mp3' 파일을 찾아 선택한 후 [Import] 버튼을 클릭합니다. [Project] 패널의 'BGM.mp3' 푸티지를 확인 하고, [Timeline] 패널로 드래그하여 배경음악 을 넣습니다.

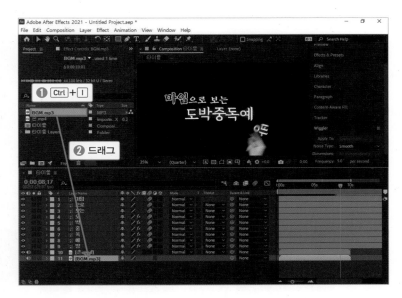

8 모든 작업이 마무리되었습니다. 영상으로 만들기 위해서 범위를 설정하고 렌더링하여 확인해 보겠습니다. [Current Time Indica-tor]를 0:00:09:29 위치로 옮긴 후, 단축키 N 을 눌러 [Work Area End]를 설정합니다. 글 자에 모션을 주고 효과를 추가하여 빛나는 글 자 타이틀을 완성했습니다. [Composition] > [Add to Adobe Media Encoder Queue] 메 뉴를 클릭하여 영상 파일로 만든 후, 파일을 찾아 확인합니다.

TIP
• [Work Area]를 설정하면 렌더링을 통해 영상으로 만들 범위를 지정할 수 있습니다.
• [Work Area Start] : B
• [Work Area End] : N

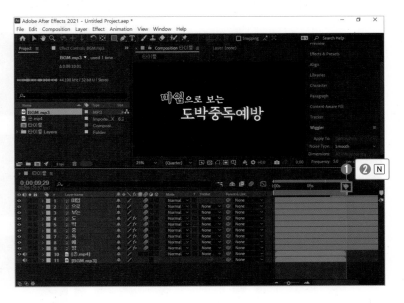

칠판 자막 합성 특수 효과 테크닉

핵심 내용

이번 예제는 이전의 '붓글씨 실무 예제'와 비슷하지만, 글씨 외에 손을 추가하여 움직임을 복사하는 방법을 알아보겠습니다. [Pen Tool]과 [Stroke], 모션 복사, 붙여넣기를 활용하여 칠판 글씨와 손의 움직임을 결합하는 애니메이션을 실습해 보겠습니다.

핵심 기능

Pen Tool + Stroke + Position Motion Copy and Paste

STORYBOARD

전국 인터넷중독예방 UCC 공모전 '우수상' 수상 작품 중 일부분

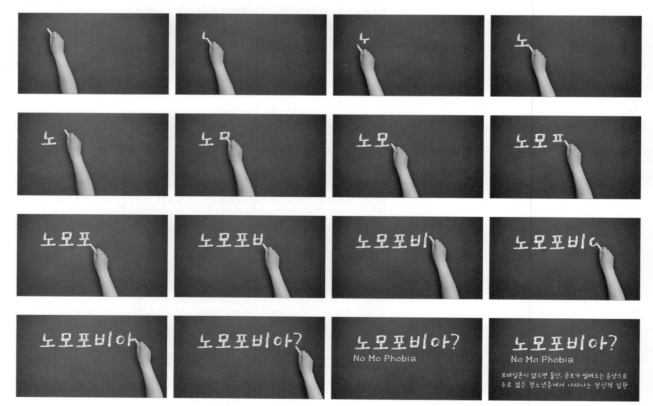

준비 파일 : Part 03 > Chapter 04 > Section 04 폴더 파일   **완성 파일 :** Part 03 > Chapter 04 > Section 04 > 칠판 자막 합성 특수 효과 테크닉 완성.mp4

1 제공된 PSD 파일을 불러오기 위해서 [File] > [Import] > [File](Ctrl + I) 메뉴를 클릭하여 [Import File] 대화상자가 열리면 '칠판글씨.psd' 파일을 선택하고, [Import] 버튼을 클릭하여 파일을 불러옵니다. [Import Kind]를 'Composition − Retain Layer Sizes'로 설정하고 [OK] 버튼을 클릭한 후 [Project] 패널에 '칠판글씨' 컴포지션을 더블 클릭하여 [Timeline] 패널에 불러옵니다. 총 4 개의 레이어를 각각 확인합니다.

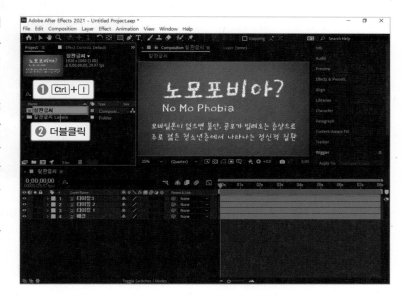

자동으로 생성된 컴포지션의 설정은 다음과 같습니다.
· Width : 1920 px, Height : 1080 px
· Frame Rate : 29.97

2 칠판 자막이 써지는 애니메이션을 만들기 위해서는 글씨가 그려지는 순서에 따라 경로를 그려줘야 합니다. [Timeline] 패널의 '타이틀 1' 레이어를 선택하고, [Tools] 패널의 [Pen Tool]( )을 클릭한 후 [Composition] 패널에서 마우스 휠로 다음과 같이 화면을 확대합니다.

TIP
· 레이어를 선택하지 않고 [Pen Tool]로 도형이나 선을 그릴 경우, Mask가 아닌 Shape Layer가 생성되므로 주의합니다.
· [Composition] 패널의 화면 확대/축소는 마우스 휠을 사용하거나 단축키 Ctrl + + , − 를 사용하며, 확대된 화면을 이동할 때는 Space Bar + 마우스 드래그로 이동합니다.

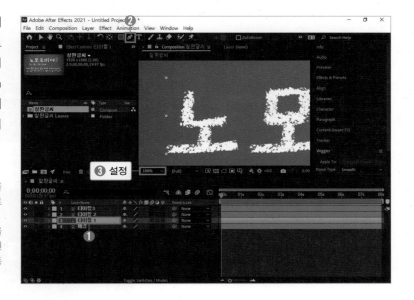

3 [Composition] 패널에서 '노' 문자에 맞춰 글씨를 쓰는 순서에 따라 다음과 같이 [Pen Tool](🖊)로 이어진 패스를 연속해서 그립니다.

TIP
선을 그리다 실수를 하거나 끊어지는 경우, 선의 끝점을 클릭하고 이어서 그려나갑니다.

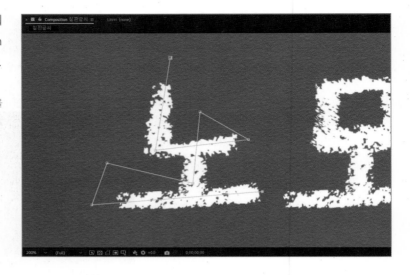

4 [Pen Tool](🖊)로 선을 계속 그려 경로가 끊어지지 않도록 '노모포비아?'라는 글자가 써지는 경로를 다음과 같이 순서대로 그립니다.

TIP
• 자음과 모음에 따라 글이 써지는 순서대로 선을 이어서 그리며, 글자의 두께에 맞춰 각 중심에 선을 그리면 됩니다.
• 경로는 나중에 수정이 필요하므로 처음부터 너무 자세하게 그릴 필요는 없습니다.

5 [Timeline] 패널의 '타이틀 1' 레이어가 선택된 상태에서 [Effects] > [Generate] > [Stroke] 메뉴를 클릭하여 효과를 적용합니다. [Effect Controls] 패널에 [Stroke] 옵션이 보이면 [Brush Size]를 문자 두께보다 살짝 두껍게 '22' 정도로 설정합니다. [Brush Hardness]는 '100'으로 설정하여 외곽선 부분을 강하게 표현합니다.

TIP
• 애프터 이펙트가 한글판인 경우, [효과] > [생성] > [선] 메뉴로 찾을 수 있습니다.
• [Brush Hardness] : 선의 경계선의 부드러움 정도를 설정합니다. 수치가 높을수록 경계는 선명해집니다.

6 [Current Time Indicator]를 0:00:00:15
위치로 옮긴 후 [Stroke] > [End] > [Time-
Vary stop watch](⏱)를 클릭해 활성화하고
'0%', [Paint Style]은 'Reveal Original Im-
age'로 설정합니다.

TIP

[Paint Style]의 'Reveal Original Image'는 원본 이미지
를 흰색 선 대신에 표시하라는 의미입니다.

7 [Current Time Indicator]를 0:00:05:00
위치로 옮기고, [End]를 '100%'으로 설정한
후, 애니메이션을 확인합니다. [Current Time
Indicator]를 좌우로 움직이며 애니메이션이
어색한 부분을 찾아 [Pen Tool](✒)로 [Com-
position] 패널에서 경로를 더욱 세밀하게 수
정합니다. 모든 수정이 끝나면 Space Bar 를
눌러 수정된 애니메이션을 확인합니다.

TIP

선의 모양과 경로를 글자에 맞게 얼마나 세밀하게 수정하
는가에 따라 칠판글씨 애니메이션의 자연스러움이 결정됩
니다.

1 다음으로 사람이 직접 분필로 글자를 쓰는 것처럼 움직임을 복사하고 적용해 보겠습니다. 먼저 제공된 이미지 파일을 불러오기 위해서 [File] > [Import] > [File](Ctrl + I) 메뉴를 클릭하고, 'Arm.png' 파일을 찾아 선택한 후 [Import] 버튼을 클릭합니다. [Project] 패널의 'Arm.png' 푸티지를 확인하고, [Timeline] 패널의 1번 위치로 드래그하여 팔 이미지를 삽입합니다.

TIP
PNG 파일은 배경을 투명하게 저장할 수 있기 때문에 애니메이션용 이미지를 비롯하여 이미지 합성에 많이 사용됩니다

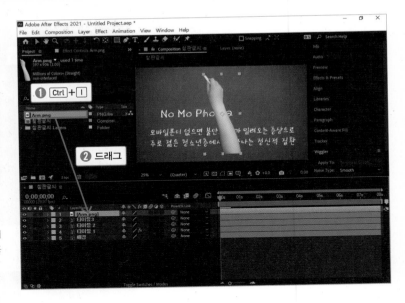

2 팔 이미지에 글자의 움직임을 똑같이 복사하고 붙여넣기 위해서 [Current Time Indicator]를 0:00:00:15 위치로 옮깁니다. [Timeline] 패널에서 '타이틀 1' 레이어를 열고, [Mask 1] > [Mask Path]를 선택하고, Ctrl + C를 눌러 복사합니다.

3 'Arm.png' 레이어를 연 후 [Position]을 선택하고, Ctrl + V를 눌러 글자의 움직임을 그대로 붙여넣습니다. 다음과 같이 처음과 끝부분에 2개의 키프레임과 중간의 움직임을 표시하는 점들을 확인할 수 있습니다.

4 [Current Time Indicator]를 0:00:05:00
위치로 옮긴 후, 왼쪽의 마지막 키프레임만 선
택하고, 드래그하여 [Current Time Indica-
tor]에 맞춥니다. 'Arm.png' 레이어의 [An-
chor Point] 수치를 적당하게 조정하여 다음
과 같이 손에 들고 있는 분필 끝이 물음표의
점과 일치하도록 합니다.

TIP
그려진 패스의 길이와 형태에 따라 Anchor Point의 수치
가 다를 수 있으므로 화면을 확인하면서 [Anchor Point]
의 X, Y 입력값을 조절해 봅니다.

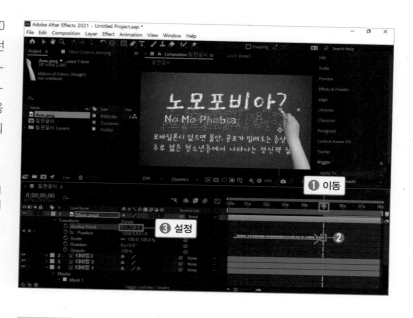

5 다음으로 팔에 그림자 효과를 적용하여 깊
이감을 만들어 보겠습니다. 'Arm.png' 레이어
를 마우스 오른쪽 버튼으로 클릭한 후 [Layer
Style] > [Drop Shadow]를 선택하여 그림자
효과를 적용합니다.

TIP
[Layer Style]은 포토샵의 스타일 효과와 거의 같습니다.

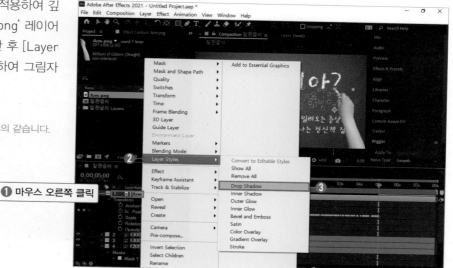

6 레이어에 적용된 [Drop Shadow]를 열어
옵션을 다음과 같이 설정합니다.

• [Angle] : 0x+70.0°
• [Distance] : 34
• [Spread] : 0%
• [Size] : 100

TIP
위에서 제시된 수치는 작업 환경에 따라 다를 수 있으니
화면을 보면서 자연스러운 그림자가 나올 수 있도록 각자
수치를 조절해 봅니다.

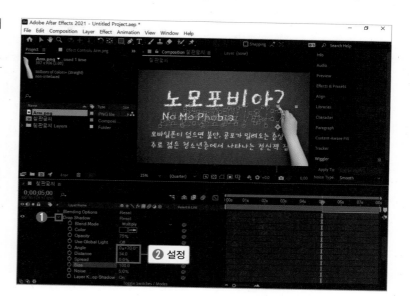

7 마지막으로 효과음을 넣기 위해서 [File] > [Import] > [File]([Ctrl]+[I]) 메뉴를 클릭하고, 'Fx' 파일을 찾아 선택한 후 [Import] 버튼을 클릭합니다. [Project] 패널의 'Fx.wav' 푸티지를 확인하고, [Timeline] 패널로 드래그하여 레이어를 만듭니다.

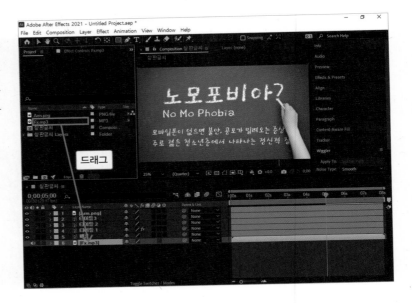

8 칠판글씨 테크닉 작업 과정이 마무리되었습니다. [Composition] > [Add to Adobe Media Encoder Queue] 메뉴를 클릭하여 영상으로 만든 후, 파일을 찾아 칠판 글씨 테크닉 영상을 확인합니다.

TIP

Stroke 효과

Stroke 효과는 마스크로 만들어진 패스 주변에 선 또는, 테두리를 만듭니다. 선 색상, 불투명도, 간격 및 브러시 특성을 지정할 수도 있습니다. 효과 선을 이미지 위에 표시할지, 투명한 이미지에 표시할지 또는 알파 채널로 선이 있는 곳의 이미지를 표시할지 설정을 통해 각각 다르게 지정할 수 있습니다. 이 효과는 손으로 직접 이미지를 그린 것처럼 표현하는 효과, 글씨를 손글씨처럼 쓰는 효과 등에 많이 사용합니다.

■ **옵션**
- [Color] : 선의 색상을 설정합니다. 글씨를 쓰는 효과를 위해서는 흰색 또는, 검은색으로 설정합니다.
- [Brush Size] : 선의 두께를 설정합니다.
- [Brush Hardness] : 선의 가장자리를 강하게 또는 부드럽게 처리합니다.
- [Opacity] : 선의 투명도를 설정합니다.
- [Start] : 전체 선의 길이에서 효과가 시작될 위치를 설정합니다. 키프레임 애니메이션을 통해 글씨가 지워지거나 생성되는 것을 표현합니다.
- [End] : 전체 선의 길이에서 효과가 끝나는 위치를 설정합니다. 키프레임 애니메이션을 통해 글씨가 지워지거나 생성되는 것을 표현합니다.
- [Spacing] : 선 사이의 간격을 지정합니다.
- [Paint Style] : 선을 원본 레이어에 적용할지 투명 레이어에 적용할지 지정합니다.

05

SECTION

카메라 줌인 줌아웃 특수 효과 테크닉

핵심 내용

다음 예제는 카메라 줌인 줌아웃 특수 효과 테크닉 실무입니다. 애프터 이펙트 실무에서 여러 장의 이미지를 보여줄 때 많이 사용하는 기능입니다. Camera와 Depth of Field, 그리고 Focus Distance에 대해 실습해 보겠습니다.

핵심 기능

Camera + Depth of Field + Focus Distance

STORYBOARD

DDL 포럼 영상프레젠테이션 중 일부분

준비 파일 : Part 03 > Chapter 04 > Section 05 폴더 파일   완성 파일 : Part 03 > Chapter 04 > Section 05 > 카메라 줌인 줌아웃 특수 효과 테크닉 완성.mp4

1 제공된 배경 영상 파일을 불러오기 위해서 [File] > [Import] > [File]([Ctrl]+[I]) 메뉴를 클릭합니다. [Import File] 대화상자가 열리면 '배경.mp4' 파일을 선택하고 [Import] 버튼을 클릭하여 파일을 불러옵니다. [Project] 패널의 '배경.mp4' 푸티지를 마우스 오른쪽 버튼으로 클릭한 후 [New Comp from Selection]을 선택합니다. 재생하여 영상을 확인합니다.

TIP
[New Comp from Selection]은 컴포지션을 만들 때 복잡한 설정이 필요 없이 선택한 파일의 해상도, 프레임, 재생 길이와 같은 옵션으로 자동 생성됩니다.

2 이번 예제는 가상의 카메라를 만들고 카메라의 줌인 줌아웃을 모션을 통해 역동적으로 이미지를 보여주는 영상을 만들어 보겠습니다. 먼저 가상의 카메라를 만들기 위해 [Timeline] 패널이 선택된 상태에서 [Layer] > [New] > [Camera]([Ctrl]+[Alt]+[Shift]+[C]) 메뉴를 클릭합니다.

TIP
[Layer] > [New] 메뉴에는 단색 레이어, 조명, 카메라 등 다양한 새 레이어를 만들 수 있는 기능들이 모여 있습니다.

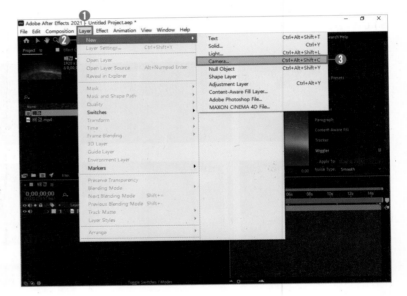

3 [Camera Settings] 대화상자가 열리면 다음과 같이 설정하고 [OK] 버튼을 클릭합니다. [Warning] 경고 창이 뜨면 [OK] 버튼을 클릭합니다.

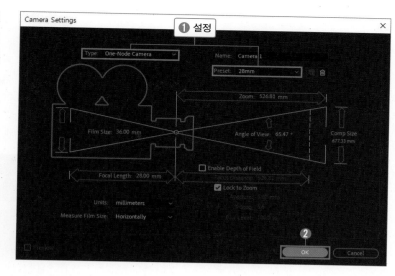

- [Type] : One-Node Camera
- [Preset] : 28mm

TIP

- [Preset]은 렌즈의 규격을 설정하는 옵션으로써 28mm 는 화각이 넓은 광각렌즈를 의미합니다.
- [Warning] 경고 창의 내용은 카메라가 2D 레이어에서 는 작동하지 않는다는 메시지입니다. 카메라의 모션을 위해서는 [Timeline] 패널에 적어도 하나의 3D Layer 가 필요하므로 경고창이 뜨는 것입니다.

4 카메라의 줌인 줌아웃을 위해 [Position] 에 값을 입력할 때 조금 더 편하게 만들기 위해서 [Timeline] 패널에 'Camera 1' 레이어를 열고, [Position]을 마우스 오른쪽 버튼으로 클릭한 후 [Separate Dimensions]를 선택합니다.

TIP

카메라의 [Position]을 확인해보면 일반 2D 레이어에 Z축이 더해져 총 3개 값이 있는 것을 알 수 있습니다.

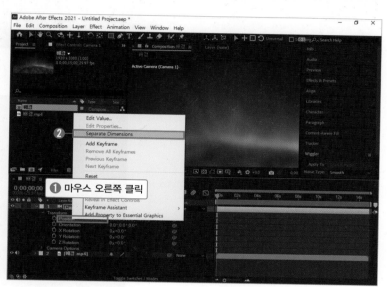

5 'Camera 1' 레이어의 [Position]을 확인해보면 [X Position]과 [Y Position]. [Z Position]의 3가지 옵션으로 각각 분리된 것을 확인할 수 있습니다.

TIP

[Separate Dimensions] 기능은 하나의 항목으로 표시된 x. y. z 좌표를 각각 따로 분리할 수 있습니다. 분리된 항목에 개별로 값을 입력하거나 모션, 효과 등을 각각 설정할 수 있습니다.

6 카메라의 초점거리 설정을 위해 'Camera 1' 레이어의 [Camera Options]를 열고, 다음과 같이 설정합니다.

....

- [Zoom] : 1200
- [Depth of Field] : On
- [Focus Distance] : 1200

TIP

[Depth of Field]는 카메라의 초점이 맞는 범위를 설정하여 범위 밖의 영역은 흐림 효과를 통해 원근감, 공간감 등 집중 효과를 만들 수 있습니다.

7 이제 화면을 카메라로 보기 위해서 [Composition] 패널에서 [3D View Popup]을 클릭하여 'Camera 1'로 설정합니다.

TIP

[3D View Popup] 설정은 현재 선택한 [Composition]의 View 선택입니다. 가상의 카메라를 만들면 목록에 추가되고, 선택하면 카메라 View를 통해 컴포지션에서 작업할 수 있습니다. 3D 레이어로 작업할 경우, 필요에 따라 Top view, Back view 등 다른 각도에서 보면서 영상을 만들 수 있습니다.

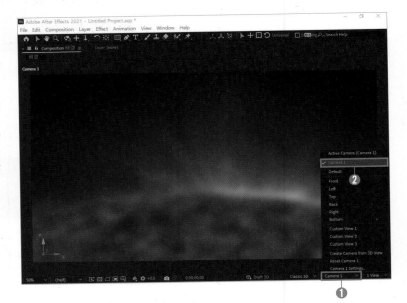

1 카메라가 설정되었으므로 이제 가상의 3D 공간에 준비된 이미지들을 배치해 보겠습니다. [File] > [Import] > [File]([Ctrl]+[I]) 메뉴를 클릭하고, 'Image 01~06.jpg' 파일을 찾아 선택한 후 [Import] 버튼을 클릭합니다. 불러온 이미지 파일들을 [Timeline] 패널로 드래그한 후 [3D Layer](🔲)를 클릭해 활성화하여 3D 레이어로 만듭니다.

TIP

[3D Layer] 아이콘이 보이지 않는 경우, [Timeline] 패널 상단의 아이콘을 마우스 오른쪽 버튼으로 클릭한 후 [Columns] > [Switches]의 체크 표시가 활성화되어 있는지 확인합니다.

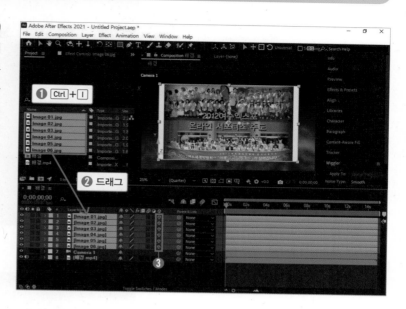

2 가상의 3차원 공간에서 이미지들의 깊이를 다르게 하여 원근감과 공간감을 만들어 보겠습니다. [Composition] 패널의 [Select view layout]을 '2 Views-Horizontal'로 설정하여 화면을 두 개로 분리합니다. 그림과 같이 왼쪽 화면은 [Top], 오른쪽 화면은 [Camera 1]로 보입니다. 왼쪽 화면에서 삼각형으로 보이는 것은 카메라와 화각 표시이며, 회색은 이미지를 표시한 것입니다.

TIP

이미지가 하나의 얇은 선으로 표시되는 이유는 위에서 보고 있기 때문입니다.

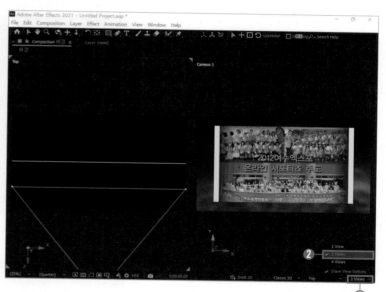

3 [Timeline] 패널에서 'Image 01.jpg' 레이어를 선택하면 [Composition] 패널에 X, Y, Z축 화살표가 표시됩니다. 빨간색은 X축, 녹색은 Y축, 파란색은 Z축입니다. [Composition] 패널 왼쪽 화면(Top)에서 선택된 레이어의 Z축(파란색)에 마우스 커서를 위치시키고 커서에 'Z' 문자가 표시되면 위쪽으로 드래그하여 옮깁니다.

TIP
- [Composition] 패널에서 마우스 커서를 각 축으로 옮기면 해당 축으로만 이동이 고정됩니다.
- Top 화면에서 레이어를 위쪽으로 옮기면 Camera 1에서 보았을 때 뒤쪽으로 멀어지게 되므로 이미지가 작아지는 것처럼 보입니다.

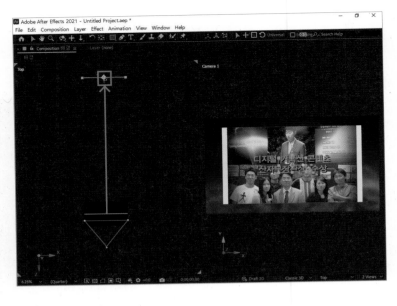

4 [Camera 1] 화면에서 'Image 01.jpg'부터 'Image 06.jpg' 레이어를 모두 임의로 드래그하여 다음과 같이 위치를 적당히 옮긴 후, Top 화면에서도 Z축의 위치를 각각 다르게 배치합니다.

TIP
Camera 1에서 레이어를 배치할 때 조절점을 잘못 드래그하면 이미지의 크기가 변형되므로 레이어의 중앙 부분을 드래그해야 합니다.

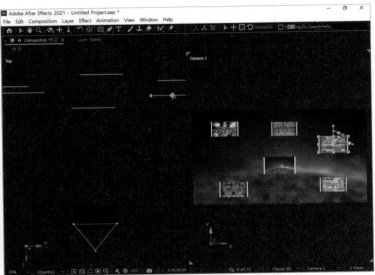

5 이제 나머지 이미지 파일도 불러와 같은 방법으로 배치해 보겠습니다. [File] > [Import] > [File]([Ctrl]+[I]) 메뉴를 클릭하고, 'Image 07~27.jpg' 파일을 찾아서 [Timeline] 패널로 드래그한 후 3D 레이어로 만듭니다.

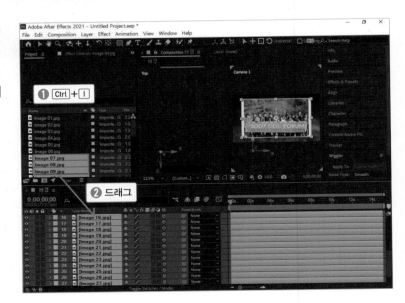

6 Camera 1과 Top 화면에서 레이어의 위치를 랜덤하게 배치합니다.

TIP

Top 화면에서 상하로 Z축의 위치를 서로 벌릴수록 Camera 1 화면에서 레이어 간의 공간감이 깊어집니다.

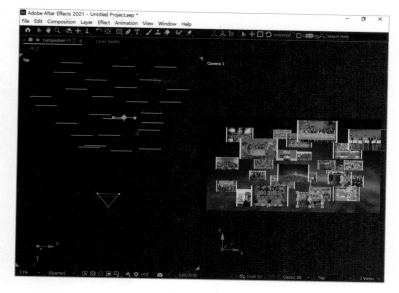

7 레이어의 위치를 모두 옮기고 난 후 [Composition] 패널의 [Select view layout]을 [1 View]로 설정하여 [Camera 1] 화면만 보이게 합니다.

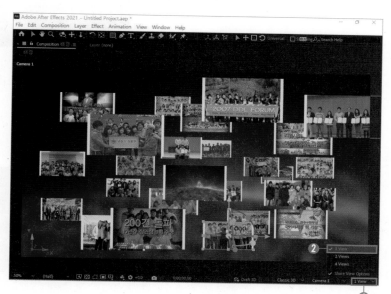

TIP

애프터 이펙트 카메라의 종류

• One-Node : 앞만 보는 방향으로 카메라를 설치합니다. 카메라를 이동하면서 회전하는 모션이 힘들며, 이는 카메라의 방향성과 보는 방향 따로 설정하는 것이 불가능하기 때문이며, 이를 위해 카메라를 통째로 틀면서 모션을 줘야 합니다.

• Two-Node : 카메라 가는 방향과 돌려보는 방향을 따로 사용 가능합니다. 예를 들어 카메라를 앞으로 이동하면서 360도 회전하면서 이동이 가능합니다. 쉽게 말해 원노드와 투노드의 차이는 카메라를 이동하면서 회전이 가능하냐 불가능하냐 그 차이라고 생각하면 쉽습니다.

1 다음으로 카메라에 위치 이동 모션을 적용하여 이미지 줌인 줌아웃 효과를 만들어 보겠습니다. 먼저 'Image 01.jpg' 레이어를 화면에 줌인하여 확대해 보겠습니다. 'Camera 1' 레이어를 열고, 0:00:00:00 위치에서 [X Position], [Y Position], [Z Position]의 [Time-Vary stop watch](⊙)를 클릭해 활성화합니다.

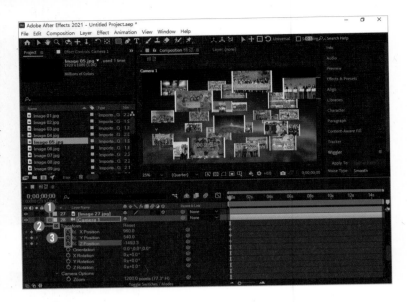

2 카메라가 'Image 01' 이미지를 줌인하기 위해서 위치 정보가 필요합니다. 'Image 01.jpg' 레이어를 선택하고, P를 눌러 [Position]을 보이게 한 후, 설정된 X, Y, Z 3개 값을 기억합니다.

TIP
'Image 01.jpg' 레이어의 위치를 랜덤하게 배치했으므로 [Position] 값은 사용자마다 다릅니다. 각자 작업 중인 이미지의 [Position] 값을 기억하도록 합니다.

3 카메라 줌인 효과를 위해서 [Current Time Indicator]를 0:00:00:20 위치로 옮기고, 'Image 01.jpg' 레이어 [Position]의 X값(첫 번째)을 'Camera 1'의 [X Position]에, Y값(두 번째)을 [Y Position]에 입력합니다. Z(세 번째)값은 1200을 빼고 나온 값을 [Z Position]에 입력합니다. 다음과 같이 'Image 01.jpg'가 [Composition] 패널에서 줌인 되어 전체화면으로 보이는지 확인합니다. 재생하여 카메라의 줌인 모션을 확인합니다.

TIP
Z값에서 1200을 빼는 이유는 카메라를 만들 때 초점거리를 1200으로 설정했기 때문입니다.

4 [Current Time Indicator]를 0:00:02:00 위치로 옮긴 후, 'Camera 1' 레이어의 0:00:00:20에 있는 세 개의 키프레임을 모두 선택하고, Ctrl+C, Ctrl+V를 눌러 키프레임을 복사하고 붙여넣습니다. 같은 프레임을 복사했으므로 0:00:00:20~0:00:02:00 구간은 카메라의 모션이 정지된 채로 'Image 01' 이미지를 화면에 계속 보여줍니다.

5 이제 카메라 줌아웃 효과를 추가해 보겠습니다. [Current Time Indicator]를 0:00:02:20 위치로 옮긴 후, 카메라의 위치를 원래대로 되돌리기 위해서 'Camera 1' 레이어의 0:00:00:00에 있는 세 개의 키프레임을 모두 선택하고, Ctrl+C, Ctrl+V를 눌러 키프레임을 복사하고 붙여넣습니다. 카메라가 원래의 기본 위치로 돌아갑니다. 이제 이미지를 하나를 줌인 줌아웃하는 카메라 모션이 완성되었습니다. 재생하여 효과 모션을 확인합니다.

6 카메라의 줌인 줌아웃 모션에 현실과 같은 가속도 효과를 추가하여 움직임을 부드럽게 만들기 위해서 'Camera 1'의 모든 키프레임을 선택하고, 키프레임을 마우스 오른쪽 버튼으로 클릭한 후 [Keyframe Assistant] > [Easy Ease]([F9])를 선택하여 가속도 효과를 추가합니다.

TIP

[Easy Ease]는 키프레임에 가속도 효과를 추가하여 출발할 때 천천히 속도가 가속됩니다. 이후 속도가 점점 빨라지고, 멈출 때도 속도가 서서히 줄어듭니다. 가속도 효과는 현실과 같은 움직임을 구현할 수 있어서 자주 사용됩니다.

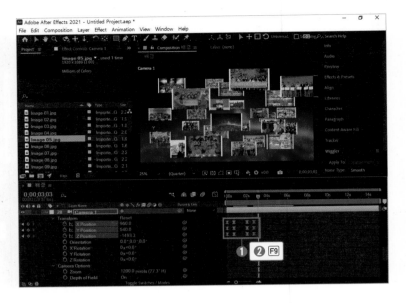

7 카메라의 줌인 줌아웃 모션에 속도감 있는 모션 블러 효과를 추가하기 위해서 'Image 01.jpg'부터 'Image 27.jpg' 레이어의 [Motion Blur](●)와 [Timeline] 패널의 [Enables Motion Blur](●)를 활성화한 후 재생하여 모션을 확인합니다.

8 다음으로 두 번째 이미지를 줌인 줌아웃하는 모션을 만들어 보겠습니다. 이제부터는 같은 모션을 반복하게 됩니다. 'Image 02.jpg' 레이어를 선택하고, [P]를 눌러 [Position]을 보이게 한 후 설정된 값을 기억합니다.

9 카메라에 줌인 모션을 적용하여 'Image 02' 이미지를 화면에 꽉 차게 만들기 위해서 [Current Time Indicator]를 0:00:03:10 위치로 옮기고, 'Image 02.jpg' 레이어 [Position]의 X값을 [Camera 1]의 [X Position]에, Y값을 [Y Position]에, Z값에서 '1200'을 뺀 수치를 [Z Position]에 입력합니다.

10 [Current Time Indicator]를 0:00:04:20 위치로 옮긴 후 'Camera 1' 레이어의 0:00:03:10에 있는 세 개의 키프레임을 모두 선택하고, Ctrl + C, Ctrl + V를 눌러 키프레임을 복사하고 붙여넣습니다. 같은 프레임을 복사했으므로 0:00:03:10에서 0:00:04:20은 모션이 없는 정지된 구간입니다.

11 카메라의 위치를 원래 위치로 되돌려 줌아웃 효과를 적용하기 위해서 [Current Time Indicator]를 0:00:05:10 위치로 옮긴 후, 'Camera 1' 레이어의 0:00:00:00에 있는 세 개의 키프레임을 모두 선택하고, Ctrl + C, Ctrl + V를 눌러 키프레임을 복사하고 붙여넣습니다. 위와 같은 방법으로 나머지 이미지에도 카메라의 줌인 줌아웃 모션을 만들어 봅니다.

12 제공된 배경음악 및 효과음 파일을 불러오기 위해서 [File] > [Import] > [File](Ctrl +I) 메뉴를 클릭합니다. [Import File] 대화상자가 열리면 'BGM.mp4' 파일을 선택하고, [Import] 버튼을 클릭하여 파일을 불러온 후 [Timeline] 패널로 드래그하여 배경음악을 넣습니다.

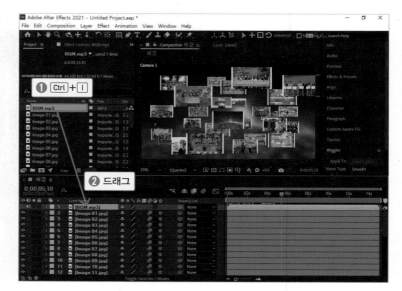

13 가상의 카메라를 만들고 줌인 줌아웃 모션 효과를 완성했습니다. [Composition] > [Add to Adobe Media Encoder Queue] 메뉴를 클릭하여 영상 파일로 만든 후, 파일을 찾아 확인합니다.

TIP

애프터 이펙트 카메라 렌즈와 블러 효과

• 50mm 렌즈를 기준으로 숫자가 커질수록 망원렌즈이며 낮을 수록 광각렌즈에 가깝게 됩니다(50mm가 사람의 눈에 가장 가깝습니다).
 – 광각 렌즈 : 넓게 보되 멀리는 볼 수 없습니다. 전체 전경을 보여줄 때 많이 사용합니다.
 – 망원 렌즈 : 시야각이 좁지만 멀리 볼 수 있습니다.
• Enable Depth of Field : 아웃포커싱 효과(내가 보고자 하는 사물을 가까이 보여주고 뒤에 배경을 흐리게 보여줍니다). 블러 효과 개념이기 때문에 렌더링 속도가 떨어질 수 있습니다. 망원렌즈일수록 효과가 강해집니다.

자연현상 합성
특수 효과 테크닉 실무

영상콘텐츠 공모전 20년 도전 노하우!

애프터 이펙트의 특수 효과 중에는 자연 효과를 합성하여 활용한 사례가 의외로 많습니다. 일반인들은 느끼지 못하지만, 영화 대부분에서도 빛 특수 효과, 비와 번개, 천둥 특수 효과, 색 줄이기 특수 효과, 연기와 불 특수 효과, 구름과 눈 특수 효과 등이 숨어 있습니다. 이를 학습하면 자신의 작품에 창의적으로 적용할 수 있습니다. 또한, 본 챕터 안에는 특수 효과와 함께 특수 효과 사운드 파일이 포함되어 있습니다.

01

빛 특수 효과 테크닉

핵심 내용

애프터 이펙트에서 태양을 비롯한 빛을 다루는 특수 효과는 가장 흔하게 사용하는 테크닉입니다. 본 예제에서는 배경 영상의 기획에 맞추어 Glow와 CC Particle System II 효과를 이용하여 태양을 만들고, 태양 안에서 또 하나의 빛을 만들어 이동하는 예제를 만들어 보겠습니다.

핵심 기능

Glow + CC Particle System II

STORYBOARD

제3회 대한민국청소년 UCC 캠프대회 '여성가족부장관상' 수상 작품 중 일부분

01 빛나는 태양 특수 효과 테크닉 Glow + CC Particle System II

제3회 대한민국청소년 UCC 캠프대회
'여성가족부장관상' 수상 작품 중 일부분

준비 파일 : Part 03 > Chapter 05 > Section 01 폴더 파일　**완성 파일 :** Part 03 > Chapter 05 > Section 01 > 빛 특수 효과 테크닉 완성.mp4

1 제공된 오프닝 영상 파일을 불러오기 위해서 [File] > [Import] > [File]([Ctrl]+[I]) 메뉴를 클릭합니다. [Import File] 대화상자가 열리면 '오프닝.mp4' 파일을 선택하고, [Import] 버튼을 클릭하여 파일을 불러옵니다. [Project] 패널의 '오프닝.mp4' 푸티지를 마우스 오른쪽 버튼으로 클릭하고 [New Comp from Selection]을 선택합니다. 재생하여 영상을 확인합니다.

TIP
[New Comp from Selection]은 컴포지션을 만들 때 복잡한 설정이 필요 없이 선택한 파일의 해상도, 프레임, 재생 길이와 같은 옵션으로 자동 생성됩니다.

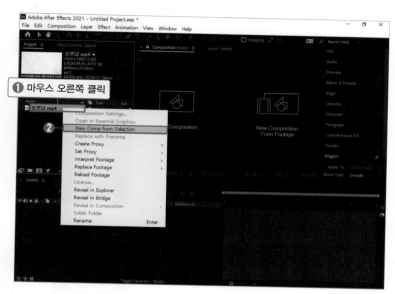

2 영상의 하늘에 빛나는 태양을 만들어 보겠습니다. 태양을 만들기 위해서는 효과를 적용할 레이어가 필요합니다. [Layer] > [New] > [Solid]([Ctrl]+[Y]) 메뉴를 클릭하고, [Solid Settings] 대화상자가 열리면 [Name]에 '태양'을 입력한 후 [OK] 버튼을 클릭하여 솔리드 레이어를 만듭니다.

TIP
효과를 새로 적용할 레이어이므로 색상은 임의로 설정하여 만들어도 됩니다.

3 만든 솔리드 레이어에 특수 효과를 추가하여 태양을 만들기 위해서 [Timeline] 패널의 '태양' 레이어가 선택된 상태에서 [Effect] > [Simulation] > [CC Particle System II] 메뉴를 클릭합니다.

TIP
파티클(입자) 시스템(Particle System)
입자 발생기 효과입니다. 불, 연기, 눈, 비 등의 효과를 만들기 위해서 많이 사용됩니다.

4 [Current Time Indicator]를 뒤로 옮겨 솔리드 레이어에 적용된 [CC Particle System II]를 확인합니다.

TIP
- [CC Particle System II]는 시간에 따라서 입자가 생성되는 효과이므로 처음에는 보이지 않다가 시간이 지나면서 많은 입자가 만들어지며 효과를 확인할 수 있게 됩니다.
- 입자는 솔리드 레이어의 중앙 부분에서 만들어집니다.

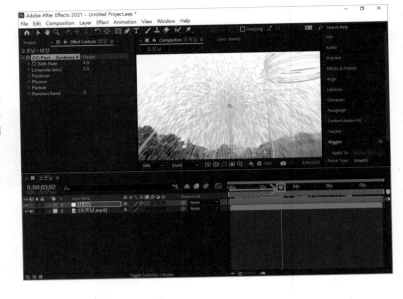

5 [Effect Controls] 패널에서 [CC Particle System II]를 열어 옵션을 다음과 같이 비슷하게 설정하여 태양과 같은 모양과 위치로 설정합니다.

- [Birth Rate] : 6
- [Producer] > [Position] : 1400, 230
- [Physics] > [Velocity] : 0.1
- [Physics] > [Gravity] : 0
- [Particle] > [Birth Color] : 노란색
- [Particle] > [Death Color] : 주황색

TIP
위에서 제시한 옵션 설정은 참고용입니다. 각각 창의적으로 설정하여 다른 모양과 색상으로 설정해도 됩니다.

6 배경 영상에 맞춰 6초 이후에는 빛나는 태양이 사라져야 하므로 [Current Time Indicator]를 0:00:06:00 위치로 옮기고, [ ]]를 눌러 레이어의 위치를 옮깁니다.

TIP
뒷부분을 자르는 것이 아니라 앞쪽으로 옮겨서 처음부터 태양이 보이게 하고 6초 이후에는 사라지도록 한 것입니다.

7 태양에 밝게 빛나는 효과를 추가하여 좀 더 태양에 가까운 형태로 바꾸기 위해서 '태양' 레이어가 선택된 상태로 [Effect] > [Stylize] > [Glow] 메뉴를 클릭합니다. [Effect Controls] 패널의 [Glow] 옵션이 보이면 [Glow Threshold]의 수치를 조절하면서 다음과 같이 태양의 중심이 밝게 빛나도록 합니다.

TIP

[Glow Threshold]는 상황에 따라 다르게 적용되므로 적당한 수치를 찾을 때까지 조절합니다. 다른 옵션도 조정하여 각자 다른 태양의 모양과 밝기, 색상을 만들어도 됩니다.

8 이제 태양에 움직임을 추가하여 배경 영상에 따라 같이 이동하는 모션을 만들어 보겠습니다. '태양' 레이어가 선택된 상태에서 P 를 눌러 [Position]을 보이게 하고, [Current Time Indicator]를 0:00:01:09 위치로 옮긴 후 [Position] > [Time-Vary stop watch]()를 클릭하여 활성화합니다.

9 [Current Time Indicator]를 0:00:02:15 위치로 옮기고, [Composition] 패널에서 Shift 를 누른 채 '태양' 레이어를 위로 드래그하여 태양이 보이지 않도록 옮긴 후, Space Bar 를 눌러 태양의 위치 이동 모션을 확인합니다.

1 다음으로 빛나는 공을 만들어 하늘에서 내려와 빈 병으로 들어가는 애니메이션을 만들어 보겠습니다. 준비된 이미지 파일을 불러오기 위해서 [File] > [Import] > [File]([Ctrl]+[I]) 메뉴를 클릭하고, '공.png' 파일을 불러온 후 [Timeline] 패널 1번 레이어 위치로 드래그합니다.

TIP

공 이미지는 배경이 투명한 흰색의 원만 그려져 있는 이미지입니다. 편의를 위해 이미지를 제공했지만, 애프터 이펙트의 [Ellipse Tool]을 이용하여 직접 그려도 됩니다.

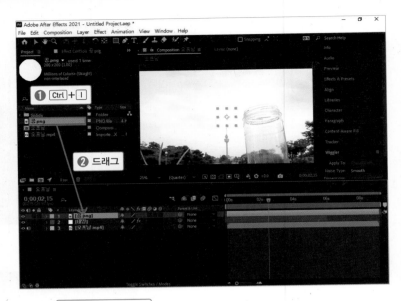

2 불러온 공 이미지에 빛 효과를 추가하기 위해서 [Timeline] 패널의 '공.png' 레이어가 선택된 상태에서 [Effect] > [Stylize] > [Glow] 메뉴를 클릭한 후 [Effect Controls] 패널의 [Glow] 옵션이 보이면 다음과 같이 설정합니다.

• [Glow Radius] : 100
• [Glow Intensity] : 6
• [Glow Colors] : A & B Colors
• [Color A] : 노란색
• [Color B] : 주황색

TIP

위에서 제시한 옵션 설정은 참고용입니다. 각각 창의적으로 설정하여 다른 모양과 색상으로 설정해도 됩니다.

3 다음으로 공이 태양에서 내려와 빈 병으로 움직이는 모션을 만들기 위해서 [Current Time Indicator]를 0:00:00:19 위치로 옮긴 후 [Composition] 패널에서 '공.png' 레이어의 [Position]을 다음과 같이 태양의 중심으로 옮깁니다.

· [Position] : 1400, 230

4 '공.png' 레이어에 위치 이동과 크기 조절 모션을 조합하기 위해서 [Current Time Indicator]를 0:00:00:19 위치에서 [Position]과 [Scale]의 [Time-Vary stop watch](⏱)를 클릭하여 활성화하고, [Scale]을 '0, 0%'로 설정합니다.

5 [Current Time Indicator]를 0:00:01:25 위치로 옮긴 후 [Scale]을 '50, 50%'로 설정하고, [Composition] 패널에서 공의 위치를 태양에서 빈 병 부근으로 옮깁니다.

6 [Composition] 패널에서 공의 위치를 각각의 시간대에서 병의 중심에 위치시킵니다.

0:00:03:08

0:00:06:20

0:00:06:22

0:00:06:24

0:00:06:26

7 빛나는 공에 불규칙하게 떨리는 움직임을 주기 위해서 '공.png' 레이어 [Position]의 0:00:03:08과 0:00:06:20 시간대에 있는 두 개의 키프레임을 Shift 를 누른 채 함께 선택합니다.

TIP

Shift 를 누른 채, 각 키프레임을 하나씩 클릭하면 됩니다.

8 두 개의 키프레임이 선택된 상태에서 [Window] > [Wiggler] 메뉴를 클릭하고, [Wiggler] 패널이 열리면 다음과 같이 설정한 후 [Apply] 버튼을 클릭합니다.

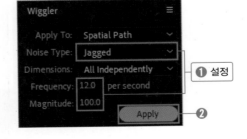

• [Noise Type] : Jagged
• [Frequency] : 12
• [Magnitude] : 100

9 [Timeline] 패널에서 2개의 키프레임 사이에 수많은 Wiggler 키프레임이 생성된 것을 확인합니다. 다음으로 공에 모션 블러 효과를 적용해 보겠습니다. '공.png' 레이어의 [Motion Blur](🔵)를 활성화하고, [Timeline] 패널 상단에 있는 [Enables Motion Blur](🔵)가 파란색으로 켜져 있는지 확인한 후 Space Bar 를 눌러 효과를 확인합니다.

TIP

[Motion Blur] 아이콘이 보이지 않는 경우, [Timeline] 패널 상단의 아이콘을 마우스 오른쪽 버튼으로 클릭한 후 [Columns] > [Switches]의 체크 표시가 활성화되어 있는지 확인합니다.

10 태양과 빛나는 공 특수 효과 영상을 완성했습니다. [Composition] > [Add to Adobe Media Encoder Queue] 메뉴를 클릭하여 영상 파일로 만든 후, 파일을 찾아 확인합니다.

02

SECTION

색상 특수 효과 테크닉

핵심 내용

본 예제 역시 CF 홍보에서 많이 등장하는 색상 특수 효과입니다. Leave Color와 Fast Blur를 이용하여 특정 색상만 남기고, 나머지 색상은 무채색으로 바꾸는 테크닉에 대하여 실습해 보겠습니다.

핵심 기능

Leave Color + Fast Blur

STORYBOARD

제10회 LH 대학생 광고 공모전 출품작 중 일부분

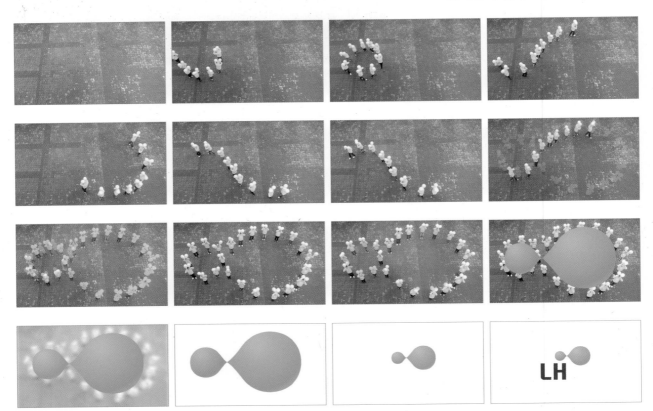

준비 파일 : Part 03 > Chapter 05 > Section 02 폴더 파일 **완성 파일** : Part 03 > Chapter 05 > Section 02 > 색상 특수 효과 테크닉 완성.mp4

1 새 컴포지션을 만들기 위해서 [Composition] > [New Composition]([Ctrl]+[N]) 메뉴를 클릭합니다. [Composition Settings] 대화상자가 열리면 다음과 같이 설정한 후 [OK] 버튼을 클릭합니다.

・[Composition Name] : 색 줄이기
・[Width] : 1920
・[Height] : 1080
・[Pixel Aspect Ratio] : Square Pixels
・[Frame Rate] : 29.97
・[Duration] : 0:00:20:00

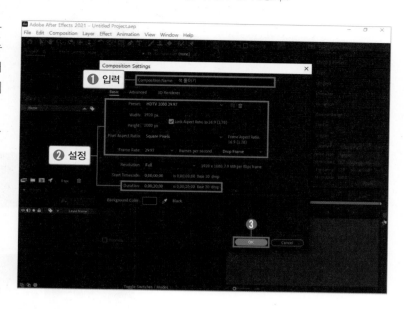

2 제공된 분할 촬영 영상 파일을 불러오기 위해서 [File] > [Import] > [File]([Ctrl]+[I]) 메뉴를 클릭하고, '엔딩.mp4' 파일을 찾아 선택한 후 [열기] 버튼을 클릭합니다. 파일이 열리면 [Timeline] 패널에 드래그하여 배치합니다.

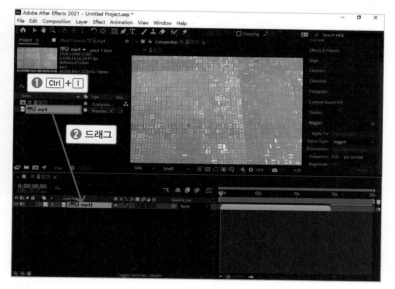

TIP

Leave Color

레이어에서 지정된 색상과 비슷한 색상을 제외한 모든 색상의 채도를 감소시켜 흑백으로 만듭니다. 예를 들어, 농구공의 주황색만 남긴 채 흑백인 농구 시합 동영상을 만들 수 있습니다. 주로 다음과 같은 옵션을 통해 조절합니다.

・[Amount to Decolor] : 색상을 얼마나 제거할지 지정합니다. 100%로 설정하면 선택한 색상과 비슷하지 않은 이미지 영역이 회색 음영으로 표시됩니다.
・[Tolerance] : 색상 일치 여부를 판단할 때 어느 정도의 융통성을 적용할지 지정합니다. 이 효과를 0%로 설정하면 '유지할 색상'과 정확히 일치하는 픽셀을 제외한 모든 픽셀이 탈색됩니다. 100%로 설정하면 색상이 변하지 않습니다.

3 영상에서 배경의 색상을 제거하여 필요한 색상만 남겨 보겠습니다. [Current Time Indicator]를 0:00:08:00 위치로 옮기고, [Timeline] 패널의 '엔딩.mp4' 레이어를 선택한 후 [Effect] > [Color Correction] > [Leave Color] 메뉴를 클릭합니다.

TIP

[Leave Color]

영상에서 특정한 색상만 남기고, 나머지 색상의 채도를 낮춰서 무채색으로 만듭니다.

4 [Effect Controls] 패널에 [Leave Color]의 옵션이 보이면 다음과 같이 설정하여 색 줄이기 효과를 확인합니다.

• [Color To Leave] : 노란색
• [Amount to Decolor] : 100%
• [Tolerance] : 25%

TIP

• 색상 옆에 스포이트 아이콘을 선택하여 컴포지션의 화면에서 남기고 싶은 색상을 클릭하면 됩니다.
• [Tolerance]의 값을 조절하면 제거되는 색상의 범위를 조절할 수 있습니다.

02 로고 합성 특수 효과 테크닉 Gaussian Blur

1 다음으로 영상에 로고를 붙여 편집해 보겠습니다. 제공된 로고 이미지 파일을 불러오기 위해서 [File] > [Import] > [File]([Ctrl]+[I]) 메뉴를 클릭하고, '로고 1.png' 파일을 찾아 선택한 후 [Import] 버튼을 클릭합니다. 파일이 열리면 [Timeline] 패널의 1번 위치에 드래그하여 배치하고, 영상에 맞춰 위치를 이동하기 위해서 '로고 1.png' 레이어를 열고 [Position]을 '900, 510'으로 설정합니다.

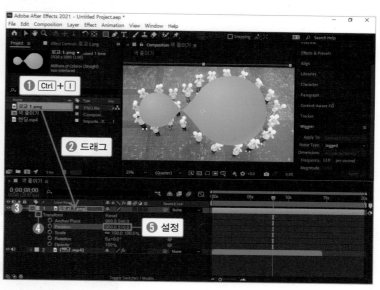

2 로고에 흐림 효과를 넣어보겠습니다. '로고 1.png' 레이어가 선택된 상태에서 [Effect] > [Blur & Sharpen] > [Gaussian Blur] 메뉴를 클릭합니다. [Current Time Indicator]가 0:00:08:00 위치에 있음을 확인한 후 [Effect Controls] 패널에서 [Gaussian Blur]의 [Blurriness] > [Time-Vary stop watch] (⏱)를 클릭하고 '60' 정도로 설정합니다.

TIP
[Gaussian Blur]는 가장 자주 쓰이는 기본 흐림 효과입니다.

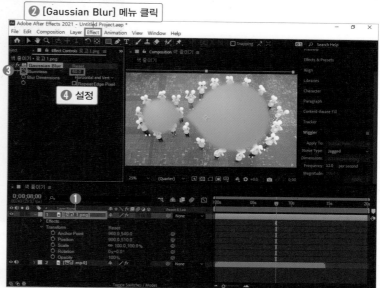

3 [Current Time Indicator]를 0:00:10:10 위치로 옮긴 후 [Timeline] 패널에서 '로고 1.png' 레이어를 열고, [Gaussian Blur] > [Blurriness]를 '0'으로 설정합니다.

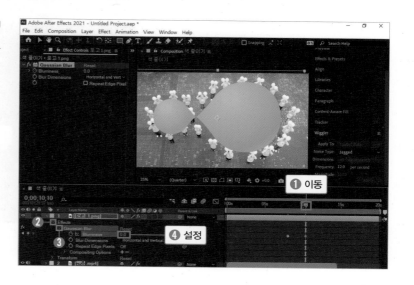

4 '로고 1.png' 레이어의 [Transform]을 열고, [Current Time Indicator]를 0:00:08:00 위치로 옮깁니다. 로고가 자연스럽게 나타나는 모션을 만들기 위해서 [Opacity] > [Time-Vary stop watch](◎)를 클릭하여 활성화합니다. '0%'로 입력하고, 0:00:10:10 위치에서 '100%'로 설정합니다. 재생하여 로고가 자연스럽게 나타나는 애니메이션을 확인합니다.

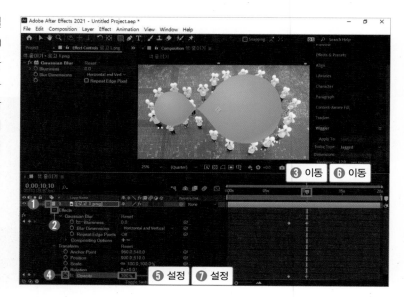

5 로고에 위치 이동과 크기 모션을 만들기 위해서 [Current Time Indicator]를 0:00:15:15 위치로 옮기고, [Position]과 [Scale] > [Time-Vary stop watch](◎)를 클릭하여 활성화한 후 [Current Time Indicator]를 0:00:16:15 위치로 옮기고, [Position]은 '1048, 460', [Scale]은 '32, 32%'로 설정합니다.

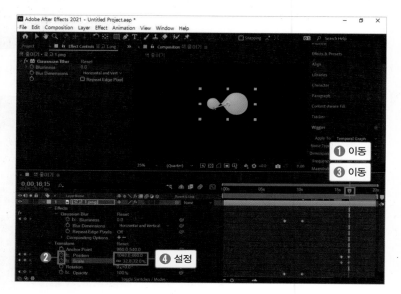

6 배경에 흰색 이미지를 넣기 위해서 [Layer] > [New] > [Solid] 메뉴를 클릭합니다. [Solid Settings] 대화상자가 열리면 [Name]을 '흰색 배경', [Color]를 '흰색'으로 설정한 후 [OK] 버튼을 클릭합니다.

TIP
[Solid]는 단색 이미지를 만드는 기능으로써 배경이나 합성, 효과 적용 등에 자주 활용됩니다. 해상도 등은 편집 중인 컴포지션과 자동으로 같은 값이 설정되므로 이름과 색상만 수정하여 만들면 됩니다.

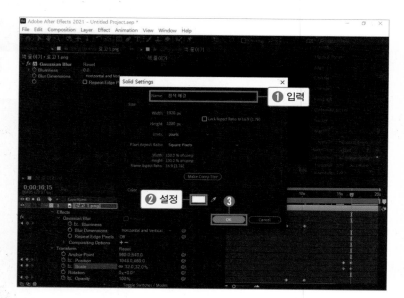

7 '흰색 배경' 레이어는 다음과 같이 [Time-line] 패널에서 가장 아래쪽에 위치할 수 있도록 배치합니다.

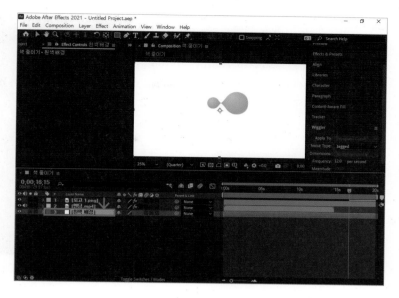

8 제공된 두 번째 로고 이미지 파일을 불러오기 위해서 [File] > [Import] > [File]([Ctrl]+[I]) 메뉴를 클릭합니다. '로고 2.png' 파일을 찾아 선택하고 [Import] 버튼을 클릭합니다. 파일이 열리면 [Timeline] 패널의 2번 위치에 드래그하여 배치한 후 [Current Time Indicator]를 0:00:16:20 위치로 옮깁니다. '로고 2.png' 레이어의 [Opacity] > [Time-Vary stop watch]([●])를 클릭하여 활성화하고 '0%', 0:00:18:00 위치로 옮기고 '100%'로 설정합니다.

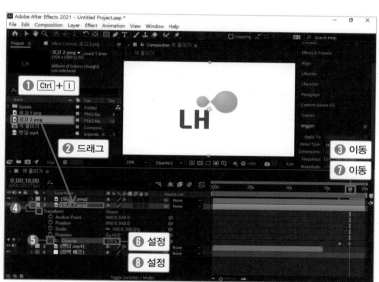

9 마지막으로 효과음을 넣기 위해서 [File] > [Import] > [File]([Ctrl]+[I]) 메뉴를 클릭하고, 'Fx. BGM.mp3' 파일을 찾아 선택한 후 [Import] 버튼을 클릭합니다. 2개 모두 [Timeline] 패널로 드래그하여 효과음과 배경음악을 넣습니다.

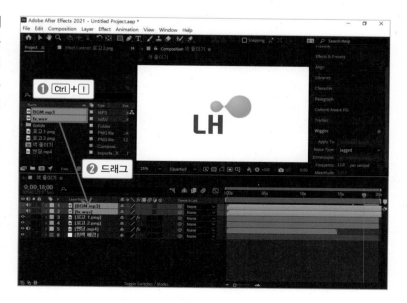

10 영상에서 색을 줄여 만든 로고 애니메이션의 모든 작업 과정이 마무리되었습니다. [Composition] > [Add to Adobe Media Encoder Queue] 메뉴를 클릭하여 영상 파일로 만든 후 파일을 찾아 확인합니다.

TIP
많이 사용하는 Blur & Sharpen 효과

- **Bilateral Blur**
  이미지 가장자리 및 세부 표현을 그대로 유지한 채 이미지에 흐림 효과를 선택적으로 적용합니다.

- **Box Blur**
  일반 흐림 효과와 비슷하지만, 반복 속성을 통해 흐림 품질을 제어할 수 있다는 장점이 있습니다.

- **Camera Lens Blur**
  흐림 반경이 크고 처리 속도가 빠른 흐림 효과입니다.

- **Channel Blur**
  레이어의 빨강, 녹색, 파랑 또는, 알파 채널에 개별적으로 흐림 효과를 적용할 수 있습니다.

- **Compound Blur**
  레이어에 포함된 색상의 밝기를 기반으로 픽셀을 흐리게 합니다. 기본적으로 밝은 값은 더 흐리게 되고 어두운 값은 덜 흐리게 됩니다. 반대로 하려면 '흐림 반전'을 선택합니다.

- **Directional Blur**
  마치 사물이 한 방향으로 빠르게 움직이는 듯한 느낌을 표현합니다.

- **Fast Blur**
  흐림 효과가 대부분 렌더링 시간이 오래 걸리는 반면, 이 효과는 결과를 빠른 속도로 확인할 수 있습니다.

- **Gaussian Blur**
  가장 기본적인 흐림 효과로써 이미지를 흐리게 하고 부드럽게 표현하며 노이즈를 제거합니다.

- **Radial Blur**
  한 점을 중심으로 흐림 효과를 표현합니다.

- **Sharpen**
  색상이 변하는 지점의 대비를 높여 이미지를 시각적으로 선명하게 만듭니다.

- **Smart Blur**
  이미지의 선과 가장자리를 그대로 유지하면서 이미지를 흐리게 표현합니다.

- **Unsharp Mask**
  가장자리 색상 사이의 대비를 높여 이미지를 선명하게 만듭니다.

03

비 + 번개 + 천둥 특수 효과 테크닉

핵심 내용

비, 번개, 천둥 등의 자연 효과도 애프터 이펙트에서 자주 사용하는 특수 효과입니다. 본 예제에서는 CC Rainfall과 Advanced Lightning, 그리고 Glow의 적절한 활용법에 대해 실습해 보겠습니다.

핵심 기능

CC Rainfall + Advanced Lightning + Glow

STORYBOARD

깨끗한 바다만들기 콘텐츠공모전 출품작 중 일부분

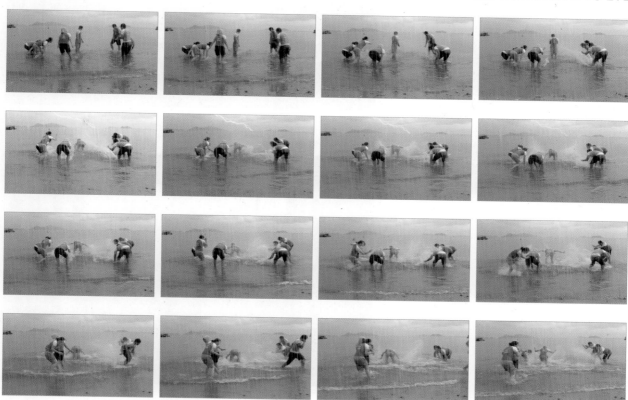

준비 파일 : Part 03 > Chapter 05 > Section 03 폴더 파일   **완성 파일 :** Part 03 > Chapter 05 > Section 03 > 비+번개+천둥 특수 효과 테크닉 완성.mp4

1 제공된 영상 파일을 불러오기 위해서 [File] > [Import] > [File]([Ctrl]+[I]) 메뉴를 클릭합니다. [Import File] 대화상자가 열리면 '바다.mp4' 파일을 선택하고, [Import] 버튼을 클릭하여 파일을 불러옵니다. [Project] 패널의 '바다.mp4' 푸티지를 마우스 오른쪽 버튼으로 클릭한 후 [New Comp from selection]을 선택합니다. 재생하여 영상을 확인합니다.

TIP
[New Comp from selection]은 컴포지션을 만들 때 복잡한 설정이 필요 없이 선택한 파일의 해상도, 프레임, 재생 길이와 같은 옵션으로 자동 생성됩니다.

2 영상에 비가 내리는 효과를 적용하기 위해서 [Timeline] 패널의 '바다.mp4' 레이어가 선택된 상태에서 [Effect] > [Simulation] > [CC Rainfall] 메뉴를 클릭합니다.

TIP
CC Rainfall
애프터 이펙트에서 기본으로 제공하는 비 내리는 효과입니다. 기본 효과이지만 옵션 설정에 따라 실제와 비슷한 효과를 낼 수 있는 강력한 효과입니다.

3 [Effect Controls] 패널에 [CC Rainfall] 옵션이 보이면 다음과 같이 입력한 후 재생하여 비 내리는 효과를 확인합니다.

- [Drops] : 6000
- [Size] : 8
- [Speed] : 6000
- [Wind] : 500
- [Variation % (Wind)] : 50
- [Spread] : 10

TIP
위에서 제시된 옵션 설정은 한 가지 예일 뿐입니다. 직접 여러 가지 수치를 입력해보고 비 내리는 효과를 다양하게 적용해 보세요.

02 번개+천둥 특수 효과 테크닉 Lightning

1 다음으로 번개 효과를 영상에 추가해 보 겠습니다. 번개 효과를 적용할 솔리드 레이어 를 만들기 위해서 [Layer] > [New] > [Solid] (Ctrl + Y) 메뉴를 클릭합니다. [Solid Set- tings] 대화상자가 열리면 [Name]에 '번개'를 입력하고 [OK] 버튼을 클릭합니다.

TIP
솔리드 레이어 색상은 임의대로 설정해도 상관없습니다.

2 [Timeline] 패널의 '번개' 솔리드 레이어를 확인합니다. 레이어를 열고, 위치와 크기를 위 쪽 하늘 영역에 맞춰 다음과 같이 입력합니다.

· [Position] : 960, −60
· [Scale] : 50, 50

TIP
솔리드 레이어에 효과를 적용하면 설정된 위치와 크기 영 역 내에서만 효과가 보입니다.

3 솔리드 레이어에 번개 효과를 적용하기 위 해서 '번개' 레이어가 선택된 상태에서 [Ef- fect] > [Generate] > [Advanced Lightning] 메뉴를 클릭합니다.

TIP
[Advanced Lightning]은 애프터 이펙트에서 기본으로 제공하는 번개, 천둥 치는 효과입니다. 기본 효과이지만 옵션 설정에 따라 실제와 비슷한 효과를 낼 수 있습니다.

4 [Composition] 패널에서 [Advanced Lightning] 효과로 생긴 2개의 점을 다음과 같은 위치로 옮겨 번개 모양을 만듭니다.

TIP
위쪽에 보이는 점은 번개가 시작되는 점이고, 아래에 보이는 점은 번개가 끝나는 점입니다. 점의 위치는 각자 원하는 자리에 배치해도 됩니다.

5 [Effect Controls] 패널에서 [Advanced Lightning] 옵션을 다음과 같이 설정하여 번개를 좀 더 현실적인 느낌으로 변형합니다.

· [Conductivity State] : 1.4
· [Glow Settings] > [Glow Radius] : 20
· [Glow Settings] > [Glow Color] : 흰색
· [Turbulence] : 1.25
· [Forking] : 10%
· [Decay] : 0.35

6 이제 번개가 하늘에서 순간적으로 치는 애니메이션을 만들어 보겠습니다. [Current Time Indicator]를 0:00:01:20 위치로 옮기고, [Effect Controls] 패널에서 [Advanced Lightning]의 [Conductivity State] > [Time-Vary stop watch](⏱)를 클릭하여 활성화합니다.

TIP
[Conductivity State]는 번개의 확산과 모양을 바꾸는 옵션입니다.

7 [Current Time Indicator]를 0:00:01:23
위치로 옮기고, [Conductivity State]를 '3.4'
로 설정합니다. 재생하여 번개의 모션을 확인
해 봅니다.

TIP

[Conductivity State]로 번개의 모양을 순간적으로 변형
하여 번개가 치는 느낌을 주는 것입니다.

8 다음으로 투명도를 조절하여 번개가 보이는 구간을 설정해 보겠습니다. [Current Time Indicator]를 0:00:01:20 위치
로 옮깁니다. '번개' 레이어 [Opacity] > [Time-Vary stop watch](🕑)를 클릭하여 활성화하고 '0%', 0:00:01:21 위치에서
'100%'로 설정합니다.

9 [Current Time Indicator]를 0:00:01:27 위치로 옮긴 후, 왼쪽의 0:00:01:21에 있는 키프레임을 선택하고, Ctrl + C,
Ctrl + V 를 눌러 복사하고 붙여넣습니다. [Current Time Indicator]를 0:00:02:15 위치로 옮기고 '0%'로 설정한 후 모션
을 확인합니다.

10 다음으로 번개 효과를 강조하기 위해서 번개가 칠 때 영상의 밝기를 조절해 보겠습니다. [Timeline] 패널의 '바다.mp4' 레이어를 선택하고, [Effect] > [Stylize] > [Glow] 메뉴를 클릭합니다.

TIP
[Glow]는 영상의 색상이 바뀌는 부분을 밝게 만듭니다. 영상 자체의 밝기를 조절하는 것과는 다릅니다. .

11 [Effect Controls] 패널에 [Glow] 옵션이 보이면 다음과 같이 입력합니다.

· [Glow Threshold] : 43%
· [Glow Radius] : 0
· [Glow Intensity] : 0

12 [Timeline] 패널의 '바다.mp4' 레이어를 클릭해 연 후 [Current Time Indicator]를 0:00:01:20 위치로 옮기고, [Glow]의 [Glow Intensity] > [Time–Vary stop watch](⏱)를 클릭하여 활성화합니다. 0:00:01:21 위치에서 '0.1'로 설정합니다.

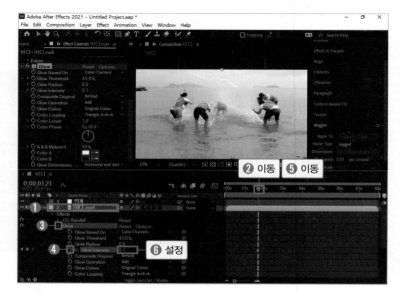

13 시간대별로 [Glow Intensity]를 다음과 같이 입력합니다.

- 0:00:01:22 지점 : 0
- 0:00:01:23 지점 : 0.1
- 0:00:01:25 지점 : 0

14 제공된 배경음악 및 효과음 파일을 불러오기 위해서 [File] > [Import] > [File](Ctrl + I) 메뉴를 클릭하고, 'Fx, BGM.mp3' 파일을 찾아 선택한 후 [Import] 버튼을 클릭합니다. 2개의 파일을 [Timeline] 패널로 드래그하여 천둥소리, 빗소리 효과음을 넣습니다.

15 비 번개, 천둥 특수 효과를 완성했습니다. [Composition] > [Add to Adobe Media Encoder Queue] 메뉴를 클릭하여 영상 파일로 만든 후, 파일을 찾아 확인합니다.

04

SECTION

연기와 불 특수 효과 테크닉

핵심 내용
본 예제는 쇼 프로그램이나 어린이 SF 영화에서 자주 등장하는 불과 연기의 특수 효과입니다. 다양한 특수 효과 중 Extract, Mask, Wiggler를 소개하겠습니다.

핵심 기능
Alpha Mov + Extract + Mask + Wiggler

STORYBOARD

대한민국창업대전 '산업자원부장관상' 프레젠테이션 중 일부분

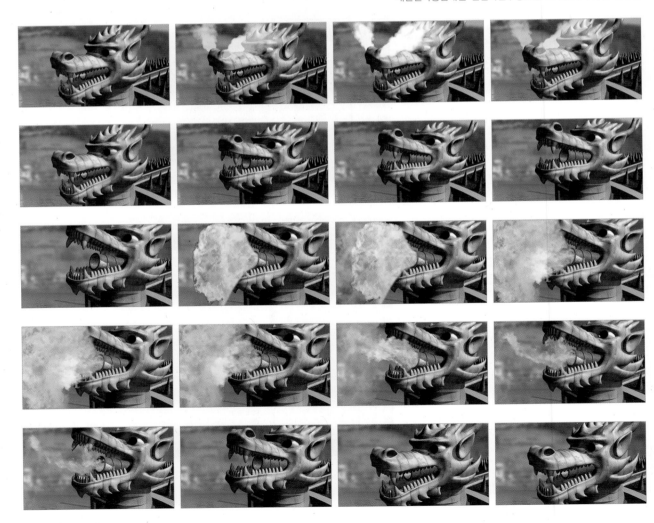

01 연기 합성 특수 효과 테크닉 Alpha Mov

준비 파일 : Part 03 > Chapter 05 > Section 04 폴더 파일 **완성 파일** : Part 03 > Chapter 05 > Section 04 > 연기와 불 특수효과 테크닉 완성.mp4

1 제공된 배경 영상 파일을 불러오기 위해서 [File] > [Import] > [File]([Ctrl]+[I]) 메뉴를 클릭합니다. [Import File] 대화상자가 열리면 '배경.mp4' 파일을 선택하고, [Import] 버튼을 클릭하여 파일을 불러옵니다. [Project] 패널의 '배경.mp4' 푸티지를 마우스 오른쪽 버튼으로 클릭한 후 [New Comp from Selection]을 선택합니다. 재생하여 영상을 확인합니다.

TIP
[New Comp from Selection]은 컴포지션을 만들 때 복잡한 설정이 필요 없이 선택한 파일의 해상도, 프레임, 재생 길이와 같은 옵션으로 자동 생성됩니다.

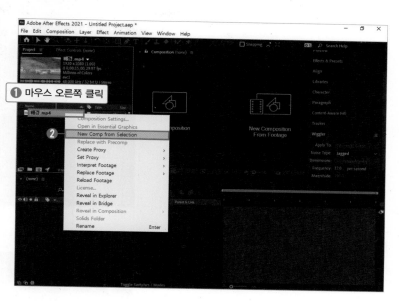

2 제공된 거북선 이미지들을 불러오기 위해서 [File] > [Import] > [File]([Ctrl]+[I]) 메뉴를 클릭합니다. [Import File] 대화상자가 열리면 첫 번째 파일 'Turtle Ship_000.png' 파일을 선택하고, [Sequence Options]의 [PNG Sequence]를 체크한 후 [Import] 버튼을 클릭합니다.

TIP
시퀀스 이미지는 영상을 연속된 이미지로 저장한 것입니다. 여러 개의 이미지가 순차적으로 재생되어 영상처럼 작동합니다. 보통 3D 프로그램에서 원본 화질의 보존을 위해서 영상 포맷으로 압축하지 않고 낱장의 이미지들로 저장할 때 사용됩니다.

3 [Project] 패널의 'Turtle Ship_[000-449].png' 푸티지를 [Timeline] 패널의 1번 위치로 드래그한 후 [Position]을 '1020, 540'으로 설정합니다.

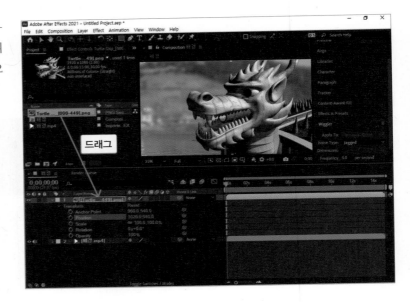

4 거북선의 코에서 연기가 나오는 영상을 합성하기 위해 [File] > [Import] > [File](Ctrl +I) 메뉴를 클릭하고, '연기.mov' 파일을 불러와 [Timeline] 패널의 1번 위치로 드래그하여 배치합니다.

TIP
제공된 연기 영상은 Alpha 투명도가 적용된 MOV 포맷의 영상이기 때문에 배경이 제거되어 바로 합성에 사용할 수 있습니다.

5 [Timeline] 패널에서 '연기.mov' 레이어를 열고, 크기와 위치, 회전 각도를 조절하여 다음과 같이 거북선의 코에서 연기가 나오도록 배치합니다.

• [Position] : 1000, 216
• [Scale] : 90, 90%
• [Rotation] : 60

TIP
위에서 제시한 값과 완벽하게 같지 않아도 됩니다. 각자 화면을 보면서 어울리는 배치 위치, 각도, 크기를 설정하기 바랍니다.

6 연기가 시작되는 지점을 설정하기 위해서 [Current Time Indicator]를 0:00:01:00 위치로 옮긴 후, '연기.mov' 레이어
가 선택된 상태에서 ⌶를 눌러 [Current Time Indicator] 뒤로 옮깁니다.

7 연기가 자연스럽게 나왔다가 사라지도록
투명도를 적용해 보겠습니다. [Current Time
Indicator]가 0:00:01:00에서 '연기.mov' 레
이어를 열어 [Opacity] > [Time-Vary stop
watch](🕐)를 클릭해 활성화합니다. '0%'
로 설정하고 0:00:01:02 위치에서 '100%',
0:00:01:10 위치도 '100%', 0:00:01:15 위치는
'0%'로 설정합니다.

8 반대편 콧구멍에도 연기 효과를 넣기 위해서 복사하여 배치해 보겠습니다. '연기.mov' 레이어를 선택하고 Ctrl+D를
눌러 레이어를 복사합니다. 복사된 연기 레이어는 거북선보다 순서상 아래쪽에 위치해야 하므로 [Timeline] 패널에서 복
사된 '연기.mov' 레이어를 드래그하여 위치를 'Turtle Ship_[000-449].png' 레이어 아래로 옮깁니다.

9 [Current Time Indicator]를 연기가 보이는 지점인 0:00:01:02 위치로 옮긴 후, 뒤쪽 연기의 크기와 위치, 회전 각도를 조절합니다.

• [Position] : 388, 140
• [Scale] : 60, 60%
• [Rotation] : −20°

10 연기 효과에 어울리는 효과음을 넣기 위해서 [File] > [Import] > [File](Ctrl+I) 메뉴를 클릭하고, 'Fx 01.wav' 파일을 불러와 [Timeline] 패널로 드래그합니다. 연기가 나오는 지점과 맞추기 위해서 [Current Time Indicator]를 0:00:01:00 위치로 옮기고 단축키 I를 눌러 [Current Time Indicator] 뒤에 맞춥니다. 재생하여 연기 합성 효과를 확인합니다.

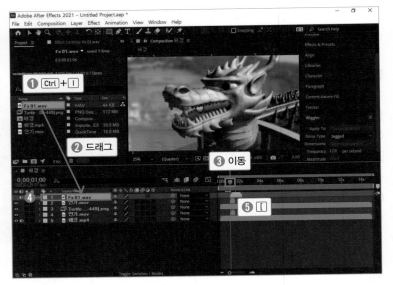

1 다음으로 불을 거북에 합성해 보겠습니다. 합성을 위해 기존 레이어를 하나의 컴포지션으로 합쳐야 합니다. [Timeline] 패널에서 모든 레이어를 선택하고, [Layer] > [Pre-compose] 메뉴를 클릭하여 [Pre-compose] 대화상자가 열리면 [New composition name]에 '거북선'을 입력하고 [OK] 버튼을 클릭합니다.

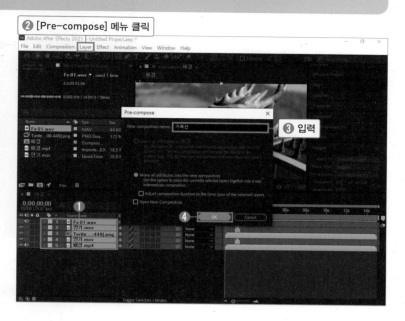

2 우선 거북선이 불을 쏠 때의 반동 모션을 표현하기 위해서 [Current Time Indicator]를 0:00:04:15 위치로 옮긴 후 '거북선' 레이어를 클릭해 열고, [Position]과 [Scale]의 [Time-Vary stop watch](◉)를 클릭해 활성화합니다. [Current Time Indicator]를 0:00:04:25 위치로 옮기고, 다음과 같이 설정합니다.

• [Position] : 1021, 540
• [Scale] : 115, 115%

3 [Current Time Indicator]를 0:00:06:15 위치로 옮긴 후 왼쪽 0:00:04:25에 있는 [Position]의 키프레임을 선택하고 Ctrl+C, Ctrl+V를 눌러 복사합니다.

4 이어서 [Position]을 다음과 같이 설정하여 반동 모션을 만듭니다.

- 0:00:07:15 지점 : 1050, 540
- 0:00:09:10 지점 : 960, 540

TIP

거북선의 입에서 불을 쏘는 순간 거북선이 뒤로 밀렸다가 다시 천천히 제자리로 돌아오는 모션을 표현한 것입니다. 제시한 숫자를 그대로 입력하기보다 자신의 창의력을 발휘하여 모션을 만들어 보기 바랍니다.

5 반동 모션에 불규칙한 떨림을 추가하기 위해서 [Position]의 0:00:04:15와 0:00:06:15의 키프레임을 선택한 후 [Window] > [Wiggler] 메뉴를 클릭합니다.

TIP

여러 개의 키프레임을 선택하기 위해서는 Shift 를 누른 채 하나씩 선택합니다.

6 [Wiggler] 패널이 열리면 다음과 같이 설정하고, [Apply] 버튼을 클릭합니다.

- [Noise Type] : Jagged
- [Frequency] : 15
- [Magnitude] : 20

TIP

[Noise Type]의 Jagged 옵션은 흔들림을 조금 더 랜덤하게 바꿔서 격한 움직임을 만들어 냅니다. [Frequency]는 흔들림을 주는 주기로 값을 크게 설정할수록 빠른 흔들림을 만들 수 있고 [Magnitude] 흔들림의 범위를 의미합니다.

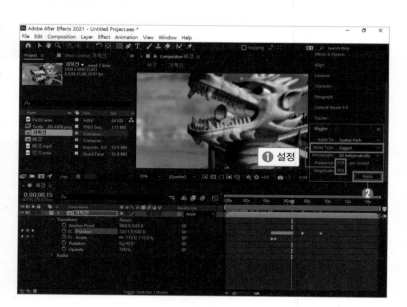

7 거북선이 움직일 때 포효하는 효과음을 넣어보겠습니다. [File] > [Import] > [File]([Ctrl]+[I]) 메뉴를 클릭하고 'Fx 02.wav' 파일을 불러와 [Timeline] 패널로 드래그합니다. 연기가 나오는 지점과 맞추기 위해서 [Current Time Indicator]를 0:00:04:10 위치로 옮기고, 단축키 [I]를 눌러 [Current Time Indicator] 뒤에 맞춥니다.

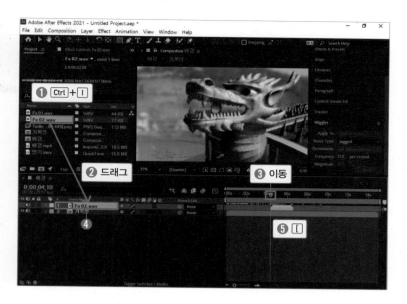

8 다음으로 거북선의 입에 불을 합성해 보겠습니다. [File] > [Import] > [File]([Ctrl]+[I]) 메뉴를 클릭하고, '화염.mp4' 영상 파일을 불러와 [Timeline] 패널의 1번 레이어 위치로 드래그합니다. 영상 소스의 검은색 배경을 지우기 위해서 레이어가 선택된 상태에서 [Effect] > [Keying] > [Extract] 메뉴를 클릭합니다.

TIP

'화염.mp4' 파일은 앞서 연기와는 다르게 Alpha 투명도가 적용되어 있지 않습니다. 때문에 [Extract] 기능으로 영상에서 배경색을 제거하여 투명하게 만들어야 합성이 가능해집니다.

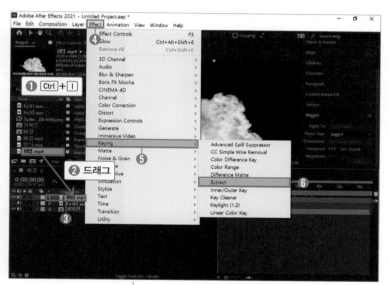

9 [Effect Controls] 패널에 [Extract] 옵션이 보이면 다음과 같이 설정하여 배경을 제거합니다.

• [Black Point] : 45
• [Black Softness] : 10

TIP

[Black Point]는 검은색 배경을 투명하게 하는 옵션으로 값을 크게 할수록 검은색과 가까운 색들을 모두 투명하게 만듭니다.

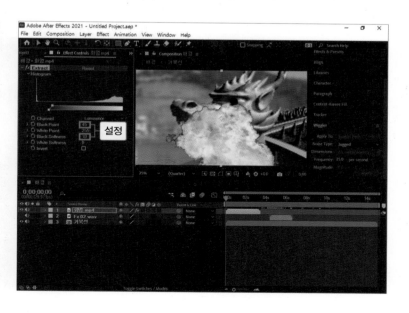

10 화염 영상을 거북선의 입의 위치에 맞게 맞추기 위해서 [Current Time Indicator]를 0:00:06:15 위치로 옮기고, '화염.mp4' 레이어가 선택된 상태에서 [I]를 눌러 [Current Time Indicator] 뒤로 옮기고 레이어를 클릭한 후 다음과 같이 설정합니다.

• [Position] : 474, 439
• [Rotation] : 74˚

11 화염 영상을 입의 모양에 맞게 잘라내기 위해서 [Timeline] 패널의 '화염.mp4' 레이어가 선택된 상태에서, [Tools] 패널의 [Pen Tool](✏)을 클릭합니다. [Composition] 패널을 마우스 휠로 축소하고 다음과 같은 모양으로 마스크를 그립니다.

TIP
레이어에 마스크를 그리기 위해서는 반드시 해당 레이어를 선택한 상태에서 선을 그려야 합니다.

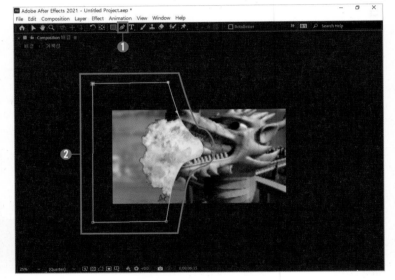

12 화염 영상과 거북선 입의 경계 부분을 좀 더 자연스럽게 합성해 보겠습니다. '화염.mp4' 레이어를 열고 [Mask 1] > [Mask Feather]를 '10, 10'으로 설정합니다. 위치 이동 모션을 주기 위해서 [Mask Path] > [Time-Vary stop watch](🕓)를 클릭하여 활성화합니다.

TIP
[Mask Path]에 모션을 주면 선 자체가 움직이거나 변형되는 것을 애니메이션으로 표현할 수 있습니다.

13 [Current Time Indicator]를 0:00:07:15 위치로 옮기고, '화염.mp4' 레이어의 [Mask 1]이 선택된 상태에서 [Tools] 패널의 [Selection Tool](▶)을 이용하여 마스크를 거북선의 대포 입구에 맞춰 옮깁니다. 같은 방법으로 [Current Time Indicator]를 0:00:09:09 위치로 옮기고, 마스크를 선을 거북선의 대포 입구에 맞게 다음과 같은 위치로 옮깁니다.

TIP

[Mask 1]이 선택되어 있지 않은 경우, 선 전체가 아닌 일부분만 움직일 수 있으므로 주의합니다.

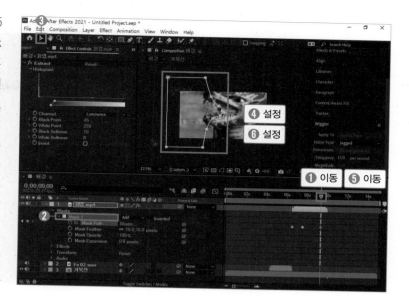

14 화염 영상을 여러 번 반복하기 위해서 '화염.mp4' 레이어가 선택된 상태에서 Ctrl+D를 눌러 레이어를 복사한 후 [Current Time Indicator]를 0:00:07:15 위치로 옮기고, [를 눌러 [Current Time Indicator] 뒤에 맞춥니다. Ctrl+D 를 눌러 한 번 더 레이어를 복사한 후 [Current Time Indicator]를 0:00:08:15 위치로 옮기고, [를 눌러 [Current Time Indicator] 뒤에 맞춥니다.

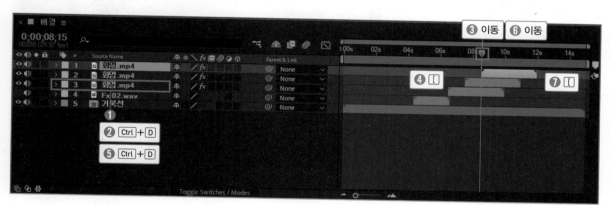

15 복사한 '화염.mp4' 레이어 2개의 [Mode]를 'Lighten'으로 설정하여 자연스럽게 합성합니다.

TIP

• [Mode]가 보이지 않는 경우, [Timeline] 패널 상단의 아이콘을 마우스 오른쪽 버튼으로 클릭한 후 [Columns] > [Mode]의 체크 표시가 활성화되어 있는지 확인합니다.
• [Mode]를 'Lighten'으로 설정할 경우, 아래쪽 레이어와 밝은 부분만 합성하여 더욱 밝게 표현합니다.

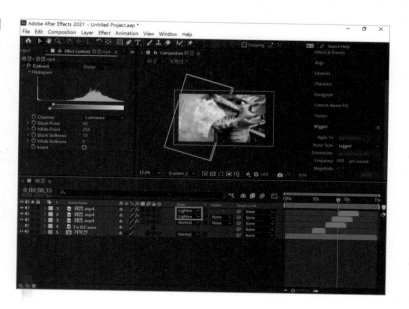

16 화염 영상에 맞는 효과음을 넣기 위해서 [File] > [Import] > [File](Ctrl+I) 메뉴를 클릭하고 'Fx 03.wav' 파일을 불러와 [Time-line] 패널로 드래그합니다. 연기가 나오는 지점과 맞추기 위해서 [Current Time Indicator]를 0:00:06:15 위치로 옮기고, 단축키 [[]를 눌러 [Current Time Indicator] 뒤에 맞춥니다.

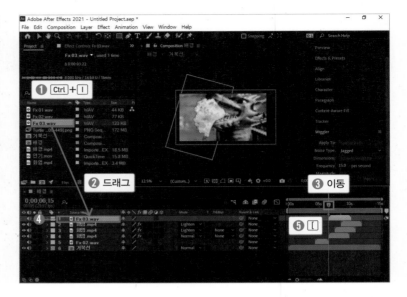

17 거북선에 맞춰 연기와 불 영상을 합성하여 특수 효과를 완성했습니다. [Composition] > [Add to Adobe Media Encoder Queue] 메뉴를 클릭하여 영상 파일로 만든 후, 파일을 찾아 확인합니다.

TIP

합성용 무료 소스 구하기

합성에 사용할 수 있는 무료 영상 소스는 생각보다 쉽게 구할 수 있습니다. 유튜브에서 '그린 스크린'만 검색해도 합성용 영상을 쉽게 찾고 다운받을 수 있습니다. 유튜브에서 영상을 다운받을 방법은 책의 프리미어 프로 파트를 참고하시기 바랍니다. 유튜브 외에도 구글 검색에 다음과 같은 사이트 이름을 검색하여 무료 소스를 구할 수 있습니다. 1. Pixabay, 2. Pexels, 3. Stock Footage for free 등과 같은 사이트가 매우 많으므로 잘 활용하면 영상을 만드는 데 필요한 촬영 소스를 쉽게 구할 수 있습니다.

무료 소스는 상업적으로 무료인 경우도 있으나, 사용 목적과 범위에 따라 저작권에 위배되는 경우도 있음으로 각자 라이센스 범위를 확인하여 사용하는 것이 좋습니다.

05

눈과 구름 특수 효과 테크닉

핵심 내용

애프터 이펙트에서 제공하는 기본 효과는 다양하고 여러 가지 특수 효과를 만들 수 있습니다. 하나의 사례로 CC Snowfall과 Fractal Noise를 조합하여 눈과 구름의 특수 효과를 만드는 방법에 관해 설명하겠습니다.

핵심 기능

CC Snowfall + Fractal Noise

STORYBOARD

DDL 포럼 프레젠테이션 작품 중 일부분

준비 파일 : Part 03 > Chapter 05 > Section 05 폴더 파일   완성 파일 : Part 03 > Chapter 05 > Section 05 > 카메라 줌인 줌아웃 특수효과 테크닉 완성.mp4

1 제공된 배경 영상 파일을 불러오기 위해서 [File] > [Import] > [File]([Ctrl]+[I]) 메뉴를 클릭합니다. [Import File] 대화상자가 열리면 '배경.mp4' 파일을 선택하고 [Import] 버튼을 클릭하여 파일을 불러옵니다. [Project] 패널 의 '배경.mp4' 푸티지를 마우스 오른쪽 버튼 으로 클릭한 후 [New Comp from Selec-tion]을 선택합니다. 재생하여 영상을 확인합니다.

TIP
[New Comp from Selection]은 컴포지션을 만들 때 복잡한 설정이 필요 없이 선택한 파일의 해상도, 프레임, 재생 길이와 같은 옵션으로 자동 생성됩니다.

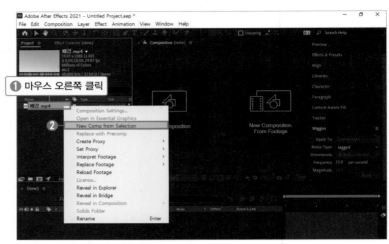

2 이제 배경 영상에 눈 효과를 만들어 보겠습니다. [Timeline] 패널의 '배경.mp4' 레이어 가 선택된 상태에서 효과를 적용하기 위해서 [Effect] > [Simulation] > [CC Snowfall] 메뉴를 클릭합니다. 효과를 적용 후 재생하여 눈이 내리는지 확인합니다. 현재는 눈 입자의 크기가 작아 잘 보이지 않습니다.

TIP
[CC Snowfall]은 입자 시스템 효과의 일종으로 눈과 눈보라 등의 효과 제작에 사용됩니다.

3 이제부터 [CC Snowfall] 옵션을 하나씩 조절하여 눈 내리는 효과를 실제와 비슷하도록 수정해 보겠습니다. 먼저 눈의 크기와 투명도를 조절하기 위해서 옵션을 다음과 같이 수정합니다.

- [Size] : 8
- [Variation] : 50
- [Opacity] : 100
- [Background Illumination] > [Influence] : 0

TIP
[Size]는 눈 입자의 크기를 조절하는 것입니다. [Opacity] 와 [Influence]는 눈의 투명도에 관련된 옵션입니다. 배경과 어울리기 위해서는 적당한 값으로 입력해야 하지만 눈의 효과를 좀 더 잘 보이게 하려고 100% 불투명도를 적용했습니다.

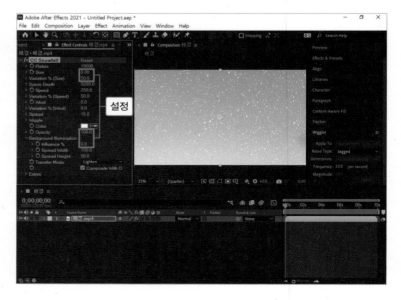

4 다음으로 [CC Snowfall]의 공간감과 눈
내리는 속도, 바람 등의 옵션을 다음과 같이
수정합니다.

· [Scene Depth] : 8000
· [Speed] : 500
· [Variation] : 50
· [Wind] : 200
· [Variation] : 50

TIP

· [Scene Depth]는 공간감을 조정하는 옵션이며,
[Speed]는 눈 내리는 속도, [Wind]는 바람에 흘날리는
눈의 모습을 표현할 수 있습니다. [Wind]에 마이너스 값
을 입력할 경우, 바람이 반대 방향으로 부는 것도 표현
가능합니다.
· [Variation]은 각 옵션의 적용을 비교적 랜덤하게 만듭
니다.

5 다음으로 [CC Snowfall]에서 눈의 불규칙
한 움직임을 추가해 봅니다.

· [Wiggle] > [Amount] : 80
· [Variation] : 50

TIP

[Wiggle]에 있는 옵션은 입자에 떨림을 주는 기능으로써,
떨림의 정도, 범위, 주기 등을 자세하게 설정할 수 있습니
다.

6 마지막으로 눈을 좀 더 현실적으로 보이게
하려고 내리는 동안 눈이 사라지는 기능과 앞
서 조절한 투명도를 다시 수정해 보겠습니다.
이제 모든 옵션 적용이 마무리되었습니다. 재
생하여 눈 효과를 확인합니다.

· [Extras] > [Ground Level] : 60
· [Opacity] : 80
· [Background Illumination] > [Influence] : 40

TIP

· [Ground Level]은 위에서 아래로 갈수록 눈이 줄어들
거나 사라지는 옵션입니다.
· 각 옵션은 모두 애니메이션 적용이 가능합니다. 창의력
을 발휘하여 시간에 따라 눈 내리는 모습이 변하도록 만
들어보기 바랍니다.

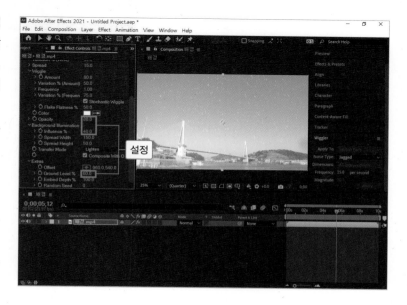

1 다음으로 구름 효과를 추가해 보겠습니다. 효과를 적용하기 위해 단색 레이어를 하나 생성하겠습니다. [Layer] > [New] > [Solid] 메뉴를 클릭하여 [Name]은 '구름', [Color]는 '검은색'으로 설정하고 [OK] 버튼을 클릭하여 단색 레이어를 만듭니다.

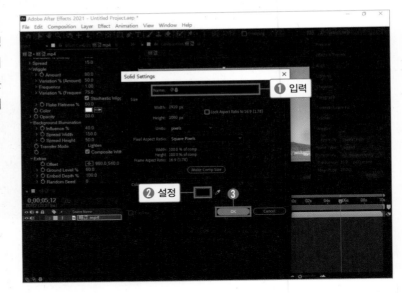

2 '구름' 레이어가 선택된 상태에서 효과를 적용하기 위해서 [Effect] > [Noise & Grain] > [Fractal Noise] 메뉴를 클릭합니다.

TIP
[Fractal Noise]는 불규칙한 모양을 생성하는 효과로써, 구름을 비롯하여 다양한 합성에 사용됩니다.

3 [Effect Controls] 패널에 [Fractal Noise] 옵션이 보이면 [Contrast]는 '120', [Brightness]는 '–12'로 설정합니다.

TIP

위와 같이 옵션을 조절하여 노이즈를 좀 더 선명하고 밝게 수정했습니다.

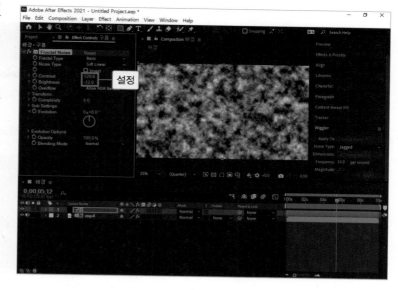

4 '구름' 레이어에서 [Mode]의 'Normal'을 'Screen'으로 설정하여 아래 영상과 자연스럽게 합성합니다.

TIP

• [Mode]는 블렌딩 모드를 말합니다. 아래 레이어와 색상, 명도 등을 기준으로 합성하는 기능으로써 'Screen'은 어두운 부분은 삭제하고 밝은 색상만 남겨 합성합니다.
• [Motion Blur] 아이콘이 보이지 않는 경우, [Timeline] 패널 상단의 아이콘에서 마우스 오른쪽 버튼을 클릭한 후 [Columns] > [Switches]의 체크 표시가 활성화되어 있는지 확인합니다.

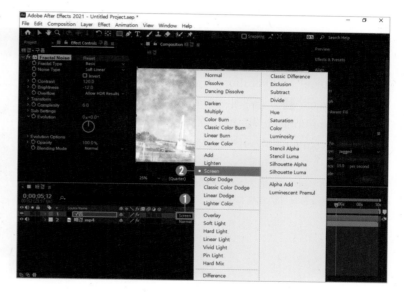

5 구름의 아랫부분을 삭제하기 위해서 [Timeline] 패널의 '구름' 레이어가 선택된 상태에서 [Tools] 패널의 [Rectangle Tool](▭)을 클릭합니다. [Composition] 패널에 다음과 같은 위치와 모양으로 마스크를 그립니다.

TIP

마스크는 일정 부분만 보이게 하고 나머지는 가려서 보이지 않게 하는 기능입니다. 마스크 도형을 그릴 때는 반드시 해당 레이어를 선택한 채 진행해야 합니다.

6 마스크의 경계 부분을 부드럽게 만들기 위해서 '구름' 레이어를 열고, [Mask 1] > [Mask Feather]를 '590, 590' 정도로 설정합니다.

TIP
[Mask Feather]를 높게 설정할수록 경계 부분이 자연스럽게 연결됩니다.

7 구름이 움직이는 모션을 만들기 위해서 [Current Time Indicator]가 0:00:00:00 위치에 있음을 확인한 , '구름' 레이어를 열고, [Fractal Noise] > [Evolution] > [Time-Vary stop watch](⊙)를 클릭해 활성화합니다. [Current Time Indicator]를 0:00:09:29 위치로 옮기고 [Evolution]을 '2x+0'로 설정합니다.

TIP
[Evolution]을 수정하여 구름이 생성되는 변수를 조정함으로써 움직이는 듯한 느낌을 줄 수 있습니다.

8 배경 영상의 움직임에 어울리도록 구름에 위치 이동 모션을 주기 위해서 [Current Time Indicator]를 0:00:00:00 위치로 이동하고, '구름' 레이어 [Position] > [Time-Vary stop watch](⊙)를 클릭해 활성화합니다. [Current Time Indicator]를 0:00:06:00 위치로 옮기고, [Position]을 '960, -260'으로 설정합니다.

9 마지막으로 제공된 효과음 파일을 불러오기 위해서 [File] > [Import] > [File]([Ctrl]+[I]) 메뉴를 클릭합니다. [Import File] 대화상자가 열리면 'Fx.wav' 파일을 선택하고, [Import] 버튼을 클릭하여 파일을 불러온 후 [Timeline] 패널로 드래그하여 배경음악을 넣습니다.

10 가상의 카메라를 만들고 줌인 줌아웃 모션 효과를 완성했습니다. [Composition] > [Add to Adobe Media Encoder Queue] 메뉴를 클릭하여 영상 파일로 만든 후, 파일을 찾아 확인합니다.

TIP

애프터 이펙트 자연 효과를 위한 파티클

애프터 이펙트에서 날씨를 구현하기 위한 효과는 여러 가지가 있지만 범용으로 사용하려면 [Particle Systems II]를 알아두는 것이 좋습니다. 애프터 이펙트에 기본적으로 설치가 되어 있으면서도 매우 강력한 효과를 만들 수 있기 때문입니다. 외부 플러그인으로는 대표적으로 Trapcode사의 파티클 시스템 플러그인도 있지만, 유료로 사용해야 한다는 단점이 있습니다.

파티클 효과를 이용하면 눈과 비가 내리는 효과, 잎이 떨어지는 효과 등을 만들 수 있습니다. 또한 응용만 한다면 로고 애니메이션, 텍스트, 제품 디자인 홍보영상 등의 다양한 곳에 사용할 수 있습니다.

01 가장 많이 사용하는 애프터 이펙트 핵심 기능

애프터 이펙트에서 애니메이션과 효과 적용을 위한 핵심 기능만 엄선하여 소개합니다. 키프레임 애니메이션, 레이어 링크, 가속도, 모션 블러, 모션 트래킹, 크로마키 합성 등에 관하여 알아보겠습니다.

01 키프레임 애니메이션

❶ **편집 소스 넣기** : 키프레임 애니메이션의 첫걸음은 편집할 소스 파일을 불러와 배치하는 것입니다.

- **푸티지(Footage)** : [Project] 패널로 불러오는 이미지, 영상, 사운드 등 소스 파일을 '푸티지'라고 합니다.
- **레이어(Layer)** : 푸티지가 작업 창인 컴포지션으로 들어오면 [Timeline] 패널에서는 '레이어'라고 합니다.

❶ [Project] 패널의 푸티지   ❶ [Timeline] 패널의 레이어

❷ **키프레임 기준점 정하기** : 키프레임 애니메이션은 기준점(0:00:00:00→시:분:초:프레임)을 정하는 것으로 시작됩니다.

- **[Current Time Indicator]** : 키프레임의 기준점으로써 [Timeline] 패널에 있는 수직선을 말합니다.
- **[Playhead Position]** : (0:00:00:00→시:분:초:프레임)으로 표시되며 기준점을 숫자로 변경할 수 있습니다.

❸ **키프레임 종류 설정하기** : 애니메이션을 적용할 옵션을 설정합니다. 기본 옵션은 다음과 같습니다.

- **[Anchor Point]** : 푸티지의 중심점을 말합니다. 주로 회전의 중심점을 변경할 때 사용합니다.
- **[Position]** : 푸티지의 위치 이동 애니메이션에 사용합니다.
- **[Scale]** : 크기 조절 애니메이션에 사용합니다.
- **[Rotation]** : 푸티지의 회전 애니메이션에 사용합니다. Anchor Point와 조합하여 사용합니다.
- **[Opacity]** : 푸티지의 투명도를 이용하여 애니메이션합니다. 주로 화면전환 용도로 사용합니다.

❷, ❸ 키프레임 애니메이션 기본 옵션

❹ **키프레임 만들기** : 기준점이 있는 곳에 키프레임을 만듭니다. 키프레임 애니메이션을 하기 위해서는 최소 2개 이상의 키프레임이 필요합니다.

- **[Time-Vary stop watch]** : 트랜스폼의 각 옵션에 있는 스톱워치 모양의 아이콘을 말하여 키프레임을 생성할 때 사용합니다.
- **값 조절하기** : 두 개 이상의 키프레임을 만들고, 각 키프레임에 각각 다른 값을 입력합니다.
- **키프레임 애니메이션 확인하기** : 키프레임 사이의 변수는 컴퓨터에 의해 자동으로 계산됩니다.

❹ Position 키프레임 애니메이션

02 레이어 링크

레이어 간의 종속 관계를 지정합니다. 하나의 레이어가 다른 레이어의 모든 모션을 따라가는 기능입니다. 단, Opacity 모션은 각각 따로 적용됩니다.

❶ **레이어 배치하기** : 레이어 링크를 하기 위해서는 먼저 레이어를 배치해야 합니다.
- **[Timeline] 패널에 레이어 배치하기** : 최소 두 개 이상의 레이어를 [Timeline] 패널에 배치합니다.
- **[Composition] 패널에서 위치 설정하기** : 링크를 하기 전 정확한 위치를 설정해야 합니다.

❷ **레이어 연결하기** : 두 개의 레이어를 연결하여 하나의 레이어만 움직여도 다른 하나의 레이어가 자동으로 움직임을 따라가도록 설정합니다.
- **[Parent]** : 두 개의 레이어 중 하나를 Parent로 선택하고, 다른 하나를 Parent에 연결하여 줍니다.
- **애니메이션 확인하기** : 두 개의 레이어 중 Parent를 움직이면 연결된 다른 하나의 레이어는 자동으로 Parent의 움직임을 따라가게 됩니다. 하지만 Parent가 아닌 레이어를 움직이면 Parent는 따라가지 않습니다.

레이어 링크를 이용한 회전 키프레임 애니메이션

03 가속도

현실의 물리학 법칙에 따른 애니메이션 효과를 내기 위해서 가속도 효과를 추가합니다.

❶ **[Keyframe Assistant] 조절하기** : 모션 속도를 점점 빠르게 하거나 느리게 조절하는 '가속도' 옵션입니다.
- **[Easy Ease]** : 키프레임에서 느리게 출발했다 점점 빨라지고 끝나는 지점에서 다시 속도가 느려집니다
- **[Easy Ease In]** : 모션 속도가 점점 느려집니다.
- **[Easy Ease Out]** : 모션 속도가 점점 빨라집니다.

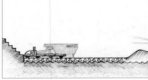

속도 느림 - ▶ 속도 점차 빨라짐

Position 키프레임 애니메이션 가속도 조절

❷ **[Graph Editor] 수정하기** : 가속도를 시각적으로 확인하면서 수정합니다.
- **직선 그래프** : 속도가 일정하다는 의미로 가속도가 0입니다.
- **곡선 그래프** : 속도가 빨라지거나 느려집니다. 애니메이션이 자연스러워집니다.

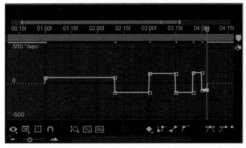

Graph Editor 수정하기

가속도 적용 전   가속도 적용 후

Graph Editor 가속도 수정 회전 애니메이션

04 모션 블러

움직임 애니메이션에 잔상 효과를 추가합니다. 속도가 빠를수록 잔상은 심해집니다.

- **[Motion Blur]** : 선택한 레이어에 블러 효과를 적용합니다.
- **[Enables Motion Blur for all layers with the Enables Motion switch set]** : 모션 블러가 적용된 레이어 효과를 화면에 표시합니다.

가속도 적용 전

모션 블러

가속도 적용 후

05 모션 트래킹

모션 트래킹이란 영상에서 지정된 피사체의 움직임을 추적하여 기록하는 기능입니다.

❶ **움직임 추적하기** : 영상에서 움직이는 물체의 동선을 추적하여 기록합니다.
- **[Track Motion]** : [Tracker] 패널에서 피사체의 움직임을 추적하는 기능입니다.
- **[Track Point]** : 움직이는 물체의 크기에 따라 박스를 조절하여 배치합니다.
- **[Analyze forward]** : [Track Point]가 피사체를 따라가며 움직임을 컴퓨터에 기록합니다.

❷ **움직임 적용하기** : 기록된 내용을 다른 레이어에 적용하여 피사체를 따라서 움직이게 합니다.
- **[Edit Target]** : 피사체를 따라서 움직일 다른 레이어(문자, 이미지 등)를 지정합니다.
- **[Apply Motion To]** : 기록한 내용을 지정된 레이어에 적용합니다.

모션 트래킹 애니메이션

배경이 녹색 또는, 파란색으로 촬영된 영상에서 자동으로 색상을 추출하여 투명으로 만들고, 여기에 다른 배경을 합성하는 것을 말합니다.

❶ **배경 투명으로 만들기** : 크로마키 촬영된 영상의 배경을 투명으로 만듭니다.

• **[Keying]** : 애프터 이펙트에서 제공하는 크로마키 기능으로 배경의 녹색 또는, 파란색을 투명으로 만들기 위한 [Effect] 기능입니다.

• **색상 추출** : [Keying] 기능에서 제공하는 옵션으로 배경의 색상을 제거합니다. 한 가지 기능뿐 아니라 다양한 [Keying]을 조합하여 배경을 제거하는 것이 좋습니다.

❷ **합성하기** : 배경에 제거된 영상에 다른 배경을 합성하여 새로운 영상을 만듭니다.

A 배경 이미지

B 크로마키 영상

A+B 크로마키 합성

▶ 유튜브·공모전·선거 영상콘텐츠 제작을 위한

**영상 기획 실무
프리미어 프로
애프터 이펙트
CC**

1판 1쇄 발행 2021년 9월 17일
1판 2쇄 발행 2023년 5월 31일

저　　자 | 김기범, 김경수
발 행 인 | 김길수
발 행 처 | (주)영진닷컴
주　　소 | (우)08507 서울특별시 금천구 가산디지털1로 128
　　　　　 STX-V 타워 4층 401호
등　　록 | 2007. 4. 27. 제16-4189

©2021., 2023. (주)영진닷컴

ISBN | 978-89-314-6561-7

초보자들도 쉽게 따라 하는 '쓱 하고 싹 배우는' 시리즈

큰 그림과 큰 글씨로 누구나 쉽고 재미있게 배울 수 있는 '쓱싹' 시리즈!
책에 담긴 생활 속 예제를 따라 하다 보면
프로그램의 기본 기능을 손쉽게 익힐 수 있습니다.

쓱 하고 싹 배우는
한글 2014
안은진 저 | 152쪽 | 10,000원

쓱 하고 싹 배우는
스마트폰
김재연 저 | 152쪽 | 10,000원

쓱 하고 싹 배우는
윈도우 10&인터넷
송정아 저 | 152쪽 | 10,000원

쓱 하고 싹 배우는
파워디렉터 17
김영미 저 | 152쪽 | 10,000원

쓱 하고 싹 배우는
파워포인트 2013
최홍주 저 | 152쪽 | 10,000원

쓱 하고 싹 배우는
엑셀 2013
최옥주 저 | 152쪽 | 10,000원